Un cœur naufragé

Nora Roberts

Un cœur naufragé

Traduit de l'anglais (États-Unis)
par Joëlle Touati

Titre original
Whiskey Beach

Première publication aux États-Unis par G. P. Putnam's Sons, 2013.

© Nora Roberts, 2013
Tous droits réservés.

© Éditions Michel Lafon, 2014, pour la traduction française
118, avenue Achille-Peretti
CS70024-92521 Neuilly-sur-Seine cedex
www.michel-lafon.com

À mes fils et aux belles-filles qu'ils m'ont données.
Tout vient de là.

La dragonne verte, la lumineuse, l'obscure,
hantée par les serpents, mer.
JAMES ELROY FLECKER

OMBRE

La plupart des hommes mènent une vie de désespoir silencieux.
Ce qu'on appelle résignation n'est autre chose
que du désespoir confirmé.

HENRY DAVID THOREAU

1

À travers le rideau de neige fondue, dans le faisceau intermittent du phare de Whiskey Beach, Bluff House défiait les eaux glaciales et turbulentes de l'Atlantique.

Je durerai aussi longtemps que vous.

Depuis plus de trois siècles, perchée au sommet d'une falaise déchiquetée, l'imposante demeure regardait de haut les vagues se fracasser contre la côte.

Le petit cottage de pierre abritant aujourd'hui outils de bricolage et matériel de jardinage attestait ses modestes origines, la bravoure de ceux qui avaient affronté l'océan pour se forger une vie sur les rivages hostiles d'un nouveau monde. Surplombant cet humble vestige, les façades de calcaire doré, les pignons ouvragés et les vastes terrasses du manoir s'élevaient comme un hymne à la gloire de Bluff House.

Le domaine avait survécu aux tempêtes, à la négligence et au mauvais goût de certains de ses maîtres, aux scandales et aux revers de fortune. Entre ses murs, des générations de Landon avaient poussé leur premier cri et rendu leur dernier souffle, ri et pleuré, conspiré, prospéré, triomphé et langui. Bluff House avait rayonné d'une lueur aussi vive que la lumière du phare balayant le littoral rocheux. Et s'était morfondue dans les ténèbres. Le somptueux manoir régnait là depuis si longtemps, au-dessus de la mer, de l'immense plage et du village de Whiskey Beach, sur la côte nord du Massachusetts, qu'il faisait à présent partie du paysage.

Pour Eli Landon, c'était le dernier refuge, le dernier rempart contre l'horreur dans laquelle sa vie avait basculé au cours des onze derniers mois.

Lui-même se reconnaissait à peine.

La fatigue l'étreignait en permanence telle une femme amoureuse. Les deux heures et demie de routes verglacées, depuis Boston, l'avaient épuisé. Garé devant la vieille demeure familiale, dans le noir, il regardait les flocons s'écraser sur le pare-brise, trop harassé pour descendre de la voiture, prêt à fermer les yeux et à passer la nuit là.

Non, se secoua-t-il, il faudrait être stupide pour dormir dehors quand, à quelques pas seulement, il pouvait s'installer au chaud dans un bon lit douillet. N'ayant pas le courage de sortir ses valises du coffre, il attrapa les deux sacoches posées sur le siège passager, contenant son ordinateur portable et quelques effets de première nécessité.

Une bourrasque lui cingla le visage lorsqu'il claqua la portière derrière lui, mais le vent glacé et hurlant de l'Atlantique dissipa sa léthargie. Les déferlantes se brisaient avec rage contre les rochers, s'abattaient sur le sable dans des grondements féroces. Eli courut jusqu'au portique abritant la double porte sculptée plus d'un siècle auparavant dans du teck importé de Birmanie.

Deux ans, songea-t-il, presque trois, qu'il n'était pas venu là. Trop accaparé par son quotidien, par son travail, par le désastre de son mariage, pour prendre ne serait-ce qu'un week-end afin de rendre visite à sa grand-mère.

Il l'avait emmenée au restaurant, au café, au spectacle, bien sûr, chaque fois qu'elle descendait à Boston. Ils se téléphonaient régulièrement, communiquaient par mails, sur Facebook ou sur Skype. Hester Hawkin Landon approchait peut-être les quatre-vingts ans, mais elle avait toujours embrassé la technologie et l'innovation avec curiosité et enthousiasme. Il n'avait jamais oublié de lui envoyer des fleurs, des cartes de vœux et des cadeaux pour ses anniversaires et pour Noël. Ce qui ne rachetait pas sa désertion. Gran adorait le recevoir chez elle, à Whiskey Beach, dans cette maison qu'elle chérissait par-dessus tout, et il l'avait privée de ce bonheur.

Il trouva la bonne clé, déverrouilla la porte.

La déco du vestibule avait changé. Gran aimait le changement autant qu'elle était attachée aux traditions. Elle avait accroché des nouveaux tableaux aux murs bruns du hall d'entrée – des paysages marins, des scènes champêtres aux couleurs tendres.

Il posa ses sacs et demeura un instant à contempler le majestueux escalier se divisant vers les ailes nord et sud, ses gargouilles grimaçantes, caprice d'un aïeul fantasque.

Avant de monter s'installer dans l'une des nombreuses chambres, il jeta un coup d'œil au « grand salon », ainsi qu'on l'appelait dans la famille, avec ses hautes fenêtres cintrées donnant sur les jardins – splendides, quand l'hiver desserrerait son étau.

La maison était inoccupée depuis plus de deux mois, mais nulle part le moindre grain de poussière. Dans la cheminée incrustée de lapis-lazuli, des bûches n'attendaient pour produire une belle flambée que le craquement d'une allumette. Un bouquet de fleurs fraîches trônait au centre de la table Hepplewhite, l'une des précieuses antiquités que Hester entretenait avec amour. Sur les trois canapés, des coussins savamment arrangés. Le plancher de noyer brillait comme un miroir.

Quelqu'un devait venir faire le ménage, pensa-t-il en se massant le front, sentant poindre un début de migraine. Gran ne lui en avait-elle pas parlé, d'ailleurs ? De cette voisine qui lui donnait un coup de main pour le gros nettoyage et s'occupait de la maison en son absence ? Elle lui en avait parlé, oui. Il n'avait pas oublié. L'information s'était juste momentanément égarée quelque part dans le brouillard qui trop souvent lui obscurcissait les idées.

Maintenant, c'était à lui de s'occuper de Bluff House, d'y maintenir de la vie, comme sa grand-mère le lui avait demandé. D'une pierre deux coups, avait-elle dit ; ainsi, peut-être, reprendrait-il goût à l'existence.

Il ramassa ses sacs, leva la tête vers l'escalier. On l'avait trouvée là, au pied des marches. Une voisine. Celle qui faisait le ménage ? Quelqu'un, en tout cas, Dieu merci, s'était souciée d'elle et l'avait découverte inconsciente, en sang, une épaule fracturée, une hanche cassée, plusieurs côtes fêlées, sévèrement commotionnée.

Personne de la famille ne lui téléphonait quotidiennement et personne, Eli pas plus que les autres, ne se serait inquiété si elle n'avait pas répondu durant deux ou trois jours. Elle aurait pu mourir. Les médecins avaient été épatés par sa capacité de récupération.

Hester Landon, indépendante, indomptable, invincible.

Qui aurait pu succomber à une terrible chute, sans cette voisine – et sans cette volonté de fer.

À présent, elle se rétablissait chez son fils et sa bru, dans l'une des suites de leur grande maison, à Boston, impatiente de recouvrer suffisamment de forces pour retourner à Bluff House. Les parents d'Eli redoutaient qu'elle ne soit plus capable de vivre seule. Lui, en revanche, était persuadé qu'elle serait bientôt en mesure de rentrer chez elle et de retrouver ses habitudes.

Il voulait penser à elle sirotant son Martini du soir sur la terrasse, face à l'océan, désherbant les massifs de son jardin, dressant son chevalet pour peindre des après-midi entiers. Il voulait penser à elle gaillarde et sagace, non brisée et impuissante sur le carrelage.

Hester retrouverait sa maison telle qu'elle l'avait laissée, pleine de vie, et son petit-fils tel qu'elle aimait le voir, un jeune homme dynamique et pétillant. Si cela devait contribuer à sa guérison, il ferait son possible pour exaucer ses vœux.

Ses sacoches sur l'épaule, il gravit l'escalier. Il s'installerait dans la chambre où il dormait toujours quand il venait en visite – même si celles-ci s'étaient de plus en plus espacées. Lindsay détestait Whiskey Beach et Bluff House, si bien que, chaque fois qu'il l'avait amenée dans la vieille demeure familiale, il s'était retrouvé en tampon dans la guerre froide entre sa grand-mère d'une politesse compassée et son épouse ostensiblement sarcastique. Par facilité, il avait donc cessé de venir, sous des prétextes fallacieux. Il le regrettait, à présent, il s'en voulait de n'avoir plus vu sa grand-mère que lorsque celle-ci venait à Boston. Hélas, ce qui était fait était fait, on ne pouvait revenir en arrière.

Un bouquet de fleurs fraîches, là aussi, constata-t-il en entrant dans la chambre aux murs vert amande, ornés de deux des aquarelles de sa grand-mère qu'il avait toujours particulièrement aimées. Il posa ses sacs sur le banc au pied du lit-bateau, se débarrassa de son manteau.

Ici, rien n'avait changé. Le petit bureau sous la fenêtre, la verrière ouvrant sur le balcon, la bergère à oreilles et le repose-pieds tapissé à l'aiguille par la grand-mère de sa grand-mère.

Ici, pour la première fois depuis bien longtemps, il se sentait – presque – chez lui. De l'un de ses sacs, il sortit sa trousse de toilette. Dans la salle de bains, il trouva une pile de serviettes, des petites savonnettes en forme de coquillages, le parfum citronné de la fraîcheur et de la propreté.

Il se déshabilla en évitant de se regarder dans le miroir. Il avait maigri, trop, au cours de l'année qui venait de s'écouler ; il n'aimait pas voir le reflet de ce corps décharné. Il pénétra dans la douche, ouvrit les robinets, espérant que le jet brûlant le délasserait, sachant d'expérience que s'il se couchait abattu et stressé, il dormirait mal et se réveillerait fatigué.

En sortant de la cabine, il s'enveloppa d'une serviette et se frictionna les cheveux, une crinière de boucles châtain clair qui lui tombait dans la nuque, qu'il n'avait pas portée aussi longue depuis ses vingt ans. Il y avait presque un an qu'il n'était pas allé chez son coiffeur attitré, Enrique. Il n'avait plus besoin de coupes à cent cinquante dollars, pas plus que de sa collection de mocassins et de costumes italiens, entreposée au garde-meubles. Il n'était plus le sémillant et ambitieux avocat en droit criminel. Cet homme-là était mort avec Lindsay. Il lui avait fallu du temps mais, à présent, il en avait fait son deuil.

Il rabattit la couette, aussi blanche et duveteuse que le drap de bain, se glissa dans le lit et éteignit la lumière. Dans le noir, il écouta le ressac, le crépitement de la neige mêlée de pluie contre les carreaux, puis, les yeux fermés, il pria comme chaque soir que le sommeil lui accorde quelques heures d'oubli.

Quelques heures, ce fut tout ce qu'il parvint à trouver.

Furax, il était furax. Personne, absolument personne, songeait-il en roulant sous une pluie battante, ne pouvait être aussi vicieux que Lindsay.

Elle le dégoûtait.

Pas une once de morale, pas le moindre scrupule, aucun principe. Odieuse, abjecte. Elle avait réussi à se convaincre, et à persuader sa mère, sa sœur, une bonne partie de ses amis, sans doute, et Dieu seul savait qui encore, que c'était sa faute à lui si leur mariage avait périclité, à cause de lui s'ils avaient dû consulter un conseiller conjugal, « se séparer à l'essai », pour finalement en arriver au divorce.

Alors qu'elle le trompait depuis plus de huit mois, elle osait encore lui imputer tous les torts et tous les défauts du monde, dans l'espoir de lui soutirer des dommages et intérêts.

Naturellement, ce serait encore sa faute à lui s'ils s'étaient disputés comme des chiffonniers, cet après-midi, devant tout le monde, dans la galerie d'art où elle travaillait à temps partiel. Il avait mal choisi son moment, et il lui avait mal parlé ; cela, il était prêt à le reconnaître. Mais au bout du compte, quelle importance ?

Il n'allait tout de même pas s'autoflageller parce qu'elle se comportait comme la dernière des catins. Manque de chance pour elle, la sœur d'Eli l'avait vue embrasser un type à pleine bouche dans le hall d'un hôtel de Cambridge. Tricia avait attendu quelques jours avant d'en parler à son frère, mais il ne lui en voulait pas. Ce n'étaient pas des choses faciles à dire. Lui-même, d'ailleurs, avait encore attendu quelques jours, le temps de digérer la nouvelle, avant de faire appel à un détective privé.

Huit mois. Huit mois qu'elle couchait avec un autre, dans des chambres d'hôtel, des B&B et Dieu seul savait où. Heureusement, elle était assez intelligente pour ne pas amener son amant à la maison – qu'auraient pensé les voisins ?

OK, il aurait mieux fait de s'abstenir de débouler en rage à la galerie, armé du rapport du détective. Et quand elle avait piqué une crise d'hystérie, il aurait pu faire preuve d'un peu plus de jugeote et éviter de hurler aussi fort qu'elle. Sur ce coup, ils étaient aussi coupables l'un que l'autre, et ils devaient assumer.

Une chose était certaine, en tout cas : pour les dommages et intérêts, elle pouvait toujours courir, maintenant. Madame avait tenté de se faire passer pour une victime alors que c'était elle qui avait donné un coup de canif dans le contrat ? Terminée, cette comédie. Elle découvrirait, en rentrant à la maison après son vernissage, qu'il n'était pas le pigeon pour lequel elle le prenait. Il était dans son bon droit et il n'avait pas besoin d'une décision de justice pour emporter ce qui n'avait jamais appartenu qu'à lui : le tableau acheté à Florence, la bague de diamants héritée de son arrière-grand-mère, et le service à café en argent dont il n'avait que faire, hormis qu'il s'agissait d'un legs familial et qu'il était hors de question qu'elle le garde pour elle.

Il allait lui montrer de quel bois il se chauffait.

Le geste était peut-être idiot, mesquin – ou peut-être était-il légitime. Aveuglé par la colère, il s'en moquait. Bouillonnant de rancœur, il s'engagea dans l'allée de la villa, l'une des plus belles de Back Bay, l'un des quartiers les plus chic de Boston. Une maison dont il avait cru qu'elle consoliderait les fondations d'un mariage qui commençait à se fissurer. Une maison où il avait espéré élever un jour des enfants. Une maison qui pendant un temps avait retardé le naufrage. Il avait fallu l'aménager, la meubler, la décorer, et même s'ils s'étaient chamaillés pour des détails, elle avait momentanément comblé le vide qui peu à peu s'était creusé entre eux.

Une maison qu'ils allaient devoir vendre, à présent. Lindsay emménagerait où elle voudrait, avec qui elle voudrait. Eli vivait déjà seul dans un petit appartement de location. Il s'en achèterait un plus grand. Tout seul et pour lui seul, pensa-t-il en descendant de la voiture, sous une bourrasque de pluie. Plus de périodes d'essai, plus de peut-être, plus de faux-semblants : entre Lindsay et lui, tout était terminé, irrévocablement. Avec ses mensonges et ses coups bas, elle lui avait sans doute rendu service.

Il la quittait sans regret ni culpabilité. Mais pas sans ce qui lui appartenait.

Il déverrouilla la porte, pénétra dans le spacieux vestibule, désactiva l'alarme. Si elle avait changé le code, il avait son badge. Officiellement, il habitait toujours à cette adresse. Si l'alarme se déclenchait et que la police ou les vigiles de la société de gardiennage débarquaient, il dirait que sa femme avait récemment modifié le code – la vérité – et qu'il avait oublié le nouveau.

Elle ne l'avait pas changé. À la fois un soulagement et une insulte. Elle pensait le connaître, elle était sûre qu'il n'oserait pas remettre les pieds sans sa permission dans cette maison d'où elle l'avait chassé, qui était pourtant à moitié la sienne. Elle avait prétendu avoir besoin d'un break et il avait accepté de partir. Elle le considérait comme un individu civilisé qui ne se permettrait pas de revenir fureter, espionner.

Elle allait s'apercevoir qu'elle ne le connaissait pas si bien.

Il demeura un instant immobile, s'imprégnant du silence, de l'atmosphère, de la déco, savante harmonie de tons neutres et de couleurs vives, d'ancien et de moderne. Lindsay avait du goût, il ne pouvait pas le nier. Elle savait s'habiller, arranger son intérieur avec style, organiser des soirées réussies. Ils avaient passé de bons moments ici, des pointes de bonheur, de longues plages de contentement, des périodes de complicité, de parfaite entente sexuelle, des dimanches matin à paresser au lit...

Comment étaient-ils devenus ennemis ?

– Chienne de vie, grommela-t-il.

Prends ce que tu as à prendre et va-t'en, s'enjoignit-il. Cette maison le déprimait. Il monta à l'étage, directement au petit salon attenant à leur chambre. Elle avait sorti un sac de voyage, des vêtements pour quelques jours.

Qu'elle aille au diable, pensa-t-il, *qu'elle aille se faire sauter où elle voulait par qui elle voulait.*

Dans le placard, il tapa la combinaison du coffre. Il ignora la liasse de billets de banque, les documents, les bijoux qu'il lui avait offerts, ou qu'elle s'était offerts elle-même.

Juste la bague, le reste ne l'intéressait pas. La bague des Landon. Il souleva le couvercle de l'écrin, contempla l'éclat des diamants, puis le glissa dans la poche de sa veste. Le coffre refermé, il redescendit au rez-de-chaussée. Mince... Il aurait dû penser à emporter du film à bulles ou quelque chose pour protéger le tableau de la pluie.

Des draps de bain feraient l'affaire, décida-t-il. Au passage, il en attrapa deux dans l'armoire à linge.

Ficher le camp au plus vite... Cette maison lui rappelait trop de souvenirs.

Dans le salon, il décrocha la toile du mur. Il l'avait achetée durant leur voyage de noces, parce que Lindsay était tombée amoureuse des couleurs chaudes, du charme et de la simplicité de ce champ de tournesols adossé à une oliveraie. Ils avaient acquis d'autres œuvres d'art depuis, des peintures, des sculptures, des poteries de bien plus grande valeur. Qu'elle négocie si elle désirait les garder. Ce tableau, en revanche, n'entrerait pas dans le partage de la communauté des biens. Eli y tenait trop.

Tant bien que mal, il l'enveloppa dans les serviettes et le posa sur le canapé. Derrière les baies vitrées, un éclair déchira le ciel, l'averse redoubla d'intensité. Il se demanda si elle roulait sous l'orage, pressée de rentrer terminer ses bagages et de partir en escapade avec son amant.

– Profites-en tant qu'il est encore temps, murmura-t-il.

Dès le lendemain, il avait l'intention d'appeler son avocat et de l'informer de ses fautes à *elle*.

Désormais, il serait impitoyable. Pas de quartier !

Il s'avança dans la bibliothèque, appuya sur l'interrupteur. Le choc fut aussi violent que le coup de tonnerre qui ébranla les vitres.

– Lindsay ?

Elle était étendue sur le côté, devant la cheminée, dans une mare de sang, les yeux vitreux. Ces grands yeux chocolat dans lesquels il aimait autrefois à se noyer...

– Lindsay...

Il s'agenouilla auprès d'elle, saisit la main qu'elle tendait désespérément sur le plancher éclaboussé de sang. Sa peau était glaciale.

Eli se réveilla en sursaut. Il faisait grand jour. Un instant, il demeura assis dans le lit, hébété, désorienté, le cœur tambourinant, émergeant à grand-peine de la scène d'horreur qui revenait sans cesse hanter ses nuits.

Bluff House. Il était à Bluff House.

Lindsay était morte depuis près d'un an, la maison de Back Bay enfin en vente, le cauchemar derrière lui. Même s'il sentait encore son souffle à l'arrière de sa nuque.

Il se passa une main dans les cheveux, envisagea un instant de tenter de se rendormir, or il savait que s'il fermait les yeux il serait aussitôt assailli par la terrible vision du corps de son épouse assassinée.

Néanmoins, il ne voyait pas une seule bonne raison de se lever. Las, il se laissa retomber contre les oreillers quand, tout à coup, il lui sembla entendre de la musique, étouffée, lointaine. D'où diable provenait-elle ?

Il s'était tellement habitué au bruit, ces derniers mois, chez ses parents – les voix, la radio, la télé –, que celui-ci ne lui avait pas immédiatement paru incongru. Ici, pourtant, il n'aurait dû entendre que la mer et le vent. Avait-il allumé une radio, une télé, la veille au soir, et oublié de l'éteindre ? Ce ne serait pas la première fois depuis sa longue descente en spirale.

Bon, au moins une raison de sortir du lit.

Comme il avait laissé ses bagages dans la voiture, il remit son jean et sa chemise de la veille.

Le son ne provenait pas d'une radio, analysa-t-il du haut de l'escalier. Ou pas seulement d'une radio. Il reconnaissait la voix d'Adele, inimitable, mais il en distinguait clairement une seconde, formant un duo passionné – dans la maison – avec la chanteuse britannique.

Il trouva la partenaire d'Adele dans la cuisine, déballant trois cabas à provisions sur le comptoir. Des bananes, des pommes, des poires, qu'elle plaça dans une corbeille en bambou.

Elle n'avait pas le timbre envoûtant d'Adele, mais elle chantait plutôt bien. Et elle ressemblait à une fée, un elfe, svelte, élancée, gracieuse. Une cascade de boucles auburn retombait sur les épaules de son sweat-shirt bleu électrique. Elle avait un visage... pas banal. De grands yeux en amande, un petit nez pointu, les pommettes hautes, la bouche pulpeuse, un gros grain de beauté au-dessus de la lèvre supérieure. Une créature d'un autre monde, il n'avait pas d'autres mots pour la décrire.

Cela dit, il n'était pas tout à fait réveillé.

Des bagues brillaient à chacun de ses doigts. Des boucles se balançaient à ses oreilles. Un croissant de lune pendait autour de son cou et une montre au cadran rond et blanc comme une balle de base-ball lui encerclait le poignet gauche.

Une bouteille de lait et une molette de beurre entre les mains, elle se dirigeait en fredonnant vers le réfrigérateur quand son regard se posa sur lui.

Elle ne hurla pas, mais fit un bond en arrière et faillit laisser échapper le lait. Elle posa la bouteille et porta une main à son cœur.

– Eli ? Seigneur ! Vous m'avez fait une de ces peurs ! Je ne vous attendais pas avant cet après-midi. Je n'ai pas vu votre voiture. Il faut dire que je suis entrée par-derrière, ajouta-t-elle avec un geste en direction de la porte donnant sur la terrasse. Vous avez dû vous garer devant, je suppose. Vous êtes arrivé hier soir ? Vous voulez du café ?

Un corps d'elfe et un rire de sirène, songea-t-il.

– Qui êtes-vous ?

– Oh, pardon. Je croyais que Hester vous avait prévenu. Je m'appelle Abra, Abra Walsh. Votre grand-mère m'a demandé de faire quelques courses pour vous. Comment va-t-elle ? Je ne lui ai pas parlé depuis deux ou trois jours. On a juste échangé des mails et des textos.

– Abra Walsh... répéta-t-il en l'observant. C'est vous qui l'avez trouvée...

D'un sac, elle sortit un paquet de café et en versa dans la cafetière.

– Oui, répondit-elle. Quel horrible souvenir... Elle n'était pas venue au cours de yoga, alors qu'elle n'en loupait aucun. Je lui ai téléphoné, elle ne répondait pas, alors je suis venue voir. J'ai une clé. Je lui donne un coup de main pour le ménage.

La cafetière se mit à gargouiller. Elle plaça un énorme mug sous le bec verseur et continua de ranger les provisions.

– Je suis entrée par-derrière, comme toujours, poursuivit-elle. Je l'ai appelée mais... Je me suis dit qu'elle était peut-être souffrante, je m'apprêtais à monter... C'est là que je l'ai vue, au pied de l'escalier. Sur le coup, j'ai cru... mais son pouls battait, faiblement, mais il battait, et elle a entrouvert les yeux lorsque j'ai prononcé son prénom. J'ai appelé une ambulance et je l'ai couverte d'un plaid, parce que je n'osais pas la déplacer. Les secours sont arrivés rapidement, Dieu merci, bien que l'attente m'ait paru interminable.

Elle sortit une brique de crème du réfrigérateur, en versa dans le café.

– Au comptoir ou à la salle à manger ?

– Pardon ?

– Au comptoir, trancha-t-elle en posant la tasse sur l'îlot central. Comme ça, on peut continuer à bavarder. Asseyez-vous. Je ne me suis pas trompée ? s'inquiéta-t-elle devant l'immobilisme d'Eli. Hester m'a dit que vous preniez votre café sans sucre, avec un nuage de crème.

– Tout à fait, merci.

D'une démarche de somnambule, il vint se hisser sur un tabouret.

– Votre grand-mère est une femme forte. J'ai beaucoup d'admiration pour elle. Quand je suis arrivée ici, il y a deux ans, c'est la première personne avec qui je me suis liée. Elle est si ouverte, si naturelle...

Parler, parler, parler. Peu importe qu'il l'écoute. Parfois, il était réconfortant d'entendre une voix, et il semblait avoir grand besoin de réconfort.

Elle repensa aux photos de lui que Hester lui avait montrées. Souriant, les yeux rieurs, les yeux des Landon, d'un bleu de cristal, soulignés d'un ourlet noir, très noir. Ce n'était plus le même homme ; il paraissait las, triste, amaigri.

Qu'à cela ne tienne, elle le soignerait.

D'ailleurs, le traitement devait débuter sur-le-champ. Dans le réfrigérateur, elle prit cette fois des œufs, du fromage, du jambon.

– Elle est contente que vous ayez accepté de venir. Elle n'aimait pas que la maison soit vide. Elle m'a dit que vous écriviez un roman ?

– Je... humm.

– J'ai lu certaines de vos nouvelles. J'ai bien aimé.

Elle posa une poêle sur le feu, remplit un verre de jus d'orange, lava une poignée de fruits rouges, découpa quelques tranches de pain et les mit à griller dans le toaster.

– J'écrivais des poèmes, quand j'étais ado, déclara-t-elle. J'étais nulle ! J'ai même essayé de les mettre en musique... Une catastrophe ! J'adore lire. J'admire les gens capables d'inventer des histoires. Hester est très fière de vous, vous savez.

Il leva les yeux, rencontra les siens. Verts, du même vert que la mer par une journée radieuse, aussi irréels que le reste de sa personne.

Peut-être n'était-elle pas vraiment vraie.

Si, si. Il ne rêvait pas. La main qu'elle posa sur la sienne, très brièvement, dégageait une chaleur bien réelle.

– Votre café va refroidir.

Il en but une gorgée, qui dissipa quelque peu son malaise.

– Ça fait longtemps, je crois, que vous n'êtes pas venu à Bluff House, continua-t-elle en versant les œufs dans la poêle. Il y a un chouette petit restau au village – et la pizzeria est toujours là. J'ai rempli les placards, mais la supérette est toujours là, aussi. Si vous avez besoin de quelque chose et que vous n'avez pas envie de sortir, dites-le-moi. J'habite le cottage de La Mouette rieuse, vous voyez où il est ?

– Je... Oui. Vous... Vous travaillez pour ma grand-mère ?

– Je viens faire un peu de ménage, une ou deux fois par semaine, selon les besoins. Je fais aussi des ménages chez d'autres personnes, je donne des cours de yoga, cinq fois par semaine, au sous-sol de l'église, et un soir par semaine chez moi. J'ai eu du mal à convaincre Hester de s'y mettre, mais elle est devenue accro dès le premier essai. Je fais également des massages – elle lui lança un sourire par-dessus son épaule – thérapeutiques. Je suis diplômée. Je fais des tas de choses.

Sur une assiette, elle disposa l'omelette, les fruits rouges, le pain grillé. Déposa l'assiette devant lui, avec une serviette en lin grenat, une paire de couverts.

– Il faut que je me sauve. Je suis déjà presque en retard.

Elle plia les sacs à provisions, les rangea dans un énorme fourre-tout vermillon, s'enroula une écharpe rayée autour du cou, enfila un manteau violet et se coiffa d'un bonnet de laine mauve.

– Je vous verrai après-demain, vers 9 heures.

– Après-demain ?

– Pour faire le ménage. Si d'ici là vous avez besoin de quoi que ce soit, vous trouverez mes numéros – de fixe et de portable – sur le pêle-mêle, là. Ou bien n'hésitez pas à faire un saut chez moi. Sur ce... Bienvenue à Bluff House, Eli !

Sur le pas de la porte, elle se retourna.

– Mangez votre petit déjeuner, ordonna-t-elle avant de disparaître.

Ne voyant pas ce qu'il pouvait faire d'autre, il s'exécuta.

2

Eli errait à travers la maison, dans l'espoir de retrouver ses repères. Il détestait ce sentiment de flottement : plus de chez-soi, plus de port d'attache, plus de racines ; même ses pensées semblaient ne plus lui appartenir. Autrefois, il avait une vie structurée, des objectifs. Même après le décès de Lindsay, quand tout s'était effondré, il lui restait un but : se battre afin de ne pas finir ses jours en prison.

Mais à présent que la menace était moins imminente, moins critique, à quoi vouer son existence ? Écrire, se remémora-t-il. N'était-ce pas l'écriture qui l'avait préservé de la folie ? L'écriture l'avait sauvé, certes ; toutefois, elle ne lui apportait qu'un fragile équilibre. Bluff House constituait sa dernière planche de salut.

Bluff House, où il avait passé tant d'étés, enfant puis jeune homme, tant de week-ends et de vacances d'hiver, à contempler la neige s'amonceler sur le sable et sur les rochers. Des jours heureux – innocents ? Châteaux de sable et pêche aux palourdes en famille, entre amis, balades en mer avec son grand-père – sur le charmant voilier toujours amarré dans la marina de Whiskey Beach ; réveillons de Noël bruyants, joyeux, le feu crépitant dans toutes les cheminées du manoir.

Qui eût cru qu'il errerait un jour à travers ces pièces tel un fantôme, en quête d'échos, d'images d'un passé insouciant ?

Dans la chambre de sa grand-mère, il constata que les tapisseries avaient été refaites. Sinon, rien n'avait changé. L'immense lit à baldaquin où son père avait vu le jour, en raison du blizzard et d'un accouchement précipité. La photographie de ses grands-parents, jeunes, beaux, fringants, le jour de leur mariage, plus d'un demi-siècle auparavant, dans son cadre d'argent, sur la commode. La vue sur l'océan, la plage, les falaises déchiquetées, l'échancrure de la baie. Immuable.

Il ouvrit la porte vitrée donnant sur la terrasse et sortit dans le vent et le froid. Les vagues accouraient du large dans un galop furieux, poussées par de violentes rafales. À la pointe du cap, tout au bout de la baie, la tour du phare, d'une blancheur de mariée, se dressait au sommet de son promontoire rocheux. Au loin, minuscule, un navire voguait sur la mer démontée.

Où allait-il ? Que transportait-il ?

Ils jouaient à un jeu, quand ils étaient petits, une variante du « A comme Ananas ». Il va en Arménie, pensa Eli, et il transporte des artichauts. Pour la première fois depuis trop longtemps, il esquissa un sourire.

Aux Bahamas avec des babouins. Au Caire avec du cacao. Au Danemark avec du dentifrice. Le bateau disparut à l'horizon.

Il demeura dehors encore un instant avant de retourner au chaud.

Il fallait qu'il trouve quelque chose à faire. Aller chercher ses bagages, les déballer, s'installer ? Plus tard. Il avait tout son temps.

Poursuivant son exploration, il monta au troisième étage, jadis le domaine des domestiques – à une époque qu'il n'avait pas connue. Un débarras, maintenant, des meubles recouverts de draps blancs, des malles, des cartons, entassés entre les rangées de mansardes où dormaient autrefois les bonnes et les cuisinières. Il traversa les combles jusqu'à la pièce en soupente pourvue de grandes fenêtres incurvées, face à la mer. La chambre de la gouvernante. Ou celle du majordome ? Il ne se rappelait plus. Celui ou celle qui logeait là, en tout cas, bénéficiait d'appartements privilégiés, avec balcon et entrée privée.

Plus besoin de tout ce personnel, aujourd'hui, ni même d'entretenir ou de chauffer le grenier. En femme pratique, Gran l'avait condamné des années auparavant. Un jour, peut-être, quelqu'un le réhabiliterait, lui trouverait un nouvel usage, chasserait les draps fantomatiques et ferait rejaillir chaleur et lumière. En attendant, cependant, il n'y avait là que le vide et le froid.

Eli redescendit, continua sa ronde.

Et découvrit d'autres changements.

Dans l'une des chambres à coucher du deuxième étage, sa grand-mère avait aménagé un bureau-salon, une pièce dédiée à la fois au travail et au repos, meublée d'une méridienne, d'un fauteuil de lecteur, d'un somptueux bureau ancien sur lequel était installé un ordinateur. Des tableaux de Hester ornaient les murs – un bouquet de pivoines roses dans un vase de cobalt, des dunes balayées par le vent, sous des écharpes de brume.

Là encore, derrière les fenêtres, la vue s'offrait tel un banquet pour une âme affamée.

Il s'avança jusqu'au bureau. Une note adhésive était collée sur le moniteur.

Hester dit :
Installe-toi ici pour écrire. Comment se fait-il, d'ailleurs, que tu ne sois pas déjà au travail ?
Transmis par Abra.

Il fronça les sourcils, pas certain d'apprécier que sa grand-mère se serve de la voisine pour lui donner des ordres. Puis, le papillon en main, il fit le tour de la pièce : les baies vitrées, la salle de bains, le placard renfermant des fournitures de bureau, des draps, des couvertures, des oreillers. Ce qui signifiait que la méridienne était convertible.

Il secoua la tête devant le minifrigo-bar à la porte vitrée, rempli de bouteilles d'eau minérale et de Mountain Dew, son péché mignon depuis l'adolescence.

Installe-toi ici pour écrire.

L'endroit lui plaisait, et l'idée d'écrire lui paraissait beaucoup plus alléchante que celle de déballer ses affaires.

– OK. Au boulot.

De sa chambre, il rapporta son ordinateur portable, l'installa sur le bureau. Poussa le moniteur et le clavier dans un coin, afin de faire de la place pour son propre matériel. Et puisqu'il avait un stock de son soda préféré à disposition, il en décapsula une canette fraîche. Il alluma le portable, y inséra sa clé USB.

– Bien... Où en étions-nous ?

Il ouvrit un fichier, le parcourut rapidement, et après un dernier regard à la vue sur l'océan, se plongea dans son texte.

Depuis la fac, il s'adonnait à l'écriture pour le plaisir. Et il retirait une grande fierté d'avoir réussi à faire publier quelques-unes de ses nouvelles. Puis, lorsque sa vie avait commencé à le décevoir, un an et demi plus tôt, il s'était rendu compte que l'écriture lui offrait une meilleure thérapie qu'une séance de cinquante minutes chez le psy.

Il pouvait s'évader dans un monde de sa création, qu'il contrôlait – dans une certaine mesure. Étrangement, dans cet univers, il se sentait davantage lui-même que dans le monde extérieur. Il parlait – toutes proportions gardées, là encore – de ce qu'il connaissait. Écrire des thrillers juridiques – d'abord des nouvelles, et à présent cette tentative de roman, aussi séduisante que terrifiante – lui donnait l'opportunité de jouer avec la loi, de l'analyser, de la détourner, selon les personnages. Il créait des dilemmes, leur trouvait des résolutions, toujours sur la corde raide entre le droit et l'illégalité.

Il était devenu avocat parce que la loi le fascinait, avec ses subtilités, ses failles, ses interprétations. Et parce que l'entreprise familiale, la distillerie Whiskey Landon, n'était tout simplement pas son sacerdoce, comme elle l'était pour son père, sa sœur, et même son beau-frère.

Passionné par le droit criminel, il s'était spécialisé dans ce domaine, d'abord dans le cadre de ses études, ensuite en tant qu'assistant du juge Reingold, un homme qu'il admirait et respectait, puis au sein du cabinet Brown, Kinsale, Schubert & Associés. À présent que la loi l'avait rejeté, au sens propre du terme, il écrivait pour rester en vie, pour conserver la certitude que la vérité l'emportait sur le mensonge, que la justice finissait parfois par triompher.

Quand il refit surface, la luminosité avait changé, le ciel s'était encore davantage assombri et pesait comme une chape de plomb au-dessus de la mer. Avec surprise, il constata qu'il était plus de 15 heures ; il avait écrit pendant près de quatre heures.

– Un point pour toi, Hester, murmura-t-il.

Il enregistra son travail, lança son logiciel de messagerie. Des tonnes de spams, comme d'habitude, qu'il supprima directement. Pas grand-chose d'autre ; rien, en tout cas, qui exigeait d'être traité dans l'immédiat.

Il rédigea un message à l'attention de ses parents, un autre presque identique pour sa sœur. Pas de problème sur la route, la maison est super, content d'être là, bien installé. Il passa sous silence le cauchemar récurrent, la déprime, le moulin à paroles qui lui avait préparé une omelette.

Puis il écrivit à sa grand-mère.

Je me suis installé là pour écrire, selon tes ordres. La mer d'acier a lancé ses chevaux blancs au galop. Il va neiger, ça se sent. La maison est encore plus belle que dans mon souvenir. J'avais oublié à quel point je m'y sens bien. Je regrette – ne me dis pas que ce n'est pas la peine de m'excuser une fois de plus –, je regrette sincèrement, Gran, d'avoir cessé de venir. Mes visites à Bluff House m'ont manqué autant qu'à toi.

Si j'étais venu plus souvent, peut-être aurais-je vu les choses plus clairement, les aurais-je acceptées et me serais-je comporté différemment. L'horreur m'aurait-elle ainsi été épargnée ?

Je ne le saurai jamais, et il ne sert à rien de conjecturer.

Ce dont je suis sûr, c'est que je suis heureux d'être là, et que je prendrai soin de la maison jusqu'à ton retour. Tu peux compter sur moi.

Je vais aller me promener sur la plage. Ensuite, je passerai la soirée au coin du feu.

Je t'embrasse,

Eli

Oh, P.-S. *J'ai rencontré Abra Walsh. Une femme intéressante. Je ne sais plus si je l'ai remerciée d'avoir sauvé l'amour de ma vie. Je le ferai sans faute la prochaine fois qu'elle viendra.*

L'e-mail expédié, il réalisa que s'il ne se souvenait plus d'avoir remercié la voisine, il se rappelait très bien, en revanche, qu'il ne lui avait pas payé les courses. Il griffonna une note sur le bloc de Post-it qu'il trouva dans le tiroir du bureau, la colla sur le moniteur. Il oubliait trop facilement, ces temps-ci.

À présent, il était grand temps de défaire ses bagages, ne fût-ce que parce qu'il devait absolument se changer. Il ne pouvait pas garder les vêtements qu'il avait sur le dos depuis deux jours. Il ne voulait pas se laisser glisser de nouveau sur cette pente. Porté par l'énergie puisée dans l'écriture, il enfila son manteau, ses chaussures, et sortit chercher ses valises.

En déballant ses affaires, il constata qu'il n'avait pas été très judicieux. Quel besoin aurait-il ici d'un costume, à plus forte raison de trois, de quatre paires de chaussures habillées, et de quinze – Seigneur ! – cravates ? L'habitude, sans doute, de faire ses bagages en pilotage automatique.

Il rangea ses vêtements dans l'armoire, empila ses livres sur la table de chevet, posa à côté le chargeur de son téléphone mobile, son iPod. Une fois que chaque chose eut trouvé sa place dans la chambre, il se sentit un peu mieux installé. Il vida la sacoche de son ordinateur : le carnet de chèques, à portée de main, dans le tiroir du bureau – il faudrait payer les ménages de la voisine –, avec sa réserve de stylos, obsessionnelle.

Maintenant, il pouvait sortir se promener. Se dégourdir les jambes, s'aérer. L'effort lui coûtait ; cependant, il se força, comme il se l'était promis : mettre le nez dehors au moins une fois par jour, ne serait-ce que pour une courte balade sur la plage. Ne pas s'écouter, ne pas se renfermer. L'exercice et le grand air étaient bons pour la santé et le moral.

Il endossa sa parka, glissa les clés dans sa poche, et sortit par la terrasse.

Le vent était féroce. Il faillit se raviser, mais il se fit violence. Quinze minutes, décida-t-il en descendant les marches menant à la plage, la tête baissée, les épaules contractées. Quinze minutes suffiraient, sept et demie aller, sept et demie retour. Ensuite, il allumerait du feu et s'installerait devant la cheminée, éventuellement avec un verre de whiskey.

Le sable volait en tous sens, les vagues se déroulaient dans de grandes gerbes d'écume blanche, l'air glacial lui brûlait la gorge.

L'hiver était tenace à Whiskey Beach, et beaucoup plus rude qu'en ville. Bêtement, il avait oublié un bonnet, des gants. Tant pis pour la balade d'aujourd'hui ; demain, il marcherait trente minutes, marchanda-t-il avec lui-même. Ou bien une heure un autre jour de la semaine. Qui avait décrété qu'il fallait se promener chaque jour ? Qui édictait les règles ? Il faisait un froid de canard, et le dernier des imbéciles aurait pu prédire qu'il ne tarderait pas à neiger.

Au bas des marches, les mugissements du vent et de la mer engloutirent ses tergiversations. Sous le ciel menaçant, les rouleaux s'élançaient à l'assaut de la côte avec une rage impitoyable, dans des cris de guerre sauvages. Fasciné par la violence et la beauté du spectacle, Eli demeura un instant au pied de l'escalier de pierre. Puis il partit en direction du phare.

Il ne voyait pas âme qui vive, n'entendait que le vacarme du ressac et le sifflement du vent. Au-dessus des dunes, les cottages se blottissaient à l'abri de leurs fenêtres fermées. Aussi loin que portât le regard, il ne distinguait aucune silhouette humaine, ni dans les escaliers montant de la plage aux maisons, ni sur le sentier qui longeait le haut de la falaise, ni sur la jetée balayée par les déferlantes. Pour l'heure, ici, il était aussi seul que Robinson Crusoé sur son île. Mais pas solitaire.

Impossible de ressentir le poids de la solitude, songea-t-il, entouré de la nature déployant sa puissance, sa magnificence. Il s'en souviendrait, se promit-il, il se souviendrait de cette sensation vivifiante. Le mauvais temps n'était pas une raison pour rester enfermé.

Il adorait la mer, et éprouvait pour Whiskey Beach un attachement très fort. Il aimait l'atmosphère de la plage avant la tempête – en hiver, en été, au printemps, n'importe quand. Et la vie en haute saison, les baigneurs plongeant sous les vagues, ou étendus sur des serviettes, confortablement installés sur des chaises longues à l'ombre d'un parasol. Le lever du soleil sur l'océan, le velours des crépuscules d'été.

Pourquoi s'était-il privé de tout cela pendant si longtemps ? Il ne pouvait blâmer les circonstances, il ne pouvait blâmer Lindsay. Il aurait pu, et il aurait dû venir – pour sa grand-mère, pour lui-même. Or il avait choisi d'y renoncer, par facilité, plutôt que d'expliquer pourquoi sa femme n'était pas avec lui, de lui trouver des excuses, de s'en trouver à lui. Ou de se disputer avec Lindsay quand elle avait décidé d'aller à Cape Cod ou à Martha's Vineyard, voire sur la Côte d'Azur.

La facilité, cependant, n'avait pas été facile : il avait perdu quelque chose qui lui était cher. S'il ne le retrouvait pas, il ne pourrait s'en prendre qu'à lui-même. Il marcha jusqu'à la jetée, repensa à cette fille avec qui il avait eu une torride amourette d'été, juste avant d'entrer à l'université. Aux parties de pêche avec son père – dont ils revenaient presque toujours bredouilles. Aux trous qu'il creusait dans le sable, enfant, à marée basse, avec ses copains de vacances, dans l'espoir de dénicher des trésors.

La Dot d'Esméralda, se remémora-t-il. La vieille légende, toujours vivace, d'un butin dérobé par des corsaires lors d'un terrible combat en mer, égaré lorsque le vaisseau pirate, la célèbre *Calypso*, de sinistre notoriété, avait sombré contre les récifs de Whiskey Beach, juste en dessous de Bluff House.

Il avait entendu toutes les variantes possibles et imaginables de cette légende, au fil des ans et, comme tous les gamins, il y avait cru, bien sûr. Avec ses camarades, petits flibustiers des temps modernes, il n'avait eu de cesse de fouiller la plage à la recherche des pièces d'or et d'argent, des bijoux et des pierres précieuses. Naturellement, ils n'avaient trouvé que des coquillages et des crabes. Néanmoins, ils avaient vécu de belles aventures. Whiskey Beach avait été source de joies, de moments fabuleux qu'il n'oublierait jamais.

S'apercevant qu'il avait marché plus loin qu'il n'en avait l'intention, il s'arrêta, face à la houle vicieuse soulevant les flots. Whiskey Beach serait encore source de joies, il y croyait de tout son être.

Sur le chemin du retour, il savoura d'avance le whiskey qu'il s'accorderait au coin du feu, une récompense, non un prétexte à ruminer des idées noires. Il se préparerait également quelque chose à manger. Une fois de plus, il avait sauté le repas de midi ; il n'avait rien dans le ventre depuis le petit déjeuner. Autrement dit, il avait failli à une autre de ses promesses : reprendre le poids qu'il avait perdu, renouer avec une hygiène de vie saine et équilibrée.

Impératif, il se préparerait un vrai repas chaud ; la voisine avait rempli les placards. En pensant à elle, il leva les yeux vers les cottages nichés au sommet des dunes. Avec ses bardeaux bleu roi, La Mouette rieuse se distinguait aisément des autres maisons aux façades blanches et pastel. Elle n'était pas de cette couleur, dans son souvenir, mais gris pâle. Elle avait toutefois une architecture si particulière, avec son toit pointu, sa grande terrasse et le dôme vitré de son solarium, qu'il était impossible de s'y méprendre.

De la lumière brillait derrière les fenêtres.

Il allait monter la payer maintenant, décida-t-il, en liquide. Ce serait fait, il n'aurait plus besoin de s'en soucier. Il rentrerait ensuite par le chemin longeant le haut de la falaise, l'occasion de revoir les autres maisons, de se rappeler qui y vivait – ou qui y avait vécu. Il aurait ainsi quelque chose de gai, et de vrai, à raconter à sa famille. *Suis allé me promener sur la plage (description), me suis arrêté au passage chez Abra Walsh, bla-bla-bla, La Mouette rieuse a fière allure avec sa façade repeinte. Vous voyez, je ne m'isole pas, ne vous faites pas de souci pour moi. Je sors, je recherche le contact. Situation normale.*

S'amusant à ébaucher son prochain e-mail, il gravit les marches, remonta l'allée pavée de galets à travers un charmant jardinet peuplé de statues : une coquette sirène assise sur un rocher, une grenouille jouant du banjo, un petit banc de pierre soutenu par des fées ailées. Il était tellement séduit par ce nouvel aménagement, qui correspondait à merveille à la personnalité du cottage, qu'il ne remarqua pas le mouvement derrière les vitres du solarium avant d'avoir le pied sur le seuil de la porte.

Sur des tapis de sol, plusieurs femmes se placèrent – avec plus ou moins de souplesse et de grâce – dans la posture en V inversé du chien tête en bas. La plupart étaient en tenue de fitness – brassière colorée, pantalon moulant –, certaines étaient en survêtement, d'autres en short. Toutes ramenèrent un pied en avant, passèrent en fente, non sans quelques pertes d'équilibre, et tendirent les bras au-dessus de la tête.

Le cours de yoga qu'Abra donnait chez elle, se souvint-il.

Son débardeur violet révélait de longs bras fins et musclés ; son pantalon gris clair dessinait des hanches étroites, des jambes interminables, solidement campées sur des orteils aux ongles vernis du même violet que son T-shirt. Une queue-de-cheval se balançait au sommet de son crâne.

Fasciné, il la regarda – et le groupe à sa suite – incliner le buste en arrière, le bras incurvé en arc-de-cercle, la tête haute, le torse élastique. Puis, elle tendit la jambe en avant, se pencha au-dessus, jusqu'à ce que sa main touche le sol à côté de son pied, l'autre bras tendu au plafond. Alors qu'il s'apprêtait à rebrousser chemin, elle tourna la tête et croisa son regard.

Elle lui adressa un sourire, comme si elle l'attendait, en aucune façon contrariée de découvrir un imposteur – involontaire – posté derrière les vitres de sa maison. Gêné, il esquissa un petit geste d'excuse. Elle se redressa et se faufila entre ses élèves.

– Salut, Eli, dit-elle en ouvrant la porte.

– Je suis désolé, je ne savais pas...

– Brrr, quel froid ! Entrez vite.

– Non, non, je ne veux pas déranger. J'étais sorti faire un tour et je...

– Entrez vite, je suis frigorifiée.

Elle posa l'un de ses longs pieds nus à l'extérieur et le tira par la main.

– Vous êtes gelé. Dépêchez-vous, je ne voudrais pas que le froid entre dans la salle.

Contraint et forcé, il s'avança dans le solarium. La musique new age évoquait le gazouillis d'un ruisseau. Les femmes se redressèrent tour à tour.

– Je suis désolé, répéta-t-il. Je vous dérange en plein cours.

– Ce n'est pas grave. Maureen va prendre ma place. Nous avons presque terminé. Que diriez-vous de m'attendre dans la cuisine, avec un verre de vin ?

– Non, non, merci, vous êtes gentille. (Il regrettait terriblement, à présent, d'avoir fait ce détour par chez elle.) Je... je suis allé faire une petite balade et j'ai pensé que je ne vous avais pas payé les courses, ce matin.

– Je me suis arrangée avec Hester.

– Oh, j'aurais pu m'en douter. Je réglerai ça avec elle.

Une esquisse au crayon encadrée, au mur du hall d'entrée, attira son regard. Il reconnut le trait de sa grand-mère avant même de voir sa signature, *H. H. Landon*, dans le coin inférieur.

Il reconnaissait également Abra, droite comme un I dans la position de l'arbre, les paumes jointes au-dessus de la tête, l'expression rieuse.

– Hester me l'a offert l'année dernière, précisa-t-elle.

– Quoi donc ?

– Le dessin. Je lui avais suggéré de venir nous voir et éventuellement de faire quelques croquis, si elle était inspirée – une ruse pour la convaincre de se mettre au yoga. Elle m'a donné celui-ci pour me remercier de lui avoir fait découvrir une discipline géniale !

– C'est super.

Il n'avait pas réalisé qu'Abra lui tenait toujours la main, jusqu'à ce qu'elle recule d'un pas, l'entraînant avec elle.

– Les épaules en arrière, Leah, souples. Voilà, très bien. Ne tire pas sur la nuque, Heather. OK, parfait. Excusez-moi, dit-elle à Eli.

– Je vous en prie.

– Vous êtes sûr que vous ne voulez pas un verre de vin ? (Elle referma son autre main autour de la sienne et la frictionna afin de la réchauffer.) Ou une tasse de chocolat ?

– Non, non, vraiment, je vous remercie. Je vais rentrer. Il... Il va neiger.

Les mains d'Abra lui procuraient une chaleur presque douloureuse, il ne s'était pas rendu compte qu'il était transi.

– Une soirée idéale pour bouquiner au coin du feu, je vous l'accorde. Bon, eh bien, bonsoir. Je vous verrai après-demain. Appelez-moi, ou passez, si vous avez besoin de quelque chose.

– Merci.

Il s'en alla promptement, de façon qu'elle puisse refermer la porte et préserver la chaleur à l'intérieur. Elle resta cependant sur le seuil à le regarder s'éloigner, le cœur – que certains lui reprochaient d'avoir trop tendre, trop candide – gonflé de sympathie.

Un homme brisé, songea-t-elle, à qui personne, sans doute, excepté sa famille, n'avait depuis longtemps offert un peu de chaleur.

Elle referma la porte, retourna dans le solarium et, avec un signe de tête à son amie Maureen, reprit la direction du cours.

Les premiers flocons commencèrent à tomber pendant la phase de relaxation, si bien que, sous le dôme vitré, on se sentait comme dans une boule à neige.

Impeccable, songea-t-elle.

– N'oubliez pas de vous hydrater, recommanda-t-elle à ses élèves qui repliaient leurs tapis, en buvant elle-même une longue gorgée d'eau. Pour celles qui sont intéressées, il y a encore de la place à la session « Au carrefour de l'Orient et de l'Occident », demain matin à 9 h 15, au sous-sol de l'église unitarienne.

– J'adore ce cours ! s'écria Heather Lockaby en faisant bouffer son carré blond. Si tu veux venir, Winnie, je peux passer te prendre en voiture.

– J'aimerais bien faire une séance d'essai, mais je ne sais pas si j'aurai le temps, demain.

– Au cas où, appelle-moi, je viendrai te chercher. Dis-moi, Abra, c'était bien qui je pense ?

– Qui ça ?

– Le gars qui est venu pendant le cours. Ce n'était pas Eli Landon ?

Le nom provoqua un murmure général. Abra sentit ses épaules se contracter, les bénéfices d'une heure de yoga s'évaporer en une seconde.

– Si, en effet.

– Tu vois, je te l'avais dit, chuchota Heather en décochant un coup de coude à Winnie. J'avais entendu dire qu'il venait s'installer à Bluff House. C'est vrai que tu fais le ménage au manoir pendant qu'il est là, Abra ?

– Ça ne servirait à rien que je fasse le ménage s'il n'y avait personne.

– Tu n'as pas peur ? Il a été accusé du meurtre de sa femme, et...

– Il a été acquitté, Heather. Tu as oublié ?

– Qu'on n'ait pas réussi à rassembler suffisamment de preuves pour l'arrêter ne signifie pas qu'il est innocent. Tu ne devrais pas rester seule avec lui dans cette grande maison.

– Que la presse ait monté l'affaire en épingle ne signifie pas qu'il est coupable, rétorqua Maureen en arquant ses sourcils roux. Tu ne connais pas la présomption d'innocence, Heather ?

– Il a tout de même été licencié de son cabinet d'avocats. Si tu veux mon avis, ils n'auraient pas pris le risque de s'en débarrasser s'il était blanc comme neige. En tout cas, c'est le principal suspect. Des témoins l'ont entendu menacer sa femme le jour où elle a été tuée. Elle aurait touché un beau pactole quand le divorce aurait été prononcé. Et il n'avait rien à faire chez elle, il me semble, non ?

– C'était aussi chez lui, souligna Abra.

– Ils étaient séparés. Ce que je dis, c'est qu'il n'y a pas de fumée sans feu.

– Mais l'incendiaire n'a pas été arrêté.

Heather s'approcha d'Abra et lui passa un bras protecteur autour des épaules.

– Tu es tellement confiante, ma chérie. Ne monte pas sur tes grands chevaux, je me fais du souci pour toi, c'est tout.

– Abra a un bon feeling avec les gens, elle n'a pas besoin qu'on s'inquiète pour elle, intervint Greta Parrish, la senior du groupe, âgée de soixante-douze ans, en enfilant son manteau de laine tricoté main. Et Hester Landon n'aurait pas laissé Bluff House à Eli si elle avait eu le moindre doute quant à son innocence.

– Oh, j'ai beaucoup d'estime et d'affection pour Mme Landon, répliqua Heather. J'espère et je prie pour qu'elle se rétablisse rapidement et nous revienne bientôt, mais...

– Il n'y a pas de « mais » qui tienne, l'interrompit Greta en enfonçant un chapeau-cloche sur ses cheveux argentés. Ce garçon est un des nôtres et il s'est toujours montré très bien sous tous rapports. Il habite peut-être à Boston, mais c'est un Landon, un membre de notre communauté. Dieu sait qu'il a souffert, le pauvre. J'espère que personne ici n'osera l'importuner.

– Je... Je ne disais pas du mal de lui, protesta Heather, en cherchant du soutien sur chacun des visages. Je vous assure, je me fais juste du souci pour Abra, je n'y peux rien.

– Tu n'as aucune raison de t'inquiéter, lui assura Greta. Sur ce, les filles, je vous quitte. Merci, Abra, la séance était formidable, ce soir.

– Merci. Vous ne voulez pas que je vous raccompagne en voiture ? Il neige beaucoup.

– C'est gentil, mais je crois que je survivrai à trois minutes de marche.

Chacune s'emmitoufla dans son manteau et prit congé.

– Heather est stupide, déclara Maureen, la dernière.

– Elle n'est sûrement pas la seule à penser ce qu'elle pense : que s'il a été soupçonné, c'est forcément qu'il est coupable. Mais c'est faux.

– Évidemment, acquiesça Maureen, ses cheveux en brosse d'un roux aussi flamboyant que ses sourcils, en revissant le bouchon de sa bouteille d'eau. Le problème, c'est que je ne suis pas sûre que je ne penserais pas la même chose, moi aussi, si je ne le connaissais pas.

– Tu le connais bien ?

– C'est le premier à qui j'ai roulé un patin.

– Oh, oh ! Tu me raconterais cet épisode autour d'un verre de vin ?

– Volontiers, pas besoin de me forcer la main. Laisse-moi juste envoyer un texto à Mike pour le prévenir que je ne rentre pas tout de suite.

– Vas-y, préviens ton homme, je sers le vin.

Dans la cuisine, Abra déboucha une bouteille de shiraz, tandis que sur le canapé du salon Maureen pianotait sur son smartphone.

– Il a dit que je pouvais prendre mon temps. Les gamins ne se sont pas encore entretués, la neige les a mis de bonne humeur.

Elle leva les yeux de son portable, sourit à Abra qui lui tendit un verre et s'installa à côté d'elle.

– Alors comme ça, tu es sortie avec lui ?

– J'avais quinze ans. J'avais déjà eu des petits copains mais aucun ne m'avait embrassée avec la langue. J'ai eu de la chance, il embrassait très bien. C'est aussi le premier à avoir tripoté ces formidables lolos. (Elle plaça les mains en coupe sur sa poitrine.) Mais pas le dernier !

– Des détails, des détails !

– C'était le 4 Juillet, après le feu d'artifice. On avait fait un feu de camp sur la plage, avec une bande de copains. J'avais la permission de minuit. Il avait fallu que je me batte mais, pour une fois, j'avais gagné. Si tu avais vu comme il était mignon ! Oh, mon Dieu... Eli Landon, de Boston, pour un mois à Whiskey Beach. J'avais des vues sur lui depuis longtemps.

– Décris-le-moi.

– Craquant. Les cheveux bouclés, blondis par le soleil, des yeux bleus, fabuleux, clairs comme le cristal. Un sourire, hmmm... à tomber à la renverse ! Bâti comme un athlète – il faisait du basket, si je me souviens bien. Il était tout le temps torse nu, en été. Toutes les filles du village en pinçaient pour lui.

– Il a perdu du poids. Il est trop maigre.

– Oui, je l'ai vu à la télé. Mais pour en revenir à l'été de mes quinze ans, il était jeune, il était beau, il sentait bon le sable chaud. Je l'avais dragué comme une dingue. Mes efforts ont été récompensés. Nous avons échangé notre premier baiser autour du feu de camp. Les autres dansaient, ou se baignaient. Nous sommes partis main dans la main vers la jetée.

Maureen soupira à ce souvenir avant de poursuivre :

– Deux ados en pleine montée d'hormones, par une belle nuit d'été... Je te rassure, ce n'est pas allé plus loin que les baisers et les petites caresses – déjà bien suffisant pour me faire tuer par mon père, s'il avait su –, mais c'était le moment le plus enivrant que j'avais jamais vécu. Nous nous sommes revus quelques fois avant qu'il reparte à Boston, mais je n'ai jamais retrouvé la magie, la force de ce premier baiser. L'été suivant, il avait une autre petite amie, et j'avais moi aussi un autre petit copain... Je parie qu'il ne se rappelle même pas ce 4 Juillet avec la rouquine sous la jetée de Whiskey Beach.

— Tu connaissais sa femme ?

— Non, je l'ai aperçue une ou deux fois, mais je ne lui ai jamais parlé. Elle était superbe. Mais pas du genre à bavarder avec les provinciales de Whiskey Beach. Il paraît qu'elle ne s'entendait pas du tout avec Hester Landon. Eli ne l'a pas emmenée souvent chez sa grand-mère. Et puis, il a complètement cessé de venir.

Maureen consulta sa montre.

— Bon, je vais rentrer. Ma horde doit être affamée.

— Tu devrais passer le voir à Bluff House.

— Je ne suis pas sûre que je serais la bienvenue. Il risquerait de penser que c'est de la curiosité malsaine.

— Il a besoin d'amis, mais tu as sans doute raison. Il est peut-être encore trop tôt.

Maureen emporta son verre vide dans la cuisine et le posa dans l'évier.

— Je te connais, Abracadabra, dit-elle en enfilant son manteau. Tu ne le laisseras pas s'enfermer dans la solitude. C'est dans ta nature de panser les plaies, de soigner les cœurs, d'embrasser là où ça fait mal. Hester savait ce qu'elle faisait en te demandant de veiller sur sa maison, et sur son petit-fils.

— Elle peut compter sur moi, répliqua Abra en embrassant son amie avant de lui ouvrir la porte de derrière. Merci de m'avoir raconté cet épisode de ta jeunesse. C'était terriblement sexy et, en plus, je vois Eli sous un jour différent, maintenant.

— Tu aimerais bien qu'il te roule des patins, hein ?

— Abstinence, rétorqua Abra, tu sais bien.

— En tout cas, si l'opportunité se présente, rappelle-toi qu'il embrasse comme un dieu. À demain !

3

Peut-être n'avait-il rien fait d'autre, mais il s'était tenu à son roman une bonne partie de la journée, et il avait bien avancé. Si son cerveau ne finissait par se mettre à fumer, il écrirait du matin jusqu'au soir. Certes, ce n'était pas très sain, Eli voulait bien le reconnaître, mais ce serait productif.

De toute façon, la tempête n'avait cessé qu'en milieu d'après-midi. Même avec la meilleure volonté du monde, il aurait été ridicule de sortir se promener dans cinquante centimètres de neige.

L'esprit trop fatigué pour aligner des phrases cohérentes sur la page, il reprit donc son exploration de la maison. Les chambres d'amis étaient impeccablement rangées, les salles de bains rutilantes et, à sa surprise, l'ancien salon de l'aile nord, à l'étage, abritait à présent un vélo elliptique, des séries de poids et d'haltères, un immense écran plat, des tapis de sol soigneusement enroulés sur une étagère, entre une pile de serviettes-éponges et un grand classeur de DVD.

Il l'ouvrit, le feuilleta. *Yoga de l'Énergie* ? Il fronça les sourcils. *Tai-chi, Pilates... Comment se muscler en s'entraînant chez soi* ?

Gran ?

Il tenta de l'imaginer. Il était doué d'une imagination féconde – capacité indispensable pour qui souhaitait gagner sa vie en écrivant des romans ! Cependant, lorsqu'il essayait de se représenter sa grand-mère soulevant de la fonte ou exécutant des mouvements de gym devant la télé, l'image refusait tout bonnement de se matérialiser.

Cela dit, Hester Landon ne faisait jamais rien sans raison. Sûrement avait-elle aménagé cette salle de sport afin de pouvoir pratiquer une activité physique même lorsque la météo, comme aujourd'hui, ne lui permettait pas de faire ses cinq kilomètres de marche quotidienne. Non, elle ne faisait jamais rien sans raison – et elle ne faisait jamais les choses à moitié. L'équipement de cette pièce avait été pensé avec soin, par un professionnel sans doute.

Perplexe, Eli continua de feuilleter le classeur de DVD, et tomba sur une note adhésive :

Eli, l'exercice est bon pour la santé et le moral. Allez, hop, arrête de ruminer et pique une bonne suée !
Je t'embrasse,

Gran, via Abra Walsh.

– Seigneur...

Il ne savait s'il devait en rire ou s'énerver. Quel besoin sa grand-mère avait-elle d'étaler ainsi sa vie privée devant la femme de ménage ?

Les mains enfoncées dans les poches, il se posta devant la fenêtre. Bien que toujours aussi grise, sous un ciel de la couleur d'un vieil hématome, la mer s'était calmée. Les vagues clapotaient doucement sur la plage couverte de neige, grignotant peu à peu l'épais manteau ouaté. Les dunes formaient des monts d'une blancheur immaculée, piquetés çà et là d'herbes marines frissonnant dans le vent.

La neige ensevelissait l'escalier de la plage, s'amoncelait sur la rambarde.

Eli ne voyait pas une seule empreinte de pas ; pourtant, le monde extérieur n'était pas désert. Au loin, dans la grisaille, il distinguait une petite forme sautillante. Des mouettes volaient au-dessus de la mer. Dans le silence étouffé par la couverture neigeuse, il les entendait rire.

Il se retourna, examina le vélo elliptique. Il n'avait jamais aimé s'agiter stérilement sur une machine. Quand il était d'humeur à se dépenser, il jouait au foot, au basket, au volley.

– Pas de ballon ici, dit-il à la maison vide. Par contre, au moins cinquante centimètres de neige dehors. Je devrais peut-être dégager l'allée. Bof... À quoi bon ? Je n'ai l'intention d'aller nulle part.

C'était bien le problème, justement, depuis bientôt un an.

– Bon, d'accord.... Une quinzaine de minutes sur ce fichu appareil... Deux ou trois kilomètres. Mais hors de question que je fasse du power yoga. J'aurais l'air fin...

À Boston, il était inscrit dans un club de musculation, où il allait au moins deux ou trois fois par semaine ; et quand le temps le permettait, il faisait de longs joggings sur les berges de la rivière Charles. Le petit vélo elliptique de sa grand-mère ne lui faisait pas peur.

Ensuite, il lui enverrait un mail pour lui dire qu'il avait trouvé son Post-it et obéi à ses recommandations. Mais que, dorénavant, si elle avait quelque chose à lui communiquer, qu'elle le fasse directement, sans passer par sa maudite prof de yoga.

Sans grand enthousiasme, il s'approcha de l'appareil, jeta un regard à l'écran plat. Non, pas de télé, décida-t-il. Il avait cessé de la regarder quand il s'y était vu trop souvent, jugé sommairement par des journalistes parfois peu soucieux de véracité.

La prochaine fois, s'il y en avait une, songea-t-il en montant sur la machine, il prendrait son iPod. Pour aujourd'hui, il effectuerait son quart d'heure d'exercice en compagnie de ses pensées. Il agrippa les poignées, actionna les pédales. Le nom de sa grand-mère apparut sur l'écran. Curieux, il étudia les touches, afficha les performances enregistrées.

– Waouh, chapeau, Gran !

Lors de sa dernière séance, le jour de sa chute, réalisa-t-il, elle avait fait cinq kilomètres en quarante-huit minutes et trente-deux secondes.

Il programma un second utilisateur, entra son nom. Il commença doucement, afin de s'échauffer, puis augmenta le niveau de difficulté.

Quatorze minutes et un kilomètre neuf plus tard, en nage, les poumons en feu, il jeta l'éponge. Hors d'haleine, les jambes en coton, il prit une bouteille d'eau minérale dans le miniréfrigérateur, en but avidement plus de la moitié, et s'étendit de tout son long sur le plancher.

– Bon sang. Oh, bon sang... Je ne peux même plus me mesurer à une octogénaire. Pitoyable. Pathétique.

Les yeux au plafond, il s'efforça de retrouver sa respiration, écœuré de sentir les muscles de ses jambes tétanisés par ce maigre effort.

Il avait tout de même joué dans l'équipe de basket de Harvard. Il ne mesurait qu'un mètre quatre-vingt-douze, mais il compensait ce handicap, tout relatif, par sa vitesse, son agilité et son endurance. Il avait été un grand sportif, merde ! À présent, il était faible, mou, sans force, sans énergie.

Il voulait retrouver sa vie. Non, non, ce n'était pas tout à fait exact. Déjà avant le cauchemar du meurtre de Lindsay, il était profondément insatisfait de sa vie.

Il voulait se retrouver.

Qu'était-il devenu ? Il ne se rappelait plus ce qu'était le bonheur. Il savait, pourtant, qu'il avait été heureux. Il avait eu des amis, des centres d'intérêt, des ambitions, des passions. Il n'éprouvait même plus de colère ni de révolte, qu'un immense sentiment d'impuissance face à tout ce qu'il avait perdu, tout ce à quoi il avait renoncé. Il avait pris des antidépresseurs, il avait vu des psys. Il ne voulait pas en repasser par là. Il ne pouvait pas.

Mais il ne pouvait pas non plus rester couché par terre à s'apitoyer sur son sort. Il devait faire quelque chose, n'importe quoi.

– Allez, du nerf !

Il se leva, se traîna en boitillant jusqu'à la douche.

Sourd à la voix intérieure lui chuchotant de se mettre au lit et de passer le restant de la journée à dormir, il s'habilla chaudement : sous-vêtement thermique, sweat-shirt, bonnet de ski, gants. Il n'avait toujours pas l'intention d'aller où que ce soit, mais cela ne l'empêcherait pas de déneiger l'allée, le patio, les terrasses. Il avait promis de s'occuper de Bluff House, il s'occuperait de Bluff House.

Il lui fallut des heures, armé d'une pelle et d'une souffleuse. Il perdit le compte du nombre de fois où il dut s'arrêter, les bras en compote, les battements de son cœur déclenchant des signaux d'alarme sous son crâne. Mais il dégagea l'allée, le chemin du garage à la maison, un passage à travers la grande terrasse jusqu'à l'escalier de la plage. Et remercia le ciel lorsque la lumière du jour déclina et qu'il fit trop sombre pour déblayer les autres terrasses. Dans la buanderie, il ôta sa parka, son bonnet et ses gants humides, les abandonna en tas sur la machine à laver. Puis il se rendit comme un zombie dans la cuisine, où il se confectionna à la hâte un sandwich au salami et au fromage, qu'il engloutit devant l'évier, en guise de dîner, accompagné d'une bière.

Au moins, il avait fait quelque chose. D'abord, il était sorti du lit, première épreuve de la journée. Il avait écrit. Il s'était humilié sur le vélo elliptique. Et il s'était occupé de Bluff House.

Globalement, une journée respectable.

Il avala quatre comprimés d'ibuprofène, puis monta péniblement dans sa chambre, où il se déshabilla, se glissa sous la couette, et dormit d'une traite jusqu'au lendemain. Sans rêve.

Abra fut agréablement surprise de trouver l'allée de Bluff House dégagée, alors qu'elle s'attendait à devoir se frayer un chemin dans cinquante centimètres de neige.

D'ordinaire, elle venait de chez elle à pied, mais, craignant de se mouiller ou de glisser, elle avait pris sa Chevrolet Volt, qu'elle gara derrière la BMW d'Eli. Elle déverrouilla la porte d'entrée, inclina la tête, l'oreille tendue. Ne percevant que le silence, elle en déduisit qu'Eli devait encore dormir.

Elle accrocha son manteau dans la penderie, troqua ses bottes contre ses chaussures de travail. Puis alluma du feu dans la cheminée du living-room et se rendit dans la cuisine où elle commença par préparer du café.

Pas de vaisselle dans l'évier. Elle ouvrit le lave-vaisselle.

Elle pouvait retracer les repas d'Eli depuis son arrivée : le petit déjeuner qu'elle lui avait servi, deux bols de soupe, deux petites assiettes, deux verres, deux tasses à café.

Elle secoua la tête. Ça n'allait pas.

Histoire de vérifier, elle jeta un coup d'œil dans les placards, le réfrigérateur.

Non, ça n'allait pas du tout.

Elle alluma l'iPod de la cuisine, baissa le volume, puis prépara de la pâte à crêpes. Après quoi, elle monta à l'étage. S'il dormait encore, il était grand temps qu'il se lève.

En entendant des cliquetis de clavier dans le bureau de Hester, elle esquissa un sourire. À pas de loup, elle s'approcha de la porte grande ouverte. Il était assis au magnifique bureau ancien, une canette de Mountain Dew à portée de main. Elle prit note mentalement de penser à en racheter.

Elle allait le laisser tranquille encore un moment, décida-t-elle. Dans sa chambre, elle fit le lit, sortit le sac de linge de la panière, changea les serviettes de toilette. En redescendant, elle jeta un œil dans les autres salles de bains, dans la salle de gym. Tout était en ordre.

De retour au rez-de-chaussée, elle vida le sac de linge dans la buanderie, le tria, et lança une machine. Secoua les bottes d'Eli, rangea sa parka, le vieux bonnet et les gants qu'il avait dû trouver dans un placard.

Elle avait fait le ménage à fond la veille de l'arrivée d'Eli, et il n'avait pas sali grand-chose. Elle calcula le temps qu'elle avait devant elle. Elle allait lui préparer une sorte de brunch. Ensuite, elle passerait un coup d'aspirateur et de serpillière.

Quand elle remonta, elle fit délibérément du tapage. Il se leva et se dirigea vers la porte du bureau, probablement dans l'intention de la fermer. Elle ne lui laissa pas cette opportunité, elle s'avança dans la pièce.

– Bonjour. Une belle journée qui s'annonce, on dirait.

– Ah...

– Merveilleux ciel bleu. Mer clémente, le soleil brille sur la neige, la plage est magnifique. J'ai vu une baleine ce matin.

– Une baleine ?

– Coup de chance, je regardais par la fenêtre juste à ce moment-là. Elle était loin, mais impressionnante. Votre brunch est prêt.

– Mon quoi ?

– Brunch. Vous n'avez pas pris de petit déjeuner.

– Je... J'ai bu un café.

– Mais vous n'avez rien mangé.

– En fait, je...

Il esquissa un geste en direction de son ordinateur.

– Vous êtes en train de travailler et vous n'avez pas faim, j'ai bien compris. Mais vous travaillerez sans doute mieux le ventre plein. Combien de temps avez-vous déjà passé à écrire aujourd'hui ?

– Je n'en sais rien. J'ai commencé vers 6 heures, précisa-t-il.

– Seigneur ! Il est 11 heures. Grand temps de vous accorder une pause. Je vous installe dans le petit salon. La vue est fantastique, aujourd'hui. Voulez-vous que je fasse un peu de ménage ici ?

– Non, je... Non.

– OK. Descendez manger. Pendant ce temps, je fais ce que j'ai à faire à l'étage. Comme ça, je ne vous embêterai plus quand vous remonterez.

Comprenant qu'il serait vain de discuter, il quitta la pièce.

Il avait l'intention de faire une pause et de manger quelque chose – un bagel, peut-être, un truc vite fait. Il avait perdu la notion du temps. Il aimait quand cela lui arrivait, signe qu'il était à fond dans son roman.

De quel droit cette Abra Walsh se permettait-elle de l'importuner ? Elle était censée faire le ménage. Personne ne lui avait demandé de s'occuper de lui.

Il n'avait pas oublié qu'elle devait venir. Absorbé dans son travail, il avait oublié, en revanche, son intention de s'arrêter et de sortir faire un tour, avec un sandwich, quand elle arriverait.

Il pénétra dans le petit salon. Abra avait raison : la vue était splen-dide, à travers la grande baie vitrée arrondie. Il prendrait son bol d'air plus tard. Il s'installa à la table, devant une assiette surmontée d'une cloche, un pot de café, un verre de jus d'orange, un iris dans un soliflore, prélevé dans le bouquet du grand salon.

Cette petite attention lui rappela les fleurs, les jouets, les livres que sa mère lui apportait sur ses plateaux-repas, au lit, quand il était malade, enfant. Il n'était pas souffrant, il n'avait pas besoin d'être materné. Il avait seulement besoin de quelqu'un qui vienne faire le ménage de façon qu'il puisse écrire, mener sa petite vie tranquillement, déblayer la neige s'il le fallait.

Une contracture dans les cervicales lui arracha une grimace. OK, l'épreuve déneigement du marathon de la fierté lui avait coûté, devait-il admettre.

Il souleva la cloche.

Une bouffée de vapeur et un délicieux arôme s'élevèrent d'une pile de pancakes aux myrtilles, bordée de fines tranches de bacon grillé et de petites boules de melon.

– Waouh !

Il étala une noisette de beurre sur un pancake, la regarda fondre tandis qu'il ajoutait du sirop d'érable.

Il avait un peu l'impression d'être le Petit Prince du manoir – mais les pancakes étaient succulents.

Il était pleinement conscient d'avoir grandi dans le privilège ; néanmoins, les brunchs sophistiqués et le journal du jour plié sur la table n'avaient jamais fait partie de son quotidien. Les Landon étaient privilégiés parce qu'ils travaillaient, et ils travaillaient parce qu'ils étaient privilégiés.

Tout en mangeant, il ouvrit le journal, puis le repoussa. Comme la télévision, les journaux lui rappelaient trop de mauvais souvenirs. Laissant son esprit vagabonder, il contempla la mer, les reflets du soleil sur la neige.

Il se sentait... presque serein.

– Vous pourrez remonter, le ménage de l'étage est terminé, déclara Abra en pénétrant dans la pièce et en commençant à débarrasser la table.

– Laissez, je m'en occuperai, protesta-t-il. D'ailleurs, vous n'êtes pas obligée de me préparer à manger. C'était délicieux, merci, mais ce n'est pas la peine.

– J'aime cuisiner, répondit-elle en le suivant dans la cuisine. Et puis, vous ne vous alimentez pas correctement, ajouta-t-elle, sur le seuil de la buanderie.

– Je m'alimente, marmonna-t-il.

Un panier de linge dans les bras, elle s'assit à la table et entreprit de le plier.

– Une boîte de soupe, un sandwich, un bol de céréales ? On ne peut rien cacher à sa femme de ménage, dit-elle avec un naturel déconcertant. Repas, douches, vie sexuelle... Les femmes de ménage savent tout. Vous devez prendre au moins sept ou huit kilos, je dirai. Dix ne vous feraient pas de mal.

Lui qui regrettait de ne plus éprouver de colère, cette mademoiselle je-sais-tout allait finir par le faire sortir de ses gonds.

– Écoutez...

– Vous allez me dire que je me mêle de ce qui ne me regarde pas, mais ça ne m'empêchera pas de vous préparer à manger, lorsque j'aurai le temps.

Il garda le silence. Argumenter avec une femme qui lui pliait ses boxers ne lui paraissait pas très confortable.

– Vous savez cuisiner ? demanda-t-elle.

– Je me débrouille.

Elle inclina la tête, l'observa de ses grands yeux verts.

– Que savez-vous faire ? Les sandwichs au fromage, les œufs brouillés, les steaks au barbecue... les hamburgers et... Je parie que vous avez une spécialité de langouste, ou de palourdes.

« Les clams à la Eli », l'avait-il baptisée. Mais, bon sang, n'allait-elle pas le laisser en paix ?

– Vous lisez dans les esprits ?

– Je lis les lignes de la main, et le tarot.

Voilà qui ne le surprenait pas le moins du monde.

– Quoi qu'il en soit, je cuisine tous les jours pour moi. Que je prépare des repas pour un ou pour deux, c'est du pareil au même. Quand je viendrai, je vous apporterai des plats que vous n'aurez qu'à réchauffer. Et je vous ferai quelques courses, pour la prochaine fois. J'ai noté les jours où je venais sur le calendrier. Vous voulez quelque chose de particulier, à part du Mountain Dew ?

Cette façon qu'elle avait de sauter allègrement des sujets les plus personnels à des détails bassement pratiques le décontenançait.

– Non, je ne vois pas.

– Si vous pensez à quelque chose, notez-le sur un Post-it. De quoi parle votre livre ? À moins que ce ne soit confidentiel.

– De... d'un avocat radié du barreau, en quête de réponses, de rédemption. Va-t-il perdre la vie, littéralement, ou y reprendre goût ? En gros.

– Vous aimez ce personnage ?

Il la dévisagea un instant. La question était pertinente.

– Je le comprends, et je m'investis en lui. Il évolue vers quelqu'un qui me plaît.

– Le comprendre est plus important que de l'aimer, je crois. (Elle fronça les sourcils en voyant Eli se masser l'épaule, l'arrière de la nuque.) Vous vous tenez mal.

– Pardon ?

– Devant votre ordinateur. Vous êtes voûté. Comme la plupart des gens.

Elle abandonna sa pile de linge, et avant qu'il ne comprenne ce qu'elle s'apprêtait à faire, lui enfonça les doigts entre les omoplates.

La douleur irradia jusqu'à la plante de ses pieds.

– Aïe ! Vous me faites mal !

– Seigneur, Eli, c'est du roc que vous avez là-dedans.

L'exaspération monta d'un cran. Cette femme était décidément beaucoup trop envahissante.

– J'ai fait trop d'efforts, hier. En déblayant la neige.

Il se dégagea de son emprise, ouvrit un placard à la recherche d'analgésiques.

Contractures, mauvaise posture et, surtout, diagnostiqua-t-elle, une tension profonde, complexe, psychologique autant que physiologique.

– Je sors faire un tour, passer quelques coups de téléphone. Au fait, combien je vous dois, pour le ménage ?

Quand elle lui indiqua la somme, il tâta ses poches, les trouva vides.

– Je ne sais pas ce que j'ai fait de mon portefeuille.

– Il était dans votre jean. Je l'ai posé sur la commode de votre chambre.

– OK, merci. Je reviens.

Pauvre Eli, déprimé, stressé, songea-t-elle. Comment pourrait-elle rester indifférente à tant de souffrance ? Elle pensa à Hester, secoua la tête tout en chargeant le lave-vaisselle.

– Vous saviez que ce serait plus fort que moi, murmura-t-elle.

Eli revint, déposa l'argent sur le comptoir.

– Merci, dit-il, si je ne vous revois pas avant que vous partiez.

– Il n'y a pas de quoi.

– Je vais juste... faire un tour sur la plage, appeler mes parents et ma grand-mère.

– OK. Vous leur transmettrez mes amitiés.

Il s'arrêta à la porte de la buanderie.

– Vous connaissez mes parents ?

– Bien sûr. Je les ai vus plusieurs fois, ici, et quand je suis allée voir Hester à Boston.

– Je ne savais pas que vous lui aviez rendu visite à Boston.

– C'était bien la moindre des choses, répliqua-t-elle en mettant le lave-vaisselle en marche. On s'est loupés de peu, je crois, vous et moi. Hester est votre grand-mère, Eli, mais je la considère moi aussi un peu comme la mienne. Vous devriez prendre une photo de la maison depuis la plage et lui l'envoyer. Ça lui fera plaisir.

– Sûrement, c'est vrai.

– Oh, Eli ? l'interpella-t-elle avant qu'il ne sorte. Je reviendrai vers 17 h 30. Je n'ai pas de cours ni de rendez-vous, ce soir.

– Pourquoi voulez-vous revenir ?

– Pour vous faire un massage.

– Je ne veux pas de...

– Vous en avez besoin. Vous n'en avez peut-être pas envie mais vous verrez que ça vous fera un bien fou. Je ne vous le ferai pas payer, ce sera mon cadeau de bienvenue. Massage thérapeutique, Eli, ajouta-t-elle. Je suis diplômée. N'allez pas vous imaginer des choses.

– Seigneur...

– Je préfère que tout soit clair, dit-elle en riant. À tout à l'heure, 17 h 30.

Et elle disparut dans le couloir avec son panier de linge plié. Il s'apprêtait à s'élancer derrière elle, mais une douleur fulgurante dans les lombaires le cloua sur place.

– Merde. Et merde.

Précautionneusement, il enfila son manteau. L'ibuprofène ne tarderait pas à agir, se réconforta-t-il. En revenant de sa balade, il enverrait un texto à cette maudite femme de ménage pour lui dire qu'il était inutile qu'elle revienne. Il n'avait pas envie de se faire masser, il ne se ferait pas masser. Point. Il tournerait cela de manière polie, mais catégorique.

Dans l'immédiat, cependant, il allait suivre son conseil : descendre sur la plage et prendre une photo de Bluff House. Elle était peut-être enquiquinante, mais elle avait de bonnes idées.

Sur le chemin qu'il avait déblayé à travers le patio, il jeta un coup d'œil derrière lui. De la fenêtre de sa chambre, elle lui adressa un signe de la main. Force lui était de s'avouer qu'elle avait un visage fascinant...

4

Se balader sur la plage enneigée se révéla plus agréable qu'il ne l'aurait pensé. Sous le soleil, la mer et la neige étincelaient de reflets irisés. D'autres promeneurs étaient passés là avant lui ; il marchait dans leurs pas, le long de la bande de sable humide découverte par les vagues.

Des oiseaux marins picoraient sur le rivage, y imprimant eux aussi leurs empreintes avant que le ressac ne les efface. En dépit du paysage hivernal, leurs pépiements annonçaient le printemps.

Il suivit un trio de sternes, s'arrêta, les prit en photo et envoya un MMS à ses parents. Puis il regarda l'heure, se demanda ce qu'ils faisaient, s'il pouvait tenter de les joindre. Il composa leur numéro de fixe.

– Salut, mon grand. Que me racontes-tu de beau ?

Il ne s'attendait pas à entendre la voix de sa grand-mère.

– Salut, Gran. Je me promène sur la plage. Il y a au moins cinquante centimètres de neige. Ça me rappelle ce Noël quand j'avais, quel âge... douze ans ?

– Avec tes cousins et les fils Grady, vous aviez construit un château de neige sur la plage. Et vous m'aviez chipé ma plus belle écharpe en cachemire rouge pour en faire un étendard.

– J'avais oublié ce détail.

– Pas moi.

– Comment vas-tu ?

– De mieux en mieux, si ce n'est que tes parents me fatiguent, à ne pas me laisser faire deux pas sans ce fichu déambulateur. Je marche très bien avec une canne.

Eli avait reçu un e-mail de sa mère, lui racontant par le menu la bataille du déambulateur. Il était préparé.

– On n'est jamais trop prudent. Mieux vaut ne pas risquer une autre chute. Tu as toujours fait preuve de sagesse.

– Les flatteries ne marchent pas avec moi, Eli Andrew Landon.

– Tu n'as pas toujours fait preuve de sagesse ?

Il considéra le rire de Hester comme une petite victoire.

– Ne t'inquiète pas, je n'ai pas perdu la boule, bien que je n'arrive toujours pas à me rappeler comment je me suis cassé la figure. Je ne me souviens même pas d'être sortie du lit. Enfin, bref. Je me remets, tout doucement, et je ne vais pas tarder à assommer quelqu'un, avec ce maudit déambulateur. Et toi, comment vas-tu ?

– Bien. Mon roman avance, j'écris tous les jours. Je suis plutôt satisfait de mon travail. Et je suis content d'être là. Gran, je tiens à te remercier encore une fois de...

– Inutile, le coupa-t-elle d'une voix sans réplique. Bluff House est une maison de famille. Tu y es chez toi autant que moi. Tu as dû voir qu'il y avait du bois dans le hangar, mais s'il t'en faut davantage, passe un coup de fil à Digby Pierce. Tu trouveras son numéro dans mon carnet d'adresses, dans le bureau du petit salon de travail, ou dans le dernier tiroir de droite, à la cuisine. Abra doit l'avoir, de toute façon, au cas où tu ne le trouverais pas.

– OK, pas de problème.

– Tu te nourris correctement, Eli ? J'espère que tu n'auras pas que la peau sur les os, la prochaine fois qu'on se verra.

– Je viens de manger des pancakes.

– Ah ! Tu es allé au Beach Café ?

– Non... C'est Abra qui les a préparés. Justement, à ce propos...

– Abra est une fille formidable, et une excellente cuisinière. Si tu as des questions, ou le moindre souci, adresse-toi à elle. Si elle n'a pas la réponse, elle la trouvera. Elle est intelligente, en plus d'être jolie, ce qui j'espère ne t'a pas échappé, à moins que tu sois devenu aussi aveugle que tu es maigre.

Eli ressentit un picotement d'alarme à l'arrière de la nuque.

– Gran, tu n'essaies pas de me caser avec elle, j'espère ?

– Comment peux-tu penser une chose pareille ? Me suis-je déjà mêlée de ta vie amoureuse ?

– Jamais, Gran, excuse-moi. Ce que je voulais dire... Tu la connais beaucoup mieux que moi. Je ne veux pas qu'elle se sente obligée de me préparer à manger, et je n'arrive pas à le lui faire comprendre.

– De toute façon, Abra n'en fait qu'à sa tête. C'est ce que j'admire chez elle. Elle vit sa vie comme elle l'entend et elle est très épanouie. Tu devrais prendre exemple sur elle.

De nouveau, ce picotement d'alarme.

– Mais tu n'essaies pas de me caser avec elle, n'est-ce pas ?

– Je te fais confiance pour écouter ton cœur, et tes besoins physiques.

– OK, parlons d'autre chose. Enfin, non. J'ai encore une question à te poser au sujet de ton amie. Je ne voudrais pas la vexer. Comment pourrais-je lui dire, diplomatiquement, que je ne veux pas de ses massages ?

– Elle t'a offert un massage ?

– Oui, madame. Ou plutôt, elle m'a informé qu'elle reviendrait m'en faire un à 17 h 30. J'ai eu beau lui assurer que ce n'était pas la peine, elle n'a rien voulu entendre.

– Tu vas te régaler, elle a des doigts de fée. Avant qu'elle commence à me masser chaque semaine, et qu'elle me convainque de me mettre au yoga, mon dos me faisait souffrir le martyre. Le grand âge, je pensais, et je m'étais fait une raison. Jusqu'à Abra.

En apercevant l'escalier du village, Eli réalisa qu'il avait marché plus loin qu'il n'en avait l'intention. Il hésita un instant, puis décida de monter. Ces quelques secondes de blanc donnèrent une ouverture à sa grand-mère.

– Tu es une boule de stress, mon grand. Tu crois que je ne l'entends pas dans ta voix ? Ta vie est devenue un enfer, c'est injuste, mais il faut se relever, se battre, reprendre des forces, on me le répète chaque jour. Ça me tape sur les nerfs, mais c'est la vérité.

– Et les massages de ta voisine vont peut-être tout régler...

– Ils te feront du bien. Écoute-toi, tu souffles comme un vieillard.

– J'ai marché jusqu'au village, dans cinquante centimètres de neige, rétorqua-t-il, mortifié, sur la défensive. Et je suis en train de monter un escalier. Tu sais où je suis, là ? Juste devant le Lobster Shack.

– Les meilleurs sandwichs au homard de toute la côte nord.

– Rien de nouveau sous le soleil.

– Whiskey Beach a un peu changé, tu verras, mais ce sont les racines qui comptent. Les tiennes sont solides, n'oublie pas. Tu es un Landon, et tu as le courage des Hawkin, par mon sang. Le combat ne nous fait pas peur. Prends soin de Bluff House, pendant que je mène le mien.

– Tu peux compter sur moi.

– Et ne te pose pas trop de questions, un pancake n'est jamais qu'un pancake.

Cette remarque le fit rire, d'un rire rouillé, mais néanmoins un rire.

– OK, Gran. Utilise ton déambulateur.

– À une condition : que tu te fasses masser.

– Ça marche ! Consulte ta messagerie, je t'ai envoyé des photos. Je te rappellerai demain ou après-demain.

Il passa devant des lieux dont il se souvenait – le marchand de glaces, Cones'N Scoops ; Chez Maria, la fameuse pizzeria – et de nouveaux commerces, comme le Surf's Up, avec sa devanture rose fluo. Le clocher blanc de l'église méthodiste, le bâtiment carré et austère de l'église unitarienne, l'élégant North Shore Hotel, les charmants petits B&B qui accueilleraient les touristes dès le retour de la belle saison.

Il reviendrait un après-midi, songea Eli en prenant la direction de Bluff House, acheter quelques cartes postales qui feraient sourire ses parents, les quelques amis qui lui restaient. Il irait peut-être aussi flâner dans les boutiques, les anciennes et les nouvelles, histoire de se remettre dans le bain.

De replanter ses racines, pour ainsi dire.

Pour l'heure, il était fatigué, transi, il avait envie de rentrer.

À son soulagement, la voiture électrique d'Abra n'était plus dans l'allée. Il était resté dehors suffisamment longtemps pour qu'elle termine son ménage. Il n'aurait pas à subir son intarissable flot de paroles, ni à l'éviter. Considérant l'état de ses bottes, il fit le tour de la maison et entra par la buanderie.

Il n'avait plus mal au dos, constata-t-il en ôtant son manteau. Ou tout au moins presque plus. Il dirait à Abra que la marche avait calmé ses douleurs, qu'il était inutile qu'elle revienne le masser.

Dans la cuisine, une note adhésive était collée sur le comptoir :

Sauté de poulet et pommes de terre au réfrigérateur.
Remis du bois dans la cheminée.
Mangez une pomme, et n'oubliez pas de vous hydrater après votre balade.
À tout à l'heure, vers 17 h 30.

Abra

– Vous êtes qui, ma mère ? Et si je n'ai pas envie d'une pomme ?

S'il sortit une bouteille d'eau du réfrigérateur, c'était uniquement parce qu'il avait soif. Il n'avait besoin de personne pour lui dire quand manger, quand boire. La prochaine fois, elle lui dirait de penser à se brosser les dents et à se nettoyer derrière les oreilles.

Alors qu'il s'apprêtait à monter dans le bureau, il fit demi-tour et prit une pomme dans le saladier en bambou, furieux d'en éprouver l'envie, tout à coup. Son irritation était irrationnelle, il le savait. Abra était pleine d'attentions, de considération. Seulement, il voulait qu'on le laisse en paix. Il avait besoin de temps, d'espace, pour retrouver son équilibre, pas d'une âme charitable.

Les âmes charitables s'étaient bousculées autour de lui, après le décès de Lindsay, puis voisins, collègues et amis avaient chacun leur tour pris leurs distances, effrayés par celui que l'on soupçonnait d'avoir tué sa femme, de lui avoir fracassé le crâne pour la punir de ses infidélités, ou parce qu'un divorce lui aurait coûté trop cher.

Il ne voulait plus qu'on lui tende la main.

En chaussettes, sur le plancher glacé, il fit un détour par sa chambre afin de prendre des chaussures. La pomme à mi-chemin de sa bouche, il s'immobilisa devant le lit, et partit de son second éclat de rire de la journée – un record.

Elle avait plié une serviette-éponge en forme de cygne, qui trônait au centre de la couette, le bec chaussé d'une paire de lunettes noires, une fleur coincée sous la branche.

Ridicule – et charmant.

Il s'assit au bord du lit, adressa un hochement de tête au volatile.

– Je crois que je vais être obligé de me faire masser.

Puis il se rendit dans le bureau.

Réflexe de l'habitude, il consulta sa messagerie avant de se remettre au travail. Parmi les spams, un message de son père, un autre de sa grand-mère en réponse aux photos qu'il lui avait envoyées, il découvrit un mail de son avocat, Neal Simpson.

Bien que tenté par la politique de l'autruche, il cliqua dessus, les épaules nouées.

Il parcourut en diagonale le bla-bla d'entrée en matière, alla directement au fait : les parents de Lindsay menaçaient, à nouveau, de lui intenter un procès pour meurtre. Ne verrait-il donc jamais le bout du tunnel ? Quand finirait-on par arrêter l'assassin ? Quand cesserait-on de s'acharner sur lui ?

Les parents de Lindsay le méprisaient, persuadés, sans l'ombre d'un doute, qu'il avait tué leur fille. Si personne ne parvenait à leur faire entendre raison – et, manifestement, ils n'étaient pas près de se laisser convaincre de prendre un parti raisonnable –, ils continueraient sans relâche à traîner Eli dans la boue, une boue dont les médias n'étaient que trop avides, et qui le salissait non seulement lui, mais aussi sa famille.

Neal avait beau être confiant – il y avait peu de chances pour qu'un juge accepte d'instruire un procès sans éléments tangibles, et quand bien même, Eli serait innocenté –, ses arguments n'étaient qu'un piètre réconfort. L'affaire serait de nouveau hypermédiatisée, on échafauderait les théories les plus délirantes. Les Piedmont engageraient de nouveau des détectives privés – si ce n'était pas déjà fait – qui viendraient fureter, instiller le doute et la méfiance à Whiskey Beach, son ultime havre de paix.

Eli se demanda si Wolfe, inspecteur au département de police de Boston, avait influé sur leur décision. Les mauvais jours, il le considérait comme son Javert – s'obstinant à le traquer pour un crime qu'il n'avait pas commis. Les bons, il le voyait comme un flic opiniâtre, buté, refusant d'accepter que l'absence de preuves démentait sa conviction. Wolfe n'avait pas réussi à constituer un dossier assez solide pour convaincre le procureur d'enregistrer sa requête. Néanmoins, il avait continué de harceler Eli, jusqu'à ce que ses supérieurs lui infligent un avertissement.

Non, Eli n'aurait pas été étonné que Wolfe ait encouragé les Piedmont à relancer leurs poursuites. Appuyé sur les coudes, il se passa les mains sur le visage. Il se doutait que cette épée lui pendait au-dessus de la tête. Mais peut-être était-ce un mal pour un bien qu'elle se décide enfin à tomber.

Entièrement d'accord avec la dernière ligne du mail de son avocat – *Il faut qu'on parle* –, il composa son numéro.

Une migraine atroce lui martelait les tempes. La discussion avec Neal ne fit rien pour l'apaiser. Les Piedmont, selon celui-ci, faisaient du bruit à seule fin de faire monter la pression, de conserver l'attention des médias, dans l'espoir d'obtenir des dommages et intérêts. Eli devait garder profil bas, ne rien dire à personne, envisager, peut-être, de refaire appel à son propre détective privé.

Était-ce là toute l'aide que son avocat pouvait lui apporter ? Il avait de toute façon l'intention de garder profil bas. Plus bas, il s'enterrait. Et à qui aurait-il pu dire quoi que ce soit, à Whiskey Beach, coupé du monde ? Quant à une nouvelle enquête privée, elle lui coûterait encore les yeux de la tête, et si elle s'avérait aussi peu fructueuse que la première, il n'en serait que davantage déprimé.

Il savait pertinemment, comme son avocat, comme la police, que plus le temps passait, plus les chances s'amenuisaient de retrouver des preuves concrètes. Comment l'affaire se terminerait-elle ? Elle ne se terminerait pas. Il resterait dans les limbes, ni accusé, ni acquitté, soupçonné jusqu'à la fin dé ses jours.

Il devait apprendre à vivre ainsi.

Il entendit vaguement qu'on frappait à la porte, mais demeura sans réaction. Le bruit d'une clé dans la serrure l'arracha néanmoins à ses sombres réflexions. Las, il descendit au rez-de-chaussée.

— Salut, lui lança Abra en pénétrant dans le vestibule, une longue housse rectangulaire coincée sous le bras, un énorme sac sur l'épaule.

— Je suis désolé, je voulais vous envoyer un message pour vous dire de ne pas venir.

— Trop tard, je suis là, répliqua-t-elle en refermant la porte d'un coup de hanche. Que se passe-t-il ? demanda-t-elle devant l'expression sinistre d'Eli. Des ennuis ?

— Non, non. (Pas plus que d'habitude, pensa-t-il.) C'est juste que cc n'est pas le bon moment.

— Vous avez un autre rendez-vous ? Vous sortez danser ? Il y a une femme nue qui vous attend en haut pour une torride partie de jambes en l'air ? Non ? répondit-elle avant qu'il ait pu ouvrir la bouche. Dans ce cas, le moment en vaut un autre.

La déprime se mua aussi sec en exaspération.

— Vous comprenez ce que je vous dis ? Quand c'est non, c'est non.

Elle poussa un soupir.

— Excellent argument, et je reconnais que je suis pénible, voire insupportable, mais j'ai promis à Hester de vous aider, et je n'aime pas voir les gens souffrir. Je vous propose un marché.

Comme s'il n'avait pas déjà assez de celui qu'il avait passé avec sa grand-mère...

— Quelles sont les conditions ?

— Accordez-moi quinze minutes. Si au bout d'un quart d'heure, vous ne ressentez aucune amélioration, je remballe mon matériel, je m'en vais, et je ne vous parlerai plus jamais de massage.

— Dix minutes.

— Dix, OK, acquiesça-t-elle. Où voulez-vous que j'installe ma table ? Dans votre chambre ?

— Ici, ce sera très bien.

D'un geste, il indiqua le grand salon. De là, il pourrait la mettre plus vite à la porte.

– Comme vous voulez. Allumez la cheminée pendant que je m'installe.

Il avait l'intention de faire du feu. Il avait oublié. Happé par les idées noires, il n'avait pas vu l'heure tourner.

Dix minutes, ce n'était pas la mer à boire... songea-t-il en cassant du petit bois, agenouillé devant l'âtre. Néanmoins, il avait envie de se faire tripoter autant que de se pendre.

– Vous n'avez pas peur ? Toute seule ici avec moi ?

Abra dézippa la housse de sa table portable.

– Pourquoi aurais-je peur ?

– Beaucoup de gens pensent que j'ai tué ma femme.

– Beaucoup de gens pensent que le réchauffement climatique n'est qu'un mythe alarmiste. Je ne pense pas comme eux.

– Vous ne me connaissez pas. Vous ne savez pas de quoi je suis capable.

Elle plia la housse, entreprit de monter la table, avec des gestes précis, expérimentés, sans précipitation.

– J'ignore de quoi vous êtes capable, mais je sais que vous n'avez pas tué votre femme.

Le ton de sa voix, calme, désinvolte, le mit en fureur.

– Pourquoi ? Parce que ma grand-mère ne croit pas que je sois un assassin ?

– Entre autres, répondit-elle en étendant une couverture polaire sur la table, puis un drap par-dessus. Hester est une femme intelligente, très à l'écoute de son entourage, et j'ai confiance en elle. Si elle avait le moindre doute, elle m'aurait recommandé de me méfier de vous. Cela dit, j'ai des tas d'autres raisons de penser que vous êtes innocent.

Tout en parlant, elle disposa des bougies dans la pièce, les alluma.

– Je travaille pour votre grand-mère, mais c'est aussi une amie. Je vis à Whiskey Beach, le fief des Landon. J'ai suivi votre histoire.

Le nuage noir de la dépression ressurgit au-dessus d'Eli.

– Comme tous les gens du coin, je suppose.

– C'est naturel, humain. Comme il est naturel et humain de votre part d'être écœuré par tout ce qu'on raconte à votre sujet, par les conclusions que certains se permettent de tirer. Moi aussi, j'ai tiré mes conclusions. Je vous ai vu à la télé, dans les journaux, sur Internet. Et j'ai vu un homme profondément peiné, choqué. Pas un meurtrier. Ce que je vois, à présent ? Du stress, de la colère, de la frustration. Pas une once de culpabilité.

Elle ôta un élastique de son poignet et s'attacha les cheveux.

– Les criminels, à mon avis, ne perdent pas le sommeil. Et vous n'êtes pas stupide. Vous n'auriez pas tué votre femme alors que vous veniez de vous disputer avec elle en public. Alors que vous veniez d'apprendre que le divorce pouvait être prononcé à ses torts.

– J'étais furieux. Crime passionnel.

– Je n'y crois pas, répliqua Abra en sortant un flacon d'huile de massage de son grand sac. Vous étiez si furieux que vous avez pris le temps d'emballer trois objets vous appartenant ? La théorie du crime passionnel ne tient pas, Eli. On sait à quelle heure vous êtes entré dans la maison, parce que vous avez désactivé l'alarme. L'heure de votre appel au 911 a également été enregistrée. Et on sait aussi à quelle heure vous avez quitté le travail, ce soir-là. On sait donc que vous êtes resté dans la maison moins de vingt minutes. En moins de vingt minutes, vous auriez eu le temps de monter à l'étage, prendre la bague de votre arrière-grand-mère dans le coffre-fort, redescendre, décrocher le tableau du mur, l'envelopper dans des draps de bain, tuer votre femme dans un accès de furie, puis appeler la police ? En moins de vingt minutes ?

– La reconstitution du crime a démontré que c'était possible.

– Mais peu probable, objecta-t-elle. Maintenant, on pourrait débattre pendant des heures, ou bien vous pouvez me croire sur parole : je n'ai aucune crainte que vous m'assassiniez parce que je n'aurais pas fait votre lit au carré.

– Les choses ne sont pas aussi simples.

– Les choses sont rarement simples. Je vais me laver les mains. Déshabillez-vous et allongez-vous sur la table, sur le dos.

Dans la salle de bains, Abra ferma les yeux et s'astreignit à une minute complète de respiration yoga. Elle comprenait parfaitement pourquoi Eli l'avait ainsi provoquée : pour l'effrayer, se débarrasser d'elle. Il n'avait réussi qu'à l'agacer. Tout en se savonnant les mains, elle s'efforça de se vider l'esprit.

Lorsqu'elle revint dans le salon, il était étendu sur la table, sous le drap, raide comme une planche. Sans un mot, elle baissa les lumières, sélectionna une musique relaxante sur son iPod.

– Fermez les yeux, murmura-t-elle, et respirez profondément. Inspirez... Expirez. Très bien. Encore, dit-elle en se versant de l'huile au creux de la paume. Inspirez... Soufflez...

Elle lui apposa les mains sur les épaules. Ses omoplates ne touchaient même pas la table, tant il était crispé.

Elle effleura, pressa, malaxa, puis fit un léger massage facial. Elle savait reconnaître une migraine quand elle en voyait une. Si elle parvenait à apaiser ces maux de tête, peut-être se détendrait-il quelque peu avant qu'elle ne passe au travail sérieux.

Ce n'était pas son premier massage, loin de là. Avant que sa vie s'écroule, il recourait aux services d'une masseuse nommée Katrina, une grande blonde bâtie comme une athlète, dont les mains larges et fortes le soulageaient des tensions accumulées au travail et des contractures générées par le sport.

Les yeux fermés, il s'imaginait presque dans la salle de soins de son club, relâchant la pression après une longue journée à la cour.

De toute façon, dans quelques minutes, il aurait rempli sa part du marché, et cette femme qui n'était pas la robuste Katrina replierait son matériel et s'en irait.

Du menton vers la mâchoire, de la bouche vers les oreilles, des pommettes vers les tempes, elle lissa, pinça, tira la peau. Et la violence de la migraine s'atténua.

– Inspirez... à fond. Soufflez... lentement.

Sa voix se fondait dans la musique, aussi fluide, aussi douce.

– Très bien. Inspirez... Expirez.

Elle le pria de tourner la tête, massa un côté de la nuque, l'autre côté, puis lui souleva le crâne.

Là, la fermeté de ses pouces éveilla un lancinement aigu. Avant qu'Eli ait pu se contracter pour y parer, la douleur céda tel le bouchon d'une bouteille.

Comme si un bloc de ciment s'était rompu, pensa Abra. Elle ferma les yeux, visualisa l'effritement provoqué par ses mains. Au niveau des épaules, elle accentua la pression, progressivement. Elle le sentit se décontracter – très légèrement. Pas suffisamment, mais ce relâchement, aussi infime fût-il, constituait une victoire.

En son for intérieur, elle esquissa un sourire satisfait lorsque le délai de dix minutes se termina sans qu'Eli réagisse. Elle avait gagné la partie.

– Tournez-vous sur le ventre. Dites-moi si vous souhaitez que je déplace le coussin. Installez-vous confortablement, prenez votre temps.

À moitié endormi, il s'exécuta sans protester.

Quand les paumes de ses mains s'enfoncèrent entre ses omoplates, il laissa échapper un gémissement à la fois de douleur et de bien-être.

Des mains puissantes, pensa-t-il. Elle n'avait pas l'air costaude, mais lorsque ses mains poussaient, frictionnaient, pressaient, que ses poings lui meulaient le dos, la souffrance à laquelle il s'était accoutumé affleurait à la surface et, soulagement, disparaissait.

Elle utilisait ses avant-bras huilés, le poids de son corps, ses articulations, ses pouces, ses poings. Chaque fois que la pression atteignait un paroxysme, quelque chose se libérait.

Puis elle allégea les mouvements, une caresse ferme, rythmique, constante.

Et il s'assoupit.

Quand il reprit conscience, telle une feuille portée par le courant d'un ruisseau, il lui fallut quelques instants pour réaliser qu'il n'était pas dans son lit. Il était toujours étendu sur la table, modestement couvert d'un drap. Le feu crépitait ; les bougies brillaient. La musique continuait de murmurer dans la pièce.

Ses paupières se refermèrent et il faillit se rendormir.

Puis il se souvint.

En appui sur les coudes, il regarda autour de lui. Le manteau, les bottes, le sac d'Abra. Son parfum flottait dans l'air, subtil, boisé, mêlé à l'odeur de la paraffine, de l'huile de massage. Il ramena le drap autour de lui et se redressa en position assise.

Le drap serré contre lui, il descendit de la table. En attrapant son jean, il découvrit le maudit papillon jaune.

Buvez de l'eau. Je suis dans la cuisine.

Sans quitter la porte des yeux, il se rhabilla, puis prit la bouteille d'eau qu'elle avait laissée près de ses vêtements. Il n'avait plus mal nulle part, constata-t-il en boutonnant sa chemise. Plus de migraine, plus de pincements dans les cervicales, plus de courbatures aux bras et aux épaules.

Il se sentait bien.

Et confus. Il avait agressé Abra, délibérément. En réponse, elle lui avait apporté de l'aide – malgré lui. Penaud, il se rendit à la cuisine.

Elle se tenait devant la cuisinière, d'où montait un délicieux fumet, qui éveilla une autre sensation qu'il avait oubliée.

La faim.

Elle écoutait du hard-rock, le son à peine audible. À présent, il se sentait coupable. Personne ne méritait d'être forcé d'écouter du bon heavy metal avec le volume aussi bas.

– Abra.

Elle se retourna, les yeux plissés, posa un doigt devant sa bouche avant qu'il ne puisse parler. Puis elle s'approcha et l'examina longuement.

– Bien, dit-elle enfin avec un sourire. Vous avez l'air reposé, plus détendu.

– Je me sens bien. Avant toute chose, excusez-moi... Je me suis montré désagréable, tout à l'heure, voire agressif.

– En effet. Borné, aussi.

– Peut-être. Je vous l'accorde.

– Dans ce cas, vous êtes pardonné, dit-elle en prenant un verre de vin sur le comptoir. J'espère que vous ne m'en tiendrez pas rigueur, je me suis servie.

– Pas de problème. Maintenant que je vous ai présenté mes excuses, je vous dois aussi des remerciements. Quand je disais que je me sentais bien... Il y avait longtemps que ça ne m'était pas arrivé.

Les yeux d'Abra s'adoucirent. De la pitié aurait pu le braquer à nouveau ; la sympathie, en revanche, véhiculait un message différent.

– Oh, Eli. La vie est parfois si cruelle. Vous voulez un verre de vin ?

– Pourquoi pas ? Je vais me le servir.

– Laissez faire, asseyez-vous. Essayez de conserver le bénéfice de la relaxation. Il vous faudrait au moins deux massages par semaine, pour venir à bout de ce stress. Mais un pourrait suffire, voire une séance tous les quinze jours, si vous préférez.

– Difficile de discuter, quand je suis encore à moitié dans les vapes.

– Bien. Je noterai les rendez-vous sur votre calendrier. Je viendrai vous masser à domicile, dans un premier temps. On verra ensuite comment on procède, suivant l'évolution.

Il s'installa sur une chaise, goûta le vin. Exquis.

– Qui êtes-vous, Abra ?

– Oh, une longue histoire. Je vous la raconterai, un jour, si nous devenons amis.

– Vous me lavez mes slips, et vous m'avez vu à poil sur votre table.

– C'est mon boulot.

– Vous m'avez encore préparé à manger, dit-il avec un geste du menton en direction de la cuisinière. Qu'est-ce que c'est ?

– Un potage de légumes, lentilles et jambon. J'y ai mis une minuscule pointe de piment, je ne savais pas si vous aimiez les plats relevés. (Elle ouvrit le four, d'où s'échappèrent de merveilleux arômes.) Et ça, c'est un pain de viande.

– Vous m'avez préparé un pain de viande ?

– Avec des pommes de terre, des carottes et des haricots verts. (Elle le retira du four, le posa sur la cuisinière.) Vous avez dormi deux heures, il fallait bien que je m'occupe.

– Deux... Deux heures ?

Elle tendit le bras vers la pendule, ouvrit le placard à vaisselle.

– Suis-je invitée à dîner ?

– Bien sûr, répondit-il en quittant enfin l'horloge des yeux. Vous m'avez préparé un pain de viande ; c'est bien la moindre des choses que je vous invite à le partager avec moi.

– Hester m'a fait une liste de vos plats préférés. Le pain de viande y figure en troisième position. Et vous avez besoin de viande rouge.

Elle garnit deux copieuses assiettes.

– Dernière stipulation, dit-elle avant d'en donner une à Eli.

– Dans la limite de la légalité, je suis prêt à exaucer tous vos vœux en échange d'un pain de viande.

– Nous pouvons parler de littérature, de cinéma, d'art, de mode, de loisirs, de tout ce que vous voudrez, mais ne me posez pas de questions personnelles, pas ce soir.

– Ça marche.

– Eh bien, bon appétit !

5

Au sous-sol de l'église, Abra mit fin, tout en douceur, à la phase de relaxation finale. Elle avait eu douze élèves, ce matin, un bon nombre pour cette époque de l'année, à cette heure de la journée.

Le nombre lui procurait la satisfaction personnelle, et un revenu appréciable.

— N'oubliez pas, lança-t-elle à la ronde, prochain rendez-vous « Au carrefour de l'Orient et de l'Occident » mardi matin.

Maureen s'approcha d'elle :

— Je viendrai, et j'ai intérêt à faire une bonne séance de cardio, d'ici là. La classe de Liam fait une petite fête, cet après-midi. J'ai préparé des cupcakes et j'en ai déjà mangé deux. Si j'avais eu le temps, je t'aurais soudoyée pour que tu viennes faire un jogging avec moi, que je brûle toutes ces calories au plus vite.

— Passe-moi un coup de fil après la fête. Je termine à 15 heures.

— Tu vas à Bluff House, aujourd'hui ?

— Non, demain.

— Ça se passe toujours bien, avec Eli ?

— Ça ne fait que deux semaines, mais oui, ça va. De toute façon, quand je suis là, il s'enferme dans son bureau, et dès que je monte à l'étage, il sort se promener. Au moins, il mange ce que je lui prépare. Il commence à reprendre du poil de la bête.

Abra plia son tapis personnel et le rangea dans son sac.

— Par contre, poursuivit-elle, chaque fois que je lui fais un massage – je lui en ai fait quatre –, c'est comme si je repartais de zéro. Les tensions sont tellement enracinées... et pour ne rien arranger, il passe ses journées devant l'ordinateur.

– Tu le débloqueras, Abracadabra, je te fais confiance.

– C'est ma mission en cours. À part ça, j'ai fait de nouveaux bijoux. Je vais les montrer aux Trésors enterrés, là, tout de suite, tu croiseras les doigts pour moi. Ensuite, j'ai quelques courses à faire pour Marcia Frost. Son fils est toujours malade – un sale virus qu'il a attrapé –, elle ne peut pas sortir. Et cet après-midi, j'ai un massage à 14 heures. Après, je suis libre pour un jogging, si tu veux.

– Au cas où, je t'enverrai un texto.

– OK. À plus.

Les dernières de ses élèves parties, Abra rassembla les tapis qui lui appartenaient et glissa son iPod dans son sac. Elle enfilait son blouson lorsqu'un homme apparut au bas de l'escalier.

Elle ne l'avait jamais vu, il était d'allure avenante : les yeux tombants, cernés, qui lui donnaient un air fatigué, les cheveux bruns, fournis et drus, une légère bedaine, qu'il aurait pu cacher en adoptant une meilleure posture.

– Puis-je vous aider ?

– Je l'espère. Vous êtes Abra Walsh ?

– Oui.

– Kirby Duncan, se présenta-t-il en lui serrant la main et en lui tendant une carte de visite.

– Détective privé...

Instinctivement, elle dressa ses barrières.

– Je mène une enquête pour un client de Boston. J'aimerais vous poser quelques questions. Vous avez cinq minutes ? Je vous offre un café ?

– J'ai un rendez-vous, monsieur Duncan, répliqua Abra en enfilant ses bottes. Que me voulez-vous ?

– Vous travaillez pour Eli Landon, je crois ?

Elle ne répondit pas.

– Ce n'est pas un secret, n'est-ce pas ? insista-t-il sans se départir de son expression affable.

– Absolument pas, mais je n'ai rien à vous dire à ce sujet.

– Vous devez savoir qu'Eli Landon est soupçonné d'avoir tué sa femme.

Abra se coiffa de son bonnet de laine.

– Ah bon ? Je croyais qu'au bout d'un an d'investigations la police n'avait pas réussi à rassembler suffisamment d'éléments pour prouver qu'Eli Landon était impliqué dans le meurtre de son épouse.

– Les procureurs rechignent toujours à engager des poursuites aléatoires. Et c'est comme ça que des affaires se retrouvent parfois trop vite classées. Mon job consiste à continuer de les creuser. Permettez que je porte votre sac ?

– Je vous remercie, je peux le porter moi-même. Pour qui travaillez-vous ?

– Je vous l'ai dit, un client.

– Qui doit avoir un nom.

– Je ne peux pas divulguer cette information.

Abra s'engagea dans l'escalier.

– Je n'ai aucune information à divulguer, moi non plus, rétorqua-t-elle avec un sourire mielleux.

– Si Landon est innocent, il n'a rien à cacher.

Elle s'arrêta, regarda Duncan droit dans les yeux.

– Je vous répète que je n'ai rien à raconter sur son compte.

Et elle continua de gravir les marches menant à la salle de prières, Duncan sur ses talons.

– Je suis autorisé à offrir des compensations.

– À payer des ragots ? Je vous remercie, quand je cancane, je le fais gratuitement.

Elle sortit de l'église et se dirigea vers sa voiture.

– Entretenez-vous une relation personnelle avec Landon ? lui lança Duncan.

La mâchoire serrée, furieuse d'avoir déjà perdu tous les bienfaits de la séance de yoga, elle jeta les tapis de sol dans le coffre, s'installa derrière le volant, et leva un doigt d'honneur dans le rétroviseur avant de démarrer.

Contrariée par cette désagréable rencontre, elle passa une mauvaise matinée, à tel point qu'elle envisagea presque d'annuler son rendez-vous de l'après-midi, mais ne parvint pas à trouver une justification valable. Elle ne pouvait pénaliser un client parce qu'un privé de Boston tentait de fouiner dans sa vie et que, outrée, elle s'était comportée de façon grossière.

Certes, ce n'était pas à elle qu'il s'intéressait, pas vraiment. Il enquêtait sur Eli. Néanmoins, ces pratiques étaient déloyales, insidieuses.

Pour en avoir été elle-même victime, elle savait de quoi il retournait.

Lorsque Maureen lui envoya un texto, elle faillit inventer un prétexte pour éluder le jogging. Puis elle se ravisa : l'exercice et la compagnie lui calmeraient les nerfs.

En tenue de sport, bonnet et mitaines, elle rejoignit son amie au bas de l'escalier de la plage.

– J'ai grand besoin de me défouler, déclara Maureen en sautillant sur place. Dix-huit gamins de maternelle ivres de sucre. Les instits devraient être payés le double de leur salaire, et recevoir un bouquet de roses tous les soirs. Et une bouteille de whiskey Landon Gold Label. Oh, mais dis-moi, tu fais une drôle de tête, toi...

– Tu trouves ?

– Ce petit pli, là, ne me dit rien qui vaille, répondit Maureen en pointant l'index entre ses deux yeux.

Instinctivement, Abra se massa le front.

– Mince, je commence à avoir des rides.

– Mais non. Tu n'as ce pli que lorsque tu es contrariée, ou en colère. Que t'arrive-t-il ?

Les deux femmes s'élancèrent en petites foulées le long de la plage, entre l'océan bouillonnant et le manteau de neige.

– Je suis contrariée, tu as raison, et en colère.

Connaissant son amie, Maureen garda le silence.

– Tu n'as pas croisé un type, ce matin, en partant de l'église ? Taille moyenne, brun, un peu bedonnant ?

– Je ne sais pas... peut-être, si... Ah oui, il m'a tenu la porte. Pourquoi ? Qui est-ce ?

– Il est descendu au sous-sol.

– Oh, mon Dieu !

Maureen se figea net, puis dut accélérer afin de rattraper Abra.

– Que s'est-il passé ? Est-ce qu'il a essayé de...

– Mais non, ne t'affole pas. On est à Whiskey Beach, pas à Tijuana.

– Quand même. Zut. Je n'aurais pas dû te laisser toute seule. Je pensais à mes cupcakes, je suis désolée.

– N'oublie pas que j'ai un brevet d'autodéfense. De toute façon, ce n'était pas un psychopathe ni un pervers. Il est détective privé, il travaille pour quelqu'un de Boston.

– Que voulait-il ? Derrick est toujours en prison, non ?

– Oui, ce n'est pas à moi qu'il s'intéresse. Il enquête sur Eli.

– Eli ? Un détective privé, tu as dit, pas la police ? Que cherche-t-il ?

– Un mouchard, cracha Abra. Quelqu'un pour espionner Eli et lui rapporter ce qu'il fait, ce qu'il dit. Il espérait me soutirer des cancans, des ragots croustillants, et il m'a proposé de l'argent. Il serait déçu, le pauvre, s'il savait qu'Eli ne m'en décroche pas une. Enfin bref, quand je l'ai envoyé promener, il m'a demandé si j'avais une « relation personnelle » avec Eli, autrement dit, si je couchais avec lui. Ce type m'a foncièrement déplu. Et à cause de lui, je vais avoir la ride du lion.

– Quand bien même tu coucherais avec Eli, ce ne sont pas ses oignons ! s'indigna Maureen, les joues rouges, le souffle court. La femme d'Eli est morte depuis un an et ils étaient en instance de divorce. Et il n'y a jamais eu que des présomptions contre lui, rien de plus. Décidément, les flics ne le lâcheront pas, ils cherchent par tous les moyens à le salir.

– Je ne crois pas que la police fasse appel à des détectives privés.

– Non, tu as raison. Qui, alors ?

– Je n'en sais rien, il n'a pas voulu me dire pour qui il travaillait. Une compagnie d'assurances ? Sa femme avait peut-être une assurance-vie et ils refusent de verser le capital. Ou bien la belle-famille d'Eli, qui n'arrête pas de le calomnier dans la presse. Franchement, je ne sais pas.

– Je demanderai à Mike.

– À Mike ? Pourquoi ?

– Il a tout le temps affaire à des juristes.

– Spécialisés dans l'immobilier, souligna Abra.

– Un juriste est un juriste. Il aura peut-être une idée. Il n'en parlera à personne.

– Si ce type m'a abordée, Dieu sait auprès de qui il a encore tenté le coup... Tôt ou tard, tout le monde sera au courant.

– Pauvre Eli.

– Toi non plus, tu n'as jamais cru qu'il ait pu tuer sa femme.

– Non.

– À ton avis, qui l'a assassinée ?

– Je n'en sais rien. Mais je sais que tu ne dois surtout pas te mêler de cette histoire. L'affaire finira par se tasser, Eli s'en sortira.

– Je ne vois pas trop ce que je pourrais faire pour lui, de toute façon, murmura Abra, se gardant bien de préciser qu'elle n'était pas sûre, si elle avait la possibilité d'aider Eli Landon, qu'elle reculerait devant la crainte de se mouiller.

– Quand on parle du loup...

Eli se tenait au bord de l'eau, les mains dans les poches, scrutant le lointain horizon.

– Eli !

Abra agita la main. Elle ne voyait pas les yeux d'Eli, cachés derrière des lunettes de soleil. Il ne lui rendit pas son salut. Néanmoins, il attendit que les deux femmes parviennent à sa hauteur.

– Bonjour, le salua Abra en attrapant l'une de ses chevilles afin de s'étirer la jambe. Si je vous avais vu plus tôt, je vous aurais baratiné pour que vous veniez courir avec nous.

– Je ne sais pas si j'aurais été capable de vous suivre, répondit-il en ôtant ses lunettes noires. Je me contente de marcher, ces temps-ci.

Pour la première fois, Abra le vit sourire, d'un sourire franc et chaleureux, à l'intention de Maureen.

– Maureen Bannion, ça alors !

Avec un rire gêné, celle-ci porta une main à ses cheveux, avant de se rappeler qu'ils étaient cachés sous son bonnet de laine. Pourquoi n'avait-elle pas au moins glissé un tube de brillant à lèvres dans sa poche ?

– Eli, comment vas-tu ? Je ne suis pas très présentable...

– Maureen Bannion, répéta-t-il. Non, excuse-moi, Maureen... comment, déjà ?

– O'Malley.

– Ah, oui. La dernière fois que je t'ai vue, tu étais...

– Enceinte jusqu'aux yeux.

– Tu as l'air en forme.

– Je ne dois pas avoir l'air de grand-chose, mais merci. Ça fait plaisir de te revoir, Eli.

Lorsque Maureen s'approcha d'Eli et l'enveloppa dans une cordiale accolade, Abra songea que c'était pour cela qu'elle aimait tant son amie. Pour sa simplicité, sa spontanéité. Entre les bras de Maureen, Eli ferma les yeux, et Abra se demanda s'il repensait à une nuit d'été sous la jetée de Whiskey Beach, quand tout était simple, innocent.

– Je voulais te laisser le temps de t'installer, dit Maureen en s'écartant d'Eli, mais j'aimerais t'inviter à dîner, te présenter Mike, les enfants.

– C'est gentil...

– Nous habitons juste à côté de chez Abra, La Brise marine. Nous parlerons du bon vieux temps. Comment va Hester ?

– Mieux. Beaucoup mieux.

– Tu lui diras que nous avons hâte qu'elle revienne au cours de yoga. On se reverra, il faut que je file chercher mon petit dernier à l'école. Bienvenue à Whiskey Beach, Eli. Je suis contente que tu sois de retour.

– Merci.

– À plus, Abra. On se voit vendredi soir, au plus tard. Si ça te dit, Eli, on sera au pub, vendredi soir, avec Mike. Ce sera l'occasion de bavarder plus longuement.

Et avec un geste de la main, elle s'éloigna au pas de course.

– Je ne savais pas que vous étiez proches, commenta Eli.

– Meilleures amies pour la vie.

– Tant que ça ?

– Parfaitement, on peut l'être à tout âge. Et les meilleures amies pour la vie se racontent tout, absolument tout, à n'importe quel âge.

Eli hocha la tête, puis remit ses lunettes de soleil en saisissant l'allusion.

– Ah. Hmm...

En riant, Abra lui décocha un petit coup dans le ventre.

– Vous deviez être trop mignons, tous les deux.

– Je devrais peut-être éviter son mari...

– Mike ? Pensez-vous ! C'est un homme adorable. Un excellent père de famille. Il vous plaira. Vous devriez passer au pub, vendredi soir. Le Village Pub, anciennement le Katydids.

– Le Katydids n'existe plus ?

– C'est un café-concert, maintenant. L'ambiance est très sympa.

– Je n'ai pas envie de voir du monde.

– Vous devriez, pourtant, ça vous détendrait. Vous avez souri.

– Pardon ?

– Quand vous avez reconnu Maureen, vous avez souri. Un vrai sourire. Vous étiez content de la revoir, ça se voyait. Vous m'accompagnez un bout de chemin ? proposa Abra avec un geste en direction de son cottage.

Et sans lui laisser le temps de se défiler, elle le prit par la main.

– Comment vous sentez-vous ? demanda-t-elle. Depuis le dernier massage ?

– Bien. Vous aviez raison : à chaque fois, j'ai des courbatures le lendemain, mais globalement, je sens une nette amélioration.

– Vous êtes toujours noué, mais nous finirons bien par venir à bout de ces tensions. La prochaine fois, je vous montrerai des exercices d'étirements que vous pourrez faire tout seul.

Elle poussa un long soupir.

– Un souci ? s'enquit Eli.

– Je suis en plein débat mental avec moi-même. À propos de quelque chose que j'hésite à vous dire. Ça risque de vous énerver.

– Quoi donc ?

– Un détective privé est venu me trouver, ce matin, après mon cours de yoga. Un certain Kirby Duncan, engagé par quelqu'un de Boston. Il voulait me poser des questions sur vous.

– OK.

– OK, c'est tout ce que vous trouvez à dire ? Non, ce n'est pas OK ! Ce type a insisté lourdement, et il m'a proposé de l'argent, ce que je trouve insultant. C'est du harcèlement, c'est inadmissible. Vous devriez...

– Prévenir la police ? Je ne veux plus rien avoir à faire avec la police. Engager un avocat ? J'en ai déjà un.

– La police vous a traqué pendant un an. Et maintenant, voilà qu'on vous colle un privé aux trousses. Ce n'est pas juste. Il doit y avoir un moyen de mettre un terme à ces pratiques douteuses.

– Aucune loi n'interdit de poser des questions.

– Vous savez ce qu'il a sous-entendu, parce que je refusais de coopérer ? Que je couchais avec vous. Il ne l'a pas dit ainsi, mais c'était du pareil au même.

– Je suis désolé.

Eli tenta de dégager sa main de celle d'Abra. Elle la retint.

– Non, vous n'avez pas à être désolé. Quand bien même nous aurions une « relation personnelle », comme il a dit, ce ne sont pas ses oignons.

Les yeux d'Abra, remarqua-t-il, prenaient une teinte d'un vert particulièrement lumineux quand elle était en colère.

– Vous paraissez plus contrariée que moi.

– Pourquoi n'êtes-vous pas furieux ? Non, mais vraiment, pourquoi n'êtes-vous pas fou de rage ?

– J'ai eu amplement le temps de me rendre compte que la rage ne servait à rien.

– C'est de l'ingérence dans votre vie privée, et c'est... vindicatif. Pourquoi tant de hargne alors que... (Elle eut soudain un éclair.) C'est sa famille ! La famille de Lindsay. Ils n'arrivent pas à lâcher prise.

– Mettez-vous à leur place...

– Je vous en prie ! rétorqua-t-elle en se tournant vers l'océan bouillonnant. D'accord, si c'était ma sœur, ou ma mère, ou ma fille, je ferais tout pour savoir qui l'a tuée. Mais ce n'est pas en envoyant quelqu'un fouiner ici qu'ils retrouveront l'assassin.

– Ils sont persuadés que c'est moi, déclara Eli avec un haussement d'épaules. Ils ne voient pas qui d'autre aurait pu en vouloir à leur fille.

– Elle avait un amant, des collègues de travail, des amis, des connaissances, de la famille. Comme tout le monde, Lindsay devait avoir des ennemis, ou tout au moins des gens qui lui en voulaient, pour une raison ou pour une autre.

— Aucun n'était marié avec elle ni ne s'était disputé avec elle en public le jour où elle est morte. Et c'est moi, encore, qui ai découvert le corps. La première poule qui chante...

— Avec cet état d'esprit, heureusement que vous n'avez pas choisi de vous défendre vous-même.

Il esquissa un sourire.

— Je n'aurais jamais accepté un client avec un tel état d'esprit. Il n'empêche que ces trois points sont des faits. Ajoutez à cela la liste des griefs de ses parents contre moi. Je plaçais mes ambitions au-dessus des siennes, je ne la rendais pas heureuse, alors elle est allée chercher le bonheur ailleurs. Elle leur a raconté que non seulement je la négligeais, mais que je lui reprochais de passer trop de temps en dehors de la maison, et qu'elle me soupçonnait d'avoir des maîtresses, que j'étais infect, que je la brutalisais verbalement.

— Ils ont osé continuer à tenir ce discours alors que l'enquête judiciaire a prouvé que vous n'aviez jamais eu d'aventures extraconjugales, et que vous n'avez jamais été violent ?

— J'ai eu des mots très durs lors de notre dernière dispute.

— Vous n'avez été tendres ni l'un ni l'autre, d'après ce que j'ai lu. Et je comprends que sa famille ait besoin d'être entendue, soutenue, réconfortée. Mais pourquoi diable envoyer un privé ? Ils ne trouveront rien de plus, ici. Vous n'êtes pas venu à Whiskey Beach depuis des années.

— C'est une manière de me montrer qu'ils ne sont pas près de me laisser en paix. Ils menacent de m'intenter un procès pour meurtre.

— Oh, Eli !

— Ils jouent leur va-tout.

— Et l'amant de Lindsay, dans l'histoire ?

— Contrairement à moi, il a un alibi en béton.

— Lequel ?

— Il était chez lui avec sa femme.

— Effectivement, j'ai lu ça dans les journaux. Mais sa femme peut mentir.

— Quel intérêt aurait-elle à mentir ? Elle était mortifiée, et furieuse, quand elle a appris par la police que son mari la trompait, avec l'une de ses amies par-dessus le marché. Or malgré sa douleur, sa rage, elle a juré qu'il était rentré à la maison avant 18 heures, ce soir-là. Justin Suskind n'a pas tué Lindsay.

– Ce n'est pas vous non plus.

– Non, mais j'en aurais eu l'opportunité, lui pas.

– Dans quel camp vous battez-vous ?

– Dans le mien, bien sûr, répondit-il avec un faible sourire. Je sais que je ne l'ai pas tuée, mais je sais aussi que les apparences jouent contre moi.

– Ils n'ont pas de preuve. À vous de leur prouver qu'ils se fourvoient.

– Comment ? J'ai déjà déployé toutes mes ressources.

– Ils ont engagé un détective privé. Engagez un détective privé.

– Déjà fait. Ça n'a mené à rien.

– Vous n'allez tout de même pas vous coucher devant eux ! Engagez-en un autre.

– Vous parlez comme mon avocat.

– Au moins, vous avez un avocat sensé. Encaisser les coups sans broncher n'est pas une solution. Je sais de quoi je parle, ajouta-t-elle.

– Quelqu'un vous a fait du mal ?

– Oui, et pendant trop longtemps, j'ai courbé l'échine. Battez-vous, Eli, dit-elle en lui posant les mains sur les épaules. Qu'ils sachent que vous n'êtes pas leur souffre-douleur. Et que vous le sachiez, vous aussi.

Impulsivement, elle se haussa sur la pointe des pieds et déposa un léger baiser sur ses lèvres.

– Appelez votre avocat, ordonna-t-elle.

Et là-dessus, elle s'éloigna en direction de l'escalier menant à son cottage.

Du haut de la falaise, Kirby Duncan zooma sur elle et prit encore quelques photos.

Il se doutait bien qu'il y avait quelque chose entre Landon et cette jolie rouquine. Cela ne prouvait rien, naturellement, mais son job était de glaner des renseignements, de poser des questions, de déstabiliser Landon.

Les gens commettaient davantage d'erreurs, en équilibre instable.

6

En arrivant pour faire le ménage, Abra fut accueillie à Bluff House par l'odeur du café. La cuisine était propre, en ordre. Comme Eli n'avait pas fait la liste des courses, elle commença par en établir une.

Lorsqu'il entra dans la pièce, elle nettoyait les portes des placards, perchée sur un tabouret.

— Bonjour, lui lança-t-elle par-dessus son épaule, avec un sourire amical. Vous êtes levé depuis longtemps ?

— Oui, je voulais m'avancer dans mon travail. (Il se garda de préciser que les cauchemars l'avaient réveillé avant l'aube.) Il faut que j'aille à Boston, aujourd'hui.

— Oh ?

— J'ai rendez-vous avec mon avocat.

— Bien. Vous avez mangé ?

— Oui, maman.

— Vous aurez le temps de passer chez vos parents ? s'enquit-elle, sans relever la provocation, tout en continuant d'astiquer.

— Je le prendrai. Écoutez, je ne sais pas quand je rentrerai. Il se peut que je dorme chez eux.

— Pas de problème. Nous reporterons votre massage.

— Je vous laisserai de l'argent pour les courses. La même somme que la dernière fois ?

— Oui. Si ça fait plus, ou moins, on s'arrangera la semaine prochaine. Puisque vous ne serez pas là, j'en profiterai pour faire le ménage dans votre bureau. Je vous promets de ne toucher à aucun de vos papiers.

— OK, acquiesça-t-il en l'observant.

Elle portait un T-shirt noir uni – très classique pour elle –, un slim noir et des baskets montantes en toile rouge. Des chapelets de petites boules rouges pendaient à ses oreilles. Plusieurs bagues en argent étaient posées sur l'îlot central.

– Vous aviez raison, l'autre jour, dit-il.

– J'adore qu'on le reconnaisse, répondit-elle en descendant du tabouret. Qu'ai-je dit de si juste, cette fois ?

– Que je devais me battre. J'avais perdu courage, je dois me reprendre. Cette fois, il faut que je sois armé.

– C'est bien. Ne vous laissez pas persécuter par les parents de Lindsay. De toute façon, ne vous inquiétez pas, ils ne se lanceront pas dans ce procès. Ils espèrent probablement que, pour avoir la paix, vous finirez par leur offrir un dédommagement financier. Ce qui pour eux constituerait la preuve de votre culpabilité. Ils ont du chagrin, alors ils se vengent sur vous.

– Vous pourriez être avocate ! dit-il en souriant.

La main sur la hanche, elle inclina la tête.

– Vous devriez mettre une cravate.

– Une cravate ?

– Vous vous sentirez plus fort, plus confiant. Davantage vous-même. Du reste, vous en avez toute une collection, dans votre chambre.

– Ce sera tout ?

– Ne vous faites pas couper les cheveux.

Décidément, elle avait le chic pour le désarçonner.

– Parce que ?

– Je vous aime bien avec les cheveux longs. Ça ne fait pas très avocat, mais ça fait écrivain. À la rigueur, une très légère coupe d'entretien, si vous l'estimez absolument nécessaire, que je pourrais d'ailleurs vous faire moi-même, mais...

– Alors là, il en est absolument hors de question !

– Je vous assure que je ferais ça très bien. Quoi qu'il en soit, ne reprenez pas votre look costume-cravate.

– Il faudrait savoir... Vous venez de me dire de mettre une cravate.

– Et de garder les cheveux longs. Apportez des fleurs à Hester. Des tulipes, par exemple. Elles lui évoqueront le printemps.

– Suis-je censé prendre des notes ?

En souriant, elle contourna l'îlot central.

– Je ne m'étais pas trompée, vous allez nettement mieux. Vous retrouvez du mordant. Allez mettre une cravate, dit-elle en épousse-tant les revers de sa veste. Et soyez prudent, sur la route.

Elle se hissa sur la pointe des pieds, lui déposa une bise sur la joue.

– Qui êtes-vous ? Sans plaisanter ?

– Patience, je vous le dirai bientôt. N'oubliez pas de donner le bonjour de ma part à votre famille.

– Je n'y manquerai pas. On se voit... quand on se verra.

Elle repassa derrière l'îlot, remonta sur le tabouret et se remit à la tâche.

Il choisit une cravate. Il ne pouvait pas dire qu'il se sentait plus fort, ni plus confiant ; étrangement, cependant, il se sentait plus complet. Tout en songeant à l'importance des apparences, il sortit sa mallette, y logea ses dossiers, un bloc neuf, des crayons fraîchement taillés, un stylo-bille et, après un bref instant de réflexion, son mini-enregistreur vocal.

Puis, devant le miroir, il enfila son manteau de ville.

– Qui es-tu ? murmura-t-il.

Il ne ressemblait pas à celui qu'il avait été, mais il ne renvoyait pas non plus l'image à laquelle il s'était accoutumé. Plus avocat, pensa-t-il, mais pas encore écrivain. Pas coupable, mais pas encore reconnu innocent.

Toujours dans les limbes, mais peut-être, peut-être enfin prêt à sortir la tête hors de l'eau.

En montant dans sa voiture, il réalisa que c'était la première fois qu'il prenait le volant depuis son arrivée à Bluff House, trois semaines plus tôt.

Une bonne chose, se félicita-t-il. Il reprenait pied, il se reprenait en main. Il mit le contact et quitta Whiskey Beach.

Sans remarquer qu'une voiture le suivait.

Comme il faisait relativement doux, Abra ouvrit en grand les baies vitrées. Elle passa au bureau et, résistant à la tentation de feuilleter le manuscrit – une promesse était une promesse –, elle nota sur un Post-it le message que Hester lui avait dicté par téléphone et le colla sur une canette. Puis elle contempla la vue que l'on avait de là.

Le soleil et le vent avaient balayé les dernières plaques de neige. La mer était calme, d'un bleu profond, les herbes marines frémissaient dans la brise, un bateau de pêcheurs se balançait sur les flots.

Eli se sentait-il bien, ici ? s'interrogea-t-elle. Se rendait-il compte de la chance qu'il avait de pouvoir savourer cette vue, ce bon air, le bruit, l'odeur de la mer ? Au bout de combien de temps avait-elle commencé à se sentir chez elle, à Whiskey Beach ?

Elle ne s'en souvenait pas, pas précisément. Peut-être à partir du jour où sa voisine Maureen avait frappé à sa porte pour se présenter, avec une assiette de brownies et une bouteille de vin. Ou peut-être le jour de cette première longue balade sur la plage, dans une sérénité intérieure absolue. Comme Eli, elle était venue là chercher refuge. Elle avait néanmoins le choix, et celui de Whiskey Beach avait été mûrement réfléchi.

Elle ne le regrettait pas une seule seconde.

Absente, elle palpa la cicatrice le long de ses côtes gauches. Elle n'y pensait plus que rarement ; ce qu'elle avait fui n'était plus qu'un lointain souvenir. Eli, cependant, lui faisait penser à elle. Était-ce pour cela qu'elle désirait si ardemment l'aider ?

Eli venait à peine de s'installer dans la salle d'attente du cabinet, et de décliner le café proposé par l'une des trois réceptionnistes, que Neal Simpson en personne vint le chercher, vêtu, comme à l'accoutumée, d'un costume qui semblait taillé sur mesure.

– Salut, vieux, content de te voir, lui dit-il avec une vigoureuse poignée de main.

Eli le suivit à travers le dédale design de l'agence Gardner, Kopeck, Wright & Simpson. Associé à l'un des cabinets les plus prestigieux de la ville, Neal comptait déjà, à trente-neuf ans, parmi les ténors du barreau bostonien. Eli lui faisait confiance, aveuglément ; Neal était sa seule béquille. Bien qu'il leur fût arrivé plus d'une fois d'être en concurrence, de s'arracher des clients, ils évoluaient dans les mêmes cercles, fréquentaient des amis communs.

Avant. Avant que le battage médiatique autour du meurtre de Lindsay ne relègue Eli au rang de paria honni par ses pairs.

Dans son vaste bureau surplombant le parc Boston Common, Neal ignora l'imposante table de travail et invita Eli à prendre place dans le coin salon aux fauteuils de cuir.

– Alors, comment vas-tu ? lui demanda-t-il tandis que sa charmante assistante apportait un plateau chargé de deux grands mugs de cappuccino coiffés d'un nuage de crème. Merci, Rosalie.

– Je vous en prie, monsieur. Désirez-vous autre chose ?

– Pas pour l'instant. Je vous ferai signe, au cas où.

La jeune femme s'éclipsa discrètement et referma la porte derrière elle. Neal s'installa en face d'Eli.

– Tu as meilleure mine, il me semble, non ?

– Il paraît.

– Ton bouquin avance ?

– Tout doucement.

– Et ta grand-mère ? Elle se remet de son accident ?

– Tout doucement, aussi, je te remercie. Mais tu n'es pas obligé, tu sais, Neal.

Sa tasse en main, celui-ci se cala confortablement au fond de son fauteuil.

– Obligé de quoi ?

– Les civilités, la conversation amicale pour mettre le client à l'aise.

Neal dégusta une gorgée de café.

– Nous étions amis avant que tu fasses appel à mes services, mais tu n'as pas fait appel à moi parce que nous étions amis. En tout cas, ce n'était pas le premier de tes critères. Quand je t'ai demandé pourquoi tu m'avais choisi, tu m'as répondu que tu pensais que nous avions la même approche de la loi, la même façon de travailler, la même considération pour le client dans sa globalité. Il faut que je sache dans quel état d'esprit tu es, Eli, pour décider des actions ou des non-actions à te recommander.

– Mon état d'esprit est aussi changeant que la marée. Pour l'heure, je... je ne suis pas optimiste, mais combatif. Je suis fatigué, Neal, de traîner ce boulet derrière moi. Fatigué de regretter tout ce que j'ai perdu, de ne même plus savoir ce que je veux. Fatigué de rester bloqué au point mort. Je n'ai plus l'impression, certes, de dégringoler dans un néant sans fond, comme il y a quelques mois, et c'est déjà un progrès, mais ça ne me suffit plus. Je veux avancer.

– OK.

– Je ne peux rien faire pour changer les sentiments des parents de Lindsay à mon égard. Pas tant que l'assassin n'aura pas été arrêté, jugé, condamné. Et encore... Ils penseront peut-être que je me suis faufilé à travers les mailles de la justice. Qu'à cela ne tienne, je me fiche désormais de ce que l'on pense de moi.

– Tu as raison, opina Neal en sirotant son café.

Eli se leva et se mit à arpenter la pièce.

– C'est pour moi, à présent, uniquement pour moi, que je veux savoir qui a tué Lindsay. Elle était ma femme, même si nous ne nous aimions plus – si tant est que nous nous soyons jamais aimés –, même si elle me trompait, même si j'avais hâte de divorcer. Elle était ma femme et je veux savoir qui lui a sauvagement fracassé le crâne.

– On peut remettre Carlson sur le coup.

– Non, cessons de tourner en rond. Nous allons engager un autre privé, quelqu'un qui abordera cette affaire avec un esprit neuf, qui reprendra l'enquête de zéro. Je n'ai rien à reprocher à Carlson, nous lui avions demandé de trouver des preuves de mon innocence. Cette fois, le but sera d'identifier le coupable.

Sur son calepin, Neal griffonna quelques notes.

– Sans automatiquement t'éliminer ?

– Tout à fait. Le détective que nous engagerons devra s'intéresser à moi, et de près. Je veux une femme.

– Rien de plus normal pour un homme de ton âge, commenta Neal en souriant.

Avec un rire amer, Eli se rassit.

– Depuis un an, tu sais, je fuis les femmes comme la peste.

– Pas étonnant que tu aies cette tête cadavérique.

– Je croyais que j'avais l'air en forme.

– Tout est relatif. Tu veux donc *une* détective ?

– Chevronnée, consciencieuse et intelligente. Avec qui les amies de Lindsay pourront parler plus librement qu'avec Carlson. Les rapports de police sont formels, et nous sommes d'accord avec eux au moins sur ce point : soit Lindsay a laissé l'assassin entrer dans la maison, soit il avait les clés. Il n'y a pas eu d'effraction. Elle a été attaquée par-derrière, ce qui signifie qu'elle avait le dos tourné. Elle n'a pas lutté, elle ne s'est pas débattue, ce n'était pas un cambrioleur. C'était quelqu'un qu'elle connaissait et dont elle n'avait aucune raison de se méfier. Suskind a un alibi, mais s'il n'était pas son seul amant ? Seulement le dernier ?

– Nous avons exploré cette piste.

– Réexplorons-la, plus minutieusement, en n'omettant aucun détour. Que la police continue de me soupçonner, je m'en fiche, Neal, je ne l'ai pas tuée. Ils auront beau remuer ciel et terre, ils ne parviendront pas à m'inculper. Il ne s'agit plus de trouver un moyen de mettre un terme à cela, mais de faire le jour sur cette affaire, afin qu'elle soit définitivement classée.

– D'accord, je connais une bonne détective, je lui passerai un coup de fil.

– Je t'en saurai gré. Et pour en rester au rayon des détectives privés : Kirby Duncan.

– Je me suis renseigné, déclara Neal en allant chercher un dossier sur son bureau. Tiens, je t'ai fait des copies. En gros ? Il est installé à son compte, il a monté une petite agence modeste. Il a la réputation de ne pas être trop à cheval sur la loi, mais il n'a jamais été inquiété. Il a été flic pendant huit ans, et il a gardé pas mal de contacts au département de police de Boston.

Tout en écoutant Neal, Eli ouvrit le dossier et le parcourut en fronçant les sourcils.

— J'étais persuadé qu'il était engagé par les parents de Lindsay, mais je commence à avoir des doutes, dit-il en tournant les pages. Ça ne leur ressemble pas de s'adresser à un type pareil, eux qui aiment le clinquant, la renommée, les méthodes high-tech, etc.

— Il leur a peut-être été recommandé par quelqu'un.

— Ouais... De toute façon, si ce n'est pas eux qui l'ont engagé, je ne vois pas qui d'autre...

— Leur avocate ne confirme ni ne dément. À ce stade, elle n'est pas tenue de m'informer de leurs démarches. Duncan a travaillé dans la police. Il est possible que Wolfe et lui se connaissent, et que Wolfe ait décidé de mettre la main au porte-monnaie afin de se faire aider. Si c'est le cas, ce sera dur à savoir, évidemment.

— Ce n'est pas son genre, mais va savoir... De toute manière, on ne peut pas empêcher Duncan de poser des questions à Whiskey Beach, quel que soit son client. Aucune loi ne le lui l'interdit.

— Et aucune ne t'oblige à lui répondre. Nous demanderons à notre détective d'enquêter sur lui. Et on laissera fuiter que c'est pour ça qu'on a pris quelqu'un.

— Pas bête, acquiesça Eli. Soyons plus malins qu'eux.

— Les Piedmont essaient seulement, pour l'instant, de continuer à faire planer le doute sur toi, de réveiller l'intérêt des médias et du grand public qui commençait à se tarir. D'une pierre deux coups, ils te pourrissent aussi la vie. Ce privé, cette nouvelle estocade vient sûrement d'eux.

— Quels enfoirés...

— Comme tu dis...

— Laissons-les faire, maugréa Eli. Ça ne peut pas être pire que quand le monde entier se déchaînait contre moi vingt-quatre heures sur vingt-quatre, sept jours sur sept. J'ai survécu à l'ouragan, je peux survivre à ça. Je n'essuierai pas les coups sans broncher, cette fois. Ils ont perdu leur fille, je compatis à leur chagrin, mais qu'ils cessent de me prendre pour leur souffre-douleur.

— Et quand leur avocate nous réclamera un dédommagement, ce qui à mon avis figure parmi les buts de la manœuvre, nous lui opposerons un « non » ferme et catégorique.

– Et même un « merde » ferme et catégorique.

– Je vois que tu vas nettement mieux.

– J'ai passé un an dans le brouillard, en état de choc, rongé par la culpabilité, par la peur. Chaque fois que la tempête se calmait, j'étais certain que l'éclaircie cachait un piège. Je ne suis pas encore complètement sorti de la purée de pois, et Dieu sait que je redoute un nouveau coup de blizzard qui m'anéantirait, mais, pour le moment, je suis prêt à déjouer l'une de leurs sales machinations. Il est grand temps que j'émerge de cet enfer, que je respire à nouveau l'air pur.

– OK, opina Neal, son Montblanc en argent au-dessus de son calepin. Parlons stratégie, à présent.

En quittant le bureau de Neal, Eli s'engagea dans le Boston Common, le plus ancien parc public de la capitale du Massachusetts, et même des États-Unis. Il avait du mal à définir ce que lui inspirait la ville, maintenant qu'il l'avait quittée. Tout lui était encore familier, et cela le réconfortait, tout comme les premiers bourgeons, les premières fleurs printanières, signes de renouveau, d'espoir.

Il adorait Boston, il s'y sentait chez lui, et sans doute y serait-il toujours attaché. Il savait où l'on servait les meilleurs cafés, les meilleurs sandwichs, la meilleure cuisine gastronomique. Il avait ses bars favoris, son tailleur, le bijoutier chez qui il était sûr de trouver un cadeau qui plairait à Lindsay.

Tout cela appartenait à une époque révolue. Il s'arrêta devant un parterre de jonquilles encore fermées, près d'éclore sous le soleil printanier. Il ne regrettait pas le passé. Ou, tout au moins, le regret n'était plus aussi cuisant.

Il allait trouver un nouveau coiffeur, qui lui couperait les cheveux un peu mais pas trop, acheter des tulipes pour Hester. Et avant de rentrer à Whiskey Beach, il préparerait une nouvelle valise, avec le reste de ses vêtements, ses tenues de plein air. La vie continuait, une page seulement s'était tournée. Dans la douleur. Eli était déterminé, désormais, à mettre un point final à ce chapitre d'horreur.

Lorsqu'il se gara devant la majestueuse demeure de brique rouge, sur les hauteurs de Beacon Hill, le ciel s'était assombri. Toutefois, sa grand-mère ne pourrait pas lui dire qu'il n'apportait pas le soleil, quand il lui offrirait l'énorme bouquet de tulipes pourpres. Pour sa mère, il avait choisi un gros pot de jacinthes, l'une de ses fleurs préférées.

Physiquement épuisé, plus qu'il ne l'aurait cru, par la route depuis Whiskey Beach, l'entrevue avec Neal, la promenade dans le parc, il s'efforça de se tenir droit, se composa une expression souriante. Surtout, ne pas inquiéter sa famille.

La porte s'ouvrit avant qu'il ait eu le temps de sonner.

– Monsieur Eli ! Bienvenue, monsieur Eli !

– Bonjour, Carmel.

Il aurait pris la vieille gouvernante dans ses bras s'il ne les avait eus encombrés. Il dut se contenter de la saluer d'une bise chaleureuse.

Eli retira une tulipe du bouquet.

– Pour vous.

– Vous êtes gentil. Entrez, entrez. Votre mère ne va pas tarder, et votre père a promis de rentrer avant 17 h 30, pour ne pas vous louper au cas où vous ne passeriez qu'en coup de vent. Mais vous dînerez ici, n'est-ce pas ? Alice est en train de préparer un ragoût de bœuf, et de la crème brûlée à la vanille pour le dessert.

– J'ai intérêt à lui garder une tulipe.

Un sourire illumina le visage de Carmel puis, aussitôt, ses yeux s'emplirent de larmes. L'une des raisons pour lesquelles, entre autres, il s'était exilé à Whiskey Beach : pour ne plus voir chaque jour la détresse sur les traits de ceux qu'il aimait.

– Ne pleurez pas, Carmel. Tout finira par s'arranger.

– Je l'espère, de tout mon cœur. Donnez-moi ce pot de fleurs.

– Elles sont pour maman.

– Vous êtes un bon fils. Vous avez toujours été un bon garçon, même si vous faisiez souvent de grosses sottises quand vous étiez petit. Votre sœur vient souper, aussi, ce soir.

– J'aurais dû lui acheter des fleurs.

– Vous ne pouviez pas savoir, elle ne vous en voudra pas, lui assura Carmel, du haut de son mètre cinquante, en ravalant ses larmes. Montez vite porter celles-ci à votre grand-mère. Elle est dans le petit salon à côté de sa chambre, probablement devant son ordinateur. Je vous apporte un vase, et un sandwich.

– Merci, répondit Eli en se dirigeant vers le grand escalier. Comment va-t-elle ?

– Chaque jour un peu mieux. La seule chose qui l'ennuie, c'est de ne pas se rappeler ce qui s'est passé. Mais vous allez être surpris par les progrès qu'elle a faits. Montez vite, elle sera contente de vous voir.

Dans l'un des salons de l'aile ouest, Hester pianotait sur son ordinateur portable, le dos et les épaules parfaitement droits sous un élégant cardigan vert bouteille, ses cheveux gris coquettement coiffés. Le déambulateur n'était nulle part en vue. Sa canne à pommeau d'argent tête de lion reposait contre le bureau.

– Encore en train d'inciter à la révolution ?

Il s'avança dans la pièce, déposa un baiser au sommet de son crâne.

– J'ai passé toute ma vie à fomenter des révoltes, répondit-elle en lui prenant la main. Pourquoi m'arrêterais-je maintenant ? Laisse-moi te regarder.

Elle pivota sur son fauteuil, le scruta impitoyablement de ses yeux noisette. Enfin, les commissures de ses lèvres se retroussèrent.

– Whiskey Beach te réussit. Toujours trop maigre, mais tu as retrouvé des couleurs, et tu parais moins abattu. Tu m'apportes un rayon de printemps ?

– Tout le mérite revient à Abra. C'est elle qui m'a conseillé d'acheter des tulipes.

– Tu as eu la sagesse de l'écouter.

– Elle sait se faire entendre. Je suppose que c'est pour cela que tu l'aimes tant.

– Entre autres. Tu as l'air en forme.

– Aujourd'hui.

– Demain sera un autre jour. Assieds-toi. Tu es si grand que tu me donnes le torticolis. Assieds-toi, et raconte-moi ce que tu fais de tes journées.

– Je travaille, je broie du noir, je m'apitoie sur mon sort, mais je me suis rendu compte qu'il n'y a que quand j'écris que je me sens moi-même. Alors j'essaie de ne plus ruminer.

Un sourire satisfait étira les lèvres de Hester.

– Bien, le félicita-t-elle. Je retrouve mon petit-fils.

– Où est ton déambulateur ?

Instantanément, le sourire s'effaça.

– Au rebut. Les médecins ont mis autant de ferraille dans mes vieux os que pour caréner un navire de guerre. Le kiné me fait travailler comme un sergent instructeur. Je peux me déplacer sans ce machin de vieillard.

– Tu as toujours des douleurs ?

– De temps en temps, mais de moins en moins. Comme toi, à peu près, j'imagine. On ne se laissera pas abattre, Eli.

Elle aussi avait perdu du poids, et de nouvelles rides avaient creusé son visage. Son regard, cependant, demeurait plus vif, plus féroce que jamais.

– Non, Gran, on se battra.

Tandis qu'Eli bavardait avec sa grand-mère, garé le long du trottoir opposé, Duncan observait la maison à travers l'objectif à longue
focale de son appareil photographique. Il prononça quelques commentaires devant le micro de son enregistreur vocal, puis s'installa
confortablement en vue d'une longue attente.

7

Une grande partie de son travail consistait à se tourner les pouces. Avachi derrière le volant de sa berline, Kirby Duncan grignotait des bâtonnets de carotte crue. Il avait une nouvelle amie, la meilleure des motivations pour mincir de quelques kilos.

Bien que sa voiture fût d'un modèle qui passait tout à fait inaperçu, il l'avait déjà déplacée une fois, au cours des deux heures qui venaient de s'écouler, et envisageait de la redéplacer. L'instinct lui disait que Landon n'était pas près de s'en aller. Probablement dînerait-il avec sa famille. Duncan avait pris des clichés de la mère, du père et, tout dernièrement, de la sœur, de son mari et de leur fillette.

On le payait pour surveiller Landon, alors il surveillait Landon.

Il l'avait suivi depuis Whiskey Beach jusqu'au cabinet de son avocat, en plein centre de Boston – une filature aisée malgré les embouteillages. Là, il avait eu tout loisir de faire discrètement le tour de sa voiture. RAS.

Quelque quatre-vingt-dix minutes plus tard, il s'était baladé derrière lui dans le Boston Common. Landon était allé chez le coiffeur. Il s'était ensuite arrêté chez un fleuriste, à qui il avait dû laisser une somme rondelette. Rien d'extraordinaire, cela dit, pour un type d'un milieu aisé se rendant en visite chez ses parents. En fait, pour ce que Duncan en avait vu jusque-là, Landon menait une vie des plus ordinaires. Plutôt morne, même. S'il avait tué sa femme, il n'en profitait pas pour faire la noce.

Les rapports, pour l'instant, demeuraient plutôt maigres. S'est promené sur la plage. A rencontré sa femme de ménage et une amie de celle-ci (mariée, mère de trois enfants), qui l'a chaleureusement embrassé.

Duncan soupçonnait une liaison entre Landon et la femme de ménage – très sexy, au demeurant. Toutefois, il n'était pas parvenu à établir de lien entre eux avant l'arrivée de Landon dans la demeure familiale en bord de mer.

Il avait mené sa petite enquête sur Abra Walsh. La belle rouquine avait eu des démêlés avec un compagnon violent. Si l'on partait du principe que les femmes battues avaient un faible pour les brutes, on pouvait supposer qu'elle était attirée par le côté obscur de Landon. Duncan, toutefois, était beaucoup moins sûr que son client que celui-ci ait fracassé la tête de son épouse. Son vieil ami Wolfe en avait lui aussi l'intime conviction, mais il avait beau être l'un des meilleurs flics de Boston, il n'était pas à l'abri d'une erreur de jugement.

Plus Duncan observait Landon, plus ce pauvre type lui semblait innocent.

Il avait interrogé quelques personnes, l'air de rien, à la manière du touriste lambda intrigué par l'imposant manoir perché sur la falaise. La réceptionniste du B&B où il logeait lui avait indiqué qu'il appartenait aux Landon, une vieille famille de la région qui avait bâti sa fortune sur le négoce d'alcool. Et les habitants du village n'avaient pas été avares de légendes. Si les Landon étaient aujourd'hui à la tête d'une distillerie de renom, leurs ancêtres avaient été pirates, contrebandiers, trafiquants durant la Prohibition. Des trésors étaient cachés depuis des générations entre les murs de Bluff House, hantée bien sûr par une kyrielle de fantômes.

Duncan avait trouvé une source particulièrement distrayante en la charmante vendeuse d'une boutique de souvenirs, ravie de passer une demi-heure à bavarder avec un client par un après-midi tristounet, d'autant que ledit client lui avait lâché quelques billets. Les commères étaient souvent les meilleures alliées des détectives privés, et Heather Lockaby n'avait pas besoin de se faire prier pour commérer.

Elle était terriblement peinée pour Eli, avait-elle confié à Duncan. Quant à son épouse, elle ne méritait certes pas une fin aussi atroce, mais ce n'était qu'une snob, froide et antipathique, qui ne daignait même pas rendre visite à la grand-mère de son mari. Heather avait embrayé sur la chute de Hester Landon, mais Duncan l'avait aisément remise sur les rails.

Eli passait autrefois toutes ses vacances à Whiskey Beach. Beau garçon, fêtard, il était la coqueluche des filles du village. Personne ne s'attendait à ce qu'il se case avant la trentaine, si bien que, lorsqu'il s'était marié, on avait supposé un polichinelle dans le tiroir. Mais non.

À l'évidence, il n'était pas très heureux en ménage. Pourquoi, sinon, serait-il venu seul à Bluff House ? Les derniers temps, d'ailleurs, il ne venait plus du tout. Quand le bruit avait commencé à courir qu'il était en instance de divorce, Heather n'avait pas été étonnée. Personnellement, elle se doutait depuis longtemps que sa femme le trompait. Elle avait le nez pour ce genre de chose. Elle comprenait parfaitement la déception et la rage d'Eli, mais s'il avait tué sa femme, ce que, bien sûr, elle ne croyait pas une seconde, ce ne pouvait être qu'un malheureux accident.

Duncan ne lui avait pas demandé comment on pouvait asséner par accident plusieurs coups de tisonnier sur le crâne de quelqu'un. Ces potins lui avaient déjà coûté deux cent cinquante dollars, et hormis leur caractère amusant, ils étaient d'un intérêt très limité. Il avait cependant pris note que, même au village dont Landon était l'enfant chéri, certains avaient un petit doute, aussi infime fût-il, quant à son innocence. Le doute déliait les langues. Il y avait peut-être matière à creuser. Duncan était payé pour creuser, il creuserait.

Ce soir, en revanche, il ne servirait probablement à rien de planquer plus longtemps. Duncan hésitait, toutefois : lever le camp, ou s'accorder seulement une pause-pipi ? En sentant son portable vibrer dans sa poche, il souleva paresseusement ses fesses endolories. Le client.

– Bonsoir, je suis en ce moment devant chez ses parents, à Beacon Hill. Oui, il est à Boston depuis ce matin. Je vous enverrai un rapport d'ici...

Interrompu par une salve de questions, il se recala au fond de son siège.

– Oui, c'est ce que je viens de vous dire, il a passé la journée à Boston. Il est allé chez son avocat, chez le coiffeur. C'est tout, oui. Ah non, il a acheté des fleurs. Il va rester dîner chez ses parents, j'ai l'impression. Sa sœur est là, aussi, avec son mari et leur môme. Je ne sais pas si ça vaut le coup que je continue à planquer... Ah... vous croyez ? Bon, comme vous voudrez... Pas de problème.

Si le client avait du fric à claquer, après tout... songea Duncan en se résignant à une longue soirée.

– OK, d'accord, je vous appelle dès qu'il sort.

Et avec un soupir, il croqua un bâtonnet de carotte.

Bien qu'il fût parti depuis moins d'un mois, Eli éprouvait le sentiment de retrouvailles après une longue absence. Une flambée crépitait dans la grande cheminée de pierre ; le museau sur les pattes, la vieille Sadie dormait devant le feu. Les Landon au complet étaient réunis dans ce qu'ils appelaient le salon familial, meublé de souvenirs et de photos de famille, un bouquet de lis rouges trônant sur le piano. Hester s'était de bon gré laissé porter dans l'escalier par son petit-fils, qui l'avait déposée dans sa bergère favorite. Autour d'une bouteille de vin, tout le monde bavardait gaiement en attendant l'heure du dîner. Comme avant. Comme si rien n'avait changé.

Eli était conscient que la petite Selina contribuait pour beaucoup à égayer l'atmosphère. Jolie comme un cœur, vive comme l'éclair, la fille de Tricia, à peine trois ans, emplissait la pièce de son joyeux babil. Assis par terre à côté d'elle, il l'aidait à construire un château de cubes. Un instant de bonheur, simple et ordinaire, lui rappelant qu'il avait imaginé, un jour, élever des enfants.

Ses parents paraissaient moins anxieux que lorsqu'il était parti pour Whiskey Beach, trois semaines plus tôt. L'épreuve qu'ils avaient traversée avait accentué les rides de son père, plaqué sur le visage de sa mère un masque de pâleur presque translucide.

– Je vais donner à manger à cette petite demoiselle très occupée, déclara Tricia en se levant, avec une pression sur le bras de son mari. Tonton Eli, si tu venais m'aider à lui servir son repas ?

– Avec plaisir.

Soulevant la fillette dans ses bras, il l'emmena à la cuisine.

– Le bout de chou a faim ? s'enquit Alice, affairée devant le piano de cuisson.

Aussitôt, Selina quitta les bras de son oncle pour s'accrocher aux jupes de l'opulente cuisinière.

– Viens vite, ma petite princesse, lui dit celle-ci en la calant sur sa hanche. Je m'occupe d'elle, ajouta-t-elle à l'intention de Tricia. Terminez l'apéritif tranquillement. Le dîner sera prêt dans une quarantaine de minutes.

– Merci, Alice.

Et, prenant Eli par la main, elle l'entraîna dans le couloir, en direction de la bibliothèque.

– Viens avec moi, allons discuter cinq minutes en privé, déclarat-elle, autoritaire.

Bien qu'aîné, Eli avait du mal à s'opposer à la volonté de sa sœur. Autant leur mère était douce et diplomate, autant Tricia était directe et péremptoire, un trait de caractère hérité de leur grand-père paternel.

Un mètre quatre-vingts, svelte et tonique, sérieuse et opiniâtre, la jeune femme gérait de main de maître la société Whiskey Landon, en qualité de directrice financière.

– Que tu ne veuilles pas que les parents se fassent du souci, je le conçois, et qu'ils ne veuillent pas remuer le couteau dans la plaie, je le comprends aussi, mais entre nous, Eli, pas de cachotteries. Je sais que tu ne me dis pas tout dans tes mails. Alors maintenant que nous sommes tranquilles, parle-moi de toi.

– Mon roman avance, j'y travaille tous les jours. Je me balade sur la plage. Je mange régulièrement, et correctement. L'aide-ménagère de Gran me prépare mes repas.

– Abra ? Jolie fille, n'est-ce pas ?

– Intéressante.

Amusée, Tricia se jucha sur le bras d'un grand fauteuil club en cuir brun.

– Très intelligente, convint-elle. Bon, on dirait que tu reprends du poil de la bête, je suis contente. Mais puisque tout va si bien, comment se fait-il que tu sois revenu à Boston ?

– Je n'ai pas le droit de venir voir ma famille ? répliqua-t-il. Ai-je été banni, ou quoi ?

Même les gestes de sa sœur lui rappelaient leur grand-père, cet index, notamment, qu'elle pointa sur lui d'un air sévère.

– N'élude pas ma question. Tu n'avais pas l'intention de revenir avant Pâques. Dis-moi ce qui t'amène.

Eli jeta un coup d'œil vers la porte avant de répondre :

– Je voulais avoir une entrevue avec Neal. Inutile d'en parler à papa et maman, ils se feraient du souci pour rien. Les Piedmont parlent de m'intenter un procès pour meurtre.

– Ne t'en fais pas, ils n'en feront rien. Ce n'est que de l'intimidation. Qu'en pense Neal ?

– Comme toi. Je lui ai demandé d'engager un nouveau détective privé. Une femme, de préférence.

– Tu remontes la pente, c'est bien, murmura Tricia, les yeux brillants de larmes.

– Ne pleure pas, petite sœur, je t'en supplie.

– Je n'y peux rien, ce sont les hormones... Je suis enceinte. J'ai versé toutes les larmes de mon corps, ce matin, en chantant : *Pomme de reinette et pomme d'api* avec Sellie.

– Tu es... Waouh, c'est génial !

Eli sentit une vague de joie lui gonfler le cœur et amener un sourire sur ses lèvres.

– C'est super, oui, bredouilla Tricia en s'essuyant le coin de l'œil. Max est aux anges. On ne l'a encore dit à personne, mais je crois que maman s'en doute. Ça ne fait que sept semaines. On avait l'intention de l'annoncer pendant le dîner.

– Ce sera un dîner de fête, alors. Et ça fera un sujet de conversation. Impec, je n'aurai pas besoin de parler de moi.

En riant, Tricia se leva et passa un bras autour des épaules de son frère.

– Que je ne t'entende plus jamais dire que ta petite sœur ne pense qu'à elle. Je monopoliserai la conversation, promis, à condition que tu me donnes ta parole d'être franc dans tes mails, désormais. Si tu as le cafard, ou si tu te sens seul, tu me le dis. Je me débrouillerai pour prendre deux ou trois jours de congé et on viendra te tenir compagnie à Bluff House, avec Sellie. Avec Max, même, éventuellement, s'il peut se libérer.

Eli savait qu'il pouvait compter sur elle.

– Ne le prends pas mal mais je suis très bien, tout seul, tu sais. Ça me permet de faire le point sur des choses que j'ai trop longtemps occultées.

– Je maintiens mon offre. Et si tu es toujours à Whiskey cet été, nous n'attendrons pas que tu nous invites. J'aurai un ventre de baleine, je marcherai comme une tortue, et vous serez tous aux petits soins pour moi.

– Ça promet...

À 21 heures, chez Abra, le cours de yoga se terminait, les élèves enroulaient leurs tapis.

– Désolée d'être arrivée en retard, s'excusa Heather – une énième fois. J'ai couru comme une dingue toute la journée.

– Ce n'est pas grave, tu n'as loupé que l'échauffement.

Abra dissimula un sourire. Heather avait toujours quelque chose à dire. Elle parlait non-stop ; même pendant une petite heure de massage, elle était incapable de tenir sa langue. Elle devait parler en dormant, imaginait Abra.

– Au fait, enchaîna Heather, la voiture d'Eli n'était pas devant Bluff House, aujourd'hui. Ne me dis pas qu'il est déjà reparti à Boston.

– Non.

– Il doit se sentir affreusement seul, dans cette grande maison, insista-t-elle en boutonnant son manteau. Il doit errer comme une âme en peine.

– Il écrit un roman.

– Soi-disant... Un avocat qui écrit des romans, franchement, ce n'est pas très crédible, non ?

– John Grisham était avocat.

Heather ouvrit la bouche, la referma.

– Ah oui, c'est vrai. N'empêche que...

– Je crois qu'il commence à pleuvoir, intervint Greta Parrish. Tu pourrais me déposer chez moi, Heather, s'il te plaît ?

– Bien sûr. Je prends mon tapis et on y va !

– Tu peux me remercier, murmura Greta à Abra avec un clin d'œil.

– Mille fois merci, répondit Abra en gratifiant la retraitée d'une poignée de main reconnaissante.

Les dernières de ses élèves parties, elle poussa un soupir, monta à l'étage, troqua sa tenue de yoga contre son pyjama favori – en flanelle rose avec des petits moutons blancs – et redescendit dans la pièce à vivre.

La pluie tambourinait sur la terrasse. Abra esquissa un sourire, savourant d'avance la soirée : au coin du feu, avec un bon bouquin, un verre de vin.

La pluie... Mince ! Avait-elle fermé toutes les fenêtres à Bluff House ? Oui… elle n'aurait pas oublié... Quoique… Celle de la salle de gym ?

Les yeux fermés, elle essaya de visualiser, de se revoir fermant les fenêtres de chaque pièce. En vain. Si elle n'allait pas vérifier, elle ne serait pas tranquille. Par la même occasion, elle apporterait une part de sauté de dinde à Eli.

Un grondement de tonnerre éclata tandis qu'elle roulait vers Bluff House. Elle ne s'en étonna pas, elle commençait à connaître le climat de la côte. Fin mars, la météo n'en faisait qu'à sa tête. Orage ce soir et demain, allez savoir, grand ciel bleu ou giboulées de neige.

Elle se gara devant la maison, fonça sous l'averse jusqu'à l'entrée principale, clés dans une main, sauté de dinde dans l'autre. Refermant la porte d'un coup de hanche, elle appuya sur l'interrupteur afin d'y voir clair pour taper le code de l'alarme. Le vestibule demeura dans le noir.

– Super... grommela-t-elle.

Une fois de plus, l'orage avait provoqué une coupure de courant. À la lueur de la minilampe de son porte-clés, elle se dirigea vers la cuisine.

Après avoir vérifié les fenêtres, elle téléphonerait à Eli pour lui signaler qu'il y avait une panne d'électricité et que le générateur de secours n'avait pas pris le relais. Il fallait absolument que Hester remplace cette antiquité. Abra le lui avait déjà maintes fois suggéré, mais la vieille dame était têtue : elle avait l'habitude des coupures d'alimentation, elle savait y faire face.

Dans l'un des tiroirs de la cuisine, Abra trouva une torche de bonne taille. Peut-être devrait-elle descendre au sous-sol, jeter un coup d'œil au générateur ? Certes, elle ignorait ce qu'il fallait regarder, mais à tout hasard... Devant la porte de l'escalier, elle hésita. Obscurité, froid, humidité. Araignées. Non.

Elle monta à la salle de gym. Naturellement, la fenêtre était fermée et, naturellement, elle se rappelait très bien l'avoir fermée, maintenant. Elle redescendit à la cuisine. Elle n'était pas peureuse, mais pas rassurée non plus, seule, dans le noir, dans cette grande maison vide. Un coup de tonnerre la fit tressaillir, puis rire d'elle-même.

La lampe torche lui tomba des mains lorsqu'un bras la saisit par-derrière. Dans un mouvement de panique désordonnée, elle tenta de se dégager, en vain.

Elle revit le couteau sous sa gorge, la lame ripant contre ses côtes, le sang. Un cri de terreur lui monta aux lèvres, étouffé par le bras qui lui enserrait le cou. Privée d'air, elle se sentit gagnée par le vertige.

Puis l'instinct de survie prit le dessus. PPNT.

Plexus – coup de coude arrière, en prenant tout son élan. Pied –, d'un coup de talon, elle écrasa celui de son agresseur. L'étreinte se relâcha. Nez – dans une contorsion du buste, elle frappa de toutes ses forces, paume de main ouverte. Testicules – coup de genou, rapide, violent.

Et elle s'élança à l'aveuglette en direction de la porte. Ses bras heurtèrent le battant de plein fouet. Malgré la douleur, elle ne s'arrêta pas, se rua dans sa voiture, mit le contact d'une main tremblante, enclencha la marche arrière. Les pneus crissèrent quand elle braqua le volant. Elle effectua la manœuvre à toute vitesse, embraya, et écrasa l'accélérateur.

Pour ne freiner que devant chez Maureen.

De la lumière brillait dans le salon. Ils étaient là. Ouf !

Elle entra sans frapper. Confortablement installés devant la télé, Maureen et son mari se levèrent d'un bond.

– Abra ?

– Appelez la police, vite !

De nouveau, elle avait la tête qui tournait. Maureen se précipita à ses côtés. Mike s'empara du téléphone.

– Tu es blessée ! Tu saignes !

– Ah bon ?

Effectivement, elle avait du sang sur son blouson, sur le haut de son pyjama. Elle chancela, son amie la retint.

– Mon Dieu ! Tu as eu un accident ? Assieds-toi.

– Non...

Non, ce n'était pas son sang. Elle s'était défendue, cette fois. Elle était en sécurité à présent. La pièce autour d'elle cessa de tourner.

– Il y avait quelqu'un à Bluff House. Dis à la police qu'il y avait quelqu'un à Bluff House, Mike. Il m'a agressée. (Elle porta une main à sa gorge.) Il a essayé de m'étrangler.

Guidée par Maureen, elle se laissa tomber dans un fauteuil.

– La police arrive, déclara Mike en l'enveloppant d'un plaid. Tout va bien, tu ne risques plus rien.

– Je vais te chercher de l'eau. Mike est là, avec toi, ne t'en fais pas.

Il s'agenouilla auprès d'elle. La gentillesse faite homme, songea Abra en s'efforçant de calmer sa respiration. Un visage plein de bonté, un regard de chien de berger, bienveillant, protecteur.

– Il y a une panne de courant, dit-elle d'une voix presque absente.

– Pas chez nous.

– À Bluff House, il n'y avait pas d'électricité, pas de lumière. Il a surgi de l'obscurité. Je ne l'ai pas vu.

– Tout va bien. La police ne va pas tarder.

– Tout va bien, répéta-t-elle en hochant la tête. On ne m'a pas fait de mal, tout va bien.

– Il t'a agressée ?

– Il... Il m'a attrapée par le cou. Je ne pouvais plus respirer, j'ai été prise de vertige.

– Tu es sûre que tu n'es pas blessée ?

– Non, je t'assure, je n'ai rien. C'est moi qui l'ai frappé. PPNT.

– Pépé-quoi ?

– PPNT : plexus, pied, nez, testicules, expliqua Maureen en revenant de la cuisine, un verre d'eau dans une main, un verre de whiskey dans l'autre. Une technique d'autodéfense.

– Je n'ai pas réfléchi, c'était l'instinct. Il a dû saigner du nez. Je me suis libérée et je me suis enfuie en courant. Je me sens... pas très bien.

– Bois un peu d'eau. Doucement.

– OK. Ça va. Il faut que je prévienne Eli.

– Je m'en occupe, déclara Mike. Donne-moi son numéro, je vais l'appeler.

Abra but une gorgée, respira, en but une deuxième.

— Je ne l'ai pas sur moi, j'ai laissé mon téléphone à la maison.

— Ne bouge pas, je vais le chercher.

Maureen s'assit à côté de son amie et lui passa un bras autour des épaules.

— Ça va mieux, soupira Abra en s'essuyant les yeux. Le plus grave, c'est qu'il y avait quelqu'un à Bluff House. Je n'avais rien remarqué d'anormal, mais je ne suis allée que dans la cuisine et dans la salle de gym. J'ai failli descendre au sous-sol vérifier le générateur... Attends... Si ça se trouve, c'est lui qui a coupé le courant...

Maureen lui tendit le verre de whiskey.

— Bois-en une goutte, lui recommanda-t-elle.

Abra s'exécuta, expira une bouffée d'air sous la brûlure de l'alcool. Plus calme, à présent, elle se renversa contre le dossier du fauteuil.

La porte claqua, Mike était de retour.

— Eli est en route, annonça-t-il. Et la police doit déjà être à Bluff House. Ils viendront ensuite ici t'interroger. Tiens, dit-il en tendant un sweat-shirt à Abra. J'ai pensé que tu voudrais te changer.

— Merci, Mike. Tu es un ange.

8

Eli regagna Whiskey Beach en moins de deux heures. Durant vingt minutes, il avait roulé sous un orage infernal, qui avait mobilisé toute sa vigilance.

Concentre-toi, s'était-il enjoint à maintes reprises. *Conduis, ne pense rien à d'autre.*

Les rues du village, désertes, étaient noyées dans le brouillard. La lumière des réverbères se reflétait dans les flaques, les rigoles. Puis, sur la route de la plage, ce fut de nouveau l'obscurité. Il ralentit afin de ne pas louper le chemin de La Mouette rieuse. La porte du cottage voisin s'ouvrit sitôt qu'il descendit de sa voiture.

– Eli ?

Il ne connaissait pas cet homme qui vint à sa rencontre.

– Mike O'Malley, se présenta celui-ci en lui tendant la main. Je guettais votre arrivée.

La voix au téléphone, bien sûr.

– Comment va Abra ?

– Bien, elle est là, avec nous. Deux policiers sont à Bluff House. Vous devriez aller les voir.

– Tout à l'heure. Je veux d'abord voir Abra.

– Venez, suivez-moi.

Mike escorta Eli à travers la maison.

– Elle est blessée ?

– Non, un peu secouée, mais tout va bien, elle n'a rien. Elle a eu peur, il l'a serrée à la gorge, mais elle s'est défendue, c'est elle qui l'a blessé.

Empreint de fierté, le ton de Mike se voulait rassurant. Eli, néanmoins, ne serait pas tranquille tant qu'il n'aurait pas vu par lui-même.

Vêtue d'un ample sweat-shirt bleu, d'épaisses chaussettes roses aux pieds, Abra était assise à la table d'une vaste salle à manger ouverte sur un confortable salon. Elle leva vers lui un regard de sympathie et d'excuse, supplanté par la surprise lorsqu'il s'agenouilla auprès d'elle, lui prit les mains.

Il scruta son visage, puis palpa délicatement les marques rouges sur son cou.

– Que vous a-t-il fait d'autre ?

– Rien, répondit-elle en lui serrant les mains, un geste de gratitude, de réconfort. Il y a eu plus de peur que de mal, ne vous inquiétez pas.

Eli se tourna vers Maureen.

– Elle n'a rien, confirma celle-ci. Si j'avais eu le moindre doute, je l'aurais conduite aux urgences, qu'elle soit d'accord ou non.

Maureen se leva, désigna la cafetière et la bouteille de whiskey posée à côté.

– Je te sers un café, un whiskey, les deux ?

– Juste un café, s'il te plaît.

– Désolée de vous avoir dérangé, s'excusa Abra. Votre famille doit se faire un souci monstre.

– Non, je leur ai seulement dit qu'il y avait une panne de courant. De toute façon, j'avais décidé de rentrer ce soir.

– Bon... D'après la police, rien n'a été volé, mais qu'en savent-ils ? Je voulais aller jeter un coup d'œil mais Maureen m'a interdit de bouger de chez elle.

– Je vais aller voir, déclara-t-il.

– Je viens avec vous, décréta Abra. Je sais mieux que quiconque, à part Hester, ce qu'il y a dans cette maison. Or Hester n'est pas là. (Elle se leva, embrassa fougueusement Maureen.) Merci, merci pour tout. Heureusement que vous étiez là, tous les deux.

Elle se tourna vers Mike et lui donna une chaleureuse accolade.

– Reviens dormir ici, insista Maureen. Je prépare la chambre d'amis.

– Ma chérie, si ce type m'a agressée, c'est uniquement parce que je l'ai dérangé. Il n'a aucune raison de venir chez moi. Allez, à demain.

– Je veillerai sur elle, la rassura Eli. Merci pour le café... et pour tout le reste.

– Je vais prendre ma voiture, déclara Abra. Sinon, vous seriez obligé de me ramener ici.

– Je vous ramènerai, dit-il en lui prenant le bras, sur un ton sans appel.

– OK, OK... Décidément, tout le monde est en mode mère poule, ce soir.

– Racontez-moi ce qui s'est passé. Mike n'est pas entré dans les détails.

– Je ne me rappelais pas si j'avais fermé toutes les fenêtres. Ça me tracassait, il y avait un gros orage... Alors je suis allée vérifier. Au passage, j'en ai profité pour vous apporter du sauté de dinde, avec du riz.

– Et vous dites que les autres sont des mères poules…

– Je suis une voisine serviable, c'est tout. Il n'y avait pas d'électricité. J'ai cru qu'il y avait une panne générale, ce qui était idiot, vu que, deux minutes plus tôt, les rues du village étaient éclairées. Enfin, bref. Je suis allée chercher une torche dans la cuisine. (Un frisson parcourut Abra.) Je n'ai rien entendu, rien pressenti... Moi qui me vante de posséder un sixième sens. À croire qu'il était en panne, lui aussi, ce soir. Je suis montée à la salle de gym et, bien sûr, la fenêtre était fermée. J'ai failli descendre au sous-sol voir si je pouvais mettre le générateur en marche mais je n'ai pas osé... Il y fait tellement noir, et je vous avoue que j'ai la trouille des araignées. J'étais devant la porte de la cave quand il m'a attaquée.

– Par-derrière ?

– Oui, il m'a attrapée par la gorge. J'ai paniqué, je me suis débattue stérilement, à coups de pied, coups de griffes...

– Vous lui avez griffé la peau ?

La police lui avait posé cette question. Avocat criminel, Eli avait les mêmes automatismes.

– Non, il avait des manches. En laine, il me semble. Un pull ou un manteau. Par chance, j'ai eu un réflexe d'autodéfense. PPNT. Plexus...

– Je connais. Vous vous êtes rappelé comment le pratiquer ?

– J'ai donné des cours d'autodéfense, répondit-elle tandis qu'Eli se garait devant Bluff House. J'ai dû être efficace, j'avais du sang sur mes vêtements.

– Quel sang-froid !

À la seule pensée de la scène, Eli sentit tous les muscles de son corps se contracter.

– Je suis navré, Abra.

– Vous n'y êtes pour rien, dit-elle en descendant de voiture, avec un sourire à l'intention du policier venant à leur rencontre. Salut, Vinnie. Eli, je vous présente le shérif adjoint, Vinnie Hanson.

– Bonsoir, Eli. Tu te souviens de moi ?

– Le roi du surf, bien sûr !

Vinnie avait les cheveux courts, à présent, moins blonds que dans sa jeunesse, et le visage plus rond, mais Eli le reconnaissait sans peine.

– Tu surfes toujours ?

– De temps en temps, quand la vague est bonne. Désolé pour ce qui s'est passé ici ce soir.

– Comment est-il entré ?

– Il a coupé le courant. Et forcé la porte de derrière. Il savait, ou se doutait, qu'il y avait une alarme. Abra m'a dit que tu étais parti en fin de matinée.

– C'est exact, à Boston.

– Donc ta voiture n'était pas là de la journée. Tu peux aller regarder en vitesse si on n'a rien volé, s'il te plaît ? J'ai appelé la compagnie d'électricité, mais ils ne viendront sûrement que demain.

– Il n'y a pas d'urgence.

– Nous n'avons constaté aucun acte de vandalisme, déclara le policier en entraînant Eli vers l'entrée principale de la maison. Notre homme a laissé du sang sur le plancher du vestibule, et sur le pyjama et le blouson d'Abra. Suffisamment pour une recherche d'ADN, au cas où il figurerait dans nos fichiers. Mais ça prendra du temps.

Il ouvrit la porte, balaya le vestibule de sa torche. Celle qu'Abra avait perdue dans la bagarre était posée sur une console.

– Nous avons parfois des effractions dans les cottages de location, quand ils sont vides, hors saison, poursuivit-il. En général, ce sont des gamins à la recherche d'un coin tranquille où boire des bières, fumer des joints et forniquer. Au pire, il arrive qu'ils saccagent les lieux ou qu'ils volent des appareils électroniques. Mais là, je ne crois pas que ce soient des mômes. Déjà, aucun des jeunes du village ne se risquerait à fracturer les serrures de Bluff House.

– Un détective privé de Boston enquête sur moi, indiqua Eli. Un certain Kirby Duncan.

– Ce n'était pas lui, intervint Abra.

Vinnie nota néanmoins le nom dans son calepin.

– Il faisait sombre. Tu n'as pas vu son visage.

– Non, mais pour avoir été serrée contre lui, je peux te dire qu'il n'avait pas la même corpulence. Ce type était plus grand et plus svelte que Duncan.

– On touchera quand même deux mots à ce privé, déclara Vinnie en rempochant son carnet.

– Il loge au Surfside B&B. Je me suis renseignée.

– OK, merci pour l'info. Il y a des objets de valeur facilement transportables, dans la maison, et du matériel électronique. Tu as un chouette ordinateur portable, Eli, j'ai vu. On aurait pu aussi embarquer les écrans plats, mais non. Tu avais peut-être de l'argent liquide ?

– Un peu.

Muni de la torche abandonnée par Abra, Eli monta à l'étage. En premier lieu, il vérifia le bureau, alluma son ordinateur. Si Duncan espérait trouver quelque chose dans la maison, ce ne pouvait être que des fichiers, des e-mails, un historique web compromettant. Il lança donc un rapide diagnostic.

– Personne n'a touché à mon ordinateur depuis que je l'ai éteint, ce matin, conclut-il en ouvrant les tiroirs. Là non plus, on n'a touché à rien.

Vinnie et Abra sur ses talons, il se rendit dans sa chambre, ouvrit le tiroir où il rangeait une petite réserve d'argent liquide. Les deux cents dollars étaient toujours là.

– S'il est monté ici, dit-il en promenant le faisceau de la torche dans la pièce, il n'a rien dérangé.

– Abra l'a peut-être surpris avant qu'il passe à l'action. Écoute, tu inspecteras tout comme il faut quand il fera jour. Ne t'en fais pas, nous patrouillerons aux abords de la maison, cette nuit. Cela dit, ça m'étonnerait qu'il revienne ; il faudrait être franchement idiot. Il est tard, ajouta Vinnie, mais ça ne me pose pas de problème de tirer un privé du lit. Je te contacterai demain dans la journée, Eli. Je te ramène chez toi, Abra ?

– Je te remercie, tu peux y aller.

Avec un hochement de tête, Vinnie tendit une carte à Eli.

– Appelle-moi si tu t'aperçois qu'il te manque quelque chose, ou si tu as le moindre souci. Et si jamais tu as envie de surfer, un de ces quatre, fais-moi signe. On verra ce qu'il te reste des leçons que je t'ai données.

– En mars ? L'eau doit être gelée.

– C'est pour ça qu'on a inventé les combinaisons. À bientôt. Je te téléphone dès que j'ai du nouveau.

– Il n'a pas beaucoup changé, commenta Eli après le départ de Vinnie. À part la coupe de cheveux. Il ne pouvait pas les garder longs et peroxydés, j'imagine, dans la police.

– Ça devait bien lui aller.

– Vous le connaissez personnellement ?

– Oui, il a perdu un pari contre sa femme, l'an passé. En gage, il est venu suivre un cours de yoga. Il fait maintenant partie de mes élèves semi-réguliers.

– Il est marié ?

– Et père de bientôt deux enfants. Ils habitent à South Point et organisent des barbecues sensationnels.

Vinnie s'était donc rangé. Eli se souvenait d'un gars maigre comme un clou, perpétuellement défoncé, qui ne vivait que pour les vagues et rêvait de tout quitter pour partir à Hawaï.

– Vous devez être fatiguée, avec toutes ces émotions. Je vais vous ramener chez vous.

– Plus énervée que fatiguée. Je n'aurais pas dû boire de café. Quant à vous, vous ne devriez pas rester ici sans électricité. La température va rapidement baisser. Et sans courant, pas de pompe, donc pas d'eau. J'ai une chambre d'amis à peu près en ordre, et un canapé très confortable. Vous pourrez choisir.

– Non, je vous remercie. Je ne veux pas que la maison reste vide, après ce qui s'est passé. Je vais descendre démarrer le générateur.

– Comme vous voudrez. Je vous accompagne. Je pousserai des cris de fille et je vous tendrai des outils inappropriés. S'il y a des araignées, vous les tuerez. Ce n'est pas bien, je sais, de tuer ces petites bêtes qui nous rendent d'énormes services, mais j'ai une sainte horreur des araignées.

– Rien ne vous oblige à venir avec moi. Je peux pousser des cris de mec et trouver moi-même des outils appropriés. Vous devriez rentrer dormir.

– Je n'ai pas sommeil, répliqua Abra avec un haussement d'épaules à la limite du frisson. À moins que ma compagnie ne vous dérange, je préfère rester avec vous. Surtout si vous m'offrez un verre de vin.

– Bien sûr.

Bien qu'elle eût soutenu le contraire devant Maureen, sans doute avait-elle peur de se retrouver seule chez elle.

Dans la cuisine, elle sortit elle-même une bouteille de vin, deux verres à pied.

– Vous avez passé une bonne journée à Boston ?

Si elle voulait parler d'autre chose, il voulait bien parler d'autre chose.

– Oui, Gran reprend des forces, mes parents ont l'air moins anxieux, et ma sœur attend un bébé.

– Le deuxième ? C'est super !

– Pour une fois, je n'étais pas au centre des conversations, dit-il en la regardant remplir les verres.

– Au rétablissement de Hester, au nouveau venu dans votre famille, et au retour de l'électricité, trinqua Abra.

Après la première gorgée, elle décida d'emporter la bouteille au sous-sol. Légèrement ivre, elle parviendrait peut-être à trouver le sommeil, en rentrant chez elle.

La porte de l'escalier émit un sinistre grincement. Elle crocheta un doigt dans l'un des passants de la ceinture d'Eli.

– Pour qu'on ne se perde pas, dit-elle, quand il lui jeta un regard par-dessus son épaule.

Au bas des marches, Eli décrocha une torche de son chargeur mural dans une cave à vins bien approvisionnée et méticuleusement organisée. À une époque, chaque casier devait contenir une bouteille – des centaines de bouteilles, systématiquement retournées par le majordome. Aujourd'hui encore, il en restait un bon nombre, sans doute des crus exceptionnels.

– Prenez cette lampe. Si on se perd, vous m'enverrez des signaux lumineux.

Abra lâcha la ceinture d'Eli et promena la torche autour d'elle.

Creusé dans la paroi rocheuse, le sous-sol de Bluff House lui évoquait une grotte, une enfilade de grottes. D'ordinaire, il suffisait d'appuyer sur un interrupteur et un flot de lumière bienvenue jaillissait dans les passages voûtés menant de salle en salle. Son faisceau croisa celui d'Eli.

– Mulder et Scully, dit-elle.

– La vérité est ailleurs.

Avec un sourire approbateur, elle suivit Eli, sans le lâcher d'une semelle, le long d'un étroit corridor. Quand il s'arrêta, au détour d'un coude, elle lui rentra dedans.

– Pardon.

– Hmm, fit-il en éclairant le générateur, un mastodonte à la peinture rouge écaillée.

– On dirait un truc d'un autre monde.

– D'un autre temps, en tout cas. Il y a longtemps que nous aurions dû le changer.

– Je suis bien d'accord avec vous mais Hester ne veut rien entendre. Les pannes de courant ne la dérangent pas. Elle a tout un stock de piles, de bougies, de bois, de boîtes de conserve. Elle aime se savoir autonome.

Eli décocha un coup de pied dans le générateur.

– Elle serait autonome avec un équipement plus moderne et plus fiable.

Il but une gorgée de vin, posa son verre sur une étagère, s'accroupit et ouvrit un bidon d'essence.

– Au moins, si ce n'est qu'une panne de carburant, on a du gasoil.

Abra le regarda contourner la machine.

– Vous savez comment marche ce monstre ?

– Oui, ce n'est pas la première fois que je lui donne à boire.

Eli essaya de dévisser le bouchon du réservoir. Sans succès. Il contracta les épaules, réessaya.

– Mince, maugréa-t-il.

– Vous voulez que j'essaie ? proposa Abra.

– Allez-y, Wonder Woman.

Elle gonfla les biceps, puis se glissa derrière le générateur au côté d'Eli. Après deux tentatives, elle renonça.

– Mes excuses. Il est bloqué.

– Non, vieux et rouillé, et celui qui l'a revissé la dernière fois l'a serré comme un malade. Il me faut une clé.

– Où allez-vous ?

Il s'immobilisa, se retourna.

– Les outils sont rangés là-bas au fond, si ma mémoire est bonne.

– Je ne veux pas aller là-bas au fond.

– Je n'ai pas besoin de vous pour aller chercher une clé.

Elle ne voulait pas non plus rester seule, mais ne pouvait se résoudre à l'avouer.

– OK, continuez à parler. Et ne me faites pas de blague débile. Ça ne marchera pas.

– Si le croque-mitaine attaque, je ne dirai rien, promis.

– Continuez à parler, insista-t-elle tandis qu'il s'enfonçait dans le noir. Quand avez-vous perdu votre virginité ?

– Pardon ?

– C'est la première chose qui m'est venue à l'esprit. Je ne sais pas pourquoi. Je commence, si vous voulez. En terminale, au bal du lycée. Avec un garçon qui s'appelait Trevor Bennington. Je croyais qu'on s'aimerait toute la vie. Ça a duré deux mois et demi, six si l'on compte la période où on ne se faisait que de gentils petits bisous... Eli ?

– Je suis là. Qui a largué qui ?

– On en a juste eu marre l'un de l'autre. La rupture n'a pas été déchirante.

– Toutes les séparations ne sont pas dramatiques.

La voix d'Eli résonnait dans un sinistre écho. Abra passa en respiration *ujjayi*.

– Eli ? appela-t-elle en entendant un choc, suivi d'un juron.

– Bordel de m... Qu'est-ce que ce truc fiche ici...

– Pas de mauvaise blague, Eli, s'il vous plaît.

– Je viens de me prendre les pieds dans une brouette.

– Vous vous êtes fait mal ? Eli...

– Venez voir, Abra.

– Non.

– Venez voir, il n'y a pas d'araignées.

– Si vous essayez de vous payer ma tête, je vous préviens, je le prendrai très mal.

Elle le rejoignit, poussa un soupir de soulagement lorsqu'il se découpa dans la lueur de sa torche.

– Regardez, dit-il en braquant sa lampe au sol.

Une tranchée s'étendait d'un mur à l'autre, profonde d'au moins un mètre, longue de deux ou trois.

– Qu'est-ce que c'est que ça ? Quelque chose était enterré là ?

– À l'évidence, c'est ce que pensait celui qui a creusé.

– Quoi donc ? Un corps ?

– En général, on enterre les cadavres, on ne les déterre pas.

– Pour quelle raison a-t-on creusé ce trou ? Je ne crois pas que Hester ait fait faire des travaux au sous-sol.

Abra promena le rayon de sa torche sur une pioche, des pelles, des seaux, une brouette renversée.

– Il a dû falloir un temps fou pour creuser ce trou avec des outils manuels.

– Les outils électriques font du bruit.

– Certes, mais... Oh, mon Dieu ! Vous croyez que le type que j'ai dérangé était venu creuser ? Que peut-il bien chercher ? Le trésor de la légende, la Dot d'Esméralda ?

– Ridicule. Si ce trésor existait, ne pensez-vous pas que nous l'aurions trouvé depuis belle lurette ?

– Je ne disais pas...

– Pardon, excusez-moi, marmonna Eli en longeant la tranchée. Ce trou n'a pas été creusé aujourd'hui. Il a fallu des heures, des semaines.

– Dans ce cas, ce n'est pas la première fois que quelqu'un s'introduit dans la maison. Mais ce soir, il a coupé le courant, forcé la porte.

Attendez... Hester m'a demandé de modifier le code de l'alarme quand elle est sortie de l'hôpital. Je n'ai pas compris pourquoi, je me suis dit qu'elle était perturbée. Elle voulait aussi que je reprogramme les serrures. Elle a tellement insisté que je l'ai fait.

— Elle n'est pas tombée toute seule, murmura Eli, estomaqué. On l'a poussée, ou elle a perdu l'équilibre parce qu'on lui a fait peur. Et on l'a laissée là, blessée, inanimée, sans lui porter secours.

— Il faut prévenir Vinnie.

— Ça peut attendre demain matin. Faisons demi-tour. C'est un cul-de-sac, ici. J'ai tourné du mauvais côté. Il y a des lustres que je n'étais pas descendu là. On se faisait des frayeurs bleues, dans ces souterrains, quand on était gamins. Écoutez.

Lorsqu'il se tut, elle entendit, clairement, le grondement des vagues, le gémissement du vent.

— On s'imaginait que c'étaient des revenants, de pirates ou de sorcières. Je ne me rappelle plus la dernière fois où je me suis aventuré aussi loin dans les entrailles de la maison. Tout compte fait, c'est une bonne chose que je me sois trompé de chemin. Autrement, je n'aurais jamais découvert ce trou.

— Sortons d'ici, Eli.

Il ouvrit la marche, s'arrêta dans le recoin où les outils étaient rangés, se munit d'une clé à molette.

— Quelqu'un s'est mis en tête de retrouver le trésor, insista Abra tandis qu'ils retournaient vers le générateur. Vous n'y croyez peut-être pas, mais d'autres y croient. Je ne vois pas d'autre explication. Selon la légende, il renfermerait d'inestimables joyaux : des diamants, des rubis, des saphirs. Et de l'or. La dot d'une reine.

— De la fille d'un riche duc espagnol, rectifia Eli. Ce trésor a bel et bien existé, et il vaudrait probablement des millions. Seulement, il est au fond de l'océan, avec le navire, l'équipage, et le reste du butin.

Le bouchon enfin dévissé, il éclaira l'intérieur du réservoir.

— Sec comme une vieille...

— Ne soyez pas vulgaire.

— Pardon.

Abra lui tint sa lampe pendant qu'il faisait le plein d'essence. Puis en sirotant son verre de vin, elle le regarda manipuler différents boutons, tapoter une sorte de jauge. Quand il appuya sur l'interrupteur de marche, la machine éructa, péta, toussa. Il procéda à de nouveaux réglages et, cette fois, le générateur démarra.

— Que la lumière soit ! s'écria-t-elle.

Sur l'étagère, elle prit le second verre et le tendit à Eli.

— Vous êtes gelée, dit-il en effleurant sa main.

— Guère étonnant, dans un sous-sol humide, sans chauffage.

— Remontons. J'allumerai un feu dans la cheminée.

Instinctivement, il lui passa un bras autour des épaules. Et instinctivement, elle se blottit contre lui.

— Eli ? Je n'ose pas y penser, mais croyez-vous que ce soit quelqu'un du coin ? Il fallait savoir que vous étiez absent...

— Je ne connais plus les habitants de Whiskey Beach. En revanche, je sais qu'un privé enquête sur moi. Je suppose qu'il surveille mes allées et venues.

— Ce n'était pas lui, j'en suis sûre.

— Peut-être pas, mais il travaille pour quelqu'un.

— Ou avec quelqu'un. Vous pensez vraiment que c'est à cause de lui, ou d'eux, que Hester a fait cette chute ?

— Elle est descendue en plein milieu de la nuit, pour une raison qui lui échappe. Elle ne s'en souvient pas, mais elle a dû entendre des bruits suspects.

Dans la cuisine, il posa sa torche, son verre, et frictionna les épaules d'Abra.

— Il fait plus froid que je ne pensais, en Amazonie.

En riant, elle rejeta ses cheveux en arrière, leva le visage vers lui. Les frictions énergiques se muèrent en un mouvement plus lent. Ils se tenaient si près l'un de l'autre qu'elle sentit un frisson au creux de son ventre, le genre de frisson qu'elle s'efforçait d'ignorer depuis qu'elle s'astreignait à l'abstinence sexuelle.

Elle vit le regard d'Eli changer, descendre sur ses lèvres, remonter à ses yeux. Attirée comme par un aimant, elle se pencha vers lui.

Il la lâcha, recula.

— Pas maintenant, dit-il. Ce ne serait pas judicieux.

— Pourquoi ?

— Contrariété, émotions, vin. Je vais allumer du feu, que vous vous réchauffiez un peu avant que je vous ramène chez vous.

— OK, mais dites-moi que ça vous coûte un peu.

— Beaucoup, répondit-il, le regard plongé au fond du sien. Énormément, même.

9

Sitôt que le shérif adjoint eut pris congé, Kirby Duncan se servit deux doigts de la bouteille de vodka qu'il gardait au frais sur le rebord de la fenêtre.

Une chance, il avait des tickets de caisse – pour le café hors de prix bu près de chez les Landon, et pour l'essence ainsi que pour le sandwich au jambon pris dans une station-service à quelques kilomètres de Whiskey Beach. La preuve qu'il ne se trouvait pas dans les parages de Bluff House quand l'effraction avait eu lieu. Sans quoi, il serait en garde à vue.

Tentative de cambriolage ? Comme par hasard juste ce soir, alors qu'il venait de signaler à son client que Landon dînait à Boston ? Curieuse coïncidence, tout de même...

Duncan détestait qu'on le prenne pour un gogo. Il voulait bien, à l'occasion, marcher dans les combines de ses clients, mais pas qu'on se serve de lui – à son insu – pour violer un domicile. Et violenter une femme, par-dessus le marché.

Il se serait lui-même introduit à Bluff House si le client le lui avait demandé, et s'il s'était fait prendre, il en aurait assumé les conséquences.

Mais jamais il n'aurait agressé une femme.

Le client allait l'entendre. Et s'il n'était pas content, qu'il se trouve un autre limier. Duncan ne bossait pas pour des types qui s'en prenaient aux femmes.

Il débrancha son portable du chargeur, et composa le numéro. L'autre serait furax d'être dérangé en pleine nuit ? Qu'à cela ne tienne, Duncan était furax, lui aussi.

– Allô ? C'est Duncan, ouais, et c'est urgent, ouais. Je viens de recevoir la visite d'un flic. Qui m'a interrogé à propos d'une effraction commise ce soir à Bluff House, assortie de violences à l'encontre d'une jeune dame.

Le téléphone coincé contre l'épaule, il se versa un autre trait de vodka.

– Ne me racontez pas de salades, s'il vous plaît. Je n'aime pas qu'on se paie ma tête... Oui, il m'a demandé pour qui je travaillais, et non, je ne lui ai pas dit. Pas pour l'instant. Mais s'il se trouve que vous vous êtes servi de moi pour vous introduire dans une propriété privée et agresser une femme, je n'hésiterai pas à vous balancer. À vous de voir. J'ai quelques questions à vous poser, moi aussi. Ce que je ferai ensuite dépendra de vos réponses. Je ne tiens pas à perdre ma licence... Ouais... Si vous voulez.... D'accord, à tout à l'heure.

Duncan consulta sa montre. De toute façon, il était trop énervé pour dormir.

Son ordinateur sur les genoux, il rédigea d'abord un rapport détaillé. Qu'il remettrait, au besoin, à la police du comté. On n'était jamais trop prudent.

Une effraction était une chose, qui pouvait déjà vous causer de sérieux ennuis. Une agression en était une autre, beaucoup plus grave.

Avant de prendre une décision, toutefois, il laissait au client une chance de s'expliquer. À force de regarder la télé, les abrutis s'improvisaient parfois héros de série policière. Ce n'était pas la première fois que Duncan travaillait pour un abruti. Il se montrerait ferme : enquêter était un boulot de professionnel.

Un peu calmé, il s'habilla et se brossa les dents. Une haleine empestant l'alcool ne faisait jamais bonne impression. Par habitude, il enfila son holster, qu'il cacha sous un pull-over chaud.

Clés, magnétophone et portefeuille dans les poches de son coupe-vent, il quitta sa chambre par l'entrée privée. Pour quinze dollars de supplément par jour, il pouvait ainsi aller et venir à sa guise sans que son aimable hôtesse lui pose des questions indiscrètes.

Ayant déjà passé suffisamment de temps dans sa voiture pour la journée, il partit à pied. Bien que citadin dans l'âme, il aimait la tranquillité du village, profondément endormi à cette heure avancée de la nuit. Tout était fermé, on n'entendait que le bruit de la mer. L'orage était passé mais une épaisse couverture nuageuse masquait la lune. Des écharpes de brume rampaient au ras du sol. Dans la lueur intermittente du phare, les rues de Whiskey Beach évoquaient un décor de vieux film noir.

Tout en marchant d'un bon pas, Duncan ressassait la situation. Il mettrait un terme au contrat, sa décision était prise. Il ne pouvait pas bosser pour un client en qui il n'avait pas confiance. De surcroît, Landon n'avait manifestement rien à cacher. Des potins sans intérêt, c'était tout ce qu'il avait réussi à glaner après plusieurs jours de surveillance et de causette avec les habitants du coin.

Si Landon avait tué sa femme, ce dont Duncan doutait de plus en plus, ce n'était pas ici, dans cette petite station balnéaire, qu'il fallait chercher des révélations majeures.

À la rigueur, si le client tenait absolument à poursuivre l'enquête, c'était à Boston qu'il fallait continuer de creuser. Examiner les rapports de police d'un œil nouveau, peut-être refaire le point avec Wolfe.

Mais d'abord, une petite clarification s'imposait. Duncan voulait savoir si son client s'était introduit à Bluff House. Et si c'était la première fois.

Non qu'il fût catégoriquement opposé à ce procédé, si l'on était sûr de mettre la main sur quelque chose d'intéressant. En l'occurrence, il était ridicule de penser trouver dans le manoir des preuves d'un meurtre commis à deux heures de route de là, un an plus tôt. D'autant plus idiot que, maintenant, les flics surveilleraient la maison, son occupant, et le privé chargé de l'épier.

Au sommet du chemin grimpant au phare, Duncan s'arrêta et reprit son souffle. Le brouillard était plus dense, ici, étouffant le bruit des vagues, masquant la vue. Dommage. Par temps clair, le panorama devait être magnifique. Avant de rentrer à Boston, sans doute valait-il le coup de revenir là en balade, s'il faisait beau.

Oui, Duncan avait pris sa décision. Son job à Whiskey Beach était terminé. Enquêter ici ne menait à rien, et il était stupide de prendre des risques pour un client malhonnête.

Celui-ci émergea du brouillard.

– Vous m'avez mis dans le pétrin, lui dit-il.

– Je sais, j'en suis navré.

– Je veux bien passer l'éponge, à condition...

Duncan ne vit pas le revolver, et le brouillard assourdit la détonation. Il n'eut pas le temps de dégainer son 9 millimètres, pas même le temps d'y songer. Les yeux écarquillés, de stupeur, de douleur, il s'écroula, les lèvres remuant en silence. La voix de son assassin ne lui parvint que de très loin, dans un écho fantomatique :

– Je suis navré, j'aurais préféré que les choses se passent autrement.

Il ne sentit pas les mains palpant ses poches, le délestant de son téléphone, de son magnétophone, de ses clés, de son arme.

Il ne sentait que le froid, mordant, paralysant. Et la douleur, indicible, se répercutant dans tout son corps, ballotté sur le sol rocailleux.

Un instant, il crut voler, fendre le vent. Puis il heurta les rochers, une déferlante le happa.

Il aurait préféré, en toute sincérité, que les choses se passent autrement. Trop tard, à présent, pour revenir en arrière. Tant pis, il continuerait seul. Il avait commis une erreur, il se montrerait désormais plus prudent. Plus de détective privé – aucun –, mieux valait ne compter que sur soi-même.

Il poursuivrait son but en cavalier solitaire.

Avec un peu de chance, peut-être soupçonnerait-on Landon d'avoir tué le privé. Et par ce biais, peut-être finirait-il par payer pour le meurtre de Lindsay. La justice empruntait parfois des sentiers tortueux.

Dans l'immédiat, il fallait vider la chambre de Duncan, faire disparaître tout élément susceptible d'établir des rapprochements. Une visite s'imposait également dans les locaux de son agence, à son domicile. Dans les plus brefs délais.

Abra n'était plus dans le salon. Elle avait soigneusement plié le plaid dont Eli l'avait couverte quand elle s'était endormie sur le canapé. Ses bottes avaient disparu. Tant mieux. Il n'aurait su que lui dire.

L'arôme du café flottait dans la cuisine. Une note adhésive était collée sur la cafetière :

Omelette dans le four. N'oubliez pas de l'éteindre. Salade de fruits frais au réfrigérateur.

Merci de m'avoir laissée dormir sur le canapé.

Je passerai dans la journée. APPELEZ Vinnie !

– OK, OK, je peux tout de même commencer par boire un café, chef ?

Il s'en servit une tasse, y ajouta une goutte de crème, tout en se massant les cervicales. Il appellerait Vinnie, il n'avait pas besoin qu'on le lui rappelle. Il fallait juste qu'il se réveille, qu'il reconnecte ses neurones, avant d'affronter la police et les questions. Encore.

Et s'il ne voulait pas d'omelette ? Qui lui avait demandé de préparer une omelette ? S'il avait envie de...

Il ouvrit le four d'un geste rageur. Hum... Force lui était de reconnaître que celle-ci paraissait appétissante. Il commença à la manger debout devant la fenêtre. Puis, avec son assiette, il sortit sur la terrasse.

L'air était vif mais, au soleil, il faisait bon. Le vent avait chassé les nuages. La vue de la mer atténua quelque peu la tension qui lui nouait la nuque.

Un couple se promenait sur la plage, main dans la main. Un pincement lui serra le cœur. Son unique tentative de vie à deux avait été un tel gâchis... Les amoureux s'arrêtèrent pour s'embrasser. Ils paraissaient si heureux, il les enviait.

Abra revint dans ses pensées. Elle était attirante, il ne pouvait le nier. Non seulement elle avait un physique séduisant, mais elle dégageait quelque chose de spécial... Néanmoins, il n'avait pas envie d'une liaison avec elle. Ni avec personne. Le sexe encore toujours à mille lieues de ses préoccupations.

L'écriture lui procurait suffisamment de satisfactions. Du reste, tant qu'il n'aurait pas élucidé le meurtre de Lindsay, il ne pouvait pas se permettre de se disperser.

Et dans l'immédiat, il fallait s'occuper de ce trou au sous-sol. Appeler la police.

Il rentra poser son assiette dans l'évier. Abra avait laissé les coordonnées de Vinnie près du téléphone de la cuisine. Il composa le numéro.

– Bureau du shérif, bonjour.

– Bonjour, Vinnie, Eli Landon à l'appareil.

– Salut, Eli, comment vas-tu ?

– Il faut que je te parle.

Moins d'une heure plus tard, Eli et le shérif adjoint se tenaient au bord de la tranchée.

– Ouais, ouais, ouais... marmonna Vinnie en se grattant le crâne. Tu es sûr que ta grand-mère n'a pas engagé un artisan pour... je ne sais pas... faire installer des canalisations ou quelque chose dans ce goût-là ?

– Quasiment certain, Abra serait au courant. Et des ouvriers n'auraient pas laissé un chantier en plan sans me contacter.

– Tu pourrais quand même poser la question à Hester ?

Eli y avait songé, et longuement pesé le pour et le contre.

– Non, je ne veux pas l'inquiéter. Je jetterai un coup d'œil dans ses papiers. Si elle a fait appel à un artisan, je trouverai sûrement un devis, ou une facture. Mais je ne vois pas trop pourquoi elle aurait voulu faire installer des canalisations ici. En plus, bien que je n'y connaisse pas grand-chose, je ne crois pas qu'il aurait été nécessaire de creuser si profond.

– Il a dû falloir du temps pour faire ce trou avec des outils manuels. Du temps et de la détermination. Sans compter qu'il fallait entrer et sortir en douce de la maison.

– Abra m'a dit que ma grand-mère l'avait priée de reprogrammer l'alarme et les serrures. Après sa chute.

Vinnie leva les yeux de la tranchée.

– Pour quelle raison ?

– Elle n'a pas su l'expliquer, mais elle a insisté. Elle n'arrive pas à se rappeler comment elle est tombée, mais il faut croire qu'elle se souvient de quelque chose de louche, inconsciemment, pour qu'elle ait éprouvé le besoin de modifier les codes.

– Tu penses que sa chute n'était pas un accident ?

– Ce trou n'a pas été creusé hier soir, en une seule fois, ça me paraît évident.

– Et on chercherait quoi, à ton avis ?

– La Dot d'Esméralda. Il y a des gens qui croient à cette légende.

– Quelqu'un se procure le code ainsi que la clé de Mme Landon, en fait un double. Possible. Ce n'est pas si dur. Il les utilise pour accéder au sous-sol, commence à pelleter d'arrache-pied. Un soir, il se retrouve nez à nez avec ta grand-mère, et la pousse dans l'escalier.

Un frémissement de rage parcourut Eli, comme chaque fois qu'il pensait à sa grand-mère, inanimée, en sang, sur le carrelage du hall d'entrée.

– Elle ne se souvient pas de ce qui s'est passé, mais le scénario me semble plausible. Ou bien elle est descendue parce qu'elle a entendu des bruits. Elle a vu quelqu'un, elle a eu peur, elle est remontée et, dans la panique, elle est tombée. En tout cas, il s'est enfui sans lui porter assistance.

Vinnie lui posa une main sur l'épaule.

– Plausible, acquiesça-t-il, mais pour l'instant, nous n'avons aucune preuve.

– Gran hospitalisée, il y a eu pas mal d'allées et venues dans la maison, poursuivit Eli. La police, Abra venant chercher des affaires pour ma grand-mère. Puis plus personne. Il a pu revenir vaquer à sa besogne sans crainte d'être dérangé. Jusqu'à ce qu'il apprenne que j'allais venir m'installer à Bluff House, qu'Abra change les codes. Il savait, hier soir, que je n'étais pas là. Or qui savait que je n'étais pas là ? Abra, qui s'est fait agresser, et ce privé que quelqu'un a engagé pour me surveiller. Duncan t'a fourni des alibis, des tickets de caisse, mais il a pu prévenir son commanditaire, ou Dieu sait qui, que la voie était libre.

– Nous le réinterrogerons. Et l'un de mes hommes viendra prendre des photos, des mesures. Nous ferons faire une recherche d'empreintes sur les outils, mais ça prendra du temps. Nous n'avons pas de gros moyens, ici.

– Je m'en doute.

– Fais réparer la porte au plus vite. De notre côté, nous assurerons des patrouilles régulières. Tu devrais aussi prendre un chien.

– Un chien ? Tu es sérieux ?

– Un chien aboie, il montre les crocs. On ne peut pas dire que les délinquants courent les rues, à Whiskey Beach, mais ça me tranquillise d'avoir un chien qui monte la garde chez moi quand je n'y suis pas. Dans tous les cas, ne t'inquiète pas, on patrouillera. Drôle d'idée, quand même, de venir creuser ici...

L'un derrière l'autre, les deux hommes remontèrent de la cave.

– C'est la partie la plus ancienne de la maison. Elle existait déjà quand la *Calypso* a fait naufrage.

– Comment s'appelait le survivant, déjà ?

– Giovanni Morenni, selon certains. José Corez, selon les autres.

– Ah, oui. Il me semble aussi avoir entendu dire que c'était le capitaine Broome en personne, non ?

– Oui. Le redoutable capitaine Broome. La légende a de nombreuses variantes.

– Quant au coffre renfermant les joyaux, si ma mémoire est bonne, il aurait été soit caché à Bluff House, soit enterré sur une île.

– La jeune fille du manoir, d'après certaines versions, aurait découvert le rescapé gisant sur les rochers, avec le trésor. Elle l'aurait amené à Bluff House pour le soigner, mais son frère aurait tué le type et jeté son corps du haut de la falaise. Et on n'a plus jamais revu le trésor. Il n'empêche que quelqu'un, manifestement, s'est mis en tête de le retrouver.

– Ouais... Je m'arrêterai au B&B, je sonderai à nouveau ce Duncan.

Eli aurait préféré passer la journée autrement qu'en démarches avec la police, la compagnie d'assurances, la compagnie d'électricité, les techniciens de la sécurité. Il ne supportait plus le monde, l'agitation. En quelques semaines, il avait pris goût au calme, à la solitude. Son ancienne vie, à courir de rendez-vous en audiences et en soirées mondaines, ne lui manquait pas le moins du monde.

Quand la maison fut enfin de nouveau vide, il poussa un soupir de soulagement. Avant d'entendre du bruit à la porte de derrière.

– Oh, non... Quoi encore ?

Dans la buanderie, Abra se déchargea de ses cabas à provisions, en posa un sur la machine à laver.

– Je vous ai fait quelques courses, dit-elle en rangeant un bidon de lessive. Le courant est rétabli, on dirait.

– Oui. Nous avons un nouveau code de sécurité, l'informa-t-il en sortant un bout de papier de sa poche. Tenez, vous en aurez besoin.

– À moins que vous ne préfériez que je sonne à la porte, dit-elle en glissant le papier dans son sac. J'ai croisé Vinnie, enchaîna-t-elle en se dirigeant vers la cuisine. Kirby Duncan est parti. Il n'a pas prévenu Kathy, la réceptionniste du B&B, mais ses affaires ne sont plus dans sa chambre. Vinnie a dit que vous pouviez l'appeler si vous aviez des questions.

– Ah bon ?

– Vinnie va contacter le département de police de Boston. Comme s'ils allaient poursuivre Duncan parce qu'on a creusé un trou dans votre cave... Enfin, bref ! Au moins, vous êtes débarrassé de ce fouille-merde – pardonnez-moi l'expression.

– Quant à savoir s'il est parti de lui-même, ou sur ordre de son client...

– Ça, je ne peux pas vous dire, répliqua Abra en rangeant un paquet de crackers dans un placard. Mais je sais que la chambre était payée jusqu'à dimanche, et qu'il avait parlé de prolonger son séjour. Et, pouf, il a plié bagage et disparu. Il ne me manquera pas. Ce type ne me plaisait pas du tout.

Les courses rangées, elle glissa ses cabas dans son sac à main.

– Ça mérite qu'on trinque, non ?

– À quoi ?

– Au départ de cet enquiquineur, au retour de l'électricité, et au nouveau code d'alarme. Une bonne journée, non, après cette nuit mouvementée ? Passez au pub, ce soir. Il y a un bon concert. Maureen et Mike seront là, ils vous tiendront compagnie. Je serai derrière le bar, je donne un coup de main au service, les vendredis soir.

– Je n'ai rien fait de la journée, avec toutes ces formalités. Il faut que je travaille.

– Vous n'allez tout de même pas travailler un vendredi soir ! Et si vous voulez me voir en minijupe, c'est le moment ou jamais... Vous permettez que je prenne une bouteille d'eau ?

Elle s'apprêtait à se servir. Il plaqua une main contre le réfrigérateur.

– Vous ne permettez pas ?

– Si vous continuez à me chercher, Abra, vous allez me trouver.

Il la provoquait. Intéressant, songea-t-elle. Et terriblement excitant.

– Ça vous ferait du bien de sortir, de vous détendre. Et moi, ça me ferait plaisir de vous voir ce soir. La minijupe me va très bien, vous savez...

Il s'approcha, l'air menaçant.

– Ne jouez pas à ce petit jeu, Abra, vous risqueriez de vous en mordre les doigts.

– C'est vous qui jouez les durs, rétorqua-t-elle. Vous êtes dans le déni. Avouez que je vous plais. Je n'ai pas honte, moi, de reconnaître que vous m'attirez.

– Vous ne me connaissez pas.

Elle voyait qu'il était mal à l'aise.

– Je n'ai pas peur de vous, dit-elle en lui posant une main sur le bras. Je ne demande qu'à mieux vous connaître. Je sais que vous n'êtes pas un assassin. Pour autant, je ne vous prends pas non plus pour un gentil nounours en peluche. Vous êtes triste, vous êtes en colère, ce que je comprends.

Il recula, enfonça les mains dans ses poches. Déni, encore. Il était évident qu'il avait envie de la toucher.

– Je ne veux pas m'engager dans une relation, Abra, ni avec vous, ni avec personne.

– Je comprends, croyez-moi. J'étais exactement comme vous, avant de vous rencontrer. C'est pour ça que je m'imposais l'abstinence.

– L'abstinence ?

– Sexuelle. Ce qui explique peut-être pourquoi je suis si attirée par vous. Je commence sans doute à être en manque. Cela dit, je le répète, vous me plaisez. Vous êtes bel homme, intriguant, intelligent. Et vous avez besoin de moi.

– Sûrement pas.

– Je vous en prie, riposta-t-elle d'un ton offensé. Qui vous prépare à manger ? Qui lave vos chaussettes ? Qui vous écoute quand vous avez envie de parler ? Ce qui vous arrive, de temps en temps, sans que je sois obligée de vous arracher les mots de la bouche.

Elle attrapa son sac, puis le reposa brutalement sur le comptoir.

– Croyez-vous être le seul à avoir souffert ? poursuivit-elle. Le seul à devoir rebâtir sa vie après une épreuve horrible ? On ne se reconstruit pas en dressant des barrières. Vos barricades ne vous protègent pas, Eli, elles vous isolent, c'est tout.

– La solitude me convient très bien.

– Vous vous mentez. Tout le monde a besoin de solitude, de tranquillité, bien sûr, mais tout le monde a aussi besoin de chaleur humaine, de contacts, d'échanges. J'ai vu votre réaction, l'autre jour, sur la plage, quand vous avez reconnu Maureen. Vous étiez heureux de retrouver une amie. Sans moi, vous n'auriez aucun contact avec le monde extérieur. On ne peut pas se couper du monde, comme on ne peut pas se passer de manger, de boire, de dormir, d'assouvir ses besoins sexuels. C'est grâce à moi que vous avez déjà repris quelques kilos, que vous avez une réserve de votre soda préféré, que vous dormez dans des draps propres. Ne me dites pas que vous n'avez pas besoin de moi.

– Pas pour le sexe.

– À voir.

Parce qu'elle croyait à l'instinct, parce qu'elle se fiait au sien, elle lui encadra le visage de ses mains et posa ses lèvres contre les siennes. Un baiser instinctif moins que sexuel. Un simple contact humain.

Ce que celui-ci éveilla en elle, elle l'assumait. Elle aimait se sentir vivante.

Puis elle s'écarta, les mains toujours de part et d'autre du visage d'Eli.

– Voilà, ça ne vous a pas tué, dit-elle. Vous êtes humain, en bonne santé, vous êtes...

Ce n'était pas autant l'instinct qu'une réaction de cause à effet. Il la plaqua contre l'îlot central, enfouit les doigts dans sa crinière de boucles rousses. Sa bouche s'entrouvrit sous la sienne, son cœur tambourinait contre le sien. Divine sensation, la montée du désir, la joie de tenir une femme contre lui. De sentir son parfum, son souffle, ses courbes. Un tsunami de sensations. Par lequel il était prêt à se laisser emporter.

Elle l'enlaça, parcourue d'un frisson d'excitation lorsqu'il la souleva de terre, la déposa sur le comptoir. Brûlante de désir, elle noua ses jambes autour de lui. Mais à nouveau, l'instinct prit le dessus.

Non, pas si vite, pas comme des bêtes affamées, se raisonna-t-elle. Ils le regretteraient l'un et l'autre.

En douceur, elle le repoussa, lui caressa la joue. Dans ses yeux bleus, elle entrevit une ombre de déception.

– Bien. Vous êtes donc vivant, et en très bonne santé, dit-elle.

– N'espérez pas me soutirer des excuses.

– Qui vous en réclame ? C'est moi qui vous ai provoqué, non ? Et je l'assume. Mais il faut que je file.

– Où donc ?

Elle sauta à bas du comptoir.

– Mettre ma minijupe pour aller travailler au pub. Je suis déjà en retard. Profitons-en, tous les deux, pour prendre le temps de la réflexion, avant de passer à l'étape suivante. Tu es le premier à me tenter de rompre ma longue abstinence. Je veux juste être sûre de ne pas commettre une erreur.

Elle prit son sac, se dirigea vers la porte.

– Viens faire un tour au pub, ce soir, ajouta-t-elle, écouter de la bonne musique, voir du monde, boire une ou deux bières. La première tournée sera pour moi.

Dans sa voiture, elle pressa une main contre son ventre, exhala un long soupir tremblant. S'il s'était montré plus entreprenant... elle serait arrivée au pub très en retard.

10

Après moult délibérations, Eli se résolut à aller au pub. Il n'avait pas mis le nez dehors de la journée. Cette sortie remplacerait la promenade du jour.

Il verrait les nouveaux patrons, dégusterait une bière, écouterait le concert pendant une petite heure, et puis il rentrerait. Abra cesserait peut-être ainsi de lui répéter qu'il vivait comme un ermite. Et il se prouverait à lui-même qu'un tour au pub du village n'avait rien d'une épreuve insurmontable.

D'autant qu'il avait toujours aimé l'ambiance des bars, les conversations de comptoir, les rencontres fortuites. Il en profiterait pour observer les gens, les écouter. L'écriture était un métier solitaire, qui lui convenait à merveille, mais si l'on voulait être crédible, il fallait puiser dans le réel, s'inspirer de la vraie vie.

Armé de toutes ces bonnes résolutions, il laissa de la lumière dans le salon et sa voiture dans l'allée, de façon à laisser croire, au cas où, qu'il y avait quelqu'un dans la maison.

Il gagna le village d'un pas rapide – finalement, il aurait fait sa séance de cardio du jour – tout en s'efforçant de vaincre ses appréhensions.

En entrant au Village Pub, il se retrouva toutefois quelque peu désorienté. Le troquet où il avait pour la première fois consommé de l'alcool en toute légalité – une canette de Coors, pour son vingt et unième anniversaire – avait changé du tout au tout. Les peintures, autrefois d'une couleur indéfinissable, avaient été entièrement refaites, les murs débarrassés des filets de pêcheurs, coquillages, mouettes en plâtre et drapeaux de pirates crasseux, les lanternes de bateau remplacées par des appliques en bronze diffusant un éclairage tamisé. Des sculptures et des tableaux étaient exposés çà et là, dont trois dessins au fusain de Hester, représentant des scènes locales. Le plancher de bois, incrusté de taches douteuses, avait été poncé, reverni dans une teinte plus claire.

Les gens étaient assis autour de petites tables rondes, dans des box, dans des fauteuils de cuir, ou perchés sur des tabourets design le long du bar. Quelques jeunes femmes dansaient devant la scène, pas plus grande qu'un timbre-poste, où un groupe de cinq musiciens interprétaient avec brio une reprise des Black Keys.

Les serveuses n'étaient plus affublées de ces ridicules costumes de flibustières. Toutes étaient vêtues d'un chemisier blanc, sur une jupe ou un pantalon noirs.

Bien qu'il eût toujours trouvé le Katydids minable, Eli éprouva une petite pointe de nostalgie.

Il se dirigeait vers le bar lorsqu'il aperçut Abra. Elle servait une table de trois jeunes garçons, un plateau chargé de chopes en équilibre sur une main. Sa jupe, mini en effet, révélait de longues jambes fuselées, chaussées d'escarpins noirs à talons hauts. Son corsage blanc, près du corps, épousait un buste mince, et des biceps impressionnants.

Elle donna une petite tape sur l'épaule de l'un des trois garçons, qui leva vers elle des yeux de merlan frit. Puis en s'éloignant de la table, elle croisa le regard d'Eli, lui adressa un petit signe de la main, et se fraya un passage jusqu'à lui, son plateau sous le bras, en balançant des hanches au rythme de la musique.

– Salut, c'est cool que tu sois venu.

Déesse marine aux yeux de jade et à la chevelure de sirène, sexy en diable avec ce grain de beauté au-dessus des lèvres. Ces lèvres qu'Eli n'avait pas eu le temps de savourer...

– Je ne resterai pas longtemps, je boirai juste une bière.

– Nous avons dix-huit pressions différentes. Qu'est-ce qui te ferait plaisir ?

– Euh...

« Te déshabiller » n'était pas une réponse appropriée.

– Si tu as envie de goûter une bière locale, je te conseille la Baleine blanche.

– Je te fais confiance.

– Va t'asseoir avec Mike et Maureen, dit-elle en désignant une table d'un geste. Je t'apporte ton verre.

– Je préfère rester au bar, je n'ai pas l'intention de m'attarder.

– Ne sois pas timide, dit-elle en le prenant par le bras et en l'entraînant à travers la salle. Regardez qui est là !

Maureen tapota cordialement la chaise libre à côté d'elle.

– Bonsoir, Eli. Assieds-toi. On se fait vieux, on ne peut plus rester debout des soirées entières.

– Je t'apporte ta bière. Et les nachos arrivent, précisa Abra à l'intention de Mike.

– Ils font des nachos du tonnerre, ici, déclara celui-ci tandis qu'Abra repartait vers le bar et qu'Eli, contraint et forcé, s'installait sur le siège qu'on lui offrait.

– Avant, on n'avait droit qu'à des cacahuètes ou à des chips rances.

– Tu te souviens ? C'était le bon vieux temps... soupira Maureen. On était fourrés là tous les week-ends. Avec Mike, on essaie de sortir une fois par mois, maintenant. Ça fait du bien, de temps en temps, de se libérer des enfants.

– Il y a toujours autant de monde que ce soir ?

– Toujours, les week-ends et pendant les vacances. C'est pour ça qu'on vient de bonne heure, pour trouver une table dans un coin tranquille et pouvoir discuter sans être obligés de hurler. Le courant est rétabli à Bluff House ?

– Oui, tout a été réparé.

– Abra nous a dit que quelqu'un avait creusé un trou dans la cave...

– C'est complètement dingue, commenta Mike en se penchant vers Eli. Qu'est-ce que c'est que cette histoire ? À moins que tu n'aies pas envie d'en parler... On se tutoie, non ?

– Bien sûr, pas de problème.

De toute façon, l'incident ferait jaser : Bluff House était un monument de Whiskey Beach. Eli se livra donc à un bref compte rendu. Puis il haussa les épaules :

– À mon avis, nous avons affaire à un chasseur de trésor.

– Je te l'avais dit ! s'exclama Maureen avec une claque sur le bras de son mari. C'est exactement ce que j'ai pensé, mais Mike s'est moqué de moi. Il n'a pas un brin d'imagination.

– Oh si, protesta-t-il. Quand tu mets ta nuisette rouge...

– Michael ! le tança-t-elle en s'étranglant de rire.

– Ah, voilà les nachos, se réjouit-il en se frottant les mains. Tu vas voir, tu vas te régaler, Eli.

– Trois mégaportions de nachos, trois assiettes, des serviettes en papier, et une Baleine blanche, énuméra Abra en déposant le tout sur la table. La première tournée est pour moi, rappelle-toi, dit-elle à Eli lorsqu'il sortit son portefeuille.

– C'est bientôt l'heure de ta pause ? s'enquit Maureen.

– Là, c'est plutôt le coup de feu, répondit Abra, et elle fila prestement vers une autre table.

– Combien de jobs a-t-elle ? demanda Eli.

– Je ne les compte plus, répondit Maureen en se servant une assiette de nachos. Elle aime la diversité. Et elle aime faire du bien. Elle est en train de se former à l'acupuncture.

Eli avait des questions, des tas de questions, mais ne savait comment les formuler sans paraître trop curieux.

– Elle a réussi à s'intégrer très vite dans le village. Il n'y a pas très longtemps qu'elle habite ici...

– Deux ans. Elle vivait à Springfield, avant, près de Washington. Elle t'en parlera sûrement, un de ces jours. Tu veux savoir d'autres choses ?

Avec un sourire entendu, Maureen croqua un nachos.

– Les Red Sox ont l'air d'être partis pour une bonne saison, on dirait, non ?

Maureen prit son verre de vin rouge et décocha une œillade à son mari.

– Voilà quelqu'un qui a du tact, au moins.

– J'allais justement te dire que tu en manquais... répliqua celui-ci. Tu es fan de base-ball, comme ta grand-mère, Eli ? J'adore parler base-ball avec elle. Elle est impressionnante, elle connaît les scores de tous les joueurs. Tu crois que je pourrais lui rendre visite ? Je vais à Boston tous les quinze jours, pour le boulot.

– Ça lui fera sûrement très plaisir.

– Mike entraîne la Little League, expliqua Maureen. Hester est son adjointe officieuse.

– Ma grand-mère adore les enfants.

L'orchestre fit une pause, Mike capta l'attention d'Abra et lui fit signe d'apporter une autre tournée.

– J'espère qu'elle sera de retour avant la fin de la saison.

– Elle revient de loin. On n'était pas sûrs qu'elle s'en sortirait.

– Oh, Eli.

Maureen couvrit sa main de la sienne.

Il n'avait jamais dit cela à voix haute, réalisa-t-il. À personne. Pourquoi était-ce sorti maintenant ? Sans doute parce qu'il était assailli d'images de sa grand-mère bien portante, des images qui lui manquaient. Le yoga, la Little League, ses tableaux dans un bar.

– Les premiers jours... Elle a subi deux interventions... Son épaule était... en miettes. Plus les fractures des côtes, de la hanche, le traumatisme crânien. Pendant quelques jours, elle était entre la vie et la mort. Dieu merci, je l'ai vue hier, elle recommence à marcher, avec une canne. Elle refuse le déambulateur, ça fait trop vieux.

– Ça ne m'étonne pas d'elle, commenta Maureen.

– Elle avait perdu beaucoup de poids, à l'hôpital, mais elle reprend des forces de jour en jour. Elle sera contente de te voir, Mike, j'en suis certain.

– Tu lui as parlé de l'effraction ?

– Non, je ne sais pas si je dois. Je me demande combien de fois ce cinglé s'est déjà introduit dans la maison. Et s'il n'était pas là le soir où elle est tombée.

Mike et Maureen échangèrent un regard.

– Moi aussi, je me suis posé la question, déclara Maureen. Et encore une fois, Mike s'est moqué de moi. Il a dit que je lisais trop de romans policiers. Je lis beaucoup, c'est vrai, mais on ne lit jamais trop.

– Je lève mon verre à ce propos, dit Eli en joignant le geste à la parole.

– Hester n'a pas de problèmes d'équilibre, poursuivit Maureen. Tu devrais la voir, au cours de yoga. Elle tient la pose de l'arbre mieux que les jeunes, et même celle du guerrier. Certes, personne n'est à l'abri d'un faux pas dans un escalier, mais maintenant que l'on sait que quelqu'un se trouvait peut-être dans la maison...

– Elle ne se souvient de rien, pas même d'être sortie de son lit.

– Guère étonnant, avec le choc qu'elle a reçu au crâne. En tout cas, elle n'est sûrement pas tombée sans raison. Elle a dû avoir peur. Ou alors, on l'a poussée...

– Deuxième tournée ! annonça Abra. Oh, oh, quelles mines sérieuses...

– On parlait de Hester, et de l'effraction d'hier soir. Franchement, je préférerais que tu dormes à la maison pendant quelques jours.

– L'effraction a eu lieu à Bluff House, pas chez moi.

– Mais s'il pense que tu es susceptible de l'identifier...

– Ne me pousse pas à reprendre les arguments de Mike.

– Je ne lis pas trop de romans policiers. Au fait, Eli, j'ai lu tes nouvelles. J'ai adoré.

– Dans ce cas, je suis obligé de payer la deuxième tournée.

En riant, Abra remit la note à Eli, puis lui ébouriffa les cheveux et lui posa une main sur l'épaule. Sous la table, Maureen donna un petit coup de pied à son mari.

– Tu sais quoi, Abra ? Nous devrions inviter Eli au club de lecture.

– Non, protesta-t-il vivement, la gorge nouée par la panique. Mon roman n'est pas terminé.

– Tu es écrivain. Nous n'avons jamais reçu un vrai écrivain.

– Si, Natalie Gerson, corrigea Abra.

– Tu parles d'un écrivain... Elle publie à compte d'auteur. De la poésie en vers libres. Au bout de cinq minutes, j'avais envie de me tirer une balle dans la tête.

– C'est plutôt elle qui méritait une balle... Allez, je prends cinq minutes de pause, décida Abra en s'appuyant contre la table.

– Assieds-toi, offrit Eli en se levant.

– Si je m'assieds, je ne me relèverai plus. Eli ne parle jamais de son roman. Si j'écrivais un livre, moi, j'en parlerais tout le temps, à tout le monde. Je suis sûre que je serais insupportable.

– Déjà que... murmura Eli.

Elle lui décocha un petit coup de poing dans le bras.

– Mon rêve aurait été de composer des chansons. J'aurais été une parolière géniale. Le hic, c'est que je n'ai aucune notion de solfège.

– C'est pour ça que tu t'es rabattue sur l'acupuncture.

– Justement, je voulais t'en parler. Il faut que je pratique, et tu serais un cas parfait.

– Hors de question que je te serve de cobaye !

– L'acupuncture disperse les blocages, favorise la concentration et stimule la créativité.

– N'insiste pas, c'est non.

– Tu es beaucoup trop hermétique, soupira-t-elle en se penchant vers lui.

– Peut-être, mais tu ne m'enfonceras pas des aiguilles dans le corps.

Elle dégageait un parfum capiteux, et son maquillage rendait son regard envoûtant. Quand elle incurvait les lèvres, il ne pouvait penser à rien d'autre qu'au baiser qu'ils avaient échangé.

– On en reparlera, dit-elle, et elle partit vers une autre table afin de prendre une commande.

– Ne t'étonne pas si tu te retrouves à poil sur une table avec des aiguilles plantées partout, plaisanta Mike.

Oh non, il ne s'étonnerait pas.

Il resta au pub largement plus d'une heure et lorsqu'il souhaita une bonne fin de soirée à Mike et Maureen, sur le pas de la porte, il leur promit de revenir bientôt. En toute sincérité. Leur compagnie lui avait été agréable. La prochaine fois, il n'aurait pas besoin de se faire violence. Il était fier de ses progrès.

– Eh ! l'interpella Abra en le rattrapant avant qu'il ne parte. Tu ne dis pas au revoir à la serveuse ?

– Tu étais occupée. Ne reste pas dehors. Il fait un froid de canard.

– Je crève de chaud. Tu as passé un bon moment ?

– Oui, tes amis sont très sympathiques.

– Maureen était ton amie avant d'être la mienne, mais ce n'est pas moi qui te contredirai, ce sont des gens formidables. Rentre bien. À dimanche !

– Dimanche ?

– Pour ton massage. Thérapeutique, toujours, ajouta-t-elle devant son expression gênée. Ce qui ne t'empêche pas de m'embrasser avant de t'en aller.

– Je t'ai déjà laissé un pourboire.

Elle éclata d'un rire irrésistible, empreint d'une joie de vivre dont il ne demandait qu'à s'imprégner. Il l'attira contre lui, lui caressa le dos, savourant la chaleur qu'elle dégageait, et lui donna un baiser langoureux, prolongé.

Tout en douceur, cette fois, songea-t-elle, les bras noués autour de sa taille, en s'abandonnant, rêveuse, à la tendresse de cette étreinte. Il avait davantage à offrir qu'il ne le pensait, mais il était davantage meurtri qu'il ne voulait l'admettre. Cet homme l'attirait irrésistiblement.

– Maureen avait raison, soupira-t-elle, tu embrasses bien.

– Je suis un peu rouillé.

– Tu n'es pas le seul. Voilà qui devrait être intéressant, non ?

– Pourquoi es-tu rouillée ?

– Je te raconterai, autour d'une bouteille de vin, au coin du feu. Je dois retourner travailler.

– Je veux connaître ton histoire.

Ces mots émurent Abra autant qu'un bouquet de roses.

– Je te la raconterai, promis. Rentre bien, bonne nuit.

À contrecœur, il lui lâcha la main, la laissa retourner dans la musique et le joyeux brouhaha. Il la désirait, devait-il s'avouer, comme il n'avait jamais désiré quiconque.

La pluie battant contre les carreaux, Eli passa toute la journée du samedi à écrire, absorbé dans un chapitre où son protagoniste trouvait la clé, métaphoriquement et littéralement, du dilemme qui le torturait, dans la maison déserte de son frère décédé.

Satisfait de son travail, il s'arracha à son clavier pour la salle de gym. Les haltères rose bonbon et jaune fluo de sa grand-mère lui paraissaient quelque peu ridicules, comparées aux machines ultra-sophistiquées du club de fitness qu'il avait fréquenté pendant des années. Dix kilos pesaient cependant dix kilos. Il en avait assez de se sentir faible, mou ; il en avait assez de se laisser dériver ou, pire, de se laisser couler.

S'il était capable d'écrire – et il se le prouvait chaque jour –, alors il était capable de fournir des efforts physiques, de secouer l'apathie.

Réticent à affronter le miroir, il effectua une série de biceps devant la fenêtre, en regardant la mer démontée, les vagues se fracassant contre les rochers, les gerbes d'écume sous la tour blanche du phare. Quelle direction son héros allait-il prendre, maintenant qu'il avait franchi un cap ? s'interrogea-t-il. Puis il se demanda s'il n'était pas lui-même parvenu à un tournant. Diable, ce ne serait pas trop tôt.

Après vingt minutes d'exercices de muscu, il réussit à faire encore vingt minutes de vélo elliptique. Il s'étira, but quelques gorgées d'eau, et passa au sol pour une série d'abdos, avant de s'écrouler, les bras en croix, à bout de souffle.

Pas mal, se félicita-t-il. Il n'avait pas tenu tout à fait une heure, et il était aussi épuisé que s'il venait d'accomplir un triathlon, mais il avait fait mieux que la dernière fois. Et ses jambes le portaient encore. Tant bien que mal.

Il prit une douche et descendit à la cuisine, l'estomac tiraillé par la faim, par une réelle sensation de faim. Le sport ouvrait l'appétit, il l'avait presque oublié.

Peut-être fallait-il noter tous ces petits progrès. Comme des encouragements. Quoique... Cela lui semblait encore plus ridicule que de soulever des haltères rose bonbon.

Il s'apprêtait à se confectionner un sandwich quand il découvrit l'assiette de cookies, sur l'îlot central. Évidemment, une note adhésive était collée sur le film plastique :

Quelques friandises pour une journée pluvieuse. Entendu le bruit du clavier, pas voulu te déranger. Bon samedi. À demain, 17 heures.
Abra

Lui devait-il un geste de remerciement pour toutes ces bonnes choses qu'elle lui préparait ? Des fleurs, peut-être ? Il goûta un biscuit. Hum.... Non, des fleurs ne seraient pas à la hauteur. En grignotant un deuxième cookie, il prépara du café. Il allait allumer la cheminée de la bibliothèque et passer tranquillement la fin d'après-midi à bouquiner.

Dehors, il pleuvait toujours à verse. Il fit une belle flambée, qui réchauffa rapidement la pièce, puis il passa en revue les rangées de livres s'élevant jusque sous le plafond à caissons : romans, biographies, guides pratiques, recueils de poésie, beaux livres sur les animaux, manuels de jardinage, de yoga – Gran s'était réellement découvert une nouvelle passion –, un vieux bouquin sur l'étiquette, et une étagère entière d'ouvrages régionaux. Parmi lesquels quelques fictions se déroulant à Whiskey Beach – peut-être pas inintéressantes, nota-t-il –, des documents historiques, des essais sur le folklore local, sur les grandes familles de la région, dont les Landon, et toute une collection d'histoires de pirates.

Il choisit un mince volume relié de cuir, intitulé *La Calypso et ses trésors engloutis*. Les cookies à portée de main, il s'allongea sur le canapé en cuir capitonné.

Publié au début du siècle, le vieux bouquin comprenait illustrations, cartes géographiques et notices biographiques des personnages ayant inspiré la légende. Avec délices, Eli se plongea dans le dernier voyage de la *Calypso*, commandée par le célèbre contrebandier Nathanial Broome.

L'auteur le dépeignait comme un bel homme, audacieux et téméraire, plein de verve et de panache, un flibustier d'opérette, dans la veine des rôles incarnés par Errol Flynn et Johnny Depp.

La bataille entre la *Calypso* et le *Santa Catarina* était relatée dans un style précieux, anémique, dont Eli subodora qu'il appartenait à une femme, se cachant sous le pseudonyme de Charles G. Haversham.

Sous sa plume, l'abordage, le massacre de l'équipage et le pillage du *Santa Catarina* tournait à la romance en haute mer, sans la moindre effusion de sang. La Dot d'Esméralda, selon Haversham, se trouvait sous l'emprise d'un sortilège jeté par une belle Andalouse au cœur transi. De ce fait, ne pouvait prétendre aux joyaux que celui qui avait été touché par l'Amour.

– Ah oui ? murmura Eli en grignotant un cookie.

Il faillit refermer le livre et en choisir un autre, mais le style de l'auteur l'amusait, et il découvrait une version de la légende qui lui était jusque-là inconnue.

Il n'était pas nécessaire de croire au pouvoir transfigurateur de l'amour pour prendre plaisir à ce récit rocambolesque. Du reste, sous les fioritures romantiques, la thèse était cohérente, suggérant que ce n'était pas un vulgaire matelot qui avait survécu au naufrage – avec le trésor – mais le fringant capitaine Broome.

Arrivé à la dernière page, Eli revint en arrière afin d'examiner plus attentivement les illustrations et les cartes. Et s'assoupit le livre sur la poitrine, repu de cookies, bercé par le crépitement des bûches. Il rêva de batailles en mer, de pirates, de pierreries étincelantes, d'une jeune femme attendant l'amour, de trahison, de rédemption et de mort.

Et de Lindsay. Gisant dans une tranchée au sous-sol de Bluff House. Une pioche entre les mains, il se tenait lui-même au bord du trou, dans un amas de terre souillée de sang.

Il se réveilla en sueur, engourdi, nauséeux. Le feu s'était presque éteint. Il le raviva puis, incapable de se défaire des dernières images du rêve, il descendit à la cave.

Stupide, se morigéna-t-il. Stupide d'éprouver le besoin de vérifier l'impossible d'un rêve induit par un bouquin grotesque et l'abus de cookies. Stupide, également, d'avoir osé espérer que, parce qu'il n'avait pas rêvé de Lindsay depuis plusieurs nuits, il ne rêverait plus jamais d'elle.

Ce cauchemar avait ruiné tout son bel optimisme. Il fallait qu'il trouve quelque chose à faire avant de sombrer dans le cafard. Non, il ne voulait plus se laisser paralyser par les idées noires.

Il comblerait la tranchée, décida-t-il en remontant de la cave. Il en parlerait d'abord à Vinnie, puis il reboucherait ce maudit trou et c'en serait fini de cette absurde chasse au trésor. Fini des intrusions intempestives.

On avait violé la demeure familiale, causé sans doute la chute de Hester. Comme on avait violé son domicile conjugal pour assassiner sa femme. Mais il en avait fini de se positionner en victime. Il...

Sur le seuil de la cuisine, il s'arrêta net.

Un gigantesque couteau de cuisine dans une main, Abra composait fébrilement un numéro de téléphone.

– Tu as été attaquée par une carotte géante ?

– Oh, Seigneur, Eli ! s'écria-t-elle en laissant tomber le couteau sur le comptoir, et en raccrochant le combiné. La porte du sous-sol était ouverte. Je t'ai appelé, tu n'as pas répondu. Et puis j'ai entendu des bruits... j'ai cru qu'il y avait de nouveau quelqu'un dans la maison.

– Dans ce cas, tu aurais mieux fait de prendre tes jambes à ton cou et de prévenir la police. Que comptais-tu faire avec ce couteau de boucher ?

– Je... Je ne sais pas.

Elle sortit une bouteille de vin du réfrigérateur, s'en remplit un grand verre. Ses mains tremblaient.

– Je t'ai fait peur, je suis désolé. C'est moi qui étais en bas.

– J'ai paniqué, balbutia-t-elle en s'efforçant de maîtriser sa respiration. Figure-toi que... qu'on a retrouvé Kirby Duncan.

– Impeccable, j'aurai quelques mots à lui dire.

Eli était furieux, à présent. Tant mieux. La colère était préférable à la déprime.

– Je me suis mal exprimée. C'est son corps qu'on a retrouvé, sur les rochers, en dessous du phare. Il y avait un attroupement, la police. Ça m'a intriguée, je suis allée voir. Il est mort.

– Que lui est-il arrivé ?

– Je n'en sais rien. Il a dû tomber.

– Étrange, tout de même, non ? Tu paries qu'on va de nouveau m'accuser ?

– Mais non, Eli. Arrête de toujours tout voir en noir.

Il lui prit son verre des mains, en but une gorgée.

– Bien sûr que si, c'est évident : le suspect de meurtre impliqué dans une deuxième mort mystérieuse. On va encore me traîner dans la boue, me jeter la pierre. Si tu ne veux pas d'ennuis, je te conseille de prendre tes distances.

– Ne sois pas blessant, riposta-t-elle, le regard farouche.

– Je te mets en garde, c'est tout.

– Je suis assez grande pour savoir ce que j'ai à faire. Puis-je te demander ce que tu feras, toi, si on te soupçonne d'être mêlé à cette affaire ?

– Je n'en sais encore rien mais au moins, cette fois, je ne me laisserai pas prendre au dépourvu. Et quoi qu'il advienne, on ne me chassera pas de Whiskey Beach. Je resterai à Bluff House tant que j'aurai envie d'y rester.

– OK, et moi, je ne te laisserai pas tomber. Tu veux que je prépare quelque chose pour le dîner ?

– Non, je n'ai pas faim, je me suis goinfré de cookies.

Abra jeta un coup d'œil à l'assiette, et sa mâchoire se décrocha lorsqu'elle vit qu'il n'en restait que six.

– Tu es dingue ! J'en avais fait deux douzaines, tu vas être malade.

– Je suis déjà barbouillé. Rentre chez toi, Abra. Ce n'est pas la peine que les flics te trouvent là, quand ils viendront m'interroger, ce qui ne va sûrement pas tarder.

– Je ne vois pas en quoi ce serait gênant.

– Il vaut mieux que tu rentres chez toi. Je vais appeler mon avocat, le mettre au courant. Ferme bien toutes tes portes à clé.

– D'accord. Je reviendrai demain. J'aimerais que tu m'appelles s'il se passe quoi que ce soit.

– Ne t'inquiète pas, tout ira bien. J'ai passé une excellente journée, je vais de mieux en mieux, je me sens d'attaque.

– Un jour, dit-elle en lui encadrant le visage de ses mains, tu me demanderas de rester. J'attends ce jour avec impatience.

– Un jour où nous serons plus tranquilles, murmura-t-il en déposant un baiser sur ses lèvres.

Et il lui remonta sa capuche, puis la regarda disparaître sous la pluie et le vent.

LUMIÈRE

L'espoir porte un costume de plumes, se perche dans l'âme et inlassablement chante un air sans paroles ; mais c'est dans la tempête que son chant est le plus doux.

EMILY DICKINSON

11

Eli se leva à l'aube, réveillé par un cauchemar dans lequel Lindsay, désarticulée, en sang, gisait sur les rochers en dessous du phare de Whiskey Beach.

Il n'avait pas besoin d'un psy pour interpréter la signification de ce rêve. Ni d'un coach personnel pour lui expliquer que les douleurs dont il était perclus étaient dues à des efforts excessifs après une longue période sans faire de sport.

En gémissant, il se traîna sous la douche, dans l'espoir que le jet brûlant atténuerait quelque peu les courbatures. Puis il descendit à la cuisine, avala trois comprimés d'ibuprofène et se prépara du café qu'il but tout en tapant un e-mail à l'intention de sa famille. Il aurait volontiers passé l'effraction et la mort du privé sous silence, mais les nouvelles circulaient vite, surtout les mauvaises. Il préférait fournir aux siens des informations de première main.

Il choisit les mots avec soin, leur assura que la maison était de nouveau sûre. Délibérément, et sans scrupule, il laissa entendre que le détective de Boston s'était tué en tombant accidentellement de la falaise. Après tout, personne n'en savait encore rien, il pouvait bien s'agir d'un malheureux accident.

Eli n'y croyait pas une seule seconde, mais pourquoi inquiéter sa famille ?

Il leur parla de la météo, de son roman, qui avançait, du plaisir qu'il avait éprouvé à lire le vieux bouquin sur la *Calypso*.

Après avoir relu deux fois son message, il décida d'insérer les mauvaises nouvelles au milieu du reste, afin de terminer sur une note positive. Clic. Envoyer.

Se remémorant sa promesse à Tricia, il composa un autre mail, destiné uniquement à sa sœur.

Tu as ma parole, je ne me censure pas... pas trop. Serrure et alarme ont été réparées, la police locale prévenue. À mon avis, il s'agit d'un cinglé à la recherche de la Dot d'Esméralda. Quant à ce détective privé, j'ignore ce qui lui est arrivé, s'il est tombé, s'il s'est suicidé ou s'il a été poussé par le fantôme du capitaine Broome.

Ne te fais pas de souci, si la police vient m'interroger – et je mettrai ma main à couper que ça ne devrait pas tarder –, je suis prêt. Je les attends de pied ferme.

Arrête de faire cette tête, je te vois d'ici. Tout va bien, promis. Je t'embrasse.

Inutile d'en rajouter. Tricia serait un peu ennuyée, un peu amusée, mais elle ferait confiance à son grand frère.

Avec un deuxième café et un bagel, il remonta dans le bureau, ouvrit le fichier de son chapitre en cours et, tandis que le soleil s'élevait au-dessus de la mer, il s'immergea dans son roman.

Il était passé au Mountain Dew, et avait avalé les deux derniers cookies, lorsque carillonna la sonnette que personne n'utilisait jamais – les premières notes de l'*Hymne à la joie*, l'un des morceaux préférés de sa grand-mère.

Il prit le temps d'enregistrer son travail, de mettre la canette entamée au réfrigérateur, et descendit alors que l'on sonnait pour la deuxième fois.

Il attendait la visite d'un officier de police, pas de deux. Et surtout, il ne s'attendait pas à voir le visage familier et revêche de l'inspecteur Art Wolfe de Boston.

– Eli Landon ? demanda le plus jeune, coupe militaire, mâchoire carrée, yeux bleus placides et silhouette d'acharné de la muscu, en présentant son badge.

– Lui-même.

– Inspecteur Corbett, du bureau du shérif du comté d'Essex. Je crois que vous connaissez l'inspecteur Wolfe.

– Oui, nous avons déjà eu l'occasion de nous rencontrer.

– Nous souhaiterions vous poser quelques questions.

– Pas de problème.

En dépit des recommandations de Neal, il les invita à entrer et les accompagna jusqu'au salon. Il avait lui-même été avocat, il savait ce qu'il faisait. Et il ne supportait plus qu'on lui dicte chacun de ses gestes.

En prévision de cette entrevue, il avait allumé la cheminée. Une douce chaleur régnait dans la pièce décorée d'œuvres d'art et d'antiquités. Le soleil entrait à flots par les grandes fenêtres donnant sur le jardin, où quelques jonquilles pointaient déjà timidement le nez.

Il se sentait un peu comme elles, neuf, prêt à montrer ses vraies couleurs, prêt à affronter vents et marées.

– Jolie maison, commenta Corbett. Beaucoup de cachet extérieur, très bel intérieur.

– Asseyez-vous, je vous en prie.

Eli prit place dans un fauteuil, parfaitement à l'aise. Il n'avait pas les paumes moites, son cœur battait à un rythme régulier, il n'avait pas la gorge sèche. Néanmoins, il se tenait sur ses gardes.

– Nous vous savons gré de votre accueil, monsieur Landon, dit Corbett en s'installant en face de lui. Vous devez être au courant de l'incident survenu hier.

Le regard impavide sur sa face de bulldog, Wolfe s'assit sur le canapé.

– J'ai appris, en effet, qu'un corps avait été retrouvé près du phare, répondit Eli.

– Un certain Kirby Duncan, que vous connaissiez, je crois.

– Pas le moins du monde. Je sais qu'il était détective privé, et qu'il enquêtait sur moi, mais je ne l'ai jamais vu.

Corbett sortit un calepin, davantage, sans doute, pour se donner une contenance que par nécessité.

– Vous le soupçonniez de s'être introduit ici jeudi soir. C'est ce que vous avez dit à la police, n'est-ce pas ?

– Tout à fait. C'est la première pensée que j'ai eue quand j'ai appris qu'une effraction avait été commise, et j'en ai fait part à l'agent qui est venu dresser le constat, le shérif adjoint Vincent Hanson. La jeune femme qui a été agressée, qui elle avait vu Kirby Duncan, a cependant déclaré sans équivoque qu'il ne s'agissait pas de lui. Du reste, Hanson a interrogé Duncan, qui lui a montré des tickets de caisse prouvant qu'il était à Boston à ce moment-là.

– Vous deviez être furieux que quelqu'un ait fracturé la porte et semé le merdier.

Eli se tourna vers Wolfe, toujours aussi grossier, toujours aussi odieux.

– Je ne peux pas dire que cela m'ait fait plaisir. Je n'étais pas très content, non plus, de savoir qu'un privé me surveillait. Et je serais curieux de savoir qui l'a engagé.

– Quelqu'un, sûrement, qui se demande ce que vous manigancez.

– Je ne manigance rien. Je me reconstruis, je travaille, je veille sur la maison pendant que ma grand-mère se remet d'une mauvaise chute. Duncan n'aurait rien eu de bien intéressant à rapporter à son client.

– Les investigations sur le meurtre de votre femme sont toujours en cours, Landon, et vous n'avez pas encore été rayé de la liste des suspects.

– Je sais, tout comme je sais que vous seriez ravi de pouvoir me mettre en cause dans un deuxième homicide.

– Qui a parlé d'un deuxième homicide ?

Coup bas, pensa Eli, sans toutefois se départir de son calme.

– Vous êtes enquêteur criminel. Si vous pensiez que Duncan s'est tué accidentellement, vous ne seriez pas ici. J'en déduis qu'il s'agit soit d'un meurtre, soit d'une mort suspecte.

– Vous avez été avocat, c'est vrai, vous connaissez les rouages du système.

Corbett leva une main.

– Pouvez-vous nous dire, monsieur Landon, ce que vous faisiez entre minuit et 5 heures du matin, vendredi ?

– Bien sûr. J'ai dîné jeudi soir chez mes parents, à Boston. J'étais chez eux quand on m'a informé par téléphone de l'effraction. Je suis immédiatement revenu à Whiskey Beach. Je ne sais pas exactement à quelle heure je suis arrivé, aux alentours de 23 h 30, je dirai, avant minuit, en tout cas. Je suis en premier lieu allé voir Abra, Abra Walsh, la jeune femme qui a été agressée à Bluff House.

– Que faisait-elle dans la maison en votre absence ? demanda Wolfe. Vous couchez avec elle ?

– Quelle est exactement la pertinence de ma vie sexuelle au regard de cette enquête ?

Corbett jeta à Wolfe un œil réprobateur.

– Veuillez nous excuser, monsieur Landon. Pouvez-vous nous dire pourquoi Mlle Walsh se trouvait là à cette heure-ci ?

– Ma grand-mère l'emploie depuis deux ans comme aide-ménagère. Elle était venue faire le ménage dans la journée et elle n'était pas sûre d'avoir refermé toutes les fenêtres. Il y avait un orage. J'imagine que vous l'avez déjà interrogée, mais je veux bien vous répéter ce qu'elle a dû vous dire. Sachant que j'étais à Boston, elle est venue vérifier qu'elle n'avait pas laissé de fenêtre ouverte. Par la même occasion, elle m'a apporté une part de sauté de dinde. Quelqu'un l'a attaquée par-derrière – le courant était coupé, il n'y avait pas de lumière. Elle a réussi à s'enfuir, elle s'est réfugiée chez ses voisins et amis, Mike et Maureen O'Malley. Mike a prévenu la police et m'a téléphoné. J'ai quitté Boston immédiatement après son appel.

– Et vous êtes arrivé à Whiskey Beach entre 23 h 30 et minuit.

– Comme je vous l'ai dit. Je suis resté quelques minutes chez les O'Malley. Abra m'a expliqué qu'elle avait blessé son agresseur en se débattant, que la police allait analyser le sang sur ses vêtements. Je suis ensuite venu ici, elle a tenu à m'accompagner. Hanson nous attendait.

– Un ami à vous, souligna Wolfe.

– Nous étions amis quand nous étions jeunes. Je ne l'avais pas revu depuis des années. À sa demande, j'ai fait rapidement le tour de la maison : rien n'avait été volé ni dérangé. Je lui ai signalé qu'un privé enquêtait sur moi. Mlle Walsh a affirmé qu'il ne pouvait s'agir de lui, qu'il était plus petit et plus enrobé que l'homme qui l'avait agressée. L'agent Hanson nous a indiqué que, par acquit de conscience, il interrogerait quand même Duncan, lequel logeait, si ma mémoire est bonne, au Surfside B&B. Hanson a dû partir d'ici vers minuit et demi, un peu plus tôt, peut-être. Encore une fois, je ne peux pas être plus précis.

Dommage, songea Eli, qu'il n'ait pas pensé à noter tous ces détails.

– Après son départ, poursuivit-il, je suis descendu au sous-sol, accompagné de Mlle Walsh. Le générateur n'est pas très fiable, j'espérais le mettre en marche. Je cherchais des outils quand j'ai découvert un trou, un gros trou, dans la partie la plus ancienne de la cave, ainsi que les outils – pelles, pioches, etc. –, ayant servi à le creuser. À l'évidence, on s'y est repris à plusieurs fois.

– Que cherchait-on, à votre avis ? s'enquit Corbett.

– Si vous étiez originaire de Whiskey Beach, vous sauriez qu'on raconte qu'un trésor a été enterré quelque part, la Dot d'Esméralda. Ce n'est qu'une légende, bien sûr, mais certains y croient. Quelqu'un se figure probablement, je ne vois pas d'autre explication, qu'une fortune en pierres précieuses est cachée dans les entrailles de Bluff House.

– Vous auriez pu creuser ce trou vous-même.

Eli jeta à peine un regard à Wolfe.

– J'ai les clés de la maison, je n'aurais pas eu besoin de fracturer une porte. Et ce n'aurait pas été très futé de ma part de montrer le trou à Abra, à la police. Bref. Nous sommes restés en bas un bon moment, elle et moi. J'ai réussi à démarrer le générateur. Quand nous sommes remontés, j'ai fait du feu. Abra avait eu froid dans la cave, et elle était encore choquée. Nous avons bu un verre de vin, en discutant de choses et d'autres. Elle s'est endormie sur le canapé. Je sais qu'il était 2 heures du matin quand je suis monté me coucher. Je me suis levé le lendemain entre 7 h 30 et 8 heures. Abra était partie, j'ignore à quelle heure, en me laissant une omelette dans le four. C'est quelqu'un de très serviable.

– Donc vous n'avez pas d'alibi, conclut Wolfe, goguenard.

– Si cela ne vous suffit pas, non, répliqua Eli sans se démonter. Pour quelles raisons, selon vous, aurais-je tué Kirby Duncan ?

– Personne ne vous accuse, monsieur Landon, intervint Corbett.

– Vous êtes là à m'interroger sur mon emploi du temps, avec l'inspecteur qui dirige les investigations sur le meurtre de ma femme. Forcément, c'est que vous me soupçonnez. Sur quoi se fondent vos soupçons ?

– Duncan enquêtait sur vous, vous le saviez, et tous ses dossiers relatifs à cette mission ont disparu.

Eli se tourna vers Wolfe.

– Vous le connaissiez ? Les détectives privés commencent souvent leur carrière dans la police, vous auriez pu travailler avec lui. Est-ce vous qui l'avez engagé ?

– C'est nous qui posons les questions, monsieur Landon.

Eli reporta son attention sur Corbett.

– Pourquoi ne me demandez-vous pas pour quels motifs j'aurais tué quelqu'un que je n'ai jamais vu ?

– Il aurait pu découvrir des preuves de votre culpabilité, répondit Wolfe.

– À Whiskey Beach ? À propos d'un crime qui a eu lieu à Boston ?

– Pourquoi pas ? Vous vous êtes débarrassé de lui, vous lui avez pris ses clés et vous êtes allé à Boston, faire le ménage dans son agence et son appartement, détruire tous ses dossiers et ses fichiers informatiques.

– Son bureau et son domicile ont été visités ? Intéressant…

– Vous aviez un mobile, les moyens, l'opportunité.

– Votre raisonnement s'appuie sur une hypothèse erronée, je n'ai pas tué ma femme, mais poursuivons selon votre logique : supposons que Duncan détenait des éléments prouvant que je suis un assassin. Je lui aurais donné rendez-vous au phare, en plein milieu de la nuit, sous la pluie, ou je l'aurais d'une manière ou d'une autre attiré là-bas. Ce qui implique que je serais sorti de la maison pendant qu'Abra dormait – pas impossible, je vous l'accorde. Après avoir éliminé Duncan, je serais allé au B&B, j'aurais vidé sa chambre, puis je serais parti avec sa voiture, faire le ménage dans son bureau et son appartement, à Boston. Ensuite je serais revenu. Il aurait été idiot de ma part de revenir avec sa voiture, mais comment serais-je rentré autrement ? Je me suis donc débarrassé de sa voiture quelque part, j'ai terminé à pied et je suis rentré à Bluff House sans réveiller Abra.

Sachant qu'il était vain d'en appeler au bon sens de Wolfe, Eli se tourna vers Corbett :

– Franchement, ça vous paraît possible ? lui demanda-t-il. Comment aurais-je pu faire tout cela avant qu'Abra se lève pour me préparer une omelette ?

– Vous n'étiez peut-être pas seul, avança Wolfe.

– Sous-entendez-vous que j'aurais agi avec la complicité d'Abra ? rétorqua Eli avec une pointe d'énervement. Elle ne me connaît que depuis quelques semaines et elle m'aurait aidé à commettre un meurtre ? Je vous en prie...

– Quelques semaines, c'est vous qui le dites. Et si Duncan avait découvert une liaison beaucoup plus ancienne ? Voilà qui explique-rait pourquoi vous avez tué votre épouse...

– Acharnez-vous sur moi tant que vous voudrez mais laissez Abra hors de cette histoire, s'il vous plaît, répliqua Eli d'une voix blanche.

– Ou sinon quoi ? C'est moi que vous tenterez d'éliminer, la pro-chaine fois ?

– Inspecteur Wolfe ! proféra Corbett.

– Vous ne vous en tirerez pas comme ça, poursuivit Wolfe, igno-rant son collègue, les mains plantées sur les cuisses, penché tout près d'Eli. Oui, je connaissais Duncan, c'était un ami, et je mettrai un point d'honneur à vous faire payer sa mort. Tout ce que vous faites avec cette bonne femme, tout ce que vous avez fait, tout ce que vous avez l'intention de faire, je le saurai. Et quand je vous ferai tomber, vous ne vous relèverez pas.

— Menaces et harcèlement, répliqua Eli, d'un ton à nouveau étrangement posé. Voilà qui donnera à mon avocat un excellent tremplin. Vous m'avez traîné dans la boue, et je me suis laissé faire, mais je n'ai plus l'intention d'encaisser les coups sans broncher. J'ai répondu à vos questions. Si vous en avez d'autres, adressez-vous à mon avocat. À présent, je vous prie de bien vouloir partir de chez moi.

Sur ces mots, Eli se leva.

— De chez votre grand-mère.

— Au temps pour moi. Je vous prie de bien vouloir partir de chez ma grand-mère.

— Monsieur Landon, fit Corbett en se levant à son tour. Je suis navré que vous vous sentiez menacé ou harcelé.

Eli se contenta de le dévisager froidement.

— Le fait est, ajouta Corbett, qu'en raison des motifs de la présence de M. Duncan à Whiskey Beach, vous intéressez la police. Permettez-moi de vous poser une dernière question : possédez-vous une arme à feu ?

— Non.

— Y a-t-il des armes à feu dans la maison ?

— Je n'en sais rien, répondit Eli avec un sourire en coin. Je ne suis pas chez moi.

— Nous reviendrons perquisitionner, déclara Wolfe.

— Avec un mandat, répliqua Eli, sans quoi, vous ne remettrez pas les pieds dans cette maison. Je vous le répète, j'en ai fini de me laisser pourrir la vie.

Là-dessus, il se dirigea vers la porte, l'ouvrit en grand.

— Vous nous reverrez sans tarder, marmonna Wolfe.

— Merci de nous avoir consacré de votre temps, ajouta Corbett d'un ton d'excuse.

— Tout le plaisir était pour moi, conclut Eli.

Et, la porte refermée, il serra les poings.

Corbett attendit d'être dans la voiture pour exploser :

— Mince, Wolfe ! Il était convenu que vous me laisseriez mener l'interrogatoire. Vous avez braqué Landon d'entrée de jeu.

— Il a tué Duncan, je ne vois pas de raison de le ménager.

— Nous n'avons aucune preuve, tonna Corbett en écrasant l'accélérateur. Ses arguments tiennent la route : il n'avait pas le temps, en quelques heures, de liquider le bonhomme et de faire l'aller-retour à Boston.

– Sauf si la femme de ménage est dans le coup.

– Je ne la connais pas, mais elle m'a semblé honnête. Ses voisins aussi. En revanche, je connais Vinnie Hanson. C'est un gars sérieux. Il ne se serait pas amusé à les couvrir.

– Landon a du pognon. Facile d'acheter un copain de jeunesse.

– Surveillez-vous, Wolfe. Vous êtes là parce que nous vous avons invité. Si c'est pour entraver nos recherches, nous nous passerons de vos services. Vous avez une idée fixe, et vous avez gâché toutes les chances que j'avais d'amener Landon à coopérer.

– Il a tué sa femme. Il a tué Duncan. Pas besoin qu'il coopère pour le jeter derrière les barreaux.

– Vous avez eu un an pour enquêter sur le meurtre de son épouse, et vous n'avez pas réussi à le coincer. Quant à Duncan, vous tirez des conclusions hâtives. Si vous n'étiez pas obnubilé par une idée fixe, vous vous demanderiez qui l'a engagé, dans quel but, et où était son client entre minuit et 5 heures du matin vendredi. Vous vous demanderiez qui s'est introduit dans cette baraque pendant que Landon était à Boston, et comment cet individu était au courant qu'il n'était pas là.

– Cette histoire de trou dans la cave ne tient pas debout.

– Obnubilé par une idée fixe, répéta Corbett entre ses dents.

Wolfe et Corbett partis, Eli monta directement à l'étage de l'aile sud, dans la pièce qu'il appelait le « musée », où des reliques familiales étaient conservées dans des armoires vitrées : une paire de gants en dentelle, une boîte à musique surmontée d'un papillon orné de rubis, des éperons en argent, des registres reliés de cuir, des médailles militaires, un superbe sextant de bronze, un mortier et un pilon en marbre, des bottines à boutons. Et toute une collection d'armes anciennes, exposée dans une vitrine fermée à clé.

Les fusils de chasse, une carabine Henry admirablement préservée, le fascinant Derringer à la crosse nacrée, les pistolets de duel de l'époque géorgienne, les vieux revolvers à silex, tout était là, à sa place habituelle.

Eli poussa un soupir de soulagement. Kirby Duncan n'avait pas été tué avec une arme appartenant aux Landon. Depuis qu'il était né, et sans doute depuis bien plus longtemps, aucune, à sa connaissance, n'avait été utilisée. *Trop précieuses pour la chasse ou le tir sportif*, songea-t-il en se souvenant de son grand-père autorisant un petit Eli de huit ans, émerveillé, à tenir un fusil à silex tandis qu'il lui retraçait son histoire.

Les pistolets de duel à eux seuls valaient des milliers de dollars. Un cambrioleur aurait cassé la vitre et les aurait aisément revendus à un collectionneur. Du reste, outre ces armes, Bluff House regorgeait d'objets d'une valeur inestimable, facilement transportables : œuvres d'art, argenterie, pièces de collection. En quelques heures, un voleur pouvait se constituer un magot de plusieurs millions. Or, non. Nuit après nuit, on donnait des coups de pelle et de pioche dans la cave, un travail de fourmi.

Le chasseur de trésor – si réellement c'était le trésor que l'on recherchait – n'était donc pas motivé par l'argent, ou pas seulement. Était-il obsédé par la légende, comme Wolfe était obnubilé par Eli ?

Dans l'espoir de découvrir un indice, Eli redescendit au sous-sol, pénétra dans la tranchée. Par endroits, elle atteignait un bon mètre de profondeur. Partant du centre, on avait manifestement procédé selon une sorte de quadrillage. Nord, sud, est, ouest.

Eli ressortit du trou et, avec son portable, le photographia sous divers angles. La police avait déjà pris des photos, mais il aurait ainsi les siennes. À quoi l'avanceraient-elles ? Il n'en savait trop rien. À prendre des décisions, peut-être, ou à anticiper...

Dans cet esprit, il remonta prendre le télescope de cuivre sur son pied en acajou – un cadeau que l'on avait fait à sa grand-mère – et l'installa sur la terrasse. Un homme averti en vaut deux. Il aurait été curieux de jeter un coup d'œil autour du phare, mais sans doute n'était-il pas judicieux d'aller rôder par là-bas, pour le moment. Il pouvait toutefois observer de loin.

Il choisit un oculaire de faible grossissement, exécuta la mise au point et régla l'objectif jusqu'à distinguer les rubans jaunes de la police. Quelques curieux se promenaient autour du périmètre de sécurité, deux véhicules officiels étaient garés sur le petit parking du phare.

Il orienta l'appareil vers le bas de la falaise. Des techniciens de la police judiciaire s'affairaient sur les rochers, trempés malgré leurs cirés.

À l'aide du télescope, il évalua la hauteur de la falaise. La chute avait dû être spectaculaire. Il aurait suffi de pousser Duncan pour le tuer. Or on lui avait d'abord logé une balle dans le corps.

Pourquoi ? Que savait-il ? Qu'avait-il vu ? Qu'avait-il fait ?

Et en quoi ce meurtre était-il lié à celui de Lindsay ? Car sur ce point, Wolfe avait probablement raison. Le privé enquêtait sur Eli.

En toute logique, on pouvait supposer qu'il avait été éliminé parce qu'il avait découvert quelque chose sur le meurtre de Lindsay. Ou sur le trou creusé dans la cave ?

Mystère. Eli avait toujours aimé les mystères. Il se serait volontiers passé d'être mêlé à celui-ci, mais peut-être était-ce une opportunité de vérifier s'il était toujours aussi doué pour résoudre les énigmes.

Laissant le télescope sur la terrasse, il monta à l'étage chercher un bloc et un stylo. Puis il redescendit à la cuisine se confectionner un sandwich, qu'il emporta dans la bibliothèque, avec une bière. Il alluma du feu, et s'installa au magnifique bureau de son arrière-grand-père.

Pour commencer, poser l'équation. Première inconnue, le meurtre de Lindsay. En guise de contexte, il retraça les grandes lignes de leur vie commune. La première année de mariage avait été une période d'adaptation, avec des hauts et des bas, le jeune couple soudé autour d'un objectif commun : aménager leur nouvelle maison.

Les premières ombres au tableau étaient apparues, si Eli voulait être honnête, quelques mois après qu'ils s'étaient installés dans la villa.

Lindsay avait décrété qu'elle n'était pas encore prête à fonder une famille, un choix personnel qu'il n'avait pas contesté. Il s'était donné à fond dans son travail. Elle voulait qu'il s'associe aux fondateurs du cabinet où il était employé, il se sentait prêt à foncer dans cette voie.

Elle avait elle aussi des projets professionnels, un réseau social, ils aimaient tous les deux sortir et recevoir. Elle s'était mise néanmoins à lui reprocher de ne penser qu'à lui, qu'à sa carrière. À juste titre : il faisait des semaines de soixante heures, rentrait souvent tard le soir.

Elle était contente qu'il gagne beaucoup d'argent mais, d'une certaine manière, elle semblait jalouse. Il était content qu'elle s'épanouisse dans son métier, dans sa vie sociale, mais, d'une certaine manière, il déplorait de ne pas partager grand-chose avec elle. Principalement, il ne comprenait pas l'aversion – l'aversion, oui, c'était le mot – de Lindsay pour Whiskey Beach et Bluff House. Elle ne l'avait jamais empêché d'aller voir sa grand-mère, certes, mais c'était tout de même à cause d'elle qu'il avait espacé ses visites.

Force lui était de reconnaître qu'ils ne s'étaient jamais vraiment aimés, pas suffisamment, tout au moins, pour évoluer ensemble sur la durée.

Les disputes étaient devenues de plus en plus fréquentes. Insidieusement, une fissure s'était formée entre eux et, lentement mais sûrement, la faille s'était élargie, jusqu'à ce que ni l'un ni l'autre n'aient plus ni les moyens ni le désir de la combler.

Eli aurait aimé sauver son couple, davantage par principe, toutefois, que par amour pour sa femme.

Quelle tristesse, songea-t-il.

Tout à son honneur, cependant, il lui avait toujours été fidèle. Elle, en revanche, avait commencé à le tromper moins de deux ans après le mariage. Il ne s'en était pas aperçu tout de suite, mais, avec le recul, cela lui paraissait maintenant évident. Elle était sans cesse invitée à des vernissages et à des ventes de charité où, soi-disant, personne ne venait avec son conjoint. Elle passait des week-ends en solo, pour *se ressourcer*, affirmait-elle. Et leur vie sexuelle était devenue quasi inexistante.

Il nota la date approximative de ses premières incartades, les noms de ses amis les plus proches, des membres de sa famille, de ses collègues. Puis souligna celui d'Eden Suskind, amie et collègue de Lindsay, épouse de Justin Suskind, l'amant de Lindsay au moment de sa mort, dont il entoura également le nom.

Celui-ci avait un alibi pour le meurtre de sa maîtresse : sa femme avait déclaré qu'il se trouvait avec elle le soir des faits. Eden n'aurait eu aucun intérêt à couvrir son mari : elle avait été ébranlée, humiliée, lorsque l'affaire avait éclaté au grand jour.

Le détective privé d'Eli avait exploré la piste d'un deuxième ou d'un ex-amant qui, dans un accès de fureur, aurait pu commettre un crime passionnel. Cette piste-là s'était avérée infructueuse. Ce qui ne signifiait pas, toutefois, qu'il n'y avait pas d'autre homme dans la vie de Lindsay.

Elle avait laissé son assassin entrer dans la maison. Il n'y avait pas eu d'effraction, pas de traces de lutte. On avait épluché ses communications téléphoniques, ses e-mails, personnels et professionnels. Chacune des personnes avec qui elle avait récemment eu des contacts avait été innocentée. Il n'était pas exclu, néanmoins, que l'on soit passé à côté de quelque chose.

Consciencieusement, Eli nota tous les noms qui lui revinrent en mémoire, jusqu'à celui du coiffeur de Lindsay.

Deux heures plus tard, il avait noirci plusieurs pages, formulé toutes les questions qui demeuraient en suspens, croisé tous les liens possibles entre le meurtre de Lindsay, celui de Duncan, l'agression d'Abra et la chute de sa grand-mère.

À présent, il allait laisser reposer tout cela, sortir faire une balade.

Malgré les courbatures, il se sentait en forme. Parce qu'il savait qu'il ne se laisserait plus empoisonner la vie.

D'une certaine manière, aussi horrible fût-elle, l'assassin de Kirby Duncan lui avait rendu service.

12

Exceptionnellement, parce qu'elle avait besoin d'aide, Abra appuya sur la sonnette. Comme personne ne répondait, elle posa sa table de massage et ouvrit avec sa clé.

– Eli ! cria-t-elle en composant le nouveau code de l'alarme. Tu es là ? J'aurais besoin de toi, s'il te plaît.

Seul le silence lui répondit. Elle bloqua la porte, retourna à sa voiture chercher ses cabas à provisions, les déposa dans la cuisine, fit un second voyage, puis transporta sa table et sa sacoche dans le grand salon.

Après avoir rangé les courses, épinglé le ticket de caisse au pêle-mêle, elle vida le panier contenant le récipient de velouté de pommes de terre et jambon qu'elle avait préparé dans l'après-midi, la miche de pain maison à la bière et, puisque Eli semblait les aimer, le reste de ses cookies aux pépites de chocolat.

Ne voulant pas l'appeler de nouveau, elle déplia la table de massage, disposa quelques bougies dans la pièce, ranima le feu et ajouta une bûche dans la cheminée. S'il espérait échapper à son massage, il aurait du mal, vu qu'elle avait déjà tout installé.

Satisfaite de sa tactique, elle monta à l'étage, pensant le trouver absorbé dans son travail, plongé dans une profonde sieste, sous la douche ou dans la salle de gym.

Elle ne le trouva pas, mais découvrit que sa méthode pour faire le lit consistait à tirer la couette. Elle la lissa, secoua les oreillers, plia le pull qu'il avait jeté sur une chaise, jeta les chaussettes qui traînaient par terre dans la corbeille à linge.

Elle poussa la porte de la salle de gym, hocha la tête d'un air approbateur devant le tapis de yoga étendu au sol. Eli n'étant pas à l'étage, elle redescendit au rez-de-chaussée. Manifestement, il était sorti, en abandonnant sur le somptueux bureau de la bibliothèque un bloc et un stylo, une assiette et une canette de bière vides. (Au moins, il avait utilisé un sous-verre.)

En ramassant l'assiette et la canette, elle jeta un coup d'œil à la première page de ses notes.

– Tiens, tiens... Intéressant.

Elle ne connaissait pas tous les noms qu'il avait listés, mais suivit les flèches qui les reliaient, parcourut les commentaires qu'il avait griffonnés, examina les croquis qu'il avait dessinés. Comme sa grand-mère, il était doué pour le dessin, constata-t-elle en reconnaissant une caricature de l'inspecteur Wolfe, avec des cornes de diable et un sourire de loup.

En tournant les pages – vraisemblablement, il avait consacré un certain temps à ce travail – elle tomba sur son nom, relié à celui d'Eli, de Hester, de Vinnie et de Kirby Duncan. Ainsi que sur un portrait d'elle, plutôt flatteur, en sirène allongée sur le sable au bord de l'eau. Du bout du doigt, elle effleura le dessin avant de poursuivre sa lecture.

Heure par heure, il avait retracé la chronologie de la nuit où Duncan avait trouvé la mort, en précisant que le meurtre avait été commis entre minuit et 5 heures du matin.

La police était donc venue le voir, lui aussi. Après quoi, il avait sans doute tenté d'évacuer le stress en se livrant à ce travail de reconstitution. Puis il était sorti se promener pour se changer les idées. Sa voiture était là, il ne pouvait être parti bien loin. Abra elle-même avait dû effectuer une séance de yoga, afin de se calmer, après avoir reçu la visite des deux inspecteurs.

Elle emporta l'assiette et la canette à la cuisine, puis sortit sur la terrasse. Surprise de voir le télescope, elle colla son œil à l'objectif. Le phare emplit son champ de vision. Elle ne pouvait blâmer Eli. Elle aurait fait la même chose, si elle avait eu une longue-vue, ou ne serait-ce que des jumelles.

Les bras serrés autour des épaules afin de se protéger du vent frisquet, elle s'avança jusqu'à la balustrade et scruta la plage. Il était là, les mains dans les poches, le col relevé, face à la mer. Elle l'observa jusqu'à ce qu'il se remette en marche, en direction de l'escalier.

Elle rentra, remplit deux verres de vin et accueillit Eli à la porte.

– Belle journée, n'est-ce pas ? On commence à sentir le printemps, dit-elle en lui tendant un verre.

– Tu trouves ? J'ai les oreilles gelées.

– Tu n'avais qu'à mettre un bonnet. Viens vite te réchauffer, j'ai remis du bois dans la cheminée du grand salon.

Le regard d'Eli se porta sur le comptoir de la cuisine.

– Chic, tu m'as rapporté des cookies !

Délibérément, elle lui bloqua le passage.

– Pour tout à l'heure. Après ton massage, et l'excellente soupe de pommes de terre au jambon que j'ai préparée cet après-midi, à déguster avec une tranche de pain maison à la bière.

– Tu n'as pas chômé, dis donc !

– Cuisiner m'a tenu lieu de thérapie, après la visite de la police. Tu en récoltes les fruits. Ils sont venus ici, aussi ?

– Oui.

– Allons nous asseoir un moment au salon.

Eli ôta sa veste, la jeta sur un tabouret.

– Qu'est-ce qu'il y a ? demanda-t-il en voyant Abra froncer les sourcils.

– Ta mère ne t'a pas appris à ranger tes affaires ?

– Seigneur... bougonna-t-il en reprenant sa veste pour l'accrocher dans la buanderie. Ça te va, comme ça ?

– Parfait, répondit-elle en emportant la bouteille de vin au salon.

Il lui emboîta le pas, et s'arrêta devant la table de massage.

– Tu es sûre que ce truc est bien utile ?

– Absolument, pour qu'il n'y ait pas d'ambiguïté. Quand je fais un massage, je fais un massage. Quand je fais l'amour, je fais l'amour. Les deux ne sont pas incompatibles, bien sûr, mais pas quand je te facture, et c'est le cas.

– Pour le massage ou pour l'amour ? Parce qu'il faudrait que je sois au courant des tarifs.

– Tu as de l'humour, quand tu ne broies pas du noir, répliqua-t-elle en s'installant sur le canapé, les jambes en tailleur. Tu me racontes comment ça s'est passé avec la police, ou tu veux que je commence ?

– Je t'en prie, commence.

– Ils étaient deux inspecteurs, dont Art Wolfe. Ils m'ont demandé de leur expliquer comment j'avais été agressée. Je leur ai fait un compte rendu détaillé de la soirée, de la conversation que j'avais eue avec Duncan, aussi. Je leur ai dit que le lendemain, à 6 heures du mat', après m'être réveillée ici, sur le canapé, je suis montée voir dans ta chambre. La seule chose que je ne leur ai pas dite, c'est que j'ai bien failli te rejoindre dans ton lit.

– Tu ne me l'avais pas dit, à moi non plus.

– Tu dormais comme un loir.

Eli plissa les yeux.

– Ainsi donc, tu es entrée dans ma chambre ?

– Je voulais juste m'assurer que tu étais bien là. Je me sentais un peu angoissée, toute seule en bas, avec ce qui s'était passé la veille.

– Tu aurais dû me réveiller, je t'aurais volontiers accueillie dans mon lit.

– Tu dormais trop bien. Alors je suis redescendue, rassurée de savoir que je n'étais pas seule. Avec le recul, je me félicite d'être montée. Comme ça, j'ai pu certifier à la police que tu étais là. Cela dit, j'ai eu la très nette impression que ton inspecteur Wolfe me prenait pour une Marie-couche-toi-là qui ment comme elle respire.

– Ce n'est pas *mon* inspecteur Wolfe.

– Mais tu es sa bête noire, répliqua Abra en dégustant une gorgée de vin. Il me regardait comme s'il ne croyait pas un traître mot de ce que je disais, quand je lui ai expliqué que j'étais redescendue, que je t'avais fait une omelette, une salade de melon et d'ananas, que j'en avais moi-même mangé un peu, puis que j'étais rentrée chez moi, méditer et me préparer pour mon cours de yoga.

– Ils savaient donc, avant de venir m'interroger, maugréa Eli, que je n'avais pas pu tuer Duncan et faire ensuite l'aller-retour à Boston pour aller fouiller dans son bureau et son appartement.

– Son bureau ? À Boston ? Qu'est-ce que c'est que cette histoire ?

– Apparemment, quelqu'un a fait disparaître tous ses dossiers et ses fichiers informatiques. Il ne faut pas être bien malin pour en déduire qu'il y a de fortes chances qu'il ait été éliminé par son client. Or non, ils s'acharnent sur moi. Comme si, en quatre heures, entre 2 heures et 6 heures du matin, j'avais pu faire tout ça...

– Avec la complicité d'une Marie-couche-toi-là qui ment comme elle respire, peut-être.

– Seigneur... soupira Eli après avoir posé son verre et en pressant ses mains contre ses yeux. Je suis désolé, Abra.

– Il n'y a pas de quoi. Ce n'est pas ta faute si ce Wolfe refuse de reconnaître ses erreurs. Ces gens-là me... me hérissent. L'autre, en revanche, Corbett, heureusement, m'a paru plus sensé. Il avait l'air ennuyé que Wolfe insinue que nous avions une liaison depuis longtemps et que nous sommes par conséquent complices du meurtre de Lindsay.

Abra changea de position, ramena ses jambes sur le côté, reproduisant inconsciemment la pose de sirène dans laquelle Eli l'avait dessinée.

– Je leur ai dit, très franchement, poursuivit-elle, qu'il était fort possible que je couche avec toi dans un avenir proche, et que si cela se produit, je n'en ferai pas un secret. En d'autres termes, que ce ne serait pas une « liaison clandestine », comme il dit.

– Tu leur as dit...

Avec un soupir, Eli reprit son verre de vin.

– Ce type m'a mise hors de moi. Pourtant, je suis patiente, d'habitude. Mais il y a des limites à ne pas franchir. Je ne tolère pas qu'on me traite de menteuse, de traînée, de briseuse de ménage, et de criminelle par-dessus le marché !

Abra remplit son verre, puis tendit la bouteille à Eli, qui la refusa.

– Voilà, dit-elle, je t'ai tout raconté. À ton tour, maintenant.

– Pas grand-chose à ajouter. Je leur ai fait le récapitulatif de mon emploi du temps de la nuit de jeudi à vendredi, sans doute parallèle à tes déclarations et au rapport de Vinnie. Ce pauvre Vinnie que Wolfe doit mettre dans le même panier que mon amie la Marie-couche-toi-là qui ment comme elle respire.

– Amie et complice, souligna Abra en levant son verre.

– Tu le prends bien.

– Maintenant, après un verre de vin. Si tu m'avais vue en train de couper les patates, tout à l'heure, chez moi... J'étais folle de rage. Tu disais, donc, qu'on avait volé les dossiers de Duncan ? On a également vidé sa chambre, au B&B. Logiquement, en effet, les soupçons se portent sur son client, qui ne tient pas à ce que l'on retrouve trace de lui. La police en arrivera certainement à cette conclusion.

– Pas Wolfe. Je suis sa baleine blanche.

– Je déteste *Moby Dick*. Mais revenons-en à nos moutons. Primo, quiconque connaît Vinnie sait qu'il n'y a pas plus intègre que lui ; par conséquent, s'il y a un flic véreux dans l'affaire, ça ne peut être que Wolfe. Secundo, vu que nous ne nous sommes jamais vus avant que tu viennes t'installer à Bluff House, il sera carrément impossible de prouver que nous avions une liaison quand ta femme a été assassinée. Tertio, j'étais en période d'abstinence sexuelle ; on aura du mal à me coller une étiquette de fille facile. Autant de points en ta faveur.

– Je ne me fais pas de souci. Je ne suis pas inquiet, insista Eli devant l'expression sceptique d'Abra. Ne te méprends pas, je suis seulement intéressé par cette affaire. Il y avait longtemps que rien ne m'intéressait plus, à part l'écriture, mais ça m'intéresse de démêler ce sac de nœuds.

– Très bien. Tout le monde doit avoir un hobby.

– Est-ce du sarcasme ?

– Pas vraiment. Tu n'es ni policier ni détective privé, mais tu es légitimement concerné. Moi aussi, du reste, maintenant. Nous avons un hobby à partager : trouver le fin mot de cette histoire. J'ai vu tes notes, dans la bibliothèque.

– OK.

– S'il y a des choses que tu ne veux pas que je voie – comme par exemple ce fabuleux portrait de moi en sirène, que j'aimerais bien d'ailleurs que tu refasses sur du bon papier, pour que je puisse l'avoir – ne les laisse pas traîner n'importe où. J'ai la clé de la maison, et l'intention de continuer à m'en servir. Je suis entrée dans la bibliothèque parce que je te cherchais.

– OK, répéta Eli, penaud. Mes gribouillis m'aident à réfléchir.

– Ce ne sont pas des gribouillis, tu dessines très bien, pas comme moi, qui ne sais faire que des bonshommes allumettes. J'ai bien aimé le démon-vampire Wolfe.

– Celui-ci a du potentiel.

– Je trouve aussi. Et je trouve également que tu as posé les données du problème de façon très claire. Les protagonistes, les liens entre eux, les dates et heures des faits, tout est là. Voilà un bon point de départ, il me semble. Je crois que je vais prendre des notes, moi aussi, désormais.

Eli garda un instant le silence.

– Wolfe va fouiller dans ta vie privée, dit-il enfin. Il ne pourra que constater que nous ne nous connaissons que depuis peu, et que tu n'es pas une délurée, encore moins une criminelle.

– Qui te dit que j'ai toujours été aussi sérieuse, et que je n'ai jamais eu de tendances meurtrières ?

– Raconte-moi ton histoire et j'en jugerai.

– Je te la raconterai, promis, mais pas maintenant. Il est l'heure de ton massage.

Eli jeta un coup d'œil gêné en direction de la table.

– Aucune ambiguïté, lui rappela Abra en se levant. Ce ne sera qu'un massage, en tout bien tout honneur.

– Je vais avoir du mal à contenir mes pensées érotiques.

En vérité, il n'arrêtait pas de s'imaginer lui arracher ses vêtements et la chevauchant comme un étalon en rut, mais la décence lui interdisait de le formuler ainsi.

– Le contraire m'aurait déçue, répondit-elle. Il n'empêche que pendant l'heure qui vient, nous resterons très chastes. Déshabille-toi et allonge-toi sur la table, sur le dos. Je vais me laver les mains.

– À vos ordres, chef !

– Je suis parfois un peu trop directive, j'en suis consciente, et je travaille à corriger ce défaut, mais je n'aimerais pas être parfaite. Je m'ennuierais.

Là-dessus, après lui avoir caressé le bras, elle quitta le salon.

Puisque ce n'était pas le moment de lui arracher ses vêtements, il enleva les siens.

Il ne se sentait pas très sûr de lui, nu sous le drap, et le malaise ne fit que s'intensifier lorsqu'elle revint, mit de la musique zen, alluma les bougies.

Puis ces mains magiques lui massèrent la nuque, le haut des épaules, et il s'étonna de n'éprouver aucun émoi sexuel.

– Arrête de penser, lui intima-t-elle. Fais le vide dans ton esprit.

Ce n'était pas facile, mais il essaya. Sans cesse, ses pensées revenaient vers elle. Il tenta de penser à son roman, dans l'espoir de s'évader par ce biais, mais les problèmes de ses personnages le crispaient.

Pendant qu'il faisait de son mieux pour se laisser aller, elle dénouait les nœuds, soulageait les courbatures, apaisait les tensions.

Il pivota sur le côté lorsqu'elle le lui demanda, et pensa qu'elle aurait été capable de résoudre toutes les guerres, toutes les crises économiques, tous les conflits, juste en massant les belligérants.

– Tu as forcé sur la muscu.

Sa voix était aussi caressante que ses mains.

– Un peu, oui.

– Je le sens. Tu as le dos hypercontracté, mon chou.

Il essaya de se souvenir de la dernière fois où on l'avait appelé « mon chou ». Sa mère, probablement.

– Avec tout ce stress...

– Mmm. Je te montrerai des exercices d'étirements, à faire à intervalles réguliers quand tu passes la journée devant l'ordinateur.

Elle malaxa, pressa, pétrit, martela, leva un à un chaque point de douleur, laissant Eli à l'état de pâte molle.

– Comment te sens-tu ? lui demanda-t-elle lorsqu'elle eut terminé, en ramenant le drap sur ses épaules.

– J'ai cru voir Dieu.

– Comment était-Il ?

– Sexy en diable.

– J'en étais sûre, dit-elle en riant. Prends ton temps avant de te relever. Je reviens dans quelques minutes.

Quand elle reparut avec un verre d'eau, il se redressa en position assise.

– Bois-le en entier, dit-elle en lui plaçant le verre entre les mains, puis en lui écartant les cheveux du front. Tu as l'air détendu.

– Il y a un monde entre « détendu » et « inconscient ». Je ne peux pas te le décrire, mais c'est dans ce monde-là que je suis en train de flotter.

– Impeccable. Je serai dans la cuisine.

Il lui attrapa la main.

– Abra, c'est peut-être un cliché un peu bête, mais je tiens à te le dire : tu as un don.

– Ce n'est pas un cliché, et ce n'est pas bête du tout, répondit-elle avec un merveilleux sourire. Prends ton temps.

Lorsqu'il la rejoignit dans la cuisine, elle réchauffait la soupe, un verre de vin à la main.

– Tu as faim ?

– Pas vraiment, mais ça sent rudement bon.

– Que dirais-tu d'une balade sur la plage avant de dîner ?

– Pourquoi pas ?

– La luminosité est si belle à la tombée de la nuit. Une petite promenade nous ouvrira l'appétit.

Dans la buanderie, elle décrocha la veste d'Eli du portemanteau, enfila son sweat-shirt à capuche.

– J'ai regardé dans le télescope, tout à l'heure, dit-elle tandis qu'ils sortaient par la terrasse. On a un bon point de vue, d'ici.

– Il y avait des techniciens de la police judiciaire, cet après-midi, au pied du phare.

– Espérons qu'ils auront trouvé des éléments qui te mettront hors de cause.

– Espérons, mais je suis lié à cette affaire, de toute façon. Corbett m'a demandé s'il y avait des armes à Bluff House. J'ai éludé la question parce que j'ai pensé, tout à coup, que celui qui s'était introduit dans la maison avait peut-être volé l'une des armes de la collection pour tuer Duncan.

– Mon Dieu, je n'y avais pas pensé !

– Tu n'as jamais été le suspect numéro un dans une enquête pour meurtre. Je te rassure, elles sont toutes là, sous clé. Wolfe m'a promis de revenir perquisitionner, et je ne serais pas étonné qu'il les saisisse pour analyse balistique.

– D'ici là, on aura déterminé avec quel type de calibre, peut-être même avec quel type d'arme le meurtre a été commis. Je doute que Duncan ait été abattu avec un mousquet ou un pistolet de duel.

– Peu probable, en effet.

– Mais parlons d'autre chose. Ce serait dommage de saboter les bienfaits du massage.

Au bas de l'escalier descendant à la plage, Abra secoua ses cheveux et leva le visage vers le bleu de velours du ciel crépusculaire.

– Tu veux savoir pourquoi je suis venue m'installer à Whiskey Beach ? demanda-t-elle. Et pourquoi j'y resterai jusqu'à la fin de mes jours ?

– Oui.

– Eh bien, je vais te le dire.

– Une question, d'abord, qui me turlupine. Que faisais-tu avant de venir ici et de te lancer dans ton activité multicarte de masseuse, prof de yoga, créatrice de bijoux, aide-ménagère ?

– J'étais directrice marketing d'un organisme humanitaire, à Washington.

Il la regarda, ses doigts couverts de bagues, ses cheveux volant autour de son visage.

– Je t'avoue que j'aurais été à mille lieues de le deviner…

Elle lui décocha un coup de coude.

– Je suis titulaire d'une maîtrise en administration des affaires.

– Sérieux ?

– Tout ce qu'il y a de plus sérieux. Et j'anticipe la question suivante. Ma mère est une femme incroyable. Extrêmement intelligente, dévouée, courageuse et *engagée*. Elle m'a eue très jeune, elle était encore étudiante. Mon père l'a plaquée quand j'avais deux ans. Pour ainsi dire, je n'ai pas eu de père.

– Désolé.

– Ce n'est pas grave, on vit très bien sans père. Ma mère est avocate, spécialisée dans les droits de l'homme. Nous avons beaucoup voyagé. Elle m'emmenait avec elle presque partout. Quand ce n'était pas possible, elle me laissait à sa sœur ou à ses parents. Mais ce n'était pas souvent. J'ai reçu une éducation formidable.

– Attends… Tu es la fille de Jane Walsh ?

– Oui. Tu la connais ?

– Pas personnellement, mais qui ne connaît pas Jane Walsh, lauréate du prix Nobel de la paix ?

– Je t'ai dit que c'était une femme épatante. Elle m'a appris l'amour et la compassion, le courage et la justice. Quand j'étais ado, je voulais faire des études de droit, comme elle. Hélas, je n'étais pas du tout faite pour le droit.

Les yeux fermés, Abra écarta les bras pour accueillir le vent.

– Elle a été déçue ?

– Absolument pas. Suivre ton cœur et ta voie, encore un principe fondamental qu'elle m'a enseigné.

Tout en marchant, elle glissa un bras sous celui d'Eli.

– Ton père a été déçu que tu ne marches pas dans ses pas ?

– Non. Sur ce plan, j'ai eu autant de chance que toi.

– C'est une chance, c'est vrai, d'avoir des parents ouverts et compréhensifs. Je me suis donc rabattue sur la gestion, sans toutefois perdre de vue mon objectif initial : travailler dans l'humanitaire. J'étais bonne, dans mon métier.

– Ça ne m'étonne pas.

– J'avais le sentiment de me rendre utile. Tout n'était pas toujours rose mais, globalement, j'aimais mon travail, ma vie, mon cercle d'amis. J'ai rencontré Derrick à un gala que j'avais organisé pour collecter des fonds. Il était avocat, lui aussi. À croire que j'ai un faible pour les avocats…

Elle s'arrêta pour contempler la mer.

– C'est formidable, dit-elle, de vivre dans un cadre aussi grandiose. Je vois l'océan tous les jours, et tous les jours je me réjouis de ce bonheur inouï. Ma mère est en Afghanistan, en ce moment, elle travaille avec et pour des femmes afghanes. Je sais que nous sommes toutes les deux exactement là où nous devons être, à faire ce pour quoi nous sommes destinées. Mais il y a quelques années, quand j'ai rencontré Derrick, quand je portais des tailleurs et des talons hauts, quand je courais chaque jour de rendez-vous en rendez-vous, j'avais aussi l'impression d'avoir fait le bon choix.

– Mais ce n'était qu'une illusion.

– Derrick était un homme intelligent, charmant, passionné, ambitieux. Il comprenait mon travail, je comprenais le sien. Nous avions une vie sexuelle satisfaisante, des conversations enrichissantes. La première fois qu'il m'a frappée, j'ai tenté de me convaincre que ce n'était qu'un geste malheureux, un emportement passager dû au stress.

Sentant Eli se raidir, elle lui frictionna le bras.

– Il avait parfois des accès de colère que j'attribuais à son tempérament enflammé. Il était très possessif, mais je trouvais cela flatteur. La deuxième fois qu'il m'a frappée, je l'ai quitté. Je voulais bien pardonner une erreur, pas deux. J'ai compris que ç'allait devenir une habitude.

Eli referma la main sur celle qu'elle avait laissée sur son bras.

– Il y a des femmes qui ne comprennent pas quand elles sont dans l'engrenage.

– Je sais. J'ai fait partie de groupes de soutien, j'ai entendu de nombreux témoignages. Beaucoup se laissent attendrir par de belles paroles, ou pensent qu'elles méritent d'être battues. Heureusement, j'ai très vite réagi.

– Tu ne l'as pas dénoncé ?

– Non, soupira-t-elle. Je ne voulais pas lui faire de tort, ni me retrouver au centre d'un scandale. J'ai pris une semaine de congé, pour ne pas avoir à expliquer mon œil au beurre noir à mes collègues, et je suis venue ici.

– À Whiskey Beach ?

– Oui, j'y étais venue en vacances avec ma mère, quand j'étais petite, j'en avais de bons souvenirs. J'ai loué un cottage. Je faisais de grandes balades sur la plage ; j'avais besoin de calme pour guérir de mes blessures, prendre du recul.

– Tu n'as rien dit à personne ?

– Pas à ce moment-là. J'avais commis une erreur, je voulais la réparer toute seule. C'était idiot, je sais, mais j'avais honte de moi. Quand je suis rentrée à Washington, mes amis m'ont dit que Derrick les avait contactés, qu'il leur avait dit que je faisais une grosse dépression nerveuse. J'ai été obligée de leur raconter qu'il m'avait frappée et que je l'avais quitté, ce que j'avais voulu éviter, parce que je trouvais que c'était humiliant.

– Mais il avait semé le doute.

Abra leva les yeux vers Eli.

– Exactement, il a laissé entendre que je n'avais jamais été très stable, et certains l'ont cru. Il connaissait beaucoup de monde, et il était malin. Mais le pire, c'est qu'il s'est mis à me suivre, à me surveiller. Je ne m'en suis pas rendu compte tout de suite. Oh, regarde !

Elle tendit le doigt vers un pélican qui semblait suspendu dans le ciel, puis qui bascula et piqua sur la mer, pour en ressortir avec un poisson dans le bec.

– J'adore les pélicans. Ils ont une forme si bizarre. Ils paraissent balourds mais ils sont d'une rapidité redoutable.

Eli la fit pivoter face à lui.

– Il t'a de nouveau frappée ?

– Il m'a fait vivre un calvaire. Mon supérieur a reçu des lettres anonymes disant que je buvais, que je me droguais, que je couchais avec n'importe qui, que je monnayais les dons à l'association contre des faveurs sexuelles. Tant et si bien qu'il a fini par me convoquer et me questionner. De nouveau, j'ai dû m'humilier et lui parler de Derrick. Mon supérieur a informé son supérieur et, là, l'enfer s'est déchaîné.

Abra inspira une longue bouffée d'air avant d'énumérer :

– J'ai eu droit à tout : pneus crevés, carrosserie rayée, appels téléphoniques intempestifs en plein milieu de la nuit. Je réservais une table au restaurant et, quand j'arrivais, on me disait que la réservation avait été annulée. Mes ordinateurs piratés, à la maison et au bureau. J'avais rencontré quelqu'un d'autre : son pare-brise a été fracassé, des dénonciations anonymes, affreuses, ont été envoyées à son employeur. Nous avons cessé de nous fréquenter. Il n'y avait rien de sérieux entre nous, et ça nous paraissait plus simple.

– Qu'a fait la police ?

– Ils ont interrogé Derrick, qui a tout nié en bloc. Il sait se montrer très convaincant. Il a raconté qu'il m'avait quittée parce que j'étais trop possessive et que je devenais violente. Il a prétendu être très inquiet pour moi, que j'étais malade, qu'il fallait veiller à ce que je me fasse soigner.

– Personne ne s'est douté que c'était lui qui était malade ?

– Le problème, c'est que je ne pouvais rien prouver. Il a continué à me persécuter pendant plus de trois mois. J'étais tout le temps sur le qui-vive, à cran, et mon travail s'en ressentait. Je ne pouvais plus aller nulle part sans le voir rôder dans les parages. Je regardais par la fenêtre et je voyais, ou je croyais voir, sa voiture passer au ralenti en dessous de chez moi. Nous fréquentions les mêmes milieux, nous travaillions dans la même branche. Comme il n'y avait pas d'agression physique, la police ne pouvait rien faire. Un jour, j'ai craqué. Je déjeunais au restaurant avec une collègue. Quand je l'ai vu franchir la porte, je me suis levée, j'ai marché droit sur lui et je lui ai dit de ficher le camp, de me foutre la paix. Je l'ai traité de tous les noms, j'ai fait une scène monstrueuse. Ma collègue a été obligée de me traîner dehors.

– Tu étais au bout du rouleau…

– Complètement, et c'est moi qui suis passée pour une dingue, parce que lui est resté très calme, en apparence. Le soir, il s'est introduit chez moi. Il m'attendait quand je suis rentrée. Il était comme fou, totalement hors de contrôle. Je me suis débattue mais il était plus fort que moi. Il avait un couteau, l'un de mes couteaux de cuisine. J'ai essayé de m'enfuir, il m'en a empêché et, dans la bagarre, j'ai reçu un coup de couteau.

Eli s'immobilisa, se tourna vers Abra et lui prit les mains.

– Dans les côtes, précisa-t-elle. Je ne sais toujours pas si c'était un accident ou un geste délibéré, mais j'ai cru que j'allais mourir. Je me suis mise à hurler. Il a essayé de me faire taire à coups de poing, de m'étrangler, et il était en train de me violer quand les voisins sont arrivés. Ils avaient entendu mes cris et appelé la police. Dieu merci, ils sont intervenus à temps, avant la police. Sans eux, je crois qu'il m'aurait tuée à mains nues.

Il la serra entre ses bras, elle se blottit contre lui. Le mot « viol » rebutait les hommes, pensait-elle. Pas Eli. Elle se dégagea de son étreinte et se remit à marcher, réconfortée par son bras autour de sa taille.

– Cette fois, il ne m'avait pas fait qu'un œil au beurre noir. Ma mère était en Afrique, elle est rentrée par le premier vol. Je te passe toutes les procédures, tu connais : les examens médicaux, les entretiens avec la police, les conseillers, les avocats. C'était horrible, je revivais sans cesse le cauchemar, et j'étais furieuse d'être considérée comme une victime. Petit à petit, j'ai appris à accepter que j'étais une victime, mais que je n'en serais pas une éternellement. Finalement, il a consenti à plaider coupable – heureusement, car je ne sais pas si j'aurais pu supporter un procès, si j'aurais été capable de revivre une fois de plus l'horreur devant la cour. Il a été condamné à la prison. Ma mère m'a emmenée à la campagne, des amis nous ont prêté leur résidence secondaire, dans les Laurel Highlands. Elle m'a laissé de l'espace, mais pas trop. Elle m'a donné du temps – de longues balades silencieuses, de longues crises de larmes, des soirées à faire des gâteaux en buvant de la tequila. Dieu merci, elle était là. Dieu merci, j'ai une mère fabuleuse.

– J'aimerais la rencontrer.

– Un jour, peut-être. Nous sommes restées un mois dans cette maison loin de tout. Au bout d'un mois, elle m'a demandé ce que je voulais faire de ma vie. Il commence à faire sombre. Nous devrions rentrer.

Ils firent demi-tour, la brise nocturne soufflant à présent dans leur dos.

– Que lui as-tu répondu ?

– Que je voulais vivre au bord de la mer, voir l'océan tous les jours. Que je voulais aider les gens, mais que je n'avais plus la force d'affronter des collègues de bureau, les rendez-vous, les réunions, les sessions stratégiques. J'étais sûre qu'elle serait déçue. J'avais fait des études, j'avais des compétences, de l'expérience, je pouvais réussir une belle carrière. Or je voulais seulement voir l'océan tous les jours.

– Tu te trompais, elle n'a pas été déçue.

– Non, elle m'a dit que je devais trouver ma place, vivre ma vie comme je l'entendais, être heureuse avant tout. Voilà, je ne serais peut-être pas là aujourd'hui, à faire ce qui me plaît vraiment, ce qui me procure une réelle et profonde satisfaction, si Derrick ne m'avait pas brisée.

– Il t'a peut-être brisée, mais il ne t'a pas anéantie. La vie a été brutale avec toi, mais ce n'est pas pour cette raison, pas seulement, que tu as trouvé ta voie. Je suis sûr que tu l'aurais quand même trouvée, tôt ou tard.

– J'aime cette façon de penser. Je suis heureuse ici, et plus ouverte que je ne l'ai jamais été. Il y a un an, j'ai pris cette décision, mûrement réfléchie, de renoncer à la sexualité, parce que, bien que j'aie rencontré des hommes très gentils, aucun ne pouvait combler cette part de moi qui avait été meurtrie plus profondément que je ne voulais l'admettre. C'est une lourde responsabilité que je te confie, Eli, mais j'aimerais que tu m'aides à rompre l'abstinence.

– Maintenant ?

– Pourquoi pas ? répondit-elle en lui donnant un baiser.

– Et cette fameuse soupe que tu as préparée ?

– Plus longtemps elle mijotera, meilleure elle sera.

– Dans ce cas, je suis d'accord.

Dans l'escalier, il se racla la gorge.

– Il va falloir que je fasse un saut au village. Je n'ai pas de préservatifs. Je ne pensais guère au sexe jusque très récemment.

– Inutile, j'en ai mis une boîte dans ta chambre, l'autre jour. Je n'arrête pas de penser au sexe, ces derniers temps.

– Tu es la meilleure femme de ménage que j'aie jamais eue.

– Et tu n'as pas encore tout vu !

13

Rouillé, songeait-il, non sans appréhension, en remontant de la plage, et il n'était pas persuadé que le sexe soit comme le vélo.

Bien sûr, c'était un acte naturel, instinctif – qui requérait cependant de la technique, du feeling, de la délicatesse. Il aimait à penser qu'il avait toujours été un bon amant ; après tout, aucune de ses partenaires, pas même Lindsay, ne s'était plainte.

N'empêche, il avait le trac.

– Arrêtons d'y penser, décréta Abra lorsqu'ils arrivèrent devant la porte. Je suis en train de me prendre la tête, et je mettrais ma main au feu que toi aussi.

– Un peu, j'avoue.

– Alors arrêtons d'y penser.

Elle enleva son sweat-shirt, l'accrocha au portemanteau, puis ôta la veste d'Eli et se pendit à son cou pour l'embrasser.

Quand elle se frotta contre lui, il crut que son cerveau allait exploser. Il lui prit la main, l'entraîna dans le couloir.

– Viens, dit-il, nous n'allons tout de même pas faire ça dans la buanderie ou sur le carrelage de la cuisine.

En riant, elle plaqua de nouveau sa bouche contre la sienne et entreprit de lui déboutonner sa chemise. Elle portait un pull bleu clair, qu'il lui enleva et jeta derrière eux tandis qu'ils s'élançaient vers l'escalier. Elle lui dégrafa sa ceinture. Il remonta le caraco blanc qu'elle portait sous son pull. Et tous deux trébuchèrent sur la première marche de l'escalier.

Ils tombèrent dans les bras l'un de l'autre, s'embrassèrent avidement.

– Montons dans ta chambre, parvint-elle à articuler.

Main dans la main, ils gravirent l'escalier en courant – tels deux gamins, penserait-il plus tard, pressés de découvrir leurs cadeaux sous le sapin de Noël. À la différence près que les enfants ne s'arrachaient pas leurs vêtements.

Sur le seuil de la chambre, hors d'haleine, il parvint enfin à lui retirer son caraco blanc.

– Waouh, tu es splendide !

– Garde tes compliments pour plus tard.

Elle termina de lui défaire sa ceinture, la laissa tomber sur le plancher.

Oubliant technique et feeling, oubliant sûrement la délicatesse, il l'attira sur le lit. Il voulait sentir ces jolis petits seins dans ses mains, la féminité de leur rondeur, leur douceur. Il voulait sentir les battements de son cœur contre ses lèvres, contre sa langue.

Aussi impatiente que lui, les doigts enfouis dans ses cheveux, son visage pressé contre sa poitrine, elle s'arc-bouta contre lui, telle une offrande.

Il se gorgea de son parfum, ce parfum de divinité marine, qui éveilla dans son esprit des images de sirènes et de créatures fabuleuses. Ce corps souple, sculptural, vibrait d'une énergie électrisante.

Ils roulèrent sur le lit en se caressant, haletants. Eli se sentait capable de soulever des montagnes. Il était un géant, il était surpuissant.

Sous ses caresses et ses baisers, elle brûlait de désir, d'une fièvre presque douloureuse. Elle connaissait les lignes de son corps, ses courbes et ses creux, mais, à présent, elle pouvait prendre, elle pouvait *sentir*, non pour apaiser ou pour soigner, mais pour attiser.

Elle voulait l'enflammer, et que le brasier les consume tous les deux.

Tous ces besoins, bons, forts, sains, trop longtemps étouffés, se libéraient dans un bouillonnement engloutissant toute notion de retenue ou de pudeur.

Insatiable, elle dévorait sa bouche, aiguillonnée par une faim de plus en plus urgente. Elle roula sur lui et lui racla l'épaule des dents. Il reprit le dessus, lui coupant le souffle lorsque ses doigts trouvèrent son centre incandescent, ruisselant.

L'orgasme la foudroya, glorieuse onde de choc. Ivre, droguée de plaisir, elle lui agrippa les hanches.

– Viens. Maintenant. Je t'en supplie.

Merci, Dieu du ciel, pensa-t-il, car il fallait que ce soit maintenant. Lorsqu'il la pénétra, la Terre ne cessa pas simplement de tourner. Elle trembla.

Le monde vacilla, dans un fracas d'apocalypse, et son corps entra dans une éruption de triomphe.

Bras et jambes noués autour de lui, elle le maintint en elle par des ondulations frénétiques, rythmées par le bruit de leurs corps inondés de sueur, les craquements du lit, leurs respirations saccadées, couvrant le tempo paresseux du ressac murmurant derrière les fenêtres.

Happé par cet étourdissant maelström, il s'abîma en elle.

Il aurait juré qu'il volait, trop loin, trop haut. La jouissance le secoua d'un spasme d'une exquise douleur.

La nuit était tombée mais il n'était pas tout à fait sûr de n'avoir pas été frappé de cécité. Il était incapable de bouger, mais il n'avait pas envie de bouger. Il était bien, incroyablement bien, le corps ferme et chaud d'Abra sous le sien, aussi inerte que le sien. Seul son cœur tambourinait contre son torse, à une cadence qui lui donnait le sentiment d'être un dieu.

– Et dire que je n'étais pas sûr d'y arriver.

– Tu n'avais pas à te faire de souci. Tu as été plus que parfait.

Il cligna des paupières.

– Ai-je pensé tout fort ?

Elle éclata d'un délicieux rire de gorge.

– Il n'y a pas de honte. Moi non plus, je n'étais pas sûre d'y arriver. J'ai l'impression d'être phosphorescente. Je ne comprends pas pourquoi je n'illumine pas la pièce comme une torche.

– J'ai cru qu'on était devenus aveugles.

Lorsqu'il se souleva au-dessus d'elle, elle entrouvrit les yeux, regarda dans les siens.

– Non, je te vois. Il fait nuit, c'est tout. Il n'y a qu'un quart de lune, ce soir.

– J'ai l'impression d'y avoir atterri.

En souriant, elle lui écarta les cheveux du front.

– Un voyage dans la lune. Cette idée me plaît. Mais avant de prendre la fusée du retour, il faut absolument que je boive un peu d'eau.

– Tu veux de l'eau ? J'en ai dans le...

Il bascula sur le côté, tendit le bras vers la table de chevet, et s'écrasa sur le plancher.

– Aïe !

– Ça va ? lui demanda-t-elle en se penchant au bord du lit. Que fais-tu par terre ?

– Je n'en sais rien.

– Où est la lampe ? Où est la table de nuit ?

– Aurait-on réellement atterri dans un univers parallèle ?

En se frottant la hanche, Eli se redressa et scruta l'obscurité.

– Il y a quelque chose qui cloche, dit-il. La verrière est censée être là, or elle est là-bas. Et le... Attends...

Prudemment, il fit quelques pas dans le noir, maugréa un juron en se cognant les orteils contre une chaise, tâtonna à la recherche de la lampe de chevet.

La lumière éclaira la chambre.

– Pourquoi je suis ici ? demanda Abra.

– Parce que le lit est ici. Il était là-bas. Et maintenant il est là, en travers.

– On l'a déplacé ?

– Il était là-bas, répéta Eli en revenant auprès d'Abra, qui se redressa en position assise.

Côte à côte, ils examinèrent l'espace entre les deux tables de chevet.

– Beaucoup d'énergie sexuelle trop longtemps contenue, diagnostiqua-t-elle.

– Impressionnant. Un truc pareil t'était déjà arrivé ?

– Jamais.

– C'est une première pour moi aussi. À marquer d'une pierre blanche.

En riant, elle lui passa les bras autour du cou.

– Laissons-le là pour le moment. On le remettra à sa place tout à l'heure.

– Il y a plein d'autres lits dans cette maison. On pourrait essayer de renouveler l'expérience. Je crois... Oh, mince ! Mince ! Abra, le lit est là, la table de chevet là-bas... Les préservatifs... On a oublié !

– Ce n'est pas dramatique, je suis sous contraceptif. Depuis quand contenais-tu ton énergie sexuelle ?

– Plus d'un an.

– À peu près comme moi. Côté MST, je crois qu'on peut être tranquilles. Si nous descendions nous hydrater, et manger un morceau, avant de voir ce que nous pouvons déplacer d'autre ?

– J'adore le mode sur lequel ton esprit fonctionne.

Abra avait raison à propos de la soupe : elle était succulente. Eli commençait à croire qu'elle avait toujours raison.

Assis côte à côte à l'îlot central de la cuisine, lui en pantalon de flanelle et sweat-shirt, elle dans un peignoir de Hester, ils bavardaient de films dont elle affirmait qu'il devait absolument les voir, ou de livres qu'ils avaient lus tous les deux.

Il lui parla de celui qu'il avait découvert dans la bibliothèque de Bluff House.

— C'est marrant, je suis presque certain qu'il a été écrit par une femme, sous un pseudonyme masculin.

— Ce serait une imposture ?

— À l'époque, ce n'était pas évident pour les femmes de trouver un éditeur. Quoi qu'il en soit, ce bouquin est intéressant, bien que certainement très romancé. C'est à cause de la tranchée que j'ai cherché des documents sur la légende de la *Calypso*, du capitaine Nathanial Broome et de mon aïeule Violeta.

— Je pourrais l'emprunter ?

— Bien sûr.

— J'ai toujours eu l'intention de demander à Hester de me prêter des livres sur la région, mais je ne l'ai jamais fait. J'avoue que j'ai la flemme de lire des ouvrages historiques. Je préfère la fiction et le développement personnel.

Elle semblait si bien se connaître, si bien dans sa peau, qu'il ne put s'empêcher de lui poser la question :

— Que trouves-tu dans les bouquins de développement personnel ?

— Ils m'ont beaucoup aidée à gérer mon traumatisme, à trouver mon équilibre.

Il posa une main sur la sienne.

— Je ne voudrais pas raviver les mauvais souvenirs, mais je suis curieux : combien a-t-il pris ?

— Vingt ans. Le procureur espérait le condamner à perpétuité pour viol, coups et blessures, et tentative de meurtre. Il a plaidé coupable de violences sexuelles aggravées de voies de fait. Je ne pensais pas qu'il écoperait...

— Que penses-tu de la sentence ?

— Elle me convient. Quand il réclamera la libération conditionnelle, à ce moment-là, je comparaîtrai à la barre, avec des photos de moi après l'agression. Ce n'est pas de la vengeance mais...

— Ce n'en est pas.

— Peu importe, de toute façon, je suis en paix avec moi-même. Je me sens plus tranquille de le savoir derrière les barreaux, et je ferai tout ce que je pourrai pour qu'il y reste jusqu'à la fin de sa peine. Loin de moi, loin de toutes celles à qui il pourrait faire du mal. Pour en revenir au développement personnel, j'y trouve maintenant des pistes pour explorer mes potentiels et m'ouvrir à de nouvelles manières de penser.

Avec un sourire, elle se resservit un bol de soupe et une large tranche de pain.

— Et toi, Eli, côté équilibre, où en es-tu ?

— Là, maintenant ? Je pourrais marcher sur les mains sur une corde raide.

En riant, elle but une gorgée de vin.

— Le sexe est la meilleure chose qu'on ait jamais inventée.

— Ce n'est pas moi qui te contredirai.

— Tu devrais mettre des scènes érotiques dans ton roman. À moins que tu n'estimes que l'érotisme soit trop fleur bleue ?

— Ce serait un challenge pour moi que d'écrire des scènes osées.

Elle se pencha vers lui et lui donna un baiser.

— Souhaites-tu que ton héros trouve son équilibre ? Si tu n'as pas d'inspiration, je pourrais t'en donner.

— Je serais idiot de refuser cette collaboration, répliqua Eli en laissant sa main remonter le long de la cuisse d'Abra. Je propose qu'on se mette au travail sans attendre.

— Et si on essayait le carrelage de la cuisine, tout compte fait ?

Ils furent interrompus par le carillon de la sonnette.

— Partie remise, bougonna Eli.

Il trouva Vinnie à la porte, et pensa qu'il s'était trop vite réjoui : il n'avait pas encore atteint l'équilibre, loin de là ; son cœur faisait toujours un bond à la vue d'un fonctionnaire de police, même si celui-ci était un vieil ami.

— Bonsoir, Vinnie.

— Bonsoir, Eli. J'étais dans le secteur. Avant de rentrer chez moi, je voulais te... Oh, salut, Abra.

— Salut, Vinnie, lança-t-elle en s'avançant dans le vestibule. Entre, il fait froid.

— Non, non, je repasserai demain, ou je te téléphonerai, Eli.

— Entre, puisque tu es là. On était en train de manger une succulente soupe concoctée par Abra.

— Tu en veux un bol ? proposa-t-elle.

— Non, je te remercie, j'ai déjà dîné, et je ne voudrais pas...

— Je masse Eli deux fois par semaine, dit-elle. Et je veille à ce qu'il se nourrisse correctement, ce qu'il a tendance à négliger. Et nous couchons ensemble. Ça, c'est tout nouveau.

– Ah... OK... bredouilla Vinnie.

– Entre, si tu as quelque chose à dire à Eli. Je te prépare un café.

– Je ne veux pas vous déranger.

– Trop tard, répliqua-t-elle en retournant dans la cuisine.

– Elle est incroyable, murmura Eli en la suivant des yeux.

– Je l'apprécie énormément, moi aussi, déclara Vinnie, les pouces calés dans le ceinturon de son uniforme. Ne déconne pas avec elle, Eli. Je te fais confiance, tu as toujours été un gars bien.

– J'essaierai, promis. Allez, viens, entre.

Eli précéda Vinnie dans le salon.

– Assieds-toi, je t'en prie, et dis-moi ce qui t'amène.

– Je sais que Corbett et Wolfe sont venus te voir.

– Oui, nous avons eu une discussion intéressante.

– Corbett est un gars intelligent et réglo. Quant à Wolfe, je ne le connais pas, mais j'ai cru comprendre qu'il avait une dent contre toi.

Eli s'installa sur le canapé.

– Il s'acharne sur moi comme un chien sur un os. Depuis un an, crois-moi, il m'a laissé des cicatrices.

– Il va se faire les dents sur Abra, maintenant. Et sur moi.

– Je suis désolé.

En secouant la tête, Vinnie prit place dans un fauteuil.

– Je ne te demande pas d'excuses. Je voulais juste te prévenir qu'il va chercher par tous les moyens à discréditer Abra et à démonter ton alibi. Et comme j'ai dressé le constat de l'effraction, je risque moi aussi de me retrouver dans le collimateur.

Abra entra dans la pièce avec un mug de café, qu'elle tendit à Vinnie.

– Ce type est toxique, commenta-t-elle.

– Il a une bonne réputation mais il peut être borné, poursuivit Vinnie en regardant au fond de sa tasse.

– Il faudra bien qu'il se rende à l'évidence, soupira Eli. Je suis innocent, il ne peut rien prouver contre moi.

– Il connaissait Duncan.

– J'en étais sûr.

– Je n'ai pas encore vérifié mais je pense qu'ils se connaissaient bien. Ce qui renforce sa motivation à te démolir. Or, cette fois, tu as un alibi.

– Je peux certifier qu'Eli était là à l'heure du crime, déclara Abra.

– Il va alléguer que tu mens pour protéger ton...

– Ton amant, tu peux le dire. Qu'il allègue tout ce qu'il voudra, je n'ai rien à me reprocher. OK, je devine ce que tu penses : que la situation était plus simple, plus claire, quand nous ne couchions pas ensemble. C'est vrai, j'ai... nous avons compliqué les choses. Mais la vérité reste la vérité.

– Attends-toi à ce qu'il fouine dans ton passé, dans ta vie privée.

– Je n'ai rien à cacher. Eli est au courant pour Derrick.

– OK, opina Vinnie en buvant une gorgée de café. Je ne voulais pas t'inquiéter, juste te prévenir.

– Je te remercie.

– L'analyse balistique est terminée ? s'enquit Eli.

– En principe, je ne suis pas autorisé à dévoiler les détails de l'enquête, répondit Vinnie avec un haussement d'épaules. Mais... Ta grand-mère possède une belle collection d'armes anciennes, n'est-ce pas ? Elle me l'a montrée, un jour. Je n'ai pas le souvenir d'y avoir vu de 32 millimètres.

– Aucun calibre 32 dans cette maison, confirma Eli.

– Bien... Sur ce, il faut que je vous laisse. Ma femme va se faire du souci. Merci pour le café, Abra.

– Il n'y a pas de quoi. Merci à toi.

Eli accompagna Vinnie à la porte.

– C'est sympa d'être passé nous mettre en garde, lui dit-il. Je n'oublierai pas.

– Dans la mesure du possible, essaie de préserver Abra. Elle sait combien les gens peuvent être vicieux, mais elle ne se méfie pas assez. Épargne-lui les ennuis.

Les ennuis, hélas, songea Eli, avaient le chic pour s'infiltrer par la moindre des failles.

Lorsqu'il retourna dans le salon, Abra ajoutait du bois dans la cheminée. Elle se redressa, les flammes dansant derrière son dos.

– Quoi qu'il se produise, dit-il, le fait que tu sois avec moi te place dans une position délicate. Ton passé, le drame que tu as vécu, les choix que tu as faits, ton travail, ta famille, tes amis – tout cela va être examiné à la loupe, commenté, interprété, voire déformé. Tu sais ce que c'est, tu as déjà traversé ce genre d'épreuve.

– Et alors ?

– Réfléchis bien, avant de décider si, oui ou non, tu es prête à y faire face de nouveau.

Elle soutint un instant le regard d'Eli, avant de répondre, d'une voix très calme et très posée :

– Tu crois que je n'y ai pas déjà réfléchi ? Tu crois que je ne suis pas capable d'assumer les conséquences de mes actes ?

– Ce n'est pas ce que je voulais dire.

– Ne t'inquiète pas pour moi, je sais ce que je fais. Les voix portent dans une maison vide, et j'ai l'ouïe fine. J'ai entendu ce que Vinnie vient de dire, mais il se trompe : ce n'est pas que je ne suis pas assez méfiante ; seulement, je ne catalogue pas tout le monde d'emblée dans la catégorie des mauvais. Il y a une différence.

– Tout le monde a en soi une part de haine.

– Dommage que tu aies cette opinion, bien que ce soit compréhensible, après ce que tu as vécu. Cela dit, nous débattrons une autre fois de ce vaste sujet. Pour l'instant, tu veux savoir ce que je pense ?

– Oui.

– Je crois que le canapé sera beaucoup plus confortable que le carrelage de la cuisine.

Quand ils montèrent enfin se coucher, épuisés et repus, elle découvrit qu'Eli n'était pas du genre à se blottir. Un bon point pour lui, toutefois, il ne s'opposait pas à ce que l'on se blottisse contre lui.

Elle se réveilla par un petit jour gris perle, lorsqu'il se dégagea de sous son bras.

– Mmm. Tu te lèves ?

– Oui, désolé de t'avoir réveillée.

– Ce n'est pas grave, marmonna-t-elle en se lovant de nouveau contre lui. Quelle heure est-il ?

– 6 heures. Rendors-toi.

– J'ai un cours à 8 heures, dit-elle en s'enfouissant le visage au creux de son cou. Et toi, quel est ton programme ?

– Boire un café, dans l'immédiat. Puis travailler.

Rien ne l'empêchait toutefois de s'attarder au lit, songea-t-il en laissant sa main courir le long du dos d'Abra.

– Alors tu as le temps de faire quelques étirements avec moi. Ensuite, en guise de récompense, je te préparerai le petit déjeuner.

– Et si nous faisions plutôt une séance de sport en chambre ?

Elle ne protesta pas lorsqu'il roula sur elle, se glissa en elle.

– Excellente alternative à la salutation au soleil, murmura-t-elle, un sourire dans les yeux.

Ils firent l'amour lentement, langoureusement, comme s'ils flottaient sur une mer paisible. Après le typhon de la veille, elle savoura la volupté de cette étreinte comme la caresse du soleil levant, la promesse d'une nouvelle journée radieuse, porteuse d'espoir.

Elle le voyait, à présent, les contours de son visage, le bleu de ses yeux, cette ombre toujours tapie au fond de son regard.

Sa nature la poussait à bannir les ombres, à répandre la lumière. Elle s'abandonna à lui, pour le plaisir d'offrir, le bonheur de recevoir. La vague, aussi calme fût-elle, l'emmena très haut, et lorsqu'elle retomba, elle vit la lumière briller dans les prunelles d'Eli.

Enroulée autour de lui, elle demeura immobile, dans une délicieuse torpeur.

– Tu penseras à moi, aujourd'hui ?

Il lui déposa un baiser dans le cou.

– Il y a de fortes chances.

– Pense à moi délibérément, dit-elle. Vers midi. Je penserai délibérément à toi. Nous enverrons des ondes positives dans l'univers.

Il souleva la tête.

– Des ondes positives dans l'univers ?

– Où les écrivains, les artistes, les inventeurs et tous les créatifs puisent-ils leurs idées, à ton avis ?

Elle leva les bras, traça un cercle dans l'air.

– C'est de là que viennent les idées ?

– Elles sont là, quelque part, répondit Abra en laissant ses doigts courir le long de la colonne vertébrale d'Eli. Il suffit de s'ouvrir et d'être réceptif. Certains sont plus réceptifs que d'autres, certains se laissent miner par les pensées négatives. Le meilleur moyen de capter les ondes positives est de commencer la journée en s'ouvrant.

– Je crois que nous partons sur une bonne base, aujourd'hui.

– Je crois aussi, acquiesça-t-elle en se levant et en se dirigeant vers la salle de bains. Regarde si tu peux me trouver un pantalon de jogging ou un short, s'il te plaît. Je prendrai une brosse à dents neuve dans le meuble du lavabo.

– OK.

Il lui trouva un short et passa lui-même un survêtement.

– Il va t'être trop grand, dit-il, lorsqu'elle ressortit de la salle de bains.

Elle l'enfila, noua le cordon de serrage.

– Ça ira. Tu me rejoins dans la salle de gym ?

– Je... Disons que...

– Quoi ? Tu as des complexes ? Nous n'avons plus rien à nous cacher, maintenant.

Difficile de protester, quand elle se tenait là devant lui, nue jusqu'à la taille dans un short à lui.

Elle enfila son caraco blanc.

– Il n'y a rien de honteux à faire des exercices de respiration et d'étirements, dit-elle. Je descends chercher un élastique pour m'attacher les cheveux. On se retrouve dans la salle de gym.

Il prit amplement son temps. Ce n'était pas tant qu'il avait honte ; simplement, il préférait démarrer la journée par un café, comme la plupart des gens normaux.

Il la rejoignit néanmoins dans la salle de gym. Elle était assise en tailleur sur l'un des deux tapis qu'elle avait étendus au sol, les mains sur les genoux, les yeux fermés.

Elle aurait pu avoir l'air ridicule dans ce short d'homme trop grand pour elle. Or elle paraissait si sereine qu'elle en était d'une beauté touchante.

Sans soulever les paupières, elle tapota le second tapis.

– Assieds-toi, dans une position confortable. Prends quelques minutes pour respirer.

– En général, je respire toute la journée. La nuit aussi.

Ses lèvres s'incurvèrent.

– Concentre-toi sur ta respiration. Inspire par le nez, sens ton ventre se gonfler. Pense à ton ventre comme un ballon. Retiens l'air quelques secondes, puis expire lentement, par les narines toujours, jusqu'à ce que tes poumons soient vides. Voilà... Recommence. Ton ventre se soulève sur l'inspiration et se creuse sur le souffle. Relâche ton esprit.

Il avait toutes les peines du monde à relâcher son esprit, hormis lorsqu'il écrivait. Et lorsqu'il pensait à faire le vide, il n'avait pas du tout l'impression de se relaxer l'esprit mais au contraire de le faire travailler. Il s'efforça cependant de se concentrer sur sa respiration, pressé de descendre boire un café.

– Maintenant, sur l'inspiration, lève les bras et joins les paumes au-dessus de la tête. Et abaisse-les sur l'expiration. Inspire, lève les bras... répéta-t-elle d'une voix calme, apaisante. Expire, ramène les bras le long du corps.

Elle lui fit incliner le buste au-dessus de ses jambes croisées, sur un côté, puis sur l'autre. Laisser tomber le poids de son corps au-dessus de l'une de ses jambes tendues, puis de l'autre, puis des deux. En s'étirant, il se détendit, un peu.

Ils passèrent ensuite en position debout, elle lui adressa un sourire. Derrière les fenêtres, le jour se levait. Si elle lui avait ordonné de se contorsionner comme un bretzel, il aurait essayé. Ils poursuivirent les exercices de respiration et d'étirements, leurs mouvements aussi fluides et paisibles que leur étreinte matinale.

Pour finir, elle lui demanda de s'allonger sur le dos, les paumes vers le ciel, les yeux fermés, et tout en lui massant les tempes, elle parla de lâcher prise, d'inspirer la lumière et d'expirer les ombres.

Lorsqu'il se redressa en position assise, le buste penché en avant – afin de clore la pratique, comme elle disait –, il éprouva la sensation d'immerger d'une sieste dans un bain chaud.

– Bravo, le félicita-t-elle avec une tape sur le genou. Prêt pour le petit déjeuner ?

– On ne te paie pas assez, dit-il.

– Qui ?

– Tes élèves.

– Tu ne connais pas le prix de mes cours.

– Quel qu'il soit, c'est un cadeau.

– Je prends plus cher pour des cours privés, répliqua-t-elle en lui caressant le bras. Tu es intéressé ?

– Eh bien...

– Réfléchis, dit-elle en se levant. En attendant, n'oublie pas de t'étirer la nuque, comme je t'ai montré, toutes les deux ou trois heures, quand tu travailles à l'ordinateur. Pense aussi à enrouler les épaules, de temps en temps, ajouta-t-elle tandis qu'ils descendaient à la cuisine. En l'honneur du printemps, je vais faire une omelette printanière. Occupe-toi du café.

– Ce n'est pas la peine de te donner tant de mal. Tu as un cours.

– À 8 heures, j'ai le temps. Je laisserai mon matériel de massage ici, je le prendrai quand je reviendrai faire le ménage.

– Ça me fait bizarre de coucher avec la femme de ménage...

Elle ouvrit le réfrigérateur, rassembla les ingrédients dont elle avait besoin.

– Tu me licencies ?

– Oh, non ! Mais j'ai un peu l'impression de profiter de toi.

Elle sortit un couteau, une planche à découper.

– Qui a fait le premier pas ?

– Toi, bien que tu m'aies seulement devancé.

– Je suis contente de l'entendre, dit-elle en rinçant quelques asperges et une poignée de champignons. J'aime travailler ici, j'aime cette maison. J'aime cuisiner, et je retire une immense satisfaction de voir que ma cuisine te réussit. Tu reprends du poids depuis que je te prépare à manger. J'aime faire l'amour avec toi. Si l'un de ces paramètres venait à changer, je te le ferais savoir, et nous prendrions les mesures qui s'imposent. Si mes services ne te donnent plus satisfaction ou si tu ne veux plus coucher avec moi, tu me le feras savoir et nous aviserons. Ça te convient ?

– Impec !

– Bien, dit-elle en versant un filet d'huile d'olive dans une poêle. Et ce café, c'est pour aujourd'hui ou pour demain ?

14

Avec Abra, ce n'était jamais la routine. Rapidement, néanmoins, ils s'installèrent dans un nouveau schéma. Elle cuisinait pour deux, à Bluff House ou chez elle. Ils se promenaient ensemble sur la plage et Eli, lui aussi, commença à sentir le printemps.

Il prit l'habitude d'être servi à table, que la maison soit pleine de fleurs, de bougies, de son parfum, de sa voix. D'elle.

Son roman progressa jusqu'à un point où il commença à penser qu'il tenait quelque chose de consistant, qu'il n'écrivait plus seulement pour s'évader hors de lui-même.

Il lisait, travaillait, s'astreignait quotidiennement à une heure minimum d'exercice. Et pendant quelques jours, quelques jours précieux, la simple notion de meurtre sembla appartenir à un autre monde.

Jusqu'à ce que l'inspecteur Corbett se présente à sa porte, accompagné d'une équipe.

– Nous avons un mandat pour perquisitionner la maison et ses dépendances, ainsi que votre véhicule.

L'estomac noué, Eli parcourut le document portant le sceau officiel de la cour.

– Eh bien, je vous conseille de vous mettre au travail sans attendre. La propriété est vaste.

Il laissa entrer la file de policiers, repéra Wolfe parmi eux. Sans un mot, il attrapa le téléphone de la cuisine et sortit sur la terrasse appeler son avocat. Mieux valait prévenir que guérir ; il avait appris cette leçon à ses dépens.

Oui, on sentait le printemps, songea-t-il une fois la conversation avec Neal terminée. La tourmente, hélas, n'était pas l'apanage de l'hiver. Il devait affronter cette tempête, une de plus.

Alors qu'il était accoudé à la balustrade, Corbett le rejoignit.

– Remarquable collection d'armes, là-haut...

– Pour autant que je sache, aucune n'a été chargée depuis au moins une génération.

– Puis-je vous demander les clés des vitrines ?

Corbett sur ses talons, Eli se rendit dans la bibliothèque.

– Vous savez très bien que Duncan n'a pas été tué avec l'une de ces armes, dit-il en ouvrant tour à tour les tiroirs du bureau de son grand-père.

– Cela vous ennuie que nous y jetions un coup d'œil de plus près ?

– Absolument pas, répondit Eli en remettant les clés à l'inspecteur. Ce qui me gêne, c'est que Wolfe soit braqué contre moi, qu'il s'obstine à nier l'évidence, la chronologie des faits, les déclarations des témoins.

Le visage de Corbett demeura impassible.

– Je vous remercie pour votre coopération.

– Inspecteur, l'interpella Eli avant qu'il ne remonte à l'étage. J'ai l'intention de porter plainte, pour abus de pouvoir, contre vos services et le département de police de Boston.

Une lueur de colère s'alluma dans le regard de Corbett.

– Est-ce une menace ?

– Prenez-le comme vous voudrez.

– Je ne fais que mon travail, monsieur Landon. Si vous n'avez rien à cacher, plus consciencieusement je l'accomplirai, plus rapidement vous serez lavé de tout soupçon.

– À d'autres, s'il vous plaît. Wolfe me harcèle sans relâche depuis plus d'un an. Alors que je suis totalement innocent.

Là-dessus, Eli attrapa une veste et quitta la maison. Il savait qu'il aurait mieux fait de rester, mais il ne pouvait pas supporter de voir la police passer Bluff House au peigne fin, fouiner parmi ses affaires, celles de sa famille. Il avait assisté à la perquisition de son domicile conjugal ; assister à celle-ci était au-dessus de ses forces.

Il descendit sur la plage, contempla la mer, les oiseaux, les enfants qui jouaient sur le sable. Les vacances de printemps avaient dû commencer.

Ses parents voulaient qu'il vienne chez eux pour le dîner de Pâques. Il avait l'intention d'y aller, de demander à Abra de l'accompagner.

Avec elle à ses côtés, il se sentait prêt à prendre part à cette réunion de famille, à renouer avec la tradition – l'énorme jambon qu'Alice ferait rôtir et que sa mère insisterait pour glacer elle-même, les œufs colorés, les paniers de friandises. Il se réjouissait même d'avance de ce moment de fête.

À présent, cependant, il lui semblait plus avisé de se tenir à l'écart de ceux qui lui étaient chers, tant que la police n'aurait pas retrouvé l'assassin de Duncan.

Celui de Lindsay.

Ou tant que son propre détective n'aurait pas découvert quelque chose qui permette d'ouvrir une nouvelle piste. Bien que, de ce côté-là, il n'y eût encore aucune avancée.

Il leva les yeux vers La Mouette rieuse. Où était Abra ? s'interrogea-t-il. En train de donner un cours de yoga ? De faire les courses ou le ménage pour l'un de ses clients ? Dans sa cuisine, affairée devant ses fourneaux ? Ou dans son petit atelier, à fabriquer des pendentifs et des boucles d'oreilles ?

Il avait été inconscient de s'engager dans une relation avec elle, de l'entraîner dans ce pétrin. Ou, plus exactement, de la laisser s'y fourrer.

Elle avait des effets personnels à Bluff House : des vêtements, du shampoing, une brosse à cheveux – des petites parcelles d'intimité. Son estomac se serra en une boule de colère. Il devinait les commentaires des policiers, les sourires entendus et, pire, la joie malsaine qu'éprouverait Wolfe en voyant ses suspicions se confirmer.

Ils perquisitionneraient ensuite la maison d'Abra, s'ils parvenaient à convaincre un juge de signer un mandat.

Cette perspective le mit en rage. D'un pas furieux, il regagna Bluff House et, de la terrasse, rappela son avocat.

– Que se passe-t-il ? s'inquiéta Neal. Si tu as besoin de moi, je prends la route immédiatement.

– Non, ce n'est pas la peine. Écoute, j'ai des relations avec Abra Walsh.

– Je le sais déjà, à moins que tu ne veuilles dire qu'il s'agit de relations intimes...

– C'est ce que je voulais dire, oui.

Eli s'attendait à un soupir, il ne fut pas déçu.

– OK. Depuis quand ?

– Quelques jours. Je crains que Wolfe ne demande un mandat pour perquisitionner chez elle. Tu pourras essayer de te renseigner, s'il te plaît ? Elle loue le cottage de La Mouette rieuse. Au besoin, je peux trouver le nom du propriétaire. Je ne veux pas qu'elle soit mêlée à cette affaire. Elle n'y est pour rien.

– Elle est ton alibi. Elle ferait bien de contacter son avocat. Elle sait comment fonctionne la justice, elle y a déjà eu affaire.

Eli se contracta, sa voix se durcit.

– Excuse-moi ?

– Eli, tu es mon client, elle est ton alibi. Wolfe insinue que votre liaison a débuté alors que Lindsay était encore en vie. Tu crois que je ne me suis pas renseigné sur Abra Walsh ? Exactement comme tu l'aurais fait à ma place ? Elle est intègre, intelligente et, manifestement, elle a l'air solide. Aucune loi ne vous interdit d'avoir une relation, ne t'affole pas. Elle se remettra d'une enquête de personnalité. Il n'empêche qu'elle a tout intérêt à prendre un avocat. Je ne t'apprends rien que tu ne saches déjà. Y a-t-il quelque chose que tu ne me dis pas ?

– Non. Elle m'a apporté du sauté de dinde, elle s'est fait agresser, et elle se retrouve impliquée dans une enquête pour meurtre. Je veux faire quelque chose, mince. Je ne veux pas qu'elle ait des ennuis à cause de moi.

– Tu m'as appelé, c'est la seule chose que tu pouvais faire. J'ai pris contact avec l'une de mes connaissances au département de police de Boston. Wolfe a dû faire des pieds et des mains pour obtenir ce mandat. Il n'a plus beaucoup de crédit en ce qui te concerne. Laisse-le chanter, il n'aboutira à rien. Quant aux Piedmont, leurs menaces de procès n'ont trouvé écho qu'auprès de deux ou trois reporters qui n'ont rien d'autre à se mettre sous la dent.

– La maison de ma grand-mère grouille de flics. Difficile de faire comme si de rien n'était.

– Dis-toi que ce n'est qu'un mauvais moment à passer. S'ils reviennent, on portera plainte. Fais-moi confiance, Eli, la police ne tient pas à ce genre de publicité. Ils révoqueront Wolfe. Appelle-moi quand la perquisition sera terminée.

– Entendu.

Peut-être Wolfe serait-il mis à l'amende, officiellement, songea Eli en coupant la communication. Néanmoins, il ne croyait pas une seule seconde qu'il aurait pour autant la paix.

Parce qu'elle avait dû aller faire les courses pour l'une de ses clientes qui l'avait appelée à la dernière minute, Abra arriva pile à l'heure à son cours au sous-sol de l'église.

– Désolée, les filles ! s'excusa-t-elle. Le petit dernier de Natalie est malade, je suis allée lui faire quelques courses. Elle ne viendra pas au cours, aujourd'hui.

Tandis qu'elle déroulait son tapis, elle capta les regards qu'échangeaient ses élèves, et le visage rouge de colère de Maureen.

– Que se passe-t-il ? demanda-t-elle en enlevant son blouson.

– Il y a toute une armée de policiers à Bluff House, répondit Heather. Ne me regarde pas comme ça, Maureen, c'est la vérité. Je crois qu'ils sont venus arrêter Eli Landon pour l'assassinat de ce pauvre homme. Pour celui de sa femme, aussi, peut-être.

– Une armée de policiers ? répéta Abra, avec toute la nonchalance dont elle était capable.

– Au moins une dizaine, si ce n'est plus. Je les ai vus entrer dans la maison. J'ai ralenti pour être sûre que c'était bien la police.

– Tu penses qu'ils auraient besoin d'être dix, si ce n'est plus, pour arrêter un seul homme ? Ils n'ont pas envoyé un commando antiterroriste, tant qu'ils y étaient ?

– Je comprends que tu sois sur la défensive, minauda Heather, d'une voix ruisselante de sympathie mielleuse.

– Pourquoi ?

– Tu n'en fais pas un secret. Tout le monde voit ta voiture garée là-bas tard le soir et tôt le matin.

– Eli n'a pas tué « ce pauvre homme », comme tu dis. J'étais avec lui ce soir-là. Et je ne suis pas sur la défensive. Je me demande juste pourquoi la police déploierait un escadron pour appréhender un innocent.

– Je ne te critique pas, ma chérie.

– Oh, je t'en prie, Heather ! explosa Maureen. Qu'es-tu en train d'insinuer ? Qu'Abra fréquente un assassin ? Que sais-tu d'Eli Landon pour l'avoir déjà arrêté, jugé et condamné ?

– Il est tout de même soupçonné de meurtre, de deux meurtres. S'il y a la police chez lui, ce n'est sûrement pas pour rien. Je ne jette pas la pierre à Abra, je...

– Restons-en là, d'accord ? trancha Abra. Je ne te jette pas non plus la pierre, Heather, bien que tu colportes des rumeurs infondées. N'en parlons plus et mettons-nous au travail, mesdames, si vous le voulez bien.

– Je racontais juste quelque chose que j'ai vu, insista Heather, les yeux brillants de larmes. J'ai des enfants. J'ai le droit d'être inquiète, non ? Un crime a tout de même été commis à Whiskey Beach, que je sache.

– Nous sommes tous inquiets, intervint Greta Parrish en tapotant l'épaule de Heather. D'autant plus qu'on ne sait pas qui a tué ce détective privé, ni pour quelle raison. Nous ferions mieux de nous serrer les coudes au lieu de montrer n'importe qui du doigt.

– Je n'accuse personne. Je disais seulement qu'il y avait la police à Bluff House. Ce détective était de Boston et il s'est fait tuer ici. Eli Landon est de Boston, lui aussi, et il se trouve qu'il est là, en ce moment. Je n'invente rien, et ce n'est pas ma faute si je me fais du souci pour ma famille...

Là-dessus, un sanglot dans la gorge, Heather attrapa ses affaires et s'en alla.

– Voilà qu'elle va se faire passer pour une victime, maintenant, soupira Maureen.

– Calmons-nous, dit Abra en prenant une longue inspiration. Heather est contrariée, c'est normal : quelqu'un a été assassiné à Whiskey Beach ; nous sommes tous sous le choc. Je peux toutefois vous dire qu'Eli n'est pas responsable, puisque j'étais avec lui le soir où le crime a été commis. Il ne pouvait pas être à deux endroits à la fois. Quant à ma vie personnelle, elle ne regarde que moi, à moins que je ne décide de vous en parler. Si l'une d'entre vous ne veut plus prendre de cours avec moi, pas de problème, je la rembourserai. Sinon, passons en position assise et prenons quelques minutes pour respirer.

Sur ces mots, elle s'installa en tailleur sur son tapis. Lorsque ses élèves suivirent l'exemple, le poing noué dans son ventre se desserra quelque peu.

Bien qu'elle eût toutes les peines du monde à faire le calme en elle, à se concentrer sur son énergie, sur son équilibre, elle assura tant bien que mal son heure de cours.

À la fin de laquelle Maureen s'attarda après les autres. Elle n'en attendait pas moins de sa part.

– Chez toi ou chez moi ? demanda Maureen.

– Chez moi. J'ai un ménage dans une heure, il faut que je me change.

– OK. Tu m'emmènes en voiture ? Je suis venue à pied.

– Sundaes hier soir ?

– Beignet aux pommes ce matin. Je ne devrais pas avoir de gourmandises à la maison. Je suis trop faible.

– Prépare-toi à succomber une fois de plus à la tentation. J'ai fait des brownies.

– Je te maudis !

– J'essaie de prendre les choses en fonction de qui elles viennent, dit Abra en montant dans la voiture, mais Heather m'a mise en boule.

– Heather est une idiote.

– Il lui arrive de dire des idioties. Comme tout le monde.

– L'idiotie est le plus grand défaut de Heather.

– Non, son plus grand défaut, c'est qu'elle est trop bavarde. Et parfois, nous sommes les premières à nous délecter de ses commérages. Elle est aussi un peu trop mère poule. Cela dit, je ne sais pas comment je serais si j'avais des enfants.

– J'en ai trois, et je ne suis pas comme elle. Si elle pouvait, elle implanterait des GPS à ses gamins. Elle ne mérite pas ton indulgence. Elle a franchi une limite. Tout le monde te le dira, y compris sa meilleure copine Winnie. Mince, Abra, elle avait presque l'air contente d'avoir vu la police à Bluff House !

Dans un crissement de freins, Abra se gara devant son cottage.

– Je sais, je sais. Elle a tendance à se réjouir du malheur des autres, ce qui est inadmissible.

Elle descendit de la voiture, attrapa son sac sur la banquette arrière et claqua la portière.

– J'essaie d'être tolérante et compréhensive, ajouta-t-elle, mais elle m'a mise hors de moi.

– Cette femme est insupportable. Vengeons-nous sur les brownies !

– J'irais bien faire un tour à Bluff House, dit Abra en déverrouillant la porte, mais je ne suis pas sûre que ce soit une bonne idée. J'irais aussi volontiers gifler Heather, mais je m'en voudrais, après.

– Ça te défoulerait, en tout cas.

Abra posa son sac dans l'entrée et fonça à la cuisine, où elle retira le film plastique qui recouvrait les brownies. Comme chez elle, Maureen sortit des serviettes en papier. En croquant un brownie, Abra alluma la bouilloire.

– Elle pense que ce n'est pas vrai que j'étais avec Eli quand Duncan a été assassiné. Elle me regardait comme si je lui faisais pitié.

Par solidarité, Maureen prit elle aussi un brownie.

– Je déteste quand elle prend cet air supérieur.

– Si elle croit que je mens, la police aussi, peut-être. Et ça, ce serait beaucoup plus grave.

– Ils n'ont aucune raison de penser que tu mens.

– Je couche avec Eli.

– Ce n'était pas le cas, au moment des faits.

Abra croqua une autre bouchée de brownie avant de s'occuper du thé.

– Au fait, je ne t'ai pas encore dit : c'est un très bon amant.

– Raconte...

En riant, Abra repoussa le vase d'iris sur un coin de la table et sortit deux tasses à thé.

– On a déplacé le lit.

– Oui... Moi aussi, je change souvent les meubles de place.

– En faisant l'amour, banane !

– Ça arrive, des fois.

Abra secoua la tête, attrapa un stylo.

– Voilà le lit, dit-elle en dessinant un rectangle. Initialement, il était là, contre le mur. Après nos galipettes, il était là, dans ce sens, à au moins un mètre du mur.

Elle traça un autre rectangle. Maureen étudia le croquis.

– Tu me fais marcher ?

– Je te jure que c'est vrai.

– C'est un lit à roulettes ?

– Non, c'est la force de l'énergie sexuelle refoulée.

– Tu vas me rendre jalouse, soupira Maureen. La seule chose qui me console, c'est que je suis sûre et certaine que Heather n'a jamais déplacé le lit.

– Tu veux que je te dise ce qui m'a le plus énervée ? Qu'elle sous-entende que je suis aussi inconsciente que ces femmes qui écrivent à des détenus et s'amourachent d'un psychopathe qui a étranglé six filles avec ses lacets. Franchement, je ne sais pas comment Eli peut vivre avec ce nuage de suspicion qui plane constamment au-dessus de sa tête.

– Ça doit être plus facile pour lui maintenant qu'il t'a.

– J'espère, soupira Abra. Je l'espère de tout mon cœur. Il est tellement attachant.

Le sourcil froncé, Maureen se lécha les doigts.

– Tu es amoureuse ? Fais attention, ne t'attache pas trop vite. Tu ne le connais que depuis quelques semaines.

– Je ne dis pas que je suis amoureuse, je ne dis pas non plus que je ne le suis pas. Je dis juste que je le trouve attachant. Je l'ai trouvé touchant dès la première fois que je l'ai vu. Il avait l'air si paumé, si fatigué, si triste, si rongé de colère... Dès le début, il m'a inspiré de la sympathie. Maintenant que je le connais un peu mieux, j'éprouve un grand respect pour lui. Il faut un courage, une volonté énormes pour traverser ce qu'il a traversé. Évidemment, il y a aussi de l'attirance, de l'affection.

– J'ai eu l'impression qu'il était content de passer la soirée au pub avec nous, l'autre jour.

– Il a besoin de voir du monde, de se détendre. Même avec sa famille, je crois qu'il se sentait très seul.

La solitude, selon Abra, était de temps à autre nécessaire pour se ressourcer. Les gens qui se retrouvaient emmurés dans la solitude, en revanche, lui faisaient de la peine, et elle ne pouvait s'empêcher de leur tendre des perches.

– Je le vois se dérider chaque jour un peu plus. Il a beaucoup d'humour, et un cœur en or. Ce serait tellement dommage qu'il se laisse de nouveau miner par cette histoire de privé.

– À ton avis, pourquoi y avait-il tous ces flics à Bluff House ?

– Si Heather n'exagérait pas, ils ont dû venir perquisitionner. Je t'ai dit que cet inspecteur Wolfe est convaincu qu'Eli a tué Lindsay. Il s'est mis en tête qu'il finirait par réussir à le prouver. Et maintenant, il cherche à le coincer pour la mort du détective.

Maureen saisit la main d'Abra.

– C'est de la diffamation pure et simple. Il mériterait un blâme professionnel. Tu vas de nouveau avoir affaire à la police, toi aussi ?

– Très certainement. Mike et toi aussi, peut-être.

– Ce n'est pas grave, on s'en remettra. Comme on se remettra des commérages de Heather. Tu crois qu'elle osera venir à ton prochain cours ?

– Si elle vient, évite de la gifler.

– Promis. Allez, il faut que je file, maintenant. Je prends un dernier brownie pour la route. Si tu as besoin de moi, n'hésite pas à m'appeler. Je serai chez moi toute la journée. J'ai de la paperasse à faire avant que les enfants rentrent de l'école.

Sur le pas de la porte, Abra embrassa chaleureusement son amie.

– Merci, lui dit-elle. Tu es l'antidote parfait à l'idiotie.

Maureen partie, elle monta dans sa chambre se changer, légèrement écœurée d'avoir mangé deux brownies juste avant l'heure du déjeuner. Elle passerait voir Eli sitôt sa journée de travail terminée, décida-t-elle. Pour le meilleur ou pour le pire.

La perquisition durerait des heures. Lorsque son bureau fut libre, Eli s'y enferma, remit ses affaires en ordre et téléphona à son père.

Il lui en coûtait de devoir l'appeler pour un motif aussi désa-gréable, mais il préférait informer lui-même sa famille avant que des rumeurs ne se propagent. Il ne minimisa pas, son père n'aurait pas été dupe. Il essaya seulement de le rassurer : la police ne trouverait rien, pour la simple et bonne raison qu'il n'y avait rien à trouver.

Incapable d'écrire avec des flics furetant partout dans la maison, il effectua ensuite quelques recherches sur Internet, pour son roman d'abord, puis sur la Dot d'Esméralda.

Il sursauta lorsqu'on frappa à la porte ouverte. Corbett se tenait dans son encadrement. Eli ne prit pas la peine de se lever.

– Nous avons terminé, monsieur Landon.

– OK.

– À propos de ce trou, dans la cave...

– Oui ?

– Je ne m'attendais pas à de telles dimensions... (Corbett marqua une pause, mais Eli garda le silence.) Aucune idée de qui a pu faire ça ?

– Pas la moindre, sinon, j'en aurais fait part au shérif adjoint.

– Selon lui, ce trou a sans doute été creusé par l'individu qui s'est introduit ici le soir du meurtre de Duncan. Et à l'évidence, il n'a pas été creusé en une seule fois.

– C'est une théorie.

Corbett s'avança dans le bureau et ferma la porte derrière lui.

– Je tiens à ce que vous sachiez, monsieur Landon, que je ne cautionne pas l'inspecteur Wolfe. Rien ne vous lie au meurtre de Duncan. Le seul rapport entre vous et lui, c'est qu'il était chargé de vous surveiller. Pour les motifs que vous m'avez exposés lors de notre dernière entrevue, je ne vois pas comment vous auriez pu commettre ce meurtre. De surcroît, je ne vois pas non plus de raisons de douter de la parole de Mlle Walsh, bien que mon petit doigt me dise qu'elle a passé plusieurs nuits ici, et pas sur le canapé, depuis que nous vous avons tous deux interrogés.

– La dernière fois que j'ai consulté le code pénal du Massachu-setts, les relations sexuelles entre adultes consentants étaient tou-jours autorisées.

– Dieu merci. Ce que je voulais vous dire, c'est que vous n'êtes pas dans mon collimateur. Le problème, c'est que je n'ai aucune piste, pour l'instant, si ce n'est que j'aurais tendance à penser que ce n'est pas un hasard si une effraction, une agression et un meurtre ont été commis la même nuit. Par conséquent, si vous aviez la moindre idée de qui a pu creuser ce trou dans la cave, je vous serais reconnaissant de bien vouloir m'en faire part.

Alors qu'il s'apprêtait à prendre congé, Corbett se retourna et ajouta :

– Je serais furieux que des flics mettent ma maison sens dessus dessous. Sachez, monsieur Landon, que j'ai moi-même sélectionné cette équipe. Si nous n'avons rien trouvé, c'est qu'il n'y avait rien à trouver. J'espère que mes hommes ont été soigneux, mais je vous prie de nous excuser si nous n'avons pas remis chaque chose exactement à sa place.

Là-dessus, Corbett ouvrit la porte. Eli n'eut qu'un très bref instant d'hésitation :

– Écoutez, lui dit-il, je crois que celui qui a creusé au sous-sol est responsable de la chute de ma grand-mère. Soit il l'a poussée, soit il lui a fait peur. Et il l'a laissée là, au pied de l'escalier, sans lui porter assistance.

Corbett referma la porte et, sans y être invité, s'assit sur une chaise.

– Cette idée m'a effleuré, déclara-t-il. Votre grand-mère ne se souvient de rien ?

– Non, pas même de s'être levée. Les médecins disent qu'il est fréquent d'avoir des amnésies après un traumatisme crânien. Peut-être que la mémoire lui reviendra, peut-être pas, peut-être en partie. Elle aurait pu mourir, et elle serait probablement morte si Abra ne l'avait pas trouvée. Entre trouer la peau d'un détective privé et pousser une vieille dame dans les escaliers, il n'y a qu'un pas. Ma grand-mère est très attachée à cette maison, or il n'est pas garanti qu'elle puisse revenir y vivre, pas seule, tout au moins. Je veux savoir qui est responsable de cela.

– Où étiez-vous, le soir où elle a fait cette chute ?

– Je vous en prie...

– Je me dois de procéder avec rigueur, monsieur Landon. Vous rappelez-vous où vous étiez ce soir-là ?

– Très bien, oui. Je ne risque pas d'oublier le regard de ma mère, le lendemain matin, quand Abra lui a téléphoné. Après le meurtre de mon épouse, mes parents m'ont accueilli chez eux. J'étais chez eux le soir de l'accident de ma grand-mère. Mon père et moi avons passé la soirée à jouer au gin rami, jusqu'à 2 heures du matin. Après quoi, je ne peux pas prouver que je ne suis pas parti à Whiskey Beach pousser ma grand-mère dans l'escalier.

Ignorant cette remarque, Corbett sortit un calepin et y griffonna quelques notes.

– Il y a beaucoup d'objets de grande valeur dans cette maison...

– Effectivement. Or rien n'a été volé.

– Que cherchait-on, à votre avis, dans la cave ?

– La Dot d'Esméralda, je ne vois pas d'autre explication.

– Intéressant... Verriez-vous une objection à ce que je m'entretienne avec votre grand-mère, si ses médecins m'y autorisent ?

– Je ne veux pas qu'elle se fasse du souci, c'est tout. Ni que ma famille soit éclaboussée par un autre scandale.

– J'y veillerai.

– Pourquoi vous donnez-vous tout ce mal ?

– J'ai envoyé un cadavre à Boston alors que la victime, pour autant que je sache, n'avait rien fait d'autre que son boulot. Quelqu'un s'est introduit ici et a agressé une jeune femme qui aurait pu être grièvement blessée si elle ne s'était pas défendue. Du reste, je suis convaincu que vous n'avez pas tué votre femme.

Eli en oublia ce qu'il s'apprêtait à dire.

– Pardon ?

– Croyez-vous que je n'aie pas lu et relu chaque ligne de votre dossier ? Vous ne vous êtes jamais contredit dans vos déclarations. Quelqu'un qui ment finit toujours par se trahir.

– Wolfe est persuadé que je suis coupable.

– Wolfe est un bon flic, qui a maintes fois prouvé qu'il avait un flair hors du commun. Mais cette fois, il se trompe. Personne n'est infaillible.

– C'est peut-être vous qui vous trompez.

Un mince sourire étira les lèvres de Corbett.

– De quel côté êtes-vous, monsieur Landon ?

– Vous êtes le premier fonctionnaire de police à me regarder droit dans les yeux et à me dire que je n'ai pas tué Lindsay. Je n'ai pas l'habitude...

– Le procureur était lui aussi convaincu de votre innocence. Mais vous étiez le seul suspect, et Wolfe a usé de son influence pour qu'on le laisse approfondir ses investigations, qui n'ont jamais abouti à rien de concret. Vous avez joué de malchance, soupira Corbett en se levant. Mais tant que vous résidez dans ma juridiction, je vous promets de veiller personnellement à ce que l'on ne vous tracasse pas inutilement. Vous avez mon numéro, appelez-moi si jamais vous pensez à quelque chose qui pourrait faire avancer l'enquête.

– Je n'y manquerai pas.

– Je vous remercie.

Seul, Eli se renversa contre le dossier de son fauteuil et tenta d'analyser les sentiments qui se bousculaient en lui.

Corbett lui avait remis du baume au cœur. Au moins quelqu'un qui le croyait, et le disait haut et fort. Ses paroles lui résonnaient encore aux oreilles.

Cependant, pour un flic convaincu de son innocence, il en restait encore un convaincu de sa culpabilité.

15

Abra ne savait à quoi s'attendre. Trouverait-elle Eli abattu et cafardeux ? Furieux et agressif ? Les deux réactions seraient compréhensibles. De nouveau, sa moralité était remise en question. De nouveau, sa vie privée volait en éclats – à cause de la police, à cause de gens comme Heather.

Elle ne le jugerait pas. Elle trouverait des arguments pour le réconforter, ou pour atténuer sa colère.

Elle ne pensait pas le trouver dans la cuisine, devant un îlot encombré, un air exaspéré sur les traits et une tête d'ail entre les mains.

– Salut. Que se passe-t-il ici ?

– C'est le bordel. Comme chaque fois que j'essaie de cuisiner.

Elle ouvrit un placard, y rangea l'assiette de brownies qu'elle avait apportée.

– Tu cuisines ?

– J'essaie.

Une petite note d'humour qu'elle jugea plutôt positive.

– Que prépares-tu ?

– Un truc au poulet avec du riz.

En fourrageant dans ses cheveux, il contempla avec irritation la pagaille qu'il avait semée.

– J'ai trouvé la recette sur Internet, précisa-t-il, sur le site « La cuisine pour les nuls ».

Elle contourna l'îlot, parcourut le feuillet qu'il avait imprimé.

– Ça a l'air bon. Tu veux un coup de main ?

Il leva vers elle un regard agacé.

– Je pense que je suis assez nul pour me débrouiller tout seul.

– OK, comme tu voudras. Tu permets que je me serve un verre de vin ?

– Je t'en prie. Verse m'en un, aussi, s'il te plaît, un grand.

Bien que la cuisine fût pour elle une activité relaxante, Abra comprenait les frustrations que pouvaient éprouver les novices ainsi que ceux et celles qui ne se mettaient aux fourneaux qu'à de rares occasions.

– Quelle est l'origine de ce nouvel engouement pour les tâches ménagères ? demanda-t-elle en sortant deux verres à pied.

Dans son dos, tandis qu'elle se dirigeait vers l'office, il la fusilla du regard.

– Tu cherches à te prendre un coup de pied où je pense ?

– Non, un pinot gris. Ah, le voilà ! J'espère que je suis invitée à dîner, dit-elle en revenant dans la cuisine. Il y a des lustres que personne n'a cuisiné pour moi.

Il la regarda déboucher la bouteille qu'elle avait probablement mise elle-même au frais.

– C'était l'idée, maugréa-t-il. Le numéro des urgences est enregistré dans le répertoire ?

Elle lui tendit un verre et lui déposa une bise sur la joue.

– Oui. Et merci.

– Ne me remercie pas tout de suite. Tu t'exposes peut-être à un incendie domestique ou à une intoxication alimentaire.

Prête à affronter les risques, elle se jucha sur un tabouret et dégusta une première gorgée de vin.

– À quand remonte la dernière fois que tu as préparé quelque chose qui ne sortait pas d'une boîte ?

– On fait des boîtes de très bonne qualité, maintenant.

– C'est vrai.

Il reporta son attention sur la tête d'ail.

– Je suis censé peler et écraser de l'ail.

– Oui...

Devant son expression désemparée, elle lui prit le couteau des mains.

– Ce n'est pas sorcier. Regarde...

Elle détacha une gousse du bulbe, la posa sur la planche à découper, et l'écrasa avec le plat de la lame du couteau. La pelure se détacha d'elle-même. Elle hacha la gousse et rendit le couteau à Eli.

– Facile, non ?

– Ouais. Plus ou moins. Mes parents ont toujours eu une cuisinière à demeure.

– Il n'est jamais trop tard pour apprendre. Et quand on cuisine régulièrement, ça devient un plaisir.

– Je ne crois pas que ça m'arrivera. Mais je devrais tout de même être capable de suivre une recette pour crétins.

– Je n'en doute pas une seconde.

Il éplucha et hacha une deuxième gousse – fier d'y parvenir sans se couper.

– Franchement, je ne peux pas dire que cuisiner m'éclate...

– Tu veux que je te montre un truc amusant ?

– Si ça te fait plaisir...

– Une marinade simple et rapide pour le poulet, précisa-t-elle.

Il lui jeta un regard paniqué.

– La recette ne parle pas de marinade.

– C'est un tort. Attends une minute, tu vas voir.

Abra se leva et ouvrit la porte de la réserve à provisions. En découvrant le désordre qui y régnait, elle faillit pousser un cri. Puis elle se rappela : la police. Sans un mot, elle attrapa une bouteille de mélange pour margarita.

– Je croyais qu'on buvait du vin, commenta Eli.

– En effet, mais le poulet va boire de la margarita.

– Où est la tequila ?

– J'en mets dans la soupe à la tortilla, répondit Abra en riant, mais là, notre poulet se contentera d'un cocktail sans alcool.

Elle sortit un grand sac de congélation, y glissa le poulet et y versa le contenu de la bouteille. Puis elle noua le sac et le secoua vigoureusement.

– C'est ça, ton truc ?

– Tout bête, n'est-ce pas ?

– Effectivement. Même un nul comme moi pourrait le faire.

– Tu y penseras, la prochaine fois. Pour ta gouverne, tu peux aussi faire mariner le poisson de la même manière.

Elle se rassit, Eli continua de hacher l'ail – en veillant à ne pas se blesser.

– La police a passé toute la journée à perquisitionner la maison, dit-il.

Abra lui caressa le poignet.

– Je sais. Enfin, je savais que la police était là. Je me suis doutée que c'était pour la perquisition. Je suis désolée, Eli.

– J'ai commencé à faire un peu de rangement, après leur départ. Mais ça m'a énervé. Il fallait que je me change les idées.

– Ne t'inquiète pas, je finirai de ranger.

Il secoua la tête. Bluff House était sous sa responsabilité. Il y passerait le temps qu'il faudrait, mais il avait l'intention de remettre lui-même la maison en ordre, pièce par pièce.

– Ç'aurait pu être pire. Ils auraient pu tout chambarder, comme ils l'ont fait chez moi, à Boston, après le meurtre de Lindsay. Ils ont été relativement consciencieux.

– Tant mieux, mais c'est quand même injuste.

– L'injustice frappe tous les jours.

– Tu es cynique.

– Réaliste.

– C'est bien triste d'avoir ce point de vue, répliqua Abra avec une pointe d'irritation, sentant affleurer à la surface la colère contenue tout au long de la journée. Et ce n'est qu'une piètre excuse pour ne pas réagir.

– Peux-tu me dire ce que j'aurais pu faire face à un mandat de perquisition ?

– Certes, tu étais obligé de t'y soumettre, mais ce n'est pas pour autant que tu dois te résigner à accepter que la vie soit ainsi faite. Je ne suis pas avocate, mais j'ai été élevée par une avocate, et il me semble clair que ce flic de Boston a dû employer des méthodes pas très orthodoxes pour obtenir ce mandat.

– Sans doute.

– Il devrait être sanctionné. Tu devrais lui intenter un procès pour harcèlement. Tu devrais être furieux.

– J'ai contacté mon avocat. Si Wolfe continue à pousser le bouchon, nous allons déposer une plainte pour abus de pouvoir.

– Pourquoi n'es-tu pas en colère ?

– Seigneur, Abra, tu crois que je serais en train de me débattre avec cette fichue recette de poulet si je n'étais pas dans tous mes états ? C'est la seule chose que j'aie trouvée pour me calmer les nerfs. Je n'ai plus de place pour la colère.

– J'en ai, de la place, moi, j'en ai même plein. Comment peux-tu me dire que l'injustice est notre lot, que nous n'y pouvons rien ? Le système n'est pas censé nous asséner coup bas sur coup bas. Il est parfois injuste, d'accord, je ne suis pas naïve au point de croire que nous vivons dans le meilleur des mondes. Mais je suis humaine, et l'injustice me révolte... J'ai besoin d'air.

Elle se leva brusquement et sortit sur la terrasse. Eli posa son couteau, s'essuya les mains et la suivit.

– Je ne t'aide pas beaucoup, je sais, dit-elle en arpentant la terrasse. J'aurais mieux fait de me taire.

– Je n'en suis pas si sûr.

– J'avais la rage au ventre depuis que j'avais appris que la police était là, même si j'ai essayé de l'étouffer sous deux énormes brownies.

– Comment l'as-tu appris ?

– À mon cours de yoga, ce matin, par l'une de mes élèves. La grande prêtresse des ragots. Voilà que je suis vache, maintenant, et je déteste être vache. (Elle secoua les bras, comme pour se débarrasser d'une mauvaise vibration.) Mais cette femme est une vraie langue de vipère. À l'entendre, on aurait cru qu'il y avait un commando à Bluff House, venu arrêter le tueur fou, que fréquente la pauvre idiote que je suis. Elle fait semblant de se faire du souci pour la communauté, et pour moi, naturellement, attendu que tu risquerais de m'étouffer dans mon sommeil, ou de me fracasser le crâne... (Elle s'interrompit, consternée.) Oh, Seigneur, Eli, je suis désolée ! Sincèrement. Je dis des choses stupides, méchantes et irréfléchies. Je voulais te remonter le moral et je suis en train de t'aboyer des horreurs. Pardonne-moi. Je crois que je ferais mieux de rentrer chez moi, avec mon humeur massacrante.

La colère et la frustration lui enflammaient le visage, mais son regard exprimait des regrets sincères. La brise marine faisait danser ses boucles rousses.

– Tu sais, ma famille et les rares amis qu'il me reste n'abordent jamais ce sujet. Ils tournent autour, de loin, de très loin, sur la pointe des pieds, comme si c'était... un tyrannosaure. Parfois, j'ai l'impression que cette effroyable bête va m'avaler tout entier. Ils ne veulent pas remuer le couteau dans la plaie ; leur silence, ou leurs demi-mots, partent d'une bonne intention, mais je trouve déprimant qu'ils ne parviennent pas à exprimer ce qu'ils ressentent, ce qu'ils pensent. « Tout va s'arranger, ne t'en fais pas, nous sommes avec toi », c'est tout ce qu'ils sont capables de me dire. J'apprécie de savoir qu'ils sont avec moi, mais le silence hurlant de ce tyrannosaure a bien failli m'engloutir, parfois.

– Ils t'aiment, murmura Abra. Ils ont peur pour toi.

– Je ne suis pas venu ici juste parce que Gran avait besoin de quelqu'un pour veiller sur la maison. J'avais déjà décidé qu'il fallait que je parte de chez mes parents. Seulement, je n'arrivais pas à rassembler l'énergie nécessaire... Mais je savais que je devais fuir ce silence rampant – pour moi, et pour eux.

Elle comprenait parfaitement. Beaucoup de gens s'étaient comportés avec elle de la même manière après l'agression de Derrick. De peur d'une parole maladroite. De peur de la parole tout court.

– Vous avez tous vécu une terrible épreuve.

– Et aujourd'hui, j'ai été obligé de remettre ma famille au supplice, parce que je voulais les informer moi-même de la situation avant qu'ils n'en aient vent par ailleurs.

Abra se sentit submergée par une vague de sympathie. Elle n'avait pas songé à la famille d'Eli.

– Ç'a dû être dur.

– Il fallait le faire. J'ai été bref, je ne me suis pas appesanti sur le sujet. Une fois de plus, comme toujours chez les Landon, j'ai esquivé. Tu es la première, tu sais, à m'avoir dit franchement ce que tu pensais, ce que tu ressentais, sans prendre de pincettes. La première à ne pas faire comme si le tyrannosaure n'existait pas. Quelqu'un a fracassé le crâne de Lindsay, oui, c'est un fait, et beaucoup me soupçonnent d'avoir assassiné mon épouse.

– On m'a toujours appris à exprimer mes sentiments et le fond de ma pensée.

– Je m'en étais aperçu.

Cette remarque amena un faible sourire sur le visage d'Abra.

– Je ne voulais rien te dire, mais c'est sorti tout seul. Réprimer mon envie d'envoyer Heather au tapis a épuisé toutes mes capacités de retenue.

– Tu es une dure.

– Je connais le tai-chi.

D'un mouvement vif, elle se plaça dans la position de la grue.

– Je croyais que c'était du kung-fu ça.

– Les deux sont des arts martiaux, fais gaffe. C'est cool, je ne suis plus en colère.

– Moi non plus.

Elle s'avança vers Eli, noua les bras autour de son cou.

– Scellons un pacte.

– Je t'écoute.

– Sentiments sur la table, chaque fois que nécessaire. Et si un dinosaure se cache dessous, on ne l'ignore pas.

– Comme en cuisine, tu seras meilleure que moi, mais je veux bien essayer.

– Ça me convient. Rentrons, que je te regarde cuisiner.

– OK. Et il y a des choses qu'il faut que je te raconte.

De retour dans la cuisine, il s'empara d'un poivron, le retourna en tous sens, ne sachant par quel bout l'attraper.

– Fais voir, je vais te montrer.

Tandis qu'elle coupait le poivron, retirait les membranes blanches et les grains, puis le tranchait en lanières, il remplit les deux verres de vin.

– Corbett sait que je n'ai pas tué Lindsay.

– Hein ? fit-elle en redressant la tête, le couteau en arrêt. Il te l'a dit ?

– Oui. Je ne pense pas qu'il essaie de me manipuler. Il a dit qu'il avait sérieusement étudié mon dossier, et qu'il était convaincu de mon innocence.

– Tu vois, je t'avais dit qu'il m'avait paru plutôt sensé, déclara Abra en lui prenant la main. Je comprends, maintenant, pourquoi tu n'étais pas aussi furieux que moi.

– Il m'a ôté un poids. Le fardeau est encore lourd, mais il l'a en partie allégé.

Tout en relatant la conversation qu'il avait eue avec Corbett, il s'essaya à la découpe du poivron.

– Il pense donc lui aussi que l'individu à qui j'ai eu affaire se trouvait dans la maison le soir où Hester est tombée, résuma Abra. Et qu'il n'est pas impossible que ce soit lui qui ait tué Duncan.

– Je crois qu'il orientera l'enquête dans ce sens. Mon avocat me passerait un de ces savons s'il savait ce que j'ai dit à Corbett...

– Parfois, il faut faire confiance.

– Ça, c'est une autre question. Toujours est-il que Corbett est le mieux placé pour retrouver l'assassin de Duncan. S'il parvient à mettre la main dessus, nous aurons peut-être des réponses.

Le poivron vert émincé, Eli s'attaqua à un rouge.

– En attendant, poursuivit-il, celui qui cherche quelque chose dans la cave, celui qui t'a agressée et celui qui a manifestement causé la chute de ma grand-mère sont toujours dans la nature. Peut-être ne font-ils qu'un. Peut-être s'agit-il de deux, ou de trois personnes différentes, complices ou rivales.

– Rivales ?

– Beaucoup de gens croient à l'existence de la Dot d'Esméralda. On a retrouvé l'épave de la *Calypso*, il y a une trentaine d'années, mais on n'a jamais su ce qu'il était advenu du trésor. Pourtant, ce n'est pas faute de l'avoir cherché. En fait, on ignore s'il se trouvait sur le navire quand celui-ci a sombré contre les récifs de Whiskey Beach. Peut-être qu'un homme de l'équipage avait pris le large avec le magot avant le naufrage. Peut-être qu'il s'est noyé au milieu de l'océan. Ou peut-être qu'il a fini ses jours comme un prince quelque part dans les Caraïbes. Enfin, bref, la légende a de multiples variantes qui se contredisent. Toujours est-il que celui qui a creusé au sous-sol est prêt à tout, y compris à tuer.

– Tu crois qu'il oserait tenter à nouveau de s'introduire dans la maison pendant que tu es là ?

– Il va sûrement attendre que l'affaire se tasse. Puis il reviendra, oui, je pense. Par ailleurs, il y a des gens du village, des gens que tu connais, des gens pour qui tu travailles, à qui tu donnes des cours – comme cette... j'ai oublié son nom – qui penseront que c'est moi qui ai assassiné le privé, ou tout au moins qui auront des soupçons. Et ces gens risquent de s'en prendre à toi, de colporter des rumeurs à ton sujet. Je ne veux pas que tu en pâtisses.

– Tu ne peux pas empêcher les gens de penser ni de parler. Et je crois que j'ai prouvé que j'étais capable de me défendre.

– Le type qui t'a agressée n'était pas armé. Ou, s'il avait une arme, il n'a pas jugé utile de s'en servir. Mais il aurait pu.

Abra hocha la tête. Elle avait évidemment songé à cette éventualité, terrifiante. Cependant, elle avait aussi décidé depuis longtemps de ne pas vivre dans la peur.

– Me tuer pendant que je brique le carrelage, ou nous tuer tous les deux durant notre sommeil, ne ferait que remettre la police en alerte. La dernière chose que notre intrus souhaite, à mon avis. Il n'a pas intérêt à attirer l'attention sur lui, ni sur Bluff House.

– Logique, or il me semble qu'il n'a pas fait preuve d'une grande logique jusque-là. Je ne voudrais pas qu'il t'arrive quelque chose, Abra. Et je ne veux pas non plus qu'à cause de moi tu te retrouves sans cesse dans des situations odieuses, comme ce matin, avec ton élève.

En le dévisageant froidement, elle but une gorgée de vin.

– Est-ce un dîner d'adieu que tu me prépares ?

– Je crois qu'il serait plus sage que nous fassions un break.

– « Tu n'as rien à te reprocher, c'est seulement moi qui suis en cause... » C'est cela, la suite de ton discours ?

– Écoute... Je tiens à toi, tout simplement. Corbett me croit peut-être, mais pas Wolfe, et il n'est pas près de me lâcher. Il fera tout ce qu'il pourra pour te discréditer, parce que ce sont tes déclarations qui me mettent hors de cause dans le meurtre de Duncan.

– Que nous soyons ou non ensemble n'y changera rien.

Abra réfléchit un instant à ce qu'elle éprouvait face au désir d'Eli de la préserver. Bien sûr, elle lui en était reconnaissante, bien sûr, elle était touchée. Seulement, sa solution n'était pas la bonne.

– J'apprécie la considération que tu as pour moi, dit-elle. Tu te sens en devoir de me protéger, et je trouve cela formidable. Mais le fait est, Eli, que j'ai déjà encaissé des coups durs. Je suis bien avec toi, et je veux rester avec toi, quitte à devoir affronter encore quelques épreuves.

Sans le quitter des yeux, elle porta son verre à ses lèvres.

– Puis-je te poser une question ? demanda-t-elle.

– Vas-y.

— Penses-tu que les hommes et les femmes, à travail égal, méritent un salaire égal ?

— Hein ? Oui. Pourquoi ?

— Très bien. Parce que si tu avais répondu non, cette discussion aurait pris une autre tournure. Penses-tu également que les femmes sont libres de leurs choix ?

Eli se passa une main dans les cheveux.

— Seigneur... Bien sûr que oui.

Il voyait exactement, à présent, où elle voulait en venir, et s'efforçait de préparer ses prochains arguments.

— Excellent, cela nous épargne un long débat enflammé. La liberté engendre la responsabilité. C'est mon choix de vivre ma vie comme je l'entends, avec qui je l'entends, et j'assume les responsabilités qui en découlent. Oui, je t'écoute ? fit-elle en scrutant le visage d'Eli.

— Quoi ?

— J'ai été élevée par une avocate, lui rappela-t-elle. Je devine quel baratin tu vas me servir pour démonter mon raisonnement. Vas-y, je t'écoute. Mais tu ne me feras pas revenir sur ma décision.

— Te rends-tu compte du souci que je vais me faire pour toi ?

Abra baissa la tête, son regard se durcit.

— C'est comme ça que ma mère finit toujours par obtenir gain de cause, plaida-t-il.

— Tu n'es pas ma mère, rétorqua-t-elle. Tu es coincé, Eli. Si tu me repousses, c'est parce que tu ne veux plus de moi, ou parce que tu désires quelqu'un d'autre. Si je te quitte, ce sera pour les mêmes raisons.

Sentiments sur la table, pensa-t-il.

— Je n'aimais plus Lindsay. Il n'empêche que je regrette chaque jour de n'avoir rien pu faire pour la préserver.

— Tu l'as aimée, un jour, et elle ne méritait pas une fin aussi horrible. Tu l'aurais protégée, si tu avais pu.

Abra se leva et glissa ses bras autour de la taille d'Eli.

— Je ne suis pas Lindsay, continua-t-elle. Nous nous serrerons les coudes. Nous sommes intelligents, nous surmonterons l'adversité.

Il l'attira à lui, pressa sa joue contre la sienne. Il veillerait à ce que rien ne lui arrive. Il ignorait encore comment, mais il serait fidèle à cette promesse tacite.

— Intelligent, moi ? Je dois me contenter d'une recette pour les nuls.

— Tu débutes, c'est normal.

Elle lui donna un long baiser avant de s'écarter de lui.

— Il faut que je découpe le poulet en lanières, maintenant. Je fais comment ?

– Ne t'inquiète pas, je suis là, je vais te montrer.

Elle allait et venait à sa guise. Assurer ses cours, faire des ménages, des massages, lire le tarot à une fête d'anniversaire.

Lorsqu'il travaillait, il se rendait à peine compte de sa présence, mais quand elle n'était pas là, son absence était criante : la maison semblait se vider d'énergie – il commençait à penser comme elle.

Ils se promenaient sur la plage et, bien que convaincu que la cuisine ne serait jamais pour lui une activité relaxante, il lui donnait volontiers un coup de main, de temps en temps.

Il avait du mal à imaginer Bluff House sans elle. Ses journées, ses nuits sans elle.

Néanmoins, lorsqu'elle le supplia de venir passer la soirée au pub avec elle, il trouva une excuse : il voulait poursuivre ses recherches sur le trésor.

À la tombée du soir, une pile de livres sous le bras, il s'installa sur la terrasse, entre les grandes jardinières en terracotta où Abra avait planté des pensées pourpres et jaunes. Comme le faisait sa grand-mère chaque printemps, se souvint-il.

Les pensées étaient des plantes robustes, lui avait-elle expliqué, qui supporteraient le froid nocturne, et même les gelées si les températures venaient à chuter en dessous de zéro. Ce qui était fort probable en dépit du redoux qu'ils savouraient depuis quelques jours.

Les vacanciers avaient envahi la plage. Dans l'après-midi, Eli avait même aperçu Vinnie, à travers le télescope, chevauchant les vagues avec la même adresse que dans son adolescence.

La tiédeur de l'air, le parfum des fleurs, les voix portées par le vent, et le bleu limpide de la mer lui donnaient presque l'illusion que la vie était redevenue un long fleuve tranquille.

Songeur, il tenta de se projeter dans l'avenir, libéré du boulet hélas encore enchaîné à sa taille, définitivement installé dans la vieille demeure où se trouvaient ses racines. Abra allant et venant, emplissant la maison de bouquets, de bougies, de sourires. De chaleur et de lumière, et d'une promesse dont il ne savait s'il pourrait un jour la formuler.

Sentiments sur la table, se remémora-t-il. Il était toutefois incapable de décrire les sentiments qu'il éprouvait pour elle. Tout simplement, il était plus heureux avec elle qu'il ne l'avait jamais été sans elle. Plus heureux qu'il ne pensait pouvoir l'être, en dépit des difficultés avec lesquelles il se trouvait toujours aux prises.

Il pensa à Abra, en talons hauts, minijupe noire, corsage blanc, louvoyant avec son plateau à travers le bar bruyant. Il aurait volontiers siroté une bière, écouté de la musique live. Il aurait aimé le sourire sur le visage d'Abra quand elle l'aurait vu entrer dans le pub.

Mais non, il avait négligé ses recherches, ces derniers temps. Avec un soupir, il se plongea dans l'un des livres qu'il avait sélectionnés.

Il ne savait pas trop ce qu'il espérait trouver dans ces histoires – qui, après tout, n'étaient jamais que cela, des histoires – de pirates et de trésors, d'amours impossibles et de morts violentes.

Mais il ne voyait pas non plus d'autres moyens de tenter d'élucider le meurtre commis à Whiskey Beach.

Il lut pendant une heure avant que la lumière ne décline. Il s'accouda alors à la balustrade, contempla le ciel qui se fondait dans la mer, observa un jeune couple et deux petits enfants se promenant sur la plage, les garçonnets aux jambes maigrelettes courant à la rencontre des vagues puis filant en sens inverse, rapides comme des crabes, quand elles se déroulaient sur le rivage.

Tout compte fait, peut-être allait-il quand même faire un saut au pub, s'offrir une petite récréation. Ensuite il se replongerait dans ses notes sur la légende et le sinistre coup du sort qu'elle avait entraîné.

Il rassembla ses livres, rentra, et s'en débarrassa sur le comptoir de la cuisine afin de répondre au téléphone qui sonnait. À la vue du numéro de ses parents, son cœur fit un bond ; depuis la chute de Hester, il ne pouvait s'empêcher de redouter une mauvaise nouvelle. Il s'efforça d'adopter une voix aussi détendue que possible :

– Allô, salut.

– Salut, toi. Il est un peu tard, je suis désolée.

Le ton joyeux de sa mère le rassura.

– Il n'est même pas 9 heures, maman, et il n'y a pas école demain.

Il perçut le sourire dans sa voix.

– N'attends pas dimanche soir pour faire tes devoirs. Comment vas-tu, Eli ?

– Bien. J'étais en train de lire un bouquin sur la Dot d'Esméralda.

– Ah, ah !

– Et chez vous, quoi de neuf ?

– Tout le monde va bien. Ta grand-mère est presque complètement rétablie. Elle se fatigue toujours rapidement, et je sais qu'elle a encore des douleurs, surtout après les séances de kiné. Mais j'espère que nous serons tous comme elle, à son âge.

– Voilà de bonnes nouvelles.

– Elle est impatiente de te voir pour Pâques.

Eli grimaça.

– Maman, je ne crois pas que je pourrai venir.

– Oh, Eli !

– Je ne veux pas laisser la maison vide.

– Tu n'as pas eu d'autres ennuis ?

– Non, mais je suis là presque tout le temps. La police n'a toujours pas identifié l'auteur de l'effraction ou, en tout cas, ils ne m'en ont rien dit. Ce ne serait pas prudent de laisser la maison sans surveillance pendant un week-end entier.

– Peut-être qu'on devrait la fermer et embaucher un gardien jusqu'à ce que l'affaire soit éclaircie.

– Maman... Il y a toujours eu un Landon à Bluff House.

– Seigneur, tu parles comme ta grand-mère !

Eli savait combien sa mère attachait d'importance aux traditions, et il l'avait déjà trop souvent peinée en n'assistant pas aux fêtes de famille.

– Je suis désolé, sincèrement. J'avais besoin d'un endroit où trouver le calme, et Gran me l'a offert. Je dois veiller sur la maison.

Soupir à l'autre bout du fil.

– Bon, eh bien, si tu ne peux pas venir à Boston, nous viendrons à Whiskey Beach.

– Hein ?

– Hester sera ravie, et je suis sûre que ses médecins n'y verront pas de contre-indications. Ta sœur et sa famille se feront une joie, eux aussi, de passer quelques jours au bord de la mer. Il est grand temps que toute la famille soit de nouveau réunie à Bluff House.

Après un premier instant de panique, Eli ne pouvait qu'approuver sa mère.

– J'espère que je ne suis pas censé préparer le repas.

– Je m'en occuperai, ne t'en fais pas. Selina va faire une chasse aux œufs fabuleuse. Tu te rappelles comme vous aimiez les chasses aux œufs à Bluff House, Tricia et toi ? Nous arriverons le samedi après-midi, pour tout préparer. Finalement, ce sera beaucoup mieux comme ça. J'aurais dû y penser plus tôt !

– Nous avons trouvé une solution, c'est l'essentiel. Ah, écoute, j'aimerais qu'Abra soit des nôtres.

– Pas de problème. Hester sera enchantée de la voir. Tu sais qu'elles se téléphonent plusieurs fois par semaine ? Elles s'apprécient énormément. Nous apprécions tous Abra énormément.

– OK, parfait. Je sors avec elle.

Longue pause sur la ligne.

– Tu veux dire... sortir, sortir ?

– Oui.

– Oh, Eli, c'est merveilleux ! Je suis si contente. Nous avons beaucoup d'estime pour elle et...

– Maman, il n'y a encore rien de sérieux.

– J'ai quand même le droit d'être contente, non ? Tu étais... si seul. C'est formidable. Abra est une jeune femme formidable. Je t'aime, Eli.

– Je sais. Moi aussi, maman, je t'aime.

– Je veux retrouver mon garçon, je veux que tu retrouves ta joie de vivre.

Il entendit les larmes, ferma les yeux.

– Je me sens moi-même comme cela ne m'était pas arrivé depuis longtemps. Eh, tu sais que j'ai repris cinq kilos ?

Quand sa mère éclata en sanglots, il se sentit à nouveau gagné par la panique.

– Ne pleure pas, maman, je t'en supplie.

– Ce sont des larmes de joie, je te le promets. J'ai hâte de te voir. Je vais annoncer la bonne nouvelle à ton père et à ta grand-mère, et je passerai un coup de fil à Tricia, tout à l'heure. Nous nous occuperons du repas, ne t'inquiète de rien. Continue seulement à prendre soin de toi.

Après avoir raccroché, Eli demeura un instant pensif. Qu'il soit prêt ou non, sa famille allait débarquer à Bluff House. Malgré le « ne t'inquiète de rien » de sa mère, il était tout de même un peu affolé.

La moindre des choses qu'il devait à sa grand-mère était de lui présenter une maison rutilante, et il ne pouvait pas se décharger entièrement sur Abra.

Il se débrouillerait. Il avait encore plus d'une semaine devant lui. Il dresserait une liste de ce qu'il y avait à faire.

Plus tard, décida-t-il. Pour l'heure, il lui fallait une bière. Dans un bar bruyant. En compagnie d'Abra.

16

De table en table, Abra débarrassait les verres vides, prenait les commandes, et vérifiait les cartes d'identité des nombreux étudiants venus écouter le groupe pop de Boston. Suivant la politique du bar, elle offrait aux capitaines de soirée des boissons non alcoolisées à volonté.

Aimable et souriante, elle plaisantait avec les garçons, complimentait les filles sur leur coiffure ou leurs chaussures, faisait un brin de conversation amicale avec les habitués. Elle aimait son job de serveuse, l'ambiance festive du pub les soirs de week-end. Elle aimait regarder les gens, pronostiquer sur les tentatives de drague.

Le Sam d'une table de cinq qu'elle venait de servir se consolait de ne pouvoir boire de bière en faisant du gringue à une bande de filles, en particulier à une petite rousse au teint d'albâtre. À la réaction de la demoiselle, à la façon dont ils dansaient ensemble, aux chuchotements de ses copines, Abra était prête à parier que le jeune garçon avait sa chance.

Elle apporta une tournée à deux couples qu'elle connaissait – elle faisait des ménages chez l'un d'eux –, et remarqua non sans fierté que les deux femmes portaient des boucles d'oreilles de sa fabrication.

Un homme assis seul au fond de la salle lui adressa un signe de la main.

– Tout se passe bien ? lui demanda-t-elle.

Elle n'eut droit en retour qu'à un regard maussade et à un index pointé sur le verre vide.

– Une autre eau gazeuse avec une tranche de citron ? Je m'en occupe. Ce sera tout ? Une assiette de nachos, peut-être ? Nous sommes célèbres pour nos nachos.

Le type se contenta de secouer la tête. Sans se formaliser de son attitude, Abra le gratifia d'un sourire avant de s'éloigner. Après tout, ce n'était pas très gai de boire de l'eau minérale seul dans un coin.

Risqué, pensa-t-il. Risqué d'être venu là, de l'approcher de si près. Il était à peu près sûr, toutefois, qu'elle ne l'avait pas vu, dans le noir, à Bluff House. Maintenant qu'elle l'avait regardé dans les yeux, sans manifester l'ombre d'une réaction, il pouvait être absolument certain qu'elle ne l'avait pas reconnu. De toute façon, on n'avait rien sans risque.

Il voulait l'observer, voir comment elle se comportait. Il avait également espéré que Landon serait là, ce qui lui aurait laissé le champ libre. Malheureusement, ce n'était pas le cas. Encore une opportunité qui tombait à l'eau.

Décidément, ses plans foiraient les uns après les autres. Il avait escompté que la police l'embarquerait pour l'interroger ; il se serait alors introduit dans la maison et y aurait laissé l'arme du crime. Un appel anonyme et le tour aurait été joué. Maintenant que les flics avaient perquisitionné, ce n'était plus possible. Dieu merci, restait encore une autre option. La femme de ménage. Il fallait juste qu'il réfléchisse à la manière de s'y prendre.

Dans tous les cas, il devait retourner à Bluff House poursuivre ses fouilles. La Dot était là-bas, elle ne pouvait qu'être là-bas. Il n'avait pas pris tous ces risques pour rien.

Au point où il en était, il aurait été bête de faire machine arrière. Maintenant qu'il avait tué un homme, il était prêt à tout. Finalement, ce n'était pas bien difficile. S'il s'avérait nécessaire de recommencer, il n'hésiterait pas.

Trouer la peau de Landon serait même jouissif. Il maquillerait ensuite le meurtre en accident, ou en suicide. De façon que ni la police, ni les médias, ni personne ne remette plus jamais en question la culpabilité de ce fumier.

Car Landon avait tué Lindsay. Il le savait, lui.

Il s'imaginait déjà lui soutirer des aveux et le forcer à les coucher sur le papier, le canon sur la tempe. Ce lâche le supplierait mais lui se ferait une joie de faire couler le sang bleu des Landon.

Œil pour œil. Landon ne méritait que la mort. La revanche serait aussi gratifiante, si ce n'était davantage, que la Dot d'Esméralda.

Quand il vit Eli entrer dans le bar, un voile rouge brouilla sa vision. Instinctivement, il palpa le 32 millimètres dissimulé à l'arrière de sa ceinture, la main tremblante de rage. Oui, il serait si facile de presser la détente, et cet homme qu'il haïssait par-dessus tout s'écroulerait lamentablement au milieu du bar.

Non. Accident ou suicide, se répéta-t-il, tel un mantra. Des gouttes de sueur perlaient à son front sous l'effort qu'il dut fournir pour dominer sa fureur meurtrière.

Au comptoir, en attendant les consommations qu'elle avait commandées au barman, Abra bavardait avec une figure du village, Stoney Tribbet, un vieux monsieur petit et râblé à la tonsure couronnée de cheveux blancs comme neige. Stoney fêterait en été son quatre-vingt-deuxième anniversaire, mais il loupait rarement un vendredi soir au pub. Il aimait la musique, disait-il, et les jolies filles. Né à Whiskey Beach, il n'en était parti que lorsqu'il avait été appelé en Corée. Abra lui faisait son ménage, et elle avait pour lui une affection particulière.

– Si tu m'épouses, je te construirai un studio de yoga, lui dit-il.

– Avec un bar à jus de fruits ?

– Tout ce que tu voudras.

– Vous me tentez, Stoney, je vais y réfléchir.

Le visage hâlé et buriné du vieil homme se teinta de rose ; elle déposa une bise sur sa joue mal rasée.

– Eh ! s'écria-t-elle en voyant Eli s'approcher du bar. Je ne m'attendais pas à te voir.

Stoney pivota sur son tabouret.

– Ça alors ! Le petit-fils de Hester, je ne me trompe pas ?

– Non, monsieur.

Abra fit les présentations :

– Stoney Tribbet, Eli Landon.

– Vous avez les mêmes yeux que votre grand-père, déclara Stoney en tendant une main amicale à Eli. Ah, on a fait les quatre cents coups, lui et moi, au bon vieux temps !

– Je vous laisse tous les deux, l'interrompit Abra, et elle se faufila dans la foule, son plateau chargé à bout de bras.

Faute de tabouret libre, Eli s'accouda au comptoir.

– Je vous offre un verre ? proposa-t-il à Stoney.

– Tout à l'heure, je n'ai pas encore fini celui-ci. Qu'est-ce que tu bois, toi ?

– La même chose que vous, à charge de revanche.

Stoney fit un signe au barman.

– Tu sais, on avait l'œil sur la même nana, ton grand-père et moi, dans notre jeunesse.

– Ah oui ?

– Mary, qu'elle s'appelait. Et c'est moi qu'elle a épousé.

Eli avait du mal à imaginer ce duo de frères ennemis : son grand-père, grand et sec, toujours tiré à quatre épingles, rivalisant d'ardeur pour les yeux d'une belle avec ce petit bonhomme à la mine malicieuse.

Tout en encaissant une tournée, Abra jeta un œil en direction du bar. Satisfaite de voir qu'Eli avait engagé la conversation avec Stoney, elle poursuivit son service.

Le solitaire qui buvait de l'eau minérale était parti en laissant quelques billets sur la table. Antipathique, et bizarre, pensa-t-elle en ramassant l'argent et en passant un coup d'éponge.

Au bar, un tabouret se libéra. Eli s'y installa, amusé par les anecdotes de Stoney.

– Il roulait à fond la caisse, sur cette motocyclette. Les gens en avaient des sueurs froides quand ils le voyaient passer.

– Mon grand-père avait une moto ?

Les yeux pétillants, le vieil homme aspira la mousse de sa bière.

– Avec un side-car. Les filles voulaient toutes monter dedans, Mary la première. J'ai bien cru que cette bécane allait la conquérir. Pauvre de moi, je n'avais que le porte-bagages de mon vélo à lui offrir... Et puis, il est parti à Harvard, et il a rencontré Hester. Tout compte fait, on a eu tous les deux des femmes fantastiques... Ah, je peux te dire qu'on en a fait des vertes et des pas mûres ! Tu sais ce qu'il faisait, ton grand-père ? Il chipait des bouteilles de whiskey à son père et on les sifflait sur la plage, avec les copains. Sacré Eli, que son âme repose en paix...

La bière aidant, Eli se représentait plus facilement l'homme dont il portait le prénom pilotant une moto avec un side-car, et pillant les réserves d'alcool de son père.

– Ils donnaient de ces réceptions, à Bluff House, poursuivit Stoney. Fallait voir ça... Tout le gratin était là, de Boston, de New York, de Philadelphie. La maison était illuminée comme un sapin de Noël. On voyait les élégantes en robe du soir, sur les terrasses, et les hommes en smoking blanc. La grande classe, mon petit, je te dis que ça.

– J'imagine, acquiesça Eli.

Lanternes chinoises, candélabres d'argent, gigantesques bouquets de fleurs tropicales – des soirées dignes de Gatsby.

– Eli quémandait de la nourriture et du champagne aux domestiques, et il nous rejoignait en douce sur la plage. Il avait beau être du grand monde, c'était un gars tout ce qu'il y a de plus simple. La première fois que j'ai vu Hester, c'était un de ces soirs où il y avait une fête au manoir. Il l'a emmenée avec lui sur la plage, boire un coup avec les copains. Elle portait une longue robe blanche, et elle riait tout le temps. Eli ne la quittait pas des yeux. Ce jour-là, j'ai compris que je n'avais plus de souci à me faire : Mary était pour moi.

– Même quand j'étais petit, je voyais qu'ils formaient un couple heureux.

– Oh, oui, fit Stoney en hochant la tête d'un air solennel.

Et il frappa le comptoir afin d'attirer l'attention du barman, à qui il commanda une autre tournée.

– Mary et moi, on s'est mariés à peine quelques mois plus tard qu'Eli et Hester. On est toujours restés copains. Tu sais que c'est lui qui m'a prêté de l'argent pour monter ma boîte de menuiserie ? Il n'a jamais voulu que je demande un crédit à la banque.

– Vous avez toujours vécu ici ?

Stoney dégusta une gorgée de bière et s'essuya la bouche du revers de la manche.

– Ouais, je suis né là, et c'est là que je mourrai, bien que je ne sois pas pressé. Je suis à la retraite, maintenant, mais j'en ai fait, des travaux, à Bluff House, dans ma longue vie. Et il n'y a encore pas si longtemps, c'est moi qui ai dessiné les plans de cette salle de gym que ta grand-mère a fait aménager. Je suis content qu'elle aille mieux. Whiskey Beach n'est pas tout à fait Whiskey Beach sans elle à Bluff House.

– Vous connaissez bien la maison, alors ?

– Comme ma poche. J'y ai même fait de la plomberie. Je ne suis pas plombier, mais j'ai toujours su me servir de mes mains.

– Que pensez-vous de la Dot d'Esméralda ?

– J'en pense, répondit le vieil homme avec un petit rire, que si elle a un jour existé, il y a belle lurette qu'elle s'est volatilisée dans la nature. Ne me dis pas que tu t'es mis en tête de la retrouver ? Sinon, tu as peut-être les yeux de ton grand-père, mais tu n'as pas hérité un gramme de son bon sens.

– Moi non, mais quelqu'un est manifestement à sa recherche.

– Qui ça ?

Dans l'espoir de susciter quelque révélation, Eli fit part à Stoney de ses considérations sur le trou creusé au sous-sol.

– Primo, je te dirai qu'il est impossible d'enterrer quoi que ce soit dans cette cave, déclara le vieil homme. Le sol est dur comme du roc. D'ailleurs, ce n'est ni plus ni moins que du roc. La cave a été creusée dans la falaise. Secundo, il ne faut pas être bien futé pour penser que le trésor puisse toujours être caché dans la maison. Tu penses bien que depuis tout ce temps, quelqu'un aurait mis la main dessus. C'est qu'il y a du monde qui a circulé dans cette maison : les domestiques, les gens comme moi qui sont venus faire des travaux. J'ai eu plus d'une occasion, tu peux me croire, d'explorer tous les recoins de Bluff House, y compris les passages secrets.

– Les passages secrets ?

– Façon de parler. Des escaliers et des corridors derrière les murs, qui permettaient aux domestiques, autrefois, de circuler discrètement sans croiser la famille ou les invités. Hester les a fait condamner. Eli lui avait raconté que des gamins s'y étaient perdus et y étaient restés enfermés. Une histoire qu'il avait à moitié inventée, je suppose ; il aimait bien broder sur le passé de ses ancêtres. Toujours est-il que Hester a eu peur. Elle était enceinte de ton père, à l'époque, je me souviens. C'est moi-même qui ai fait les travaux, avec trois de mes gars. On a bouché les passages, ou bien on a cassé des cloisons pour aménager des nouvelles pièces : la petite salle à manger où Hester prend le petit déjeuner, par exemple, des salles de bains dans les chambres d'amis, à l'étage.

– J'ignorais ce détail.

– Chaque génération de Landon a imprimé sa marque au manoir. Tu as des projets, toi ?

– Bluff House est toujours la maison de ma grand-mère.

Stoney hocha la tête en souriant.

– Ramène-nous-la vite.

– J'en ai bien l'intention, acquiesça Eli. Vous sauriez m'expliquer plus précisément où se trouvaient ces passages ?

– Je peux même faire mieux, déclara Stoney en attrapant une serviette en papier et en tirant un stylo de sa poche. Je ne ferai plus de gros travaux, à mon âge, mais j'ai une mémoire d'éléphant.

Ils firent la fermeture. Bien qu'il eût bu deux fois moins que son compagnon, Eli se réjouissait de ne pas avoir à prendre le volant. Et il fut soulagé d'apprendre que Stoney était lui aussi à pied.

– Abra vous déposera chez vous, lui dit-il.

– Ne te fais pas de souci pour moi, j'habite à un jet de pierre. Partez tous les deux, les amoureux. Encore un Landon qui me pique une fille, mais ce n'est pas grave, je ne t'en veux pas.

– Je n'ai pas encore choisi celui qui me passera la bague au doigt, plaisanta Abra en glissant un bras sous celui de Stoney. À tout prendre, je me demande si je ne préférerais pas un homme capable de réparer les cadres de mes moustiquaires. Donne-moi tes clés, Eli, que je ramène tout le monde à bon port.

– Je n'ai pas pris ma voiture. Je pensais que tu aurais la tienne.

– Ah, non, je suis venue à pied.

Il jeta un coup d'œil à ses talons hauts.

– Avec ça aux pieds ?

– Non, avec ça, répondit-elle en sortant une paire de Crocs vertes de son immense fourre-tout.

Elle changea de chaussures, enfila une veste, verrouilla le bar, puis prit chacun des deux hommes par le bras.

– J'ai gagné le jackpot, ce soir. Je rentre avec deux beaux garçons.

Presque aussi éméchés l'un que l'autre, se garda-t-elle d'ajouter.

Malgré les protestations de Stoney, ils firent un petit détour afin de le raccompagner jusqu'à la porte de sa pimpante maisonnette, d'où s'échappaient des aboiements suraigus.

– Tais-toi, Prissy ! Pas de panique, ce n'est que moi !

Les aboiements se muèrent en jappements excités.

– Elle est à moitié aveugle, précisa Stoney, mais elle a encore l'ouïe fine. Pas de risque de cambriolage, avec ma bonne vieille Prissy. Allez, les amoureux, filez vite faire ce que vous avez à faire.

– À mardi, lui dit Abra en lui faisant la bise.

Sitôt que la lumière apparut derrière une fenêtre, ils poursuivirent leur chemin.

– Mardi ? s'étonna Eli.

– Je lui fais son ménage, expliqua Abra en remontant son sac sur son épaule. Sa Mary est décédée il y a cinq ans, je ne l'ai pas connue. Leurs enfants n'habitent pas la région. Ils sont trois, un fils et deux filles. Le fils vit à Portland, dans le Maine ; l'une des filles à Seattle et l'autre à Washington. Ils viennent tous le voir régulièrement, y compris ses huit petits-enfants et ses cinq arrière-petits-enfants. Il est parfaitement autonome, mais, à son âge, il a quand même besoin d'une aide-ménagère. Je lui fais ses courses, aussi, de temps en temps. Il ne conduit quasiment plus.

– Avec toi, il doit se sentir moins seul.

– Oh, il n'est pas seul. Ses voisins ont un fils d'une dizaine d'années qui l'adore. Il passe rarement une journée sans recevoir de la visite ou des coups de fil. Moi aussi, je l'adore. Il m'a promis de me construire un studio de yoga si je l'épouse.

– Moi aussi, je pourrais... Hmm... Disons que je pourrais t'en faire construire un.

– Est-ce une proposition ? demanda Abra en battant des cils.

– Hein ? hoqueta Eli en trébuchant sur un caillou.

En riant, elle lui passa un bras autour de la taille.

– J'aurai dû te prévenir qu'il a une descente redoutable. Il aime dire qu'il a été élevé au whiskey de Whiskey Beach.

– Il a payé la première tournée, j'ai payé la deuxième. Il en a remis une troisième, je me suis senti obligé de lui rendre la pareille, et j'ai perdu le compte du nombre de bières qu'on a éclusées, à ce rythme. Résultat, je ne marche pas droit. Désolé.

– Allons chez moi, suggéra Abra. C'est plus près.

– Ce serait avec plaisir, mais je ne veux pas laisser la maison vide. On ne sait jamais...

– Tu as raison. Et le grand air te dégrisera. Je suis contente que tu sois venue au pub.

– Je n'en avais pas l'intention, mais je n'arrêtais pas de penser à toi. Et puis il y a eu cette histoire de Pâques.

– Le lapin est passé ?

– Hein ? Non. Il n'a pas encore fini de pondre ses œufs.

– Ce sont les poules, Eli, qui pondent des œufs. Le lapin les cache.

– Ouais... Enfin, bref, ça se passe à Bluff House, cette année.

– Quoi donc ?

Au passage, Abra jeta un coup d'œil à son cottage. Elle se serait volontiers changée mais elle y renonça. Eli risquait de s'endormir.

– Le repas de famille. J'ai eu ma mère au téléphone, tout à l'heure. Ils débarquent tous samedi prochain.

– C'est super. Hester pourra faire le voyage ?

– Elle va demander à son médecin. D'après ma mère, ça ne devrait pas poser de problème. Tu viendras ?

– Je passerai leur dire bonjour, bien sûr.

De nouveau, Eli s'emmêla les pieds et manqua de perdre l'équilibre. Abra resserra son étreinte autour de sa taille. Tout à coup, il avait une terrible envie de chips. Ou de bretzels. Ou de n'importe quoi susceptible d'éponger le trop-plein de bière qu'il avait dans l'estomac.

– Non, non, tu es invitée au repas. Pour éviter les quiproquos, j'ai dit à ma mère qu'on sortait ensemble. Elle en a pleuré.

– Oh, Eli.

– De joie. Un truc typiquement féminin, que je n'ai jamais compris.

– Les femmes sont des êtres sensibles, qui n'ont pas honte de montrer leurs émotions.

– Ouais... Tu viendras, alors ? Ça va faire bizarre, mais j'aimerais vraiment que tu sois là. Il va falloir que je fasse des courses. Et du rangement.

– Ne t'inquiète pas, je te donnerai un coup de main.

– Tu es un ange. Au fait... J'ai appris que mon grand-père avait une moto avec un side-car, je ne le savais même pas. J'ignorais également qu'il y avait des passages secrets dans la maison. C'est Stoney qui me l'a dit. C'est dingue... des trucs comme ça, j'aurais dû le savoir, tout de même, non ?

Devant eux, illuminée de l'intérieur, Bluff House se découpait dans la nuit noire.

– Je suis sûr que ce sont des trucs qu'on m'a dit, poursuivit Eli, mais je n'ai pas fait attention. Surtout ces dernières années. Trop préoccupé par ma petite personne. À l'avenir, je tâcherai d'être davantage à l'écoute.

– Très bonne résolution.

Avec un sourire béat, il s'immobilisa, se tourna face à Abra.

– Je suis bourré comme un coing. Tu es superbe.

– Parce que tu es bourré ?

– Non. Parce que tu sais qui tu es et que tu es heureuse d'être qui tu es. Parce que tu as des yeux de divinité marine et une bouche à croquer, terriblement sexy avec ce grain de beauté au-dessus de la lèvre. Lindsay était superbe, aussi. D'une beauté à couper le souffle.

– Je sais, se contenta de dire Abra.

Il était soûl. Il avait des circonstances atténuantes.

– Mais elle, elle ne savait pas qui elle était. Et elle n'était pas heureuse. Je ne la rendais pas heureuse.

– Le bonheur vient de soi, avant de venir des autres.

– Sans doute... Je tâcherai de m'en rappeler.

Dans l'ombre de la grande demeure familiale, sous le ciel étoilé, il se pencha vers elle et lui donna un baiser.

– Il faut que je dessoûle, parce que je veux te faire l'amour, et être sûr de m'en rappeler.

– Nous ferons tout pour que ce soit inoubliable.

Sitôt à l'intérieur, l'alarme désactivée, il l'attira contre lui. Elle se laissa embrasser, caresser, puis elle le repoussa.

– D'abord, dit-elle en l'entraînant à travers la maison, il faut que tu t'hydrates et que tu prennes deux aspirines, en prévention de la gueule de bois. Un grand verre d'eau pour toi, un verre de vin pour moi, que je rattrape un peu mon retard.

– Équitable, acquiesça-t-il. Je brûle d'envie de t'arracher tes vêtements. Ton corps me rend fou.

– On teste le carrelage de la cuisine, cette fois ? dit-elle en riant et en offrant sa gorge à ses baisers. Voilà qui sera sûrement inoubliable.

– Laisse-moi juste... Attends.

Tout à coup, il avait un visage de pierre. Elle suivit son regard en direction du panneau d'alarme.

– Comment tu t'es débrouillé pour faire des traces de doigts là-dessus ? Je le nettoierai demain.

– Ce n'est pas moi...

Il la lâcha, examina la porte.

– On dirait que la serrure a été forcée. Ne touche à rien, recommanda-t-il à Abra quand elle s'approcha. Appelle la police. Vite !

Elle fouilla dans son sac, puis se figea en voyant Eli s'emparer d'un couteau.

– Oh, mon Dieu, Eli...

Fébrilement, elle composa le numéro.

– Si jamais il y a quoi que ce soit, tu te sauves. Tu m'entends ? Tu cours te réfugier chez quelqu'un où tu seras en sécurité.

– Non... attends. Vinnie ? C'est Abra. On vient juste de rentrer à Bluff House, avec Eli. On pense qu'il y a eu de nouveau une effraction. On ne sait pas s'il est encore là. Dans la cuisine. Oui. D'accord. Oui. OK. Il arrive tout de suite, annonça-t-elle à Eli. Il a dit de rester dans la cuisine. Et surtout de ne pas tenter de nous battre si on se retrouve nez à nez avec lui, de nous enfuir.

Eli gardait les yeux rivés sur la porte de la cave. Le cœur d'Abra se mit à battre à toute allure.

– Si tu descends, je descends avec toi.

Sans un mot, il s'approcha de la porte, tourna la poignée.

– Elle est verrouillée. Comme je l'avais laissée.

Le couteau toujours en main, il se dirigea vers la porte de la buanderie, l'ouvrit et s'accroupit sur le seuil.

– Des empreintes fraîches. Il savait que je n'étais pas là. Comment pouvait-il le savoir ?

– Il doit surveiller la maison. Il a dû te voir partir.

– Je suis parti à pied. J'aurais pu revenir au bout de dix ou quinze minutes. Il a pris un risque énorme.

– Il t'a peut-être suivi, et vu entrer dans le bar.

– Possible.

– Le clavier de l'alarme... J'ai vu ça dans un film. Je croyais que c'était du cinoche. Tu pulvérises un produit qui fait apparaître les empreintes digitales sur les touches qu'on a pressées. Ensuite, avec un logiciel, tu peux trouver le code.

– C'est peut-être comme ça qu'il est entré, les autres fois, quand ma grand-mère était là. Et quand on a modifié le code, il a coupé le courant et fracturé la porte.

– Je vois bien que tu as envie de descendre voir au sous-sol. Allons-y, nous ne risquons rien : Vinnie sera là d'une minute à l'autre.

S'il descendait, qu'elle venait avec lui et qu'il se passait quelque chose, il se sentirait responsable. S'il descendait, qu'il la laissait seule et qu'il lui arrivait quelque chose, il se sentirait responsable. Donc, il ne descendrait pas.

– Je me suis absenté environ trois heures. Punaise... Je lui ai laissé une belle marge.

– Tu ne peux pas rester enfermé dans la maison toute la journée.

– Une chose est sûre, le système d'alarme ne sert à rien. Il va falloir le renforcer.

Une sirène se fit entendre.

– Voilà Vinnie, dit Abra.

Eli reposa le couteau sur son support aimanté.

De nouveau, la police envahit la maison. Une tasse de café à la main, Eli les accompagna au sous-sol.

– Il en veut, commenta Vinnie en examinant la tranchée. Il a agrandi le trou d'une cinquantaine de centimètres. Il a dû apporter d'autres outils, qu'il a remportés avec lui cette fois.

Eli jeta un coup d'œil derrière lui afin de s'assurer qu'Abra n'était pas descendue.

– Je crois qu'il est dingue.

– Pas bien malin, en tout cas.

– Non, Vinnie, il faut être vraiment dérangé pour s'acharner comme il le fait, en dépit des risques. D'autant plus qu'il n'y a rien ici. J'en ai discuté avec Stoney Tribbet, ce soir.

– Sacré personnage.

– Il m'a fait une remarque qui me semble parfaitement sensée. Pourquoi aurait-on enterré quelque chose ici ? Le sol est dur comme du roc ; c'est en grande partie du roc, d'ailleurs. C'est pour ça qu'on ne l'a jamais fait cimenter. Quand tu enterres un truc – à part un corps, bien sûr –, c'est pour le déterrer un jour ou l'autre, non ?

– En général, ouais.

– Donc, tu l'enterres quelque part où tu pourras facilement le récupérer. Dans la terre, ou dans le sable. Ou bien tu le caches sous un plancher, ou derrière un mur. Si je cherchais ce satané trésor, il ne me viendrait pas à l'idée de défoncer le sol de la cave à coups de pioche. Et quand bien même je serais persuadé qu'il est là, contre toute logique, j'attendrais que la maison soit vide pour quelques jours. Ma grand-mère partait souvent à Boston. Il aurait pu profiter de ces moments-là pour attaquer au marteau-piqueur au lieu de creuser à la main.

– Je suis bien d'accord, mais le fait est que notre homme n'a pas raisonné comme toi. Je préviendrai Corbett, et nous augmenterons la fréquence des patrouilles. On fera savoir que la police renforce la surveillance autour de Bluff House. S'il est dans le coin, il sera au courant. En principe, il devrait y réfléchir à deux fois avant de revenir.

17

Bien qu'elle ne fût pas sûre qu'Eli accueillerait favorablement son idée, Abra avait quand même fait un détour par le chenil, après son cours de tai-chi, avant de se rendre à Bluff House. Il commencerait par renâcler ; de cela, elle était à peu près certaine. Mais avec un brin de diplomatie, sans doute finirait-il par se laisser fléchir. Certes, elle détestait manipuler ; en l'occurrence, toutefois, elle était convaincue d'œuvrer pour la bonne cause.

Tout en déchargeant sa voiture, elle calcula le temps qu'elle avait devant elle. Outre ses obligations professionnelles, elle voulait remettre la maison en ordre. En se dépêchant, ce devait être possible, estima-t-elle. Peut-être même pourrait-elle préparer un repas vite fait. Il suffisait d'un minimum d'organisation.

En trouvant Eli qui se versait un café au comptoir de la cuisine, elle procéda cependant instantanément à de nouveaux calculs.

– Je pensais que tu serais en train de travailler.

– J'ai bossé toute la matinée. J'avais besoin de prendre un bol d'air pour...

Il s'interrompit et baissa les yeux sur le gros chien brun qui reniflait le bas de son pantalon.

– Qu'est-ce que c'est que ça ?

– Barbie.

– Barbie ? Sérieux ?

Instinctivement, il lui grattouilla la tête.

– Je sais, Barbie est blonde et filiforme, mais les chiens ne choisissent pas leur nom.

Tout en déballant les courses, Abra zieutait Eli du coin de l'œil. Apparemment, il aimait les bêtes. Bien.

– Elle est jolie. Oh, oui, tu es jolie, dit-il à la chienne qui ronflait de plaisir en se frottant contre ses jambes. Tu fais du dog-sitting ?

– Son maître est décédé il y a une quinzaine de jours. La fille de ce monsieur avait pris Barbie chez elle, mais son mari est allergique, et leur fils vit dans un immeuble où les animaux sont interdits. Ils ont été obligés de confier Barbie au chenil. J'y fais du bénévolat, de temps en temps. On est en train de lui chercher une famille d'adoption, à Whiskey Beach, de préférence, pour éviter de la déraciner. Elle est très bien élevée, en bonne santé, stérilisée, mais elle a quatre ans. Les gens préfèrent prendre des chiots, en général.

Sous les caresses d'Eli, Barbie se laissa tomber sur le flanc et roula sur le dos.

– Je l'aurais volontiers adoptée, poursuivit Abra, mais avec mon boulot, elle serait trop souvent seule. Elle a l'habitude d'avoir de la compagnie, elle serait malheureuse. C'est une Chesapeake Bay retriever, couplée avec je ne me rappelle plus quelle race. Les retrievers sont très sociables. Regarde comme elle est gentille. Tu aimes les chiens ?

– Beaucoup. Nous avons toujours eu un chien, chez mes parents. Ils viendront sûrement avec... (Eli se redressa brusquement, comme mû par un ressort.) Dis-moi, où veux-tu en venir ?

– Tu travailles à la maison.

– Je ne veux pas de chien.

– Des fois, il y a des choses qu'on ne veut pas et qu'on est très content d'avoir, après. Barbie a un énorme potentiel.

– Lequel ?

– Barbie ? Parle !

La chienne s'assit sur son arrière-train, leva la tête, et poussa deux joyeux aboiements.

– Elle est obéissante.

– Elle aboie, Eli. C'est la chienne de Stoney qui m'a donné cette idée. Tu te souviens comme elle a aboyé, l'autre jour, quand elle nous a entendus approcher ? Ton système d'alarme high-tech n'a pas empêché les effractions. Tu auras beau en faire installer un plus perfectionné, il n'y a rien de mieux qu'un chien qui aboie pour faire fuir les individus malveillants. Tu peux vérifier sur Internet.

– C'est ça, ton argument de vente ? Elle aboie ?

– Elle aboie quand elle entend quelqu'un derrière la porte, et elle s'arrête quand on le lui ordonne. C'est dans son CV.

– Son CV ? Tu te fiches de moi ?

– Pas du tout.

– Tous les chiens aboient, avec ou sans CV. Mais il est hors de question que j'en prenne un.

– Tu ne voudrais pas au moins la garder quelques jours, le temps qu'elle trouve un foyer d'adoption ?

– Trop de contraintes : il faudra lui donner à manger, à boire, la sortir, acheter tout un tas de matos.

– Elle a ses gamelles, sa nourriture, ses jouets, sa laisse, son dossier médical – ses vaccins sont à jour. Elle a été élevée depuis la plus tendre enfance par un octogénaire, très bien élevée, comme tu peux le voir. Du fait qu'elle a grandi avec un homme, avec qui elle était très heureuse, elle aime beaucoup la compagnie des hommes. Elle adore jouer, elle est très gentille avec les enfants, et elle aboie. Quand tu voudras t'absenter, il y aura quelqu'un pour surveiller la maison.

– Ce n'est pas quelqu'un, c'est un chien.

– Qui aboie, CQFD. Écoute, garde-la quelques jours. Si ça se passe mal, je la prendrai chez moi, ou bien je demanderai à Maureen de la prendre. Je suis sûre qu'elle ne pourra pas refuser.

Sagement assise, la chienne observait Eli de ses grands yeux noisette, la tête inclinée sur le côté, d'un air de l'implorer : « Allez, s'il te plaît... »

Il sentit son cœur fondre.

– J'aurai l'air fin avec un chien nommé Barbie, marmonna-t-il.

Victoire, en conclut Abra.

– Tu diras que ce n'est pas toi qui l'as baptisée.

Barbie frotta son museau contre la main d'Eli.

– Bon... Deux ou trois jours, mais pas plus.

– OK, je vais chercher ses affaires.

– Tu savais que je me laisserais amadouer...

– Je te revaudrai ça, promis.

Abra prit le visage d'Eli entre ses mains et l'embrassa tendrement.

– Je te préviens, n'essaie pas de m'embobiner, lui dit-il. Deux ou trois jours, grand maximum.

En riant, elle lui donna un autre baiser.

– Allez, retourne à ton roman. J'ai du boulot, moi aussi. Mais d'abord, je vais faire visiter la maison à Barbie.

Eli tourna les yeux vers la chienne, la chienne tourna les yeux vers Eli. Puis lui tendit la patte. Amusé, il lui donna une poignée de main.

Lorsqu'il se dirigea vers l'escalier, elle lui emboîta le pas en remuant la queue.

— Tu viens bosser avec moi ?

Elle le suivit jusque dans son bureau. Quand il s'installa dans son fauteuil, elle fit le tour de la pièce, ses ongles cliquetant sur le plancher, puis elle s'assit dans un coin.

Au moins, elle n'était pas envahissante. Un bon point pour Barbie.

Il travailla toute la matinée, puis se renversa contre le dossier de son siège et tint un long débat avec lui-même avant de se décider à rédiger un mail à l'intention de son agent, une New-Yorkaise qui avait réussi à placer chacune de ses nouvelles depuis l'époque où il était étudiant. Il pensait, lui dit-il, avoir un nombre suffisant de feuillets à lui soumettre afin qu'elle puisse se faire une idée de son roman. Ignorant les voix intérieures le sommant de procéder à une ultime relecture, il joignit ses cinq premiers chapitres à son message. Et cliqua sur Envoyer.

— *Alea jacta est*, soupira-t-il en croisant les doigts.

En se levant, il manqua de peu trébucher sur la chienne. Couchée derrière le fauteuil, aussi silencieuse qu'un fantôme, Barbie était parvenue à se faire oublier. Elle redressa la tête, et donna un coup de queue sur le plancher.

— C'est bien, lui dit-il. Tu as été très sage.

Les battements de queue redoublèrent d'intensité.

— Que dirais-tu d'une balade sur la plage ?

Barbie se leva, l'œil pétillant, et suivit Eli dans l'escalier. Quand elle le vit prendre la laisse qu'Abra avait laissée sur le comptoir de la cuisine, elle frétilla d'excitation.

— Coucou, lança Abra depuis la buanderie, où elle déchargeait le sèche-linge. Tout va bien, vous deux ?

— Je sors faire un tour. Elle a décidé de m'accompagner. Tu viens avec nous ?

— Ce serait avec plaisir, mais j'ai du boulot.

— Ton patron t'autorise une pause.

— C'est moi, mon patron, répliqua-t-elle en riant. Tu n'es que mon client. Va te promener avec Barbie. Quand tu rentreras, le déjeuner sera prêt. Tiens, prends ça, ajouta-t-elle en sortant une balle rouge d'un panier à jouets posé sur le lave-linge. Elle adore courir.

– OK.

Abra avait raison, songea Eli, de se considérer comme son propre patron. Il l'admirait pour cette capacité qu'elle possédait à faire ce que bon lui semblait. Il l'enviait d'avoir trouvé un équilibre qui lui procurait tant de satisfactions.

Lui aussi pensait avoir trouvé le sien, lorsqu'il était avocat, écrivain à ses heures perdues. À présent que sa vie tout entière reposait sur l'écriture, son sort dépendait du jugement que rendrait une New-Yorkaise possédant une collection d'escarpins de toutes les couleurs, un fort accent de Brooklyn et un œil critique affûté.

Ne pas y penser, s'enjoignit-il en descendant à la plage avec Barbie. Il jeta un coup d'œil de tous côtés. En principe, les chiens devaient être tenus en laisse, mais la plage était déserte, ou quasiment.

Il détacha la chienne, sortit la balle de sa poche et la jeta au loin. Barbie détala comme une flèche, en faisant gicler le sable autour d'elle, et revint au galop déposer la balle aux pieds d'Eli. Il la lança de nouveau, et de nouveau. Un nombre de fois dont il perdit le compte. Pour varier les plaisirs, il la jeta en l'air. Barbie bondit et l'attrapa au vol. Chaque fois qu'elle revenait déposer la balle à ses pieds, ils échangeaient un sourire jusqu'aux oreilles.

Heureusement, elle ne courait pas après les oiseaux, bien qu'elle les lorgnât avec concupiscence.

Il hésita, mais la curiosité et l'enfant en lui l'emportèrent. Il lança la balle dans l'eau afin de voir comment la chienne réagirait. Avec un jappement de joie, elle s'élança dans les vagues.

Elle nageait comme... comme un retriever. La balle rouge dans la gueule, elle regagna le rivage, ses grands yeux bruns étincelant de bonheur. Eli riait à s'en tenir les côtes.

– Eh ! s'écria-t-il lorsqu'elle l'éclaboussa en s'ébrouant.

Il resta dehors plus longtemps qu'il ne l'avait prévu, jusqu'à ce que son bras droit soit aussi flasque qu'un spaghetti trop cuit. Mais homme et chien rentrèrent à Bluff House détendus et contents d'eux.

Sur l'îlot de la cuisine, il trouva une assiette recouverte d'un film transparent, contenant un sandwich, deux brochettes de pickles et une portion de salade de pâtes. À côté, un biscuit en forme d'os. Et une note adhésive :

Devine ce qui est pour qui.

En riant, il prit le biscuit. Dès l'instant où elle le vit, Barbie s'assit sur son arrière-train, avec le même regard fébrile qu'un accro au crack attendant qu'on lui passe la pipe.

– Tiens, tu l'as bien mérité, la félicita-t-il en le lui donnant.

Il emporta l'assiette sur la terrasse et déjeuna au soleil, la chienne étalée de tout son long à côté de sa chaise.

Il avait tout de même la belle vie, en ce moment, songea-t-il – abstraction faite des meurtres, des effractions et des nuages de suspicion.

Quand il remonta à l'étage, Abra fredonnait gaiement quelque part. Il passa la tête dans sa chambre à coucher, Barbie s'engouffra par l'entrebâillement de la porte. Eli s'avança dans la pièce.

Un grand coussin marron était posé devant la verrière. La chienne en fit deux fois le tour avant de s'y lover.

– Tu as raison, fais comme chez toi, lui dit-il, et il partit à la recherche de la voix chantonnante.

Dans la chambre de Hester, Abra avait ouvert les portes de la terrasse en grand. Suspendue à un étendage portable, la couette claquait dans le vent.

Et bien que Hester ne fût pas là, un petit vase de violettes sauvages trônait sur la table de chevet.

Charmante petite attention, pensa-t-il. Abra avait toujours de charmantes petites attentions qui faisaient de grosses différences.

– Tu as fait une bonne balade ? s'enquit-elle en retirant un oreiller de sa taie.

– Ouais. Barbie s'est amusée comme une folle.

Abra savait ; elle les avait observés, depuis la terrasse, le cœur gonflé de joie.

– Elle doit être contente de retrouver la plage.

– Elle a tellement couru et nagé qu'elle fait la sieste, maintenant. Et toi, qu'est-ce que tu fais ?

– J'aère les lits, comme ta famille arrive bientôt.

Eli s'approcha d'Abra et la poussa sur le grand lit à baldaquin.

– J'ai du travail, protesta-t-elle.

– Tu es ton propre boss. Tu peux t'organiser comme tu veux.

Sous ses baisers et ses caresses, elle accepta la défaite.

– Je peux, dit-elle, mais serait-ce bien raisonnable ?

– Tu m'a promis de me dédommager pour la garde du chien, lui rappela-t-il en lui ôtant son T-shirt.

– Dans ce cas...

Elle déboutonna sa chemise, lui embrassa le torse.

– Il y en a qui font de la muscu, dit-elle en lui léchant un téton. Et qui mangent des protéines.

– Hmm.

Elle noua les jambes autour de sa taille, s'arc-bouta et le fit rouler sur le dos.

– Je suis censée faire le ménage, mériter mon salaire, pas faire des galipettes avec toi dans le lit de ta grand-mère.

– Tu peux m'appeler monsieur Landon, si ça soulage ta conscience.

Elle rit au creux de son cou.

– Ne t'en fais pas, j'ai la conscience élastique.

Elle l'était, elle aussi, songea-t-il tandis qu'elle se mouvait au-dessus de lui, tout en souplesse et fluidité, sa crinière de boucles rousses lui caressant la peau.

Les muscles qu'il commençait à voir se redessiner se contractaient, frémissaient au contact de ses mains expertes pressant, pétrissant, excitant, enflammant, séduisant.

Nue dans un lit, c'était ainsi qu'il la voulait.

Il fit glisser son pantalon moulant au bas de ses jambes, explorant chaque centimètre carré de peau, des hanches jusqu'aux mollets. Pour remonter au creux des genoux, aux courbes des cuisses, jusqu'à son sexe humide et brûlant.

Elle se cambra, et empoigna le drap lorsque l'orgasme la secoua. Puis elle se redressa et introduisit son sexe en elle.

À genoux contre lui, elle sentit une onde de chaleur intense se répandre dans ses veines, malgré la fraîcheur de la brise entrant par les fenêtres ouvertes.

Le vent dansait dans ses cheveux, le soleil glissait sur son corps tel de l'or en fusion, songea-t-il. Ils auraient pu se trouver sur une île déserte, avec la voix incessante de la mer, le parfum des embruns, le rire moqueur des mouettes résonnant dans la soie bleue du ciel.

Ses longs membres souples et fluides l'enveloppaient, demandant, invitant, suppliant. Il prit ce qu'elle offrait, combla ses attentes, plongeant et replongeant en elle, leurs lèvres se dévorant avec un insatiable appétit. Plus vite, plus fort, quand elle rejeta la tête en arrière, sa bouche contre ses seins, s'enivrant du battement enfiévré de son cœur.

Lorsqu'elle hurla son prénom, il sentit s'échapper le peu de maîtrise de soi qu'il s'efforçait de conserver.

Lui sur le ventre, elle sur le dos, ils reprirent peu à peu leur souffle. Les yeux fermés, elle tâtonna le long de son bras, entrelaça ses doigts aux siens.

– Fabuleuse récréation, murmura-t-elle.

– On devrait faire des pauses comme ça tous les après-midi, répondit-il, d'une voix étouffée par le matelas.

– Pour l'instant, il faut que je me remette au boulot.

– Je ferai un mot d'excuse à ta patronne.

– Elle ne l'acceptera pas, elle est hyperstricte.

Eli tourna la tête et observa son profil d'un œil ensommeillé.

– Pas tant que ça.

– Tu ne travailles pas pour elle, répliqua Abra en se blottissant contre lui. Des fois, c'est une vraie peau de vache.

– Je lui répéterai ce que tu dis d'elle.

– Je ne te le conseille pas. Elle risquerait de me virer, et tu n'aurais plus personne pour faire le ménage.

– Ah ouais, acquiesça-t-il en l'enlaçant. Je t'aiderai à finir ce qu'il te reste à faire ici.

Elle faillit décliner, gentiment. Elle avait ses petites habitudes, il la ralentirait. Mais elle se ravisa.

– Tu as du boulot, toi aussi, dit-elle simplement.

– Je m'octroie une demi-journée de congé.

– Pour t'occuper de Barbie ?

Il laissa courir ses doigts dans ses cheveux avant de se redresser en position assise.

– Non. J'ai envoyé le début de mon manuscrit à mon agent, tout à l'heure.

À son tour, Abra se redressa.

– Super ! le félicita-t-elle.

– On verra ce qu'elle en pensera.

– Tu me le feras lire ?

Il secoua la tête, elle leva les yeux au ciel.

– Juste une scène ? insista-t-elle. Une page ?

– On verra.

Insidieusement, pensa-t-il, elle parvenait toujours à l'amener à céder.

– Je te ferai boire du vin, ajouta-t-il. Tu seras plus indulgente.

– Je ne peux pas boire de vin, ce soir. J'ai mon cours de yoga à la maison.

– Un autre jour, alors. Allez, levons-nous, je vais t'aider à ranger la pagaille que les flics ont semée.

– OK. Si tu veux te rendre utile, tu n'as qu'à enlever les draps du lit. Ce n'est pas trop compliqué.

Alors qu'Abra roulait hors du lit, le timbre de la sonnette retentit. Barbie émit un trio de grondements menaçants.

– Parfait, marmonna Eli en enfilant son pantalon.

La chienne fila dans l'escalier, en aboyant tel un cerbère.

– Tu avais raison, c'est un bon chien de garde, dit-il en boutonnant sa chemise. Et tu es nue.

– Je serai habillée dans une seconde.

– Dommage. J'aurais bien aimé te voir faire le ménage en tenue d'Ève.

Elle éclata de rire tandis qu'il dévalait l'escalier.

Eli Landon, pensa-t-elle, allait de mieux en mieux.

Dans le vestibule, il ordonna à Barbie de se taire. Docile, elle le suivit jusqu'à la porte et s'assit à ses côtés.

Il s'efforça de réprimer cette première réaction automatique de panique dès qu'il voyait des uniformes. Au moins, ce n'était pas Wolfe.

– Bonjour, inspecteur Corbett. Salut, Vinnie.

– Beau chien, commenta Corbett.

– Eh, mais c'est Barbie ! s'écria Vinnie en se baissant pour caresser la chienne. Tu as pris Barbie ? M. Bridle, son maître, est décédé dans son sommeil il y a une quinzaine de jours. Quand la voisine est passée lui dire bonjour, comme tous les matins, elle a trouvé Barbie qui montait la garde au pied du lit. C'est une brave bête.

– Auriez-vous quelques minutes à nous accorder, monsieur Landon ? intervint Corbett.

– Excusez-moi, marmonna Vinnie en se redressant. Je suis content qu'elle ait trouvé un nouveau foyer.

Eli s'écarta de la porte afin de les laisser entrer.

– L'agent Hanson m'a informé de l'effraction dont vous avez encore été victime, déclara Corbett. Avez-vous eu le temps de vérifier si quelque chose avait disparu ou avait été dérangé ?

– Nous n'avons pas terminé de remettre la maison en ordre, suite à la perquisition. Mais non, a priori, rien n'a été volé. Ce n'est pas un cambrioleur, tout au moins pas un cambrioleur classique.

– J'ai lu la déposition que vous avez faite au shérif adjoint, mais pourriez-vous me retracer à nouveau ce que vous avez fait hier soir ?

Corbett leva les yeux vers Abra qui descendait l'escalier, un panier de linge entre les bras – tout habillée.

– Bonjour, mademoiselle Walsh.

– Bonjour, inspecteur Corbett. Salut, Vinnie. Je vous sers un café ? Une boisson fraîche ?

– Non, je vous remercie. Vous étiez avec M. Landon, je crois, quand il a constaté l'effraction ?

– Tout à fait. Je travaille au Village Pub, les vendredis soir. Eli est venu me rejoindre vers... Quelle heure était-il ? 21 h 30, à peu près, je dirais. Il a passé la soirée à papoter avec Stoney Tribbet.

– Stoney Tribbet est une figure locale, précisa Vinnie.

– Nous sommes restés jusqu'à la fermeture, enchaîna Eli. Ensuite, Abra et moi avons raccompagné Stoney chez lui. Et puis nous sommes rentrés ici, à pied.

– Votre appel au poste de police a été enregistré à 1 h 43.

– Si vous le dites. Dans la cuisine, j'ai remarqué des traces de doigts sur le clavier de l'alarme. Je suis allé voir la porte de derrière : elle avait de nouveau été fracturée. Évidemment, j'ai modifié le code de l'alarme. Une fois de plus.

– Et pris de nouvelles mesures de sécurité, renchérit Abra en flattant l'encolure de Barbie.

– Avez-vous remarqué des véhicules ou des individus suspects, sur la plage, dans la rue ?

– Non, mais je vous avoue que je n'ai pas fait attention. J'ai passé le début de la soirée à bouquiner sur la terrasse. Je n'avais pas l'intention d'aller au pub, initialement. Je me suis décidé sur un coup de tête. Personne ne savait que j'allais sortir.

– Allez-vous souvent au pub, les vendredis soir ?

– Non. Ce n'était que la deuxième fois.

– Au pub, avez-vous remarqué quelqu'un qui vous ait paru bizarre ?

– Non.

– Je vais mettre les draps à la machine, déclara Abra en se dirigeant vers la buanderie.

Puis, tout à coup, elle s'immobilisa et revint sur ses pas.

– Eau gazeuse, murmura-t-elle.

– Pardon ?

– Ce n'est sûrement rien, mais j'ai servi un homme que je n'avais jamais vu. Il buvait de l'eau gazeuse tout seul dans un coin. Il a commandé trois verres, mais il est parti avant que je lui apporte le troisième.

– Qu'avait-il de bizarre ? s'enquit Corbett.

– C'est rare que les gens viennent seuls au pub un vendredi soir, pour boire de l'eau, qui plus est. Cela dit, c'était peut-être quelqu'un qui ne boit pas. Il était peut-être venu pour le concert. Il y avait un bon groupe, hier soir. Quoique...

– Continuez, l'encouragea Corbett.

– Maintenant que j'y repense, il est parti juste quand Eli est arrivé. Je discutais au comptoir avec Stoney, j'étais face à la porte, si bien que j'ai vu Eli dès qu'il est entré. Je l'ai présenté à Stoney et puis je les ai laissés tous les deux pour servir les clients. Le type qui m'avait commandé l'eau gazeuse n'était plus à sa table.

– Je connais le Village Pub, dit Corbett en essayant de se le remémorer. Il y a une sortie de secours par la cuisine, si ma mémoire est bonne.

– C'est exact, mais il a très bien pu sortir par la porte principale sans que je le voie, pendant que je faisais le service. En tout cas, il est parti quelques minutes à peine après m'avoir commandé un verre.

– Pourriez-vous me le décrire ?

– Blanc, la trentaine, cheveux bruns, ou châtain foncé, un peu longs dans la nuque. Il fait sombre au fond de la salle... Je ne peux pas vous dire la couleur de ses yeux, ni s'il était grand ou petit, vu qu'il était assis. Il avait de grandes mains. Il faudrait que je me vide l'esprit pour retrouver des souvenirs plus précis.

– Accepteriez-vous de collaborer avec un dessinateur de la police ?

– Je... oui, bien sûr. Pensez-vous sérieusement qu'il puisse s'agir de l'auteur des effractions ?

– La piste mérite d'être suivie.

– Je suis désolée, bredouilla Abra en regardant tour à tour Eli et Vinnie. Cet homme m'était complètement sorti de l'esprit, hier soir.

– C'est pour cela que nous procédons à des entretiens complémentaires, lui indiqua Vinnie.

– Je ne sais pas si je serai d'une grande aide. Il fait sombre dans le bar, surtout les soirs de concert. Et il était attablé dans un coin où il y a encore moins de lumière qu'ailleurs.

– Que vous a-t-il dit ? s'enquit Corbett.

– Quasiment rien, il n'était pas très aimable.

– Nous vous recontacterons afin de fixer un rendez-vous avec un portraitiste, à votre convenance, dit-il en se penchant pour caresser la tête de Barbie qui reniflait ses chaussures. C'est une bonne idée d'avoir pris un chien. Un gros chien qui aboie reste le meilleur moyen de dissuasion contre les effractions.

Corbett et Vinnie partis, Abra demeura aux côtés d'Eli, son panier de linge sur la hanche.

– Je suis désolée, dit-elle.

– De quoi ?

– De ne pas m'être souvenue plus tôt de ce type – on aurait déjà un portrait-robot. Et de ne pas avoir davantage fait attention à lui. Je ne suis pas sûre que je serai capable d'en donner une description beaucoup plus précise.

– Il n'a peut-être rien à voir avec l'effraction. Et s'il s'avère que si, on aura au moins une vague idée, grâce à toi, de ce à quoi il ressemble. Ce sera toujours mieux que rien.

– Je ferai une séance de méditation, tout à l'heure. Je parviendrai peut-être à mieux le visualiser. Ne critique pas la méditation, s'il te plaît.

– Je n'ai rien dit !

– Mais tu n'en penses pas moins. Bon, je vais mettre ces draps à la machine, déclara Abra en consultant sa montre. Je suis carrément en retard, maintenant. Je reviendrai demain faire les chambres que je n'ai pas eu le temps de faire aujourd'hui.

– Tu reviens ici, après ton cours ?

– Non, j'ai négligé des tas de choses, chez moi, ces derniers temps. Et j'ai besoin d'être seule pour méditer – loin de tes vibrations suspicieuses. Barbie te tiendra compagnie. On se verra demain. Bon, allez, je vais mettre ces draps à la machine, répéta-t-elle.

– Que toi et moi, Barbie, murmura-t-il à la chienne.

Mais sans doute était-ce mieux ainsi, se raisonna-t-il. Il ne devait pas s'habituer à ce qu'Abra soit toujours là. Tous deux avaient besoin de temps, d'espace.

Néanmoins, il n'était pas enchanté par la perspective d'une soirée sans elle.

18

Rien à faire, l'image de l'inconnu du bar refusait de se préciser. Malgré les séances de méditation, et une tentative de rêve actif – pratique qui n'avait jamais été son fort –, Abra n'avait pu fournir au dessinateur de la police qu'une description sommaire. Résultat, le portrait-robot ressemblait à n'importe quel quidam entre trente et quarante ans : un homme au visage mince, aux lèvres fines et aux cheveux bruns, désordonnés, un peu longs sur la nuque.

Et encore, songea-t-elle en examinant l'exemplaire qu'on lui avait remis, elle ne pouvait jurer de rien quant à la bouche. Avait-il réellement les lèvres fines, ou se les imaginait-elle ainsi parce que le type lui avait paru antipathique ?

Elle qui pensait avoir une bonne capacité d'observation, force lui était de constater qu'elle s'était surestimée.

Bien sûr, cet individu n'avait peut-être rien à voir avec leur affaire. Néanmoins, elle se sentait frustrée. D'autant plus qu'elle ne pourrait pas essayer de parfaire le portrait avant la fin du week-end.

La famille d'Eli devait déjà être en route, pensa-t-elle en fixant les fermoirs d'une paire de pendants d'oreilles en argent et citrine. Une bonne chose, au moins : les préparatifs de la visite des Landon lui avaient permis de penser à autre chose qu'à son lamentable échec avec le portraitiste.

Les boucles terminées, elle ôta ses lunettes – qu'elle ne portait que pour lire ou effectuer des tâches minutieuses. Contrairement à ses attentes, l'énergie créative n'avait pas dispersé ses blocages.

Elle aurait tellement voulu contribuer à identifier l'auteur des effractions, aider Eli à résoudre une partie de ses tracas... Sa vie était déjà si compliquée, elle aurait été tellement heureuse de pouvoir la lui simplifier un peu...

Hélas, l'enquête demeurait au point mort. Et une vague sensation de malaise étreignait Abra en permanence.

En soupirant, elle rangea ses outils et fournitures. Au moins, elle avait renfloué son stock de bijoux. Elle allait apporter ses nouvelles créations à la boutique de cadeaux, et peut-être s'offrirait-elle un petit quelque chose avec les revenus de ses ventes.

Comme elle avait tout son temps, elle partit à pied. Les jonquilles et les jacinthes étaient en fleurs, des œufs de Pâques colorés se balançaient aux branches des arbres, les forsythias avaient revêtu leur habit de lumière.

Abra adorait le retour des saisons, que ce soit les premiers bourgeons du printemps ou les premiers flocons de neige. Aujourd'hui, cependant, elle éprouvait une anxiété si oppressante qu'elle faillit s'arrêter chez Maureen et lui demander de l'accompagner au village.

C'était idiot d'avoir l'impression d'être observée. Une réaction résiduelle de ce qui lui était arrivé à Bluff House. Sans compter que le meurtre du détective privé n'avait rien fait pour la tranquilliser. Elle jeta un coup d'œil derrière elle. Personne ne la suivait, évidemment.

En passant devant le Surfside B&B, elle réprima un frisson, et une brusque envie de faire demi-tour et de rentrer chez elle. Non, elle n'allait tout de même pas retourner se cloîtrer par une si belle journée à cause d'angoisses irraisonnées. Elle n'aimait rien tant que ces balades dans ce village qu'elle avait fait sien. Il était hors de question qu'elle se prive de ce plaisir.

Ne plus penser à cette agression dans une maison sombre et déserte, s'enjoignit-elle.

Le soleil brillait, les oiseaux chantaient, la circulation était plus dense qu'à l'accoutumée, en ce week-end prolongé.

Elle poussa néanmoins un soupir de soulagement en s'engageant dans l'artère principale, bordée de magasins, de restaurants. Les touristes regardaient les vitrines. Celle de la boutique de cadeaux attirait notamment beaucoup de monde, nota Abra non sans satisfaction.

Elle s'apprêtait à y entrer lorsqu'elle aperçut Heather derrière le comptoir.

– Mince... marmonna-t-elle.

Elle ne l'avait pas revue depuis que celle-ci était partie en pleurs du cours de yoga. Et, toujours fâchée, elle ne lui avait pas non plus téléphoné.

Énergie négative, se dit-elle. Il était grand temps de l'évacuer, de rééquilibrer son *chi*. Et peut-être finirait-elle ainsi par rompre son blocage.

Heather était comme elle était. Il ne servait à rien de laisser couver la rancune.

Abra poussa la porte de la boutique. L'ambiance éclaircit aussitôt son humeur – le parfum d'encens, l'éclairage tamisé, les créations des artistes et des artisans locaux.

Elle salua de la main l'autre vendeuse, occupée avec un client. Celle-ci lui répondit par un sourire aigre-doux. Sans doute Heather avait-elle raconté ses petits malheurs à ses collègues.

Bah, on ne pouvait pas vraiment lui en vouloir.

Abra s'approcha de la caisse. Feignant de ne pas la voir, Heather continua d'encaisser une vente.

– Salut. Il y a un monde fou, aujourd'hui. Je ne te prendrai que cinq minutes. J'attendrai que tu sois libre.

– Il risque d'y en avoir pour un moment, répondit Heather, le visage fermé, en quittant le comptoir et en se dirigeant vers un groupe de trois femmes.

Abra réprima son irritation puis, sur une impulsion, s'empara d'une série de verres à vin en verre soufflé qu'elle reluquait depuis plusieurs semaines mais qu'elle n'avait pas les moyens de s'offrir.

– Excuse-moi, dit-elle à Heather, tout sucre, tout miel. Tu peux me les encaisser, s'il te plaît ?

– Oh, qu'ils sont beaux ! s'exclama l'une des femmes du groupe de trois. Oh, mais il y a des flûtes à champagne, aussi ? Pour un cadeau de mariage, dit-elle à ses copines, qu'est-ce que vous en pensez ?

Les autres se répandirent en éloges.

– Cet artiste fait vraiment des choses fabuleuses, renchérit Abra en élevant l'un des verres vers la lumière. Ces pieds tressés sont magnifiques ! De toute façon, on ne trouve que de belles choses, aux Trésors enterrés, ajouta-t-elle avec un grand sourire à l'attention de Heather, en lui tendant les verres.

Contrainte et forcée, Heather les emporta derrière la caisse.

– Si vous avez des questions, mesdames, n'hésitez pas, lança-t-elle aux clientes. Je suis à votre disposition.

– Il y a un moment qu'on ne t'a pas vue au cours de yoga, lui dit Abra.

– Je n'ai pas eu le temps, répondit sèchement Heather, en sortant un rouleau de plastique à bulles de sous le comptoir.

Abra posa une main sur la sienne.

– Tu nous manques, tu sais. Écoute, je regrette que nous nous soyons disputées. Pardonne-moi si j'ai dit des choses qui t'ont blessée.

– Tu m'as fait passer pour une mytho, alors que c'était vrai qu'il y avait la police à Bluff House.

– En effet, mais Eli Landon n'a rien à se reprocher. En revanche, il a été victime de deux effractions – là-dessus, il n'y a pas l'ombre d'un doute –, dont l'une au cours de laquelle j'ai été agressée.

– Je sais, et c'est bien pour ça que je m'inquiète pour toi.

– C'est gentil, Heather, mais ce n'est pas Eli qui m'a agressée. Il était à Boston, ce soir-là. Et ce n'est pas lui non plus... (Abra jeta un coup d'œil autour d'elle afin de s'assurer que personne n'écoutait.) Ce n'est pas lui qui a tué le détective privé. J'étais avec lui à l'heure du crime. Ce sont des faits, Heather, vérifiés par la police.

– Ils ont perquisitionné Bluff House.

– Par acquit de conscience. Ils perquisitionneront peut-être aussi mon cottage.

– Ah bon ? s'écria Heather, sincèrement choquée. Pourquoi ? C'est ridicule. Tu n'y es pour rien !

– Non, mais l'inspecteur qui dirige les investigations sur le meurtre de la femme d'Eli s'obstine à nier l'évidence et à persécuter Eli. À présent, il cherche à me mettre en cause.

– Mais c'est horrible ! s'épouvanta Heather.

– Je suis bien d'accord, mais que veux-tu que j'y fasse ? Qu'ils viennent fouiller chez moi, si ça les amuse ; je ne me fais pas de souci, je n'ai rien à cacher. De toute façon, la police locale enquête sur les effractions. Je leur fais confiance, je suis sûre qu'ils trouveront le coupable.

– Nous ramènerons l'ordre chez nous, déclara Heather, avec une note de fierté chauvine. En attendant, sois prudente.

– Bien sûr.

Abra s'efforça de ne pas tiquer en voyant le montant de son achat s'afficher sur la caisse enregistreuse. Bye-bye, la jolie tenue de yoga qu'elle avait repérée sur Internet. Elle sortit néanmoins sa carte de crédit de son sac, et se souvint de ses bijoux.

– J'allais presque oublier... J'ai fait une douzaine de nouvelles pièces, dit-elle en étalant les sachets transparents sur le comptoir. Tu y jetteras un coup d'œil quand tu auras le temps, tu me diras ce que tu en penses.

– Oh, j'adore celles-ci ! s'exclama Heather en se penchant au-dessus de la paire de boucles d'oreilles en argent et citrine. Des petites lunes et des étoiles d'argent, autour d'un soleil de citrine. Elles sont trop mignonnes !

La femme qui avait pris les flûtes à champagne s'approcha du comptoir.

– Oh, quels bijoux magnifiques ! s'émerveilla-t-elle. Johanna ! Viens voir ce collier ! Il t'irait à ravir.

– Abra est une de nos artistes locales. Vous avez la primeur de ses nouvelles créations.

Abra échangea un clin d'œil avec Heather. Finalement, elle pourrait peut-être quand même s'offrir sa tenue de yoga.

Trente minutes plus tard, elle rentrait chez elle en dégustant un cône de crème glacée, dans un état d'esprit beaucoup plus positif. Elle avait vendu la moitié de ses nouvelles pièces sur-le-champ, plus deux que la boutique avait encore en stock.

La tenue de yoga était acquise, ne restait qu'à la commander.

Et, en bonus, elle avait *gagné* six superbes verres à vin.

À la première occasion, elle inviterait Eli et les étrennerait avec lui au cours d'un dîner aux chandelles.

Pour l'heure, elle allait refaire une tentative de méditation. Avec de l'encens, peut-être. D'ordinaire, elle préférait le grand air de la mer, mais puisqu'il n'avait pas produit l'effet désiré, peut-être valait-il le coup de bousculer les habitudes.

Avant toute chose, elle déballa ses nouveaux verres, les rinça, puis les aligna sur l'une des étagères de la cuisine. Les admirer donna un coup de fouet supplémentaire à son attitude positive.

Elle rassembla un crayon, un bloc, le portrait-robot, les posa près de son coussin de méditation, dans sa chambre. Bien qu'elle n'eût guère de talent pour le dessin, elle pensait être capable de retoucher le portrait, au cas où un détail lui reviendrait. Tout en commençant à réguler sa respiration, elle ouvrit le placard où elle rangeait sa boîte d'encens.

Le lotus, peut-être, ouvrirait son troisième œil. Franchement, elle aurait pu y penser plus tôt.

Elle attrapa la boîte sur l'étagère du haut de l'armoire, souleva le couvercle.

Un cri s'étrangla dans sa gorge, la boîte lui tomba des mains. Cônes et bâtonnets d'encens s'éparpillèrent au sol, les brûleurs volèrent en éclats. Et le pistolet s'écrasa parmi les débris. Instinctivement, elle fit un bond en arrière. Elle faillit s'enfuir, mais la logique prit le dessus.

Quiconque avait mis cette arme ici n'était pas resté dans la maison à attendre d'être pris en flagrant délit. Le but de la manœuvre était que la police découvre le pistolet. Ce qui signifiait qu'il s'agissait de l'arme du crime.

Abra fonça vers le téléphone.

– Vinnie ? J'ai un gros problème. Tu peux venir ?

Dix minutes plus tard, elle accueillait le shérif adjoint à la porte.

– Je ne savais pas quoi faire.

– Tu as très bien fait de m'appeler. Où est-il ?

– Dans ma chambre. Je n'y ai pas touché.

Elle emmena Vinnie sur les lieux, puis s'écarta tandis qu'il s'accroupissait près du pistolet afin de l'examiner.

– C'est un 32.

– Le même calibre que...

– Oui.

Vinnie se redressa et le photographia à l'aide de son téléphone portable.

– Tu n'es pas en uniforme, réalisa Abra. Tu n'es pas en service. Tu étais chez toi avec ta famille. Je n'aurais pas dû...

D'un geste fraternel, il lui frictionna le dos.

– Ne t'en fais pas pour ça, Abs. Je vais prévenir Corbett.

– Je jure que ce pistolet n'est pas à moi.

– Je sais. Personne ne pensera qu'il t'appartient. Ne t'inquiète pas. Nous allons tirer cette affaire au clair. Tu aurais un truc frais ?

– Un truc frais ?

– Un Coca, un thé glacé, n'importe quoi.

– Oh, bien sûr.

– J'ai une soif d'enfer. Tu voudrais bien me servir un verre, s'il te plaît ? J'appelle Corbett et je suis à toi.

Il lui confiait une petite mission afin qu'elle se calme, elle le savait. Elle allait se calmer.

Elle sortit une casserole, y versa de l'eau, du sucre en poudre, la mit à chauffer et entreprit de presser des citrons.

Quand Vinnie la rejoignit dans la cuisine, elle versait la préparation dans un grand pichet rempli de glaçons.

— Il ne fallait pas te donner autant de mal.

— Ça m'a occupé les mains.

— De la citronnade maison, tu me gâtes !

— Tu le mérites. Tu diras à Carla que je suis désolée de vous avoir dérangés pendant le week-end.

— Elle a épousé un flic, Abra. Elle savait à quoi s'attendre. Corbett est en route. Il veut voir le pistolet sur place.

Abra voulait voir cet objet de mort hors de chez elle.

— Après, vous l'emporterez.

— Après, nous l'emporterons, lui promit-il. Comment l'as-tu découvert ?

— Je voulais méditer, expliqua-t-elle en remplissant deux verres. Je revenais du village. J'ai dû m'absenter une heure, environ, une heure et quart grand maximum.

Elle déposa une assiette de cookies sur la table.

— Tu avais fermé les portes à clé ?

— Bien sûr. Je suis prudente depuis les effractions à Bluff House.

— À quand remonte la dernière fois où tu as regardé dans cette boîte ?

— Je n'utilise pas souvent d'encens, et je n'en ai pas acheté depuis un moment. Je n'en achète plus, vu que je ne l'utilise pas. Je finis toujours par en faire cadeau à quelqu'un. Mais bref, tu t'en fiches. Je ne sais pas depuis combien de temps je n'ai pas ouvert cette boîte. Deux semaines ? Trois, peut-être.

— Tu n'es pas souvent chez toi, surtout en ce moment...

— Non, j'ai mes cours, mes ménages, et je dors souvent chez Eli. C'est l'assassin de Duncan, Vinnie, qui a mis cette arme ici pour me faire incriminer.

— Il y a des chances, en effet. Tu permets que je jette un coup d'œil aux portes et aux fenêtres ? Ta citronnade est délicieuse. Tes cookies aussi.

Elle resta dans la cuisine tandis que Vinnie inspectait les ouvertures du cottage. Il ne servait à rien de le suivre, il n'en aurait pas pour longtemps. La maison n'était pas bien grande, elle ne comportait que trois chambres, dont l'une, minuscule, où Abra avait aménagé son atelier. Plus la cuisine, le living-room, et le solarium, l'un de ses principaux atouts. Deux petites salles de bains.

Oui, Vinnie en aurait vite fait le tour. Abra se leva, se posta devant la porte-fenêtre de la terrasse. Un autre atout du petit cottage, ce vaste espace extérieur, avec vue sur la mer, la baie bordée de falaises, le petit cap avec le phare. Quand il faisait beau, Abra vivait dehors autant qu'à l'intérieur.

Elle se sentait si bien dans cette maison. La maison de ses rêves, son petit nid douillet. Et voilà qu'on l'avait violée, qu'on y avait introduit une arme mortelle.

Elle se détourna de la vitre lorsque Vinnie revint dans la cuisine, le laissa inspecter la porte de la terrasse.

– Il y a des fenêtres ouvertes, dit-il, deux sur l'arrière de la maison, et une devant.

– Je suis trop bête !

– Mais non.

– Je suis une maniaque de l'aération. Je laisse les fenêtres ouvertes des heures, hiver comme été. Je suis même étonnée d'avoir pensé à en fermer certaines.

– Regarde, il y a des fibres coincées ici.

Vinnie les photographia.

– Tu as une pince à épiler ? demanda-t-il.

– Oui, je vais te la chercher.

– Je n'ai pas pensé à apporter un kit. Je n'ai pris qu'un sachet à scellé pour le pistolet.

On frappa à la porte.

– Ah, voilà Corbett, dit Vinnie. Tu veux que j'aille lui ouvrir ?

– Non, j'y vais.

La pince à épiler à la main, Abra accueillit l'inspecteur.

– Merci d'être venu si rapidement. Vinnie... L'agent Hanson est dans la cuisine. Le pistolet... Venez, je vais vous montrer, dit-elle en le menant à sa chambre. Il était dans ma boîte à encens. Elle m'est tombée des mains quand je l'ai vu.

– Quand aviez-vous ouvert cette boîte pour la dernière fois ? demanda Corbett en sortant un appareil photo.

– Il y a deux ou trois semaines. Vinnie a déjà pris des photos.

À l'aide d'un stylo, Corbett souleva le pistolet.

– Possédez-vous des armes, mademoiselle Walsh ?

– Non, je n'en ai jamais eu, je n'en ai jamais touché. Pas même en plastique. Ma mère était fermement opposée aux jouets de guerre. Et je préférais les puzzles, les activités manuelles et... Mais je m'égare. Je suis nerveuse. Ce pistolet chez moi me rend nerveuse.

– Nous vous en débarrasserons, ne vous inquiétez pas.

Corbett enfila des gants. Vinnie les rejoignit dans la chambre.

– Inspecteur, il y a des fenêtres ouvertes. Abra m'a dit qu'elle ne pense pas toujours à les fermer avant de sortir. J'ai trouvé des fibres dans le cadre de l'une d'elles à l'arrière.

– Nous irons voir cela. Qui est venu chez vous, mademoiselle Walsh, au cours des quinze derniers jours ?

– Mes élèves – je donne des cours de yoga ici, un soir par semaine. Les enfants de mes voisins sont passés, aussi. Oh, mon Dieu, les enfants ! Il est chargé ?

– Oui.

– Imaginez si l'un des enfants était venu ici et... Je suis irrationnelle. Ils ne se permettraient jamais d'entrer dans ma chambre et de fouiller dans mon armoire. Mais si...

Elle ferma les yeux.

– Avez-vous fait faire des réparations, récemment ? s'enquit Corbett en sortant un sachet de sa poche.

– Non.

– Avez-vous reçu la visite du propriétaire, de la compagnie d'électricité ?

– Non. Personne n'est venu chez moi à part mes élèves et les enfants de mes voisins.

– Eli Landon ?

Une lueur de colère s'alluma dans le regard d'Abra. Corbett attendit en silence.

– Vous lui avez dit que vous étiez convaincu de son innocence.

– Je dois néanmoins vous poser la question.

– Non, il n'a pas mis les pieds ici au cours des quinze derniers jours. Depuis la première effraction, il évite de s'absenter de Bluff House. J'ai presque dû le traîner de force au supermarché faire quelques courses en prévision de la visite de sa famille, ce week-end.

– OK. Allons voir ces fibres.

Abra attendit patiemment tandis que les deux policiers les examinaient en conversant à voix basse.

– Je vous offre une citronnade ? proposa-t-elle à Corbett lorsqu'il les eut extraites du cadre de la fenêtre et glissées dans un sachet.

– Avec plaisir. Asseyez-vous, mademoiselle Walsh, si vous voulez bien.

Les paumes moites, Abra lui servit un verre et s'installa à la table.

– Avez-vous vu un individu suspect rôder autour de la maison ?

– Non. Je n'ai pas non plus revu l'inconnu du pub. Tout au moins, je ne crois pas. Je le reconnaîtrais, je pense, même si je n'ai pas été d'une grande aide pour le portrait-robot. C'est pour ça que je voulais faire brûler de l'encens, pour méditer et essayer de me le rappeler plus précisément. J'étais à cran, ces derniers jours, je n'arrivais pas à me concentrer. Je me sentais plus détendue, aujourd'hui.

– Pourquoi étiez-vous à cran ?

– À votre avis ? À cause de tout ce qui s'est passé récemment. Et... (Elle n'hésita qu'un bref instant.) J'ai l'impression d'être observée.

– Avez-vous vu quelqu'un ?

– Non, mais je le sens. Je ne me fais pas des idées, j'en suis quasiment certaine. Je sais ce que c'est que d'être épiée. Vous devez être au courant, je suppose, de ce qui m'est arrivé il y a quelques années.

– Oui.

– Depuis quelques jours, je perçois les mêmes ondes.

Elle jeta un coup d'œil par la fenêtre qu'elle avait laissée entrouverte, puis par la porte vitrée.

– Ce n'était pas malin de laisser les fenêtres ouvertes, je le reconnais, poursuivit-elle. Vu que je ne suis presque jamais chez moi, ces temps-ci, c'était un jeu d'enfant de déposer cette arme dans la maison. Mais pourquoi ? Je ne comprends pas... Pourquoi ici ? Pourquoi moi ? Enfin, si, je comprends, mais ça me paraît tellement tordu. Si on veut me discréditer, détruire l'alibi d'Eli, pourquoi ne pas avoir mis le pistolet à Bluff House ?

– Après la perquisition, ça ne servait plus à rien, répondit Vinnie. Excusez-moi, inspecteur, ce n'était pas à moi de répondre.

– Pas de problème. Il faut que vous sachiez, mademoiselle Walsh, que Wolfe essaie d'obtenir un mandat pour perquisitionner votre domicile. Ses supérieurs ne le soutiennent pas, les miens non plus. Mais il fait le forcing. Il prétend avoir reçu un appel anonyme ; quelqu'un, soi-disant, aurait aperçu une femme sur le chemin du phare, le soir où le meurtre a été commis. Une femme aux longs cheveux bouclés.

Un canyon s'ouvrit dans le ventre d'Abra.

– OK... murmura-t-elle. On cherche à m'impliquer dans le meurtre de Duncan. Ai-je besoin d'un avocat ?

– Ce serait plus prudent d'en prendre un, bien qu'il s'agisse vraisemblablement d'un coup monté. Nous devons néanmoins observer la procédure de rigueur.

– Bien sûr.

Corbett goûta la citronnade.

– Il me paraît évident, dit-il, que si vous étiez impliquée dans le meurtre de Duncan, à moins d'être complètement demeurée, vous n'auriez pas gardé l'arme du crime dans le placard de votre chambre. Or vous ne m'avez pas l'air d'une idiote.

Abra se contenta de hocher la tête.

– Vous l'avez trouvée là, vous nous avez appelés. Comme par hasard, l'inspecteur qui dirige l'enquête sur le meurtre de la femme de Landon vient juste de recevoir un appel d'un informateur anonyme – émis d'un téléphone à carte prépayée, localisé par le satellite de Whiskey Beach –, lequel prétend, trois semaines après les faits, avoir vu une femme vous ressemblant étrangement quitter la scène du crime le soir du meurtre.

– Et bien sûr, l'inspecteur Wolfe le croit.

– Honnêtement, je ne crois pas qu'il soit dupe d'un stratagème aussi grossier. Toujours est-il que, maintenant, il obtiendra son mandat pour venir fouiller chez vous.

– Il n'y a rien, ici... à part ce pistolet.

– Du fait qu'il soit là, nous devons observer la procédure. On me délivrera un mandat mais il serait plus simple que vous me donniez l'autorisation d'inspecter votre domicile.

Cette perspective la rendait malade. Plus que tout, cependant, elle désirait mettre un terme au plus vite à cette sinistre histoire.

– D'accord, acquiesça-t-elle, faites ce que vous avez à faire.

– Je vous remercie. Quand nous aurons terminé, je veux que vous verrouilliez toutes les portes et fenêtres.

– Bien sûr. Et je pense que je dormirai à Bluff House, ou chez mes voisins, jusqu'à ce que... pendant quelque temps.

– Il vaut mieux, je crois, en effet.

Abra posa la main à plat sur la table en s'apercevant qu'elle triturait nerveusement son pendentif en quartz rose – un bijou de sa création.

– Allez-vous en informer Eli ? demanda-t-elle. Sa famille vient fêter Pâques à Bluff House. Ils sont sûrement déjà là. Ça gâcherait leur week-end.

– Tant que je n'ai pas à m'entretenir avec lui personnellement, je ne lui dirai rien.

– Merci.

– Un technicien va venir relever des empreintes, mais...

– Il n'en trouvera pas, mais c'est la procédure.

– Tout à fait.

Elle les laissa inspecter la maison, sortit sur la terrasse afin de ne pas les gêner. Elle comprenait mieux, à présent, ce qu'Eli avait dû ressentir pendant la perquisition de Bluff House. Le sentiment de ne plus être chez soi, d'être dépossédé de toute intimité.

– Ils ont quasiment terminé, lui annonça enfin Vinnie en lui posant une main amicale sur l'épaule. Ils n'ont rien trouvé : aucune empreinte, ni sur la fenêtre, ni sur la boîte, ni sur ce qu'elle contenait. Ce n'était qu'une pure formalité, Abs. Que tu aies consenti à ce qu'ils perquisitionnent sans mandat renforce l'hypothèse du coup monté.

– Je sais.

– Tu veux que je reste un moment avec toi ?

– Non, va vite retrouver ta famille.

Peindre des œufs de Pâques, songea-t-elle, avec son petit garçon.

– Tu es déjà resté bien assez longtemps, ajouta-t-elle.

– Si tu as un quelconque souci, appelle-moi, d'accord ? À n'importe quelle heure, n'hésite pas.

– Merci, c'est sympa. Je vais aller à Bluff House. Je me fais une joie de revoir Hester.

– Tu lui transmettras mes amitiés. Tu es sûre que tu ne veux pas que je t'accompagne ?

– Non, je te remercie, ça va aller. Il fait grand jour, il y a plein de monde sur la plage. Je ne risque rien.

– Ferme bien tes portes et tes fenêtres, cette fois.

– Tu peux compter sur moi.

Elle raccompagna Vinnie à la porte. Sa voisine d'en face bêchait son jardin, elle lui adressa un signe de la main. Deux garçonnets faisaient du vélo dans la rue.

Trop d'activité, se réconforta-t-elle, pour que l'on tente à nouveau de s'introduire dans la maison. Du reste, il n'y avait plus de raison, maintenant.

Avec un sac-poubelle, elle retourna dans la chambre, y fourra encens et brûleurs émiettés, de même que la boîte. Elle ne pouvait pas savoir ce qu'il avait touché. Elle avait presque envie de jeter tout le contenu du placard.

Mais elle se raisonna, se remaquilla, prépara un petit sac avec des affaires pour la nuit, ainsi que le portrait-robot. Puis, après avoir rangé la cuisine, elle sortit les tartes à la rhubarbe et à la fraise du four, les recouvrit de papier alu.

Quand elle verrouilla la porte de son petit cottage, son cœur se serra à la pensée qu'elle ne s'y sentirait peut-être plus en sécurité de sitôt.

19

Du monde, du bruit, du mouvement emplissaient Bluff House.
Eli avait oublié ce que c'était que d'entendre autant de voix s'entre-
couper, que de répondre à tant de questions à la fois, que de voir tous
ces gens s'agiter autour de soi.

Passé les premiers instants de panique, il se laissa toutefois de
bonne grâce gagner par l'effervescence générale : monter les valises
à l'étage, déposer paniers et plats à la cuisine, surveiller sa nièce
qui courait partout – et tenait de grands conciliabules avec Barbie –,
surprendre agréablement sa mère en proposant un assortiment de
fromages et de fruits en guise de collation de bienvenue.

Et une joie sans mélange l'envahit lorsqu'il vit sa grand-mère sur
la terrasse, appuyée sur sa canne, face à la mer, le vent soufflant dans
ses cheveux.

Quand il la rejoignit, elle le prit par le bras.

Couchée dans un rayon de soleil, la vieille Sadie leva la tête,
remua la queue, puis se rendormit.

– Le soleil réchauffe les vieux os, dit Hester. Les miens et ceux de
Sadie. Bluff House me manque.

– Je sais. Et je crois que tu lui manques.

– J'ose l'espérer. Tu as planté des pensées ?

– C'est Abra qui les a plantées. Je les arrose.

– Le travail d'équipe est une bonne chose. Ça m'a aidée de te
savoir là, Eli. Non seulement j'étais rassurée que quelqu'un garde
la maison, mais j'étais heureuse que ce soit toi. Je crois qu'elle se
languissait de toi, aussi.

– Je suis désolé de ne pas être venu plus souvent, ces dernières années, dit-il avec une pointe de culpabilité mêlée de regret.

– Savais-tu que je détestais faire du bateau ?

Eli tourna vers sa grand-mère un regard étonné.

– Ah bon ? Je croyais que tu adorais.

– C'était ton grand-père qui était fana de voile. J'étais malade comme un chien, je prenais des pilules contre le mal de mer. J'adore la mer, mais je préfère la contempler depuis la terre ferme. Le mariage est une série de compromis, Eli. Tu as fait des concessions, tu n'as pas à t'en excuser.

– Moi qui avais prévu de t'emmener faire une balade en mer, demain...

– Il faudra modifier ton programme, répondit Hester en riant.

– Pourquoi as-tu gardé le voilier ?

Devant son regard, son sourire, il comprit. *Par amour*, pensa-t-il, et il pressa les lèvres contre sa joue.

– Alors comme ça, tu as pris un chien ?

– Pour quelques jours, en principe. Mais je crois bien qu'elle va rester là. Elle est orpheline, la pauvre. On ne peut pas la laisser sans famille.

– Un chien te fera du bien, déclara Hester en s'écartant de son petit-fils afin de l'examiner. Tu as l'air en forme.

– Toi aussi, Gran.

– On était deux guerriers blessés, n'est-ce pas, Eli junior ?

– On a repris des forces. Reviens vite à Bluff House, Gran.

En boitillant, Hester se dirigea vers une chaise et s'y assit.

– Je ne suis pas encore totalement remise, tu sais, soupira-t-elle.

– Tu finiras de te rétablir ici. Je resterai avec toi, aussi longtemps que tu auras besoin de moi.

Les yeux de la vieille dame se mirent à briller. Un instant, il redouta les larmes, mais c'était de la lumière.

– Assieds-toi, lui dit-elle. J'ai bien l'intention de revenir, mais il est encore un peu tôt. Ce ne serait ni très pratique ni très judicieux ; tous mes médecins et mes kinés sont à Boston.

– Je pourrais t'amener à tes rendez-vous. Ou on pourrait s'arranger pour que tu poursuives la rééducation ici.

Il n'avait pas mesuré, pas vraiment, avant de la revoir là, sur la terrasse, les yeux sur l'océan, combien il lui tenait à cœur qu'elle revienne.

– C'est dingue ce que tu me ressembles, mon garçon. J'ai pensé à ça presque dès l'instant où je me suis réveillée à l'hôpital. Ma maison, retrouver ma maison, je n'avais que cette idée en tête. C'est grâce à ça que je m'en suis sortie. Les médecins ont dit que j'étais une dure. Ah, ils m'ont entendue, sitôt que j'ai eu repris du poil de la bête !

– Ils ne connaissaient pas Hester Hawkin Landon.

– Ils me connaissent, maintenant. Mais je dois être raisonnable, je ne veux pas brûler les étapes. J'ai encore besoin de ta mère. Et de ton père aussi, bien sûr. C'est un bon fils, il l'a toujours été. Et il a épousé une femme en or. Dieu la bénisse, Lissa est aux petits soins avec moi. Je ne peux pas encore me passer d'elle. Je tiens sur mes jambes, mais je ne suis pas encore totalement autonome. Je ne peux pas revenir tout de suite.

– OK, ne t'en fais pas, je m'occuperai de la maison aussi longtemps qu'il le faudra.

– Mon souhait le plus cher serait que tu y restes. Je ne voudrais pas être la dernière des Landon à Bluff House. La dernière à vivre à Whiskey Beach. Si je n'avais guère d'affection pour Lindsay, c'est parce qu'elle te retenait à Boston.

– Gran...

– C'était égoïste, je le reconnais, mais c'était l'une des raisons. Je me serais résignée, ou tout au moins j'aurais essayé, si encore elle t'avait rendu heureux, comme la famille de Tricia, et son poste aux Whiskey Landon la rendent heureuse.

– Tricia dirige la compagnie de main de maître, n'est-ce pas ?

– Elle tient de votre grand-père, et de votre père. Elle était faite pour ça. Toi, en revanche, tu es comme moi. Nous pourrions être de bons gestionnaires, nous avons la tête sur les épaules. Mais nous sommes davantage attirés par les arts. (Hester se pencha en avant et tapota la main de son petit-fils.) Tu t'es toujours plus épanoui dans l'écriture que dans le droit.

– Avant, je considérais l'écriture comme un loisir, pas comme un travail. Maintenant que c'est mon activité principale, je la prends beaucoup plus au sérieux. Il n'empêche que c'est quand même plus cool de passer ses journées à rêvasser et à noircir du papier que d'exercer le métier d'avocat.

– C'est à cela que tu réduis le métier d'écrivain ?

– Non. C'était Lindsay qui parlait en ces termes. (Il avait presque oublié.) Pas méchamment, mais... une poignée de nouvelles, il n'y avait pas de quoi s'émerveiller.

– Elle avait la folie des grandeurs, et je ne dis pas cela méchamment. Elle était ce qu'elle était. Mais quand je parlais de compromis, tout à l'heure, le fait est qu'elle n'en faisait pas beaucoup. Pas à ma connaissance, en tout cas. Les gens qui affirment qu'il ne faut pas médire des morts n'ont tout simplement pas le courage de dire ce qu'ils pensent.

– Le courage, ce n'est pas ce qu'il te manque, à toi.

Eli ne s'attendait pas à ce que sa grand-mère lui parle de Lindsay. Cependant, il se sentait ouvert à la discussion.

– Elle n'avait pas que des torts.

– Il est rare que les torts ne soient pas partagés.

– Je pensais que nous parviendrions à trouver un équilibre. Mais j'ai épousé une princesse. Son père l'appelait toujours comme ça, « ma princesse ».

– En effet, je m'en souviens.

– Elle a toujours eu tout ce qu'elle voulait. Ses parents lui ont fait croire, depuis la plus tendre enfance, que tout lui était dû. La nature l'avait dotée d'une beauté incroyable, et elle était persuadée que sa vie serait parfaite, conforme au moindre de ses caprices.

– Or la vie n'est pas un conte de fées, pas même pour les princesses.

– Hélas, non, soupira Eli.

– C'était une enfant gâtée, mais elle aurait pu grandir, devenir moins égocentrique. Elle avait un charme fou, en effet, et l'œil pour l'art, la déco, la mode. Elle aurait pu réussir une belle carrière et mener une vie formidable. Mais le fait est qu'elle n'était pas l'amour de ta vie. Pas plus que tu n'étais le sien.

– Non, admit-il. Nous n'étions pas faits l'un pour l'autre.

– Vous avez commis une erreur de jugement, toi comme elle. Une erreur qu'elle a payée trop cher. Elle était jeune, elle était belle, et elle ne méritait pas une fin aussi absurde et cruelle. Mais elle appartient au passé, désormais.

Non, pensa Eli, pas tant que l'assassin n'aurait pas payé.

– Je voudrais te poser une question, continua Hester. Es-tu heureux ici ?

– J'ai tout pour l'être.

– Et tu travailles bien ?

– Mieux que je ne l'espérais.

– Parce que tu as trouvé ta place. Ta place est là, Eli, à Whiskey Beach. Tricia ? Sa vie, sa famille, sa carrière sont à Boston. (Hester jeta un coup d'œil en direction de la porte de la terrasse, derrière laquelle Selina jouait avec Barbie, extatique.) Elle adore venir passer quelques jours ici, mais Bluff House n'a jamais été sa maison.

– Bluff House est ta maison, Gran.

– Évidemment, acquiesça Hester en redressant le menton, le regard sur l'océan. Je suis tombée amoureuse de ton grand-père sur cette plage, par une splendide nuit de printemps. J'ai su tout de suite qu'il serait l'homme de ma vie, le père de mes enfants, et que nous finirions nos jours ici. Bluff House était sa maison, elle est devenue la mienne, et je suis libre de la donner à qui je veux.

La vieille dame se retourna vers Eli.

– À moins que tu n'en veuilles pas, poursuivit-elle, auquel cas tu devras m'expliquer pourquoi, je compte te la léguer.

Hébété, il ne put pendant quelques secondes que la regarder fixement.

– Gran, tu ne peux pas me donner Bluff House.

– Je peux faire ce que je veux, mon garçon, répliqua-t-elle en lui martelant l'avant-bras de l'index. Comme je l'ai toujours fait et comme j'ai l'intention de continuer à le faire.

– Gran...

– Bluff House est une maison de famille, et une maison de famille doit se transmettre de génération en génération. C'est ton héritage, et ta responsabilité. Je veux savoir si tu es prêt à en faire ta maison, à y rester, quand je reviendrai, et quand je serais partie. Y a-t-il un autre endroit où tu préférerais vivre ?

– Non.

– Bien, donc, c'est réglé. Je prendrai mes dispositions. Voilà qui m'ôte un poids de l'esprit.

Avec un soupir satisfait, la vieille dame reporta son regard sur l'océan.

– Tu m'annonces ça comme ça...

En souriant, elle se pencha vers son petit-fils et posa une main sur la sienne.

– Dès que j'ai vu le chien, j'ai su que tu étais prêt.

Eli éclata de rire. Tricia apparut sur le seuil de la terrasse.

– Si vous voulez bien venir, tous les deux. C'est l'heure de l'activité peinture sur œufs.

– On arrive, répondit Hester. Donne-moi la main, Eli, s'il te plaît. Je peux m'asseoir toute seule mais j'ai encore besoin d'aide pour me relever.

– Je prendrai soin de Bluff House, lui promit-il. Mais reviens vite.

– Ne t'inquiète pas, c'est bien mon intention.

Elle lui avait donné à penser, mais décorer des œufs de Pâques avec une fillette de trois ans – sans parler du grand-père de celle-ci, tout aussi turbulent malgré ses cinquante-huit ans – ne favorisait pas vraiment la réflexion. Eli se prêta donc au jeu. Quand le timbre de la sonnette retentit, les journaux qui tapissaient l'îlot de la cuisine étaient maculés de taches de peinture de toutes les couleurs.

Barbie à ses côtés, il alla ouvrir la porte. Abra se tenait sur le seuil, un sac sur chaque épaule, un plateau recouvert d'alu entre les mains.

– Désolée, je n'avais pas assez de bras pour ouvrir moi-même.

Il l'embrassa par-dessus le plateau, puis le lui prit.

– J'allais juste t'appeler. Je pensais que tu viendrais plus tôt. On est en train de décorer des œufs. J'ai réussi à t'en mettre quelques-uns de côté.

– Merci. Il a fallu que je m'occupe de certains trucs.

– Un problème ?

– Non, non, dit-elle en posant ses sacs dans le vestibule. Hello, Barbie. Comment vas-tu, ma belle ? J'ai fait des tartes. Ça prend du temps.

– Des tartes ?

– Des tartes, oui, parfaitement, dit-elle en reprenant le plateau. Si j'en crois ce joyeux brouhaha, ton petit monde a l'air bien installé.

– Comme s'ils étaient là depuis une semaine.

– Tout se passe bien ?

– Impec.

Elle put le constater elle-même en entrant dans la cuisine. La famille d'Eli était rassemblée autour de l'îlot, au centre duquel s'alignaient des boîtes d'œufs décorés avec plus ou moins d'habileté et de créativité. Elle afficha un sourire enjoué, s'efforçant d'oublier son horrible journée.

– Joyeuses Pâques ! s'exclama-t-elle en posant ses tartes pour embrasser Hester, fermant les yeux un instant en la serrant contre elle. Je suis si contente de vous revoir ici. Vous me manquez, vous savez.

– Laisse-moi te regarder, dit la vieille dame. Toi aussi, tu m'as manqué.

– J'aurais dû venir vous voir plus souvent.

– Avec ton planning de ministre ? Ne t'en fais pas, nous allons rattraper le temps perdu. J'ai hâte d'être au courant des derniers potins de Whiskey Beach. Je n'ai pas honte de l'avouer, ils me manquent, aussi.

– Je vous raconte tout au téléphone, mais j'en trouverai bien encore quelques-uns. Bonjour, Rob, comment allez-vous ?

Abra se hissa sur la pointe des pieds afin de faire la bise au père d'Eli, puis salua tour à tour chacun des membres de la famille.

Chaleureuse de nature, Abra était une personne tactile, elle avait le contact facile. Mais en la voyant avec sa famille, Eli prit conscience qu'elle entretenait avec les siens des liens dont il ne se doutait pas.

Il s'était... exclu, songea-t-il. Il s'était mis lui-même sur la touche. Pendant trop longtemps.

En quelques minutes, Abra avait pris place aux côtés de Tricia et dessinait un motif sur un œuf, à l'aide d'un crayon de cire, tout en discutant de prénoms potentiels pour le bébé à venir.

– Pendant que les femmes finissent de peindre, lui chuchota son père, si tu me montrais ce trou à la cave ?

Ce n'était pas la plus plaisante des tâches ; néanmoins, il n'était pas possible de s'y soustraire. Ils descendirent donc au sous-sol, s'engagèrent dans les souterrains. Rob s'arrêta devant le cellier, les mains dans les poches de son pantalon kaki.

– Au temps de ma grand-mère, c'était rempli de confitures, de gelées, de fruits et de légumes, ici. Des caisses de patates, de pommes. Ça sentait toujours l'automne. Ta grand-mère à toi a perpétué la tradition, mais à une échelle plus modeste. L'époque des fêtes fastueuses était révolue.

– Je me souviens de quelques soirées d'apparat.

Ils poursuivirent leur chemin, Eli marchant dans les pas de cet homme qui lui avait légué sa stature, sa carrure – et les yeux des Landon.

– Ce n'était rien, comparé à la génération précédente. Les invités se comptaient par centaines, et certains restaient des jours à Bluff House, voire des semaines, en été. Pour recevoir tout ce monde, il fallait avoir du temps libre, des réserves monumentales de provisions et de bouteilles, et toute une armée d'employés de maison. Mon père était un businessman. S'il avait eu une religion, ç'aurait été celle des affaires plutôt que celles des mondanités.

– J'ignorais qu'il y avait des passages secrets pour les domestiques. Je ne l'ai appris qu'il y a quelques jours.

– À ma plus grande déception quand j'étais gamin, ils ont été murés avant ma naissance. Maman menaçait de faire également condamner certaines parties du sous-sol. Je n'avais pas le droit d'y descendre, mais j'y allais quand même, avec les copains.

– Moi aussi.

— Tu crois que je ne le savais pas ? répliqua Rob en riant, avec une claque sur l'épaule de son fils.

Devant le trou, ils s'immobilisèrent.

— Bon sang... Tu m'avais dit qu'il était grand mais je ne m'attendais pas à ça. Qu'est-ce que c'est que ce délire ?

— La fièvre du trésor, je suppose. Je ne vois pas d'autre explication.

— Quiconque a grandi à Whiskey Beach en a été frappé, de façon plus ou moins aiguë.

— Toi ?

— Je croyais – ardemment – à la Dot d'Esméralda quand j'étais ado. J'ai compulsé tous les bouquins qui en parlaient, potassé toutes les cartes marines sur lesquelles j'ai pu mettre la main. J'ai même pris des leçons de plongée. Avec le temps, ça m'a passé, bien qu'il m'arrive encore d'y penser, parfois. Mais ce trou... C'est insensé. Et dangereux. La police n'a aucune piste ?

— Pas que je sache. Cela dit, ils ont aussi un meurtre sur les bras.

Eli s'était longuement demandé s'il devait ou non faire part de ses conjectures à son père. Devant lui, à présent, il n'avait plus la moindre hésitation.

— La police pense que les deux sont peut-être liés, dit-il.

Rob scruta le visage de son fils.

— Allons promener les chiens, dit-il enfin. Tu m'expliqueras tout ça.

Assises dans le petit salon, Abra et Hester sirotaient l'une un verre de vin, l'autre une coupe de Martini.

— C'est chouette d'être là avec vous, dit Abra. Nos petites discussions me manquaient.

— La maison est merveilleusement entretenue. Je savais que je pouvais compter sur toi. (Hester fit un geste en direction des pots de fleurs sur la terrasse.) C'est toi qui as planté des pensées, il paraît ?

— Oui, Eli ne m'a été que d'une assistance limitée. Il n'a pas la main verte.

— Ça peut changer. Il a changé depuis qu'il est là.

— Il avait besoin de temps, d'espace.

— Je retrouve celui qu'il était, mais j'entrevois aussi celui qu'il est en train de devenir. Ça me fait chaud au cœur.

— Il est plus serein que lorsqu'il est arrivé. Il avait l'air tellement triste, désemparé, et rongé de colère.

— Je sais, et ce n'était pas seulement à cause du meurtre de Lindsay. Il avait commencé à changer avant le drame, parce qu'il avait fait une promesse, et que les promesses sont importantes, à ses yeux.

– Est-ce qu'il l'aimait ? Je ne me suis pas permis de lui poser une question aussi indiscrète.

– Je crois qu'il aimait certaines facettes de sa personne, et qu'il pensait pouvoir créer quelque chose avec elle. Sinon, il n'aurait jamais fait cette promesse.

– Une promesse est une chose terrifiante.

– Pour certains, oui. Pour les gens comme Eli. Et comme toi. S'il avait été heureux en mariage, il aurait pu devenir encore quelqu'un d'autre, une autre combinaison de lui-même. Un homme qui se serait accompli dans sa carrière juridique, dans sa vie à Boston, et il aurait été fidèle à sa promesse. J'aurais perdu le garçon qui autrefois s'épanouissait à Whiskey Beach, mais je me serais fait une raison. Ce sont les aléas de la vie qui nous façonnent ; tu es bien placée pour le savoir, n'est-ce pas ?

– Oh, oui.

– Il voit du monde ?

– Il aime la solitude, mais oui : il a sympathisé avec Mike O'Malley, et repris contact avec Vinnie Hanson.

– Sacré Vinnie... Qui aurait cru que ce beatnik finirait shérif adjoint ?

– Vous l'avez toujours bien aimé, ça se sent.

– Il est tellement affable. Je suis contente qu'Eli ait renoué avec lui, et qu'il s'entende bien avec Mike.

– Je crois qu'il a de la facilité à se faire des amis. Oh, et il a passé des heures à discuter avec Stoney, au pub. À la fin de la soirée, ils étaient copains comme cochons.

– Grands dieux ! J'espère qu'il n'est pas rentré en voiture.

– Rassurez-vous, on est rentrés à pied.

Devant le sourcil arqué de la vieille dame, Abra prit conscience de ce que sous-entendait ce « on ».

– Je m'en doutais un peu, dit Hester avec un sourire en coin. Lissa était excitée comme une puce quand elle m'a annoncé que tu serais des nôtres ce week-end.

– Je ne voudrais pas que notre amitié en pâtisse. Vous comptez tellement pour moi, Hester.

– Pourquoi notre amitié en pâtirait-elle ? Quand j'ai demandé à Eli de rester ici, j'espérais qu'il trouverait le temps et l'espace dont il avait besoin pour se reconstruire. Et, pour tout te dire, j'espérais aussi... qu'il se passe quelque chose entre vous deux.

– Vraiment ?

– J'aurais même joué les entremetteuses, au besoin. Tu es amoureuse de lui ?

Abra but une longue gorgée de vin.

– Vous allez un peu vite, Hester.

– Je suis vieille, le temps m'est compté.

– Mais non, vous n'êtes pas vieille.

– Tu n'as pas répondu à ma question.

– Je n'ai pas la réponse. J'aime sa compagnie, et j'aime le voir redevenir lui-même et se transformer en un autre, comme vous dites. Nous sommes tous les deux dans une situation compliquée. J'envisage donc les choses au jour le jour.

En prenant son temps, Hester dégusta l'une des deux olives de son Martini.

– Les complications font partie de la vie. Je suis au courant de ce qui s'est passé ici, mais j'ai l'impression qu'on ne me dit pas tout. On me traite avec beaucoup trop de ménagement. J'ai peut-être un trou de mémoire, mais j'ai encore toute ma tête.

– Bien sûr.

– Je sais qu'une effraction a été commise à Bluff House, ce qui est fort ennuyeux. Je sais aussi que quelqu'un a été tué, et que la police a perquisitionné la maison, ce qui est encore plus fâcheux.

– L'inspecteur en charge de l'enquête ne considère pas Eli comme un suspect, s'empressa de préciser Abra. Il est du reste convaincu qu'Eli n'a rien à voir avec le meurtre de Lindsay.

L'expression à la fois contrariée et soulagée, Hester se cala contre le dossier de son fauteuil.

– Pourquoi ne m'a-t-on pas dit *cela* ?

– Pour éviter, j'imagine, de vous contrarier avec le restant de cette affaire. Aussi fâcheuse qu'elle soit, en tout cas, elle a contribué à stimuler Eli. Il est en colère, sérieusement en colère, prêt à se battre si on recommence à le calomnier. Il ne se laissera pas faire. C'est une bonne chose.

– Une très bonne chose, approuva Hester, le regard sur la mer.

– Désolée de vous déranger, s'excusa la mère d'Eli en entrant dans la pièce.

– Ah, voilà mon adjudant, annonça Hester.

– Il faut que vous vous reposiez, belle-maman, dit Lissa en tapotant sa montre.

– Que croyez-vous que je suis en train de faire, assise dans ce fauteuil à siroter un excellent Martini ?

– Nous avions conclu un marché.

En soufflant, Hester termina son verre.

– D'accord, d'accord, je vais monter faire la sieste.

– Quand vous ne la faites pas, vous êtes aussi grincheuse que Sellie lorsqu'elle est fatiguée.

– Ma bru n'a aucun scrupule à m'insulter.

– C'est pour ça que vous m'aimez, dit Lissa en aidant la vieille dame à se lever.

– Entre autres, acquiesça Hester. Nous poursuivrons notre discussion plus tard, Abra.

Sitôt seule, Abra sentit poindre l'anxiété. Devait-elle inventer un prétexte pour aller faire un saut chez elle ? Non, il était peu probable que l'on se soit de nouveau introduit dans le cottage et il ne servait à rien de se ronger les sangs. Elle était mieux ici, en bonne compagnie, se raisonna-t-elle. Autant profiter de l'instant présent. Dieu seul savait ce que réservaient les jours à venir.

Elle se rendit à la cuisine. Elle aurait volontiers cuisiné, histoire de se changer les idées. Or elle était invitée, ce week-end. Elle ne pouvait pas se permettre de prendre des initiatives.

Elle allait monter ses affaires à l'étage, sortir de ses sacs les petits paquets-cadeaux qu'elle avait préparés pour chacun des membres de la famille. Il fallait absolument qu'elle s'occupe.

– Hester rechigne toujours à faire la sieste, déclara Lissa en redescendant l'escalier. Mais sitôt la tête sur l'oreiller, elle dort d'un sommeil de plomb pendant au moins une heure.

– Elle a toujours été si active et si indépendante.

– À qui le dites-vous... Mais une heure de repos, ce n'est rien. Quand elle est sortie de l'hôpital, il était rare qu'elle reste éveillée plus d'une heure d'affilée.

– Je vous sers un verre de vin ? J'étais justement en train de me demander ce que je pouvais faire pour me rendre utile. Vous avez besoin d'un coup de main pour le dîner ?

– Ce sera avec plaisir, mais nous avons encore le temps. Il paraît que vous êtes une excellente cuisinière. Hester n'arrête pas de vanter vos mérites. Et Eli a repris du poids, grâce à vous. Je vous en suis infiniment reconnaissante.

– J'aime bien cuisiner, et il s'est rappelé qu'il aimait bien manger.

– Qu'il aimait bien les chiens, aussi, et les balades sur la plage, et la compagnie. Tout cela grâce à vous, Abra. Je ne sais comment vous remercier.

– Oh, il n'y a pas de quoi !

– Il m'a dit que vous aviez une relation, tous les deux. Je vous ai toujours beaucoup appréciée, je suis heureuse pour lui, et pour vous.

Intérieurement, Abra poussa un soupir de soulagement.

– Il y a longtemps que je n'avais pas fréquenté quelqu'un, à plus forte raison quelqu'un avec une famille proche... La vérité ? J'ai tellement l'habitude de faire ce qui doit être fait, ici, que je ne sais pas ce que je dois faire ou ne pas faire en tant qu'invitée.

– Hester vous considère comme un membre de sa famille. Vous êtes intime avec Eli. Et nous avons toujours eu des relations amicales. Faites comme chez vous, ne vous posez pas trop de questions.

– C'est sympa, je vous remercie.

– Max a monté vos affaires dans la chambre d'Eli, ajouta Lissa avec un clin d'œil et un sourire entendu.

Avec un petit rire à la fois gêné et surpris, Abra hocha la tête.

– Bien, dit-elle, voilà qui simplifie les choses. Si vous m'indiquiez les menus du week-end ?

– Je vous les indiquerai, ne vous en faites pas, mais nous ne sommes pas pressées. J'aimerais que vous m'expliquiez, exactement, ce qui s'est passé ici. Eli et son père sont sortis promener les chiens. Une excuse pour discuter entre hommes, et épargner toute inquiétude aux femmes, ces fragiles créatures.

– Ah oui ? fit Abra, les poings sur les hanches.

– J'ai vécu l'horreur de l'année passée, moi aussi, Abra. Chaque jour, chaque heure de cette année de cauchemar. Si mon fils a de nouveau des ennuis, je suis assez costaude pour l'entendre.

– Dans ce cas, je vais tout vous raconter.

Abra espérait ne pas avoir commis d'impair, bien qu'elle eût agi en son âme et conscience. Les questions directes appelaient des réponses directes. À présent, si Lissa avait vu juste, les parents d'Eli étaient tous les deux au parfum.

Plus de non-dits, plus de faux-semblants.

Hormis ce qu'elle-même taisait. Eli devait être informé de l'incident du pistolet. Il lui faisait confiance, elle ne devait rien lui cacher.

– Ah, tu es là, dit-il en revenant de sa balade, les joues rosies par le vent. Barbie m'a laissé tomber pour mon père et Sadie, sa nouvelle meilleure amie. Je trouve qu'elle se laisse un peu trop facilement séduire.

– Elle est stérilisée, elle peut aussi se laisser séduire par tous les beaux mâles qu'elle rencontrera sur la plage.

– Dans ce cas... On a fait une grande balade, avec mon père. Je lui ai tout raconté, sans omettre aucun détail, même les plus déplaisants.

– Tant mieux, parce que j'ai fait la même chose avec ta mère.

– Tu...

– Ce qui vaut pour les uns vaut aussi pour les autres. Et pour les unes. C'est elle qui a abordé le sujet et qui m'a demandé de ne rien lui cacher. J'ai répondu à ses questions. On se fait moins de souci quand on sait que quand on sait à moitié.

– Je voulais juste qu'elle passe un week-end tranquille.

– Je comprends. Je comprends parfaitement. C'est pour ça que... Ce n'est pas Hester qui appelle ?

Eli se rua dans l'escalier. Abra s'élança à sa suite.

Dans sa chambre, Hester était assise dans son lit, aussi blanche que les draps, la respiration saccadée, les mains tremblantes.

Abra alla aussitôt chercher de l'eau dans la salle de bains.

– Que se passe-t-il, Gran ? Ça va aller, je suis là.

– Tenez, Hester, buvez un peu d'eau. (La voix d'Abra avait la douceur d'un baume.) Tiens-lui le verre, Eli, s'il te plaît, pendant que j'arrange les oreillers. Détendez-vous, Hester, respirez.

La main de son petit-fils serrée dans la sienne, la vieille dame but quelques gorgées puis se renversa contre les oreillers.

– J'ai entendu du bruit.

– C'est moi qui ai fait claquer la porte, la rassura Eli. Excuse-moi, je ne savais pas que tu dormais.

– Non... La nuit où je suis tombée. Je me suis levée parce que j'ai entendu du bruit. Je m'en souviens, maintenant.

– Quel genre de bruit ?

– Des pas. J'avais l'impression... Et puis je me suis dit que j'avais dû rêver. Les vieilles maisons font tout un tas de bruits. J'ai l'habitude. Mais je n'arrivais pas à me rendormir. Je suis descendue pour me préparer une tisane. Tu sais, Abra, cette infusion aux plantes que tu m'as donnée, contre les troubles du sommeil. Je ne me rappelle pas si je l'ai préparée ou non...

– Ce n'est pas grave, Gran, si tu ne te souviens pas de tout.

Elle serra plus fort les doigts d'Eli.

– J'ai vu quelque chose, je crois. Ou plutôt quelqu'un. Il y avait quelqu'un dans la maison. Je ne sais plus ce que j'ai fait. Si j'ai couru... Si je suis tombée dans l'escalier...

– Comment était la personne que tu as vue ?

– Je ne sais pas... murmura Hester d'une voix tremblante. Je n'ai pas vu son visage. Il était derrière moi. J'étais encore en haut, je crois. J'ai dû vouloir descendre. Je crois bien qu'il m'a couru après... Je ne sais pas, je ne sais plus... La seule chose dont je me souvienne, ensuite, c'est de m'être réveillée à l'hôpital. Tu étais là, Eli. Tu es le premier que j'ai vu quand j'ai ouvert les yeux. Tu étais là, j'étais hors de danger.

– Tout va bien, Gran, dit-il en lui embrassant la main.

– Il y avait quelqu'un dans la maison. Je n'ai pas rêvé.

– Non, tu n'as pas rêvé. Il ne reviendra pas, ne t'en fais pas, tu ne risques plus rien.

– C'est toi qui habites là, maintenant, Eli. Fais attention.

– Ne t'inquiète pas, j'ai pris toutes les mesures qui s'imposaient. Tu m'as confié la responsabilité de Bluff House, tu peux me faire confiance.

Hester ferma un instant les yeux.

– J'ai confiance en toi plus qu'en n'importe qui. Derrière l'armoire, au grenier, la grande armoire double en noyer, il y a un mécanisme dans la moulure qui actionne un panneau.

– Je croyais que tous les passages secrets étaient condamnés.

La respiration à présent plus régulière, Hester rouvrit les yeux.

– Sauf celui-ci. Un petit garçon curieux ne risquait pas de déplacer cette grosse armoire, ni l'étagère, dans la cave, là où ton grand-père s'était aménagé un atelier. Le passage aboutit derrière cette étagère. Tous les autres ont été murés. Un compromis. (Hester esquissa un sourire.) Ces passages me faisaient peur, je craignais que les enfants s'y perdent. Mais ton grand-père disait qu'ils appartenaient à l'histoire de Bluff House, qu'il aurait été dommage de tous les fermer. Alors nous en avons conservé un. Je ne l'ai jamais dit à ton père, pas même quand il a été en âge de ne plus commettre de bêtises.

– Pourquoi ?

– Sa vie est à Boston. La tienne est ici. Si un jour tu as besoin de te cacher, ou de t'enfuir, utilise ce passage. Personne n'est au courant de son existence, à part Stoney Tribbet, s'il s'en souvient.

– Il s'en souvient sûrement. Il m'a dessiné un plan de la maison avec les passages. Mais il ne m'a pas précisé qu'il en restait un.

– Loyauté, dit simplement Hester. Je lui avais demandé de n'en parler à personne.

– OK. Maintenant, je sais. Mais ne t'inquiète pas, Gran, il y a peu de chances que j'aie besoin de m'en servir.

– Il faut que je me rappelle le visage de cet homme qui était dans la maison. Laissez-moi encore un peu de temps et je suis sûre que ça me reviendra.

– Je vous prépare un thé ? offrit Abra.

– L'heure du thé est largement passée, répliqua Hester en redressant les épaules. Aide-moi à me lever et à descendre, tu veux bien ? Et tu me serviras un verre de whiskey.

20

À deux reprises durant la nuit, Eli se leva afin de vérifier les portes, les fenêtres, l'alarme. Le chien le suivant fidèlement, il sortit même sur la terrasse s'assurer que personne ne rôdait sur la plage.

Tous ceux qui lui étaient chers dormaient à Bluff House, il ne voulait pas qu'il leur arrive quoi que ce soit.

Les souvenirs qui étaient revenus à sa grand-mère apportaient un nouvel éclairage sur les événements. Il y avait bel et bien quelqu'un dans la maison le soir où elle était tombée. Or ce quelqu'un ne remontait pas de la cave. Il se trouvait dans les étages.

Certes, Hester avait encore l'esprit confus. Eli ne pensait pas, toutefois, qu'elle ait pu se tromper à propos de ce détail.

Restait à savoir si l'individu responsable de sa chute était celui qui était revenu par la suite, ou s'il s'agissait de deux personnes différentes, en cheville, ou complètement indépendantes l'une de l'autre. Dans tous les cas, une nouvelle question se posait : que cherchait-on dans les étages ?

Dès que sa famille serait repartie à Boston, Eli inspecterait à nouveau la maison, pièce par pièce, recoin par recoin. En attendant, Barbie et lui montaient la garde.

Allongé près d'Abra, les yeux grands ouverts, il échafaudait des théories. Duncan avait-il un partenaire ? Serait-il devenu gênant pour ce partenaire, qui l'aurait alors éliminé, puis aurait fait disparaître toute trace de lui ?

Possible.

Les effractions avaient-elles été commises par le commanditaire de Duncan ? Ce dernier avait-il menacé de le dénoncer, tenté de le faire chanter ? Le client l'avait alors éliminé, et fait disparaître tous les dossiers relatifs à l'affaire.

Possible, également.

Ou bien le ou les auteurs des effractions n'avaient aucun rapport avec le détective privé. En menant son enquête, il les avait démasqués, et s'était fait tuer.

Possible, aussi, mais peu probable. À 4 heures du matin, en tout cas, l'hypothèse ne semblait guère crédible.

Eli s'efforça de penser à autre chose. À son roman. Ces intrigues-là, au moins, pouvaient peut-être être démêlées avant l'aube.

Il avait acculé son personnage principal dans une impasse. Le pauvre homme se retrouvait confronté de toutes parts à des difficultés inextricables – avec son ennemi juré, avec sa compagne, avec les autorités. Allait-il trouver une issue ? Ou attendre passivement que le ciel lui tombe sur la tête ?

Eli élabora diverses options narratives, jusqu'à ce que le sommeil lui brouille les idées.

Et quelque part dans le dédale de son subconscient, fiction et réalité s'entremêlèrent. Il ouvrit la porte d'entrée de la villa de Back Bay.

Il aurait pu faire demi-tour, repartir sous l'orage. Il monta néanmoins à l'étage prendre la bague de son aïeule dans le coffre, redescendit décrocher le tableau, exactement comme le soir où il avait découvert le corps de son épouse assassinée, ce soir fatidique qu'il avait si souvent revisité en rêve, dont il ne pouvait changer le cours.

Cette fois, cependant, il poussa une porte à Back Bay et se retrouva dans le sous-sol de Bluff House.

Une torche à la main, il se dirigea vers le générateur. Le courant était coupé. Il devait démarrer le groupe électrogène.

Il passa devant des rayonnages couverts de bocaux étiquetés. Confiture de fraises, gelée de raisin, pêches au sirop, haricots verts, coulis de tomates.

Beaucoup de bouches à nourrir, pensa-t-il en contournant une caisse de pommes de terre. Tous les membres de sa famille dormaient dans leurs lits. Abra dormait dans le sien. Beaucoup de bouches à nourrir, beaucoup de monde à protéger.

Il avait promis de veiller sur la maison. Les Landon tenaient leurs promesses.

Il devait restaurer l'électricité, la lumière, la chaleur, la sécurité, protéger ce qui était sien, ce qu'il chérissait, ce qui était vulnérable.

Il entendait la mer, son murmure ascendant et descendant, ascendant et descendant, ascendant et descendant.

Et par-delà ce murmure, des coups métalliques frappés contre la pierre, avec la régularité d'un métronome.

Un intrus dans la maison, une menace... Il sentit la crosse d'un pistolet au creux de sa paume, baissa les yeux sur sa main. Le canon d'un pistolet de duel étincela dans le noir et une étrange lueur bleutée se répandit dans la cave.

Le murmure de la mer se mua en grondement.

Eli s'enfonça dans les profondeurs du sous-sol.

Elle gisait au fond de la tranchée. Abra, son corsage blanc et ses boucles auburn ensanglantés.

Wolfe surgit de l'ombre. Sa silhouette se découpa dans la lueur bleuâtre.

À l'aide ! Eli se laissa tomber à genoux et souleva le corps inerte et froid entre ses bras. Une image de Lindsay l'assaillit, mais c'était le sang d'Abra qu'il avait sur les mains.

Non... Non, il ne pouvait pas être trop tard. Il ne la laisserait pas mourir.

Elle est morte, elle aussi. Wolfe brandit son arme de service. Tu es responsable. Tu as leur sang sur les mains. Cette fois, tu le paieras.

La détonation arracha Eli à son rêve. Il se redressa dans un mouvement de panique, pressa une main contre son torse, s'attendant presque à voir le sang jaillir entre ses doigts. Sous sa paume, son cœur battait à grands coups désordonnés.

Il tâtonna dans le lit à la recherche d'Abra. Ne trouva que le vide.

Ce n'était qu'un rêve, se rassura-t-il. La lumière entrait à flots par les portes du balcon. La mer scintillait de mille étoiles d'or et d'argent. Abra devait être déjà levée. Tout le monde à Bluff House était en sécurité.

Tout allait bien.

Barbie dormait au pied du lit, une patte jalousement posée sur un os en plastique. Sa présence finit de réconforter Eli. Parfois, la réalité était aussi sereine qu'un brave chien et un dimanche matin ensoleillé.

Savourons la sérénité, tant qu'elle dure, s'enjoignit-il. Au diable les problèmes et les cauchemars !

À l'instant où il posa le pied sur le plancher, Barbie leva la tête et agita la queue.

– Tout va bien, dit-il à voix haute.

Il enfila un jean et un sweat-shirt, puis partit à la recherche d'Abra.

Il ne s'étonna pas de la trouver dans la salle de gym. En revanche, il fut surpris de voir Hester assise à côté d'elle, en tailleur sur un tapis rouge, vêtue d'un pantacourt noir et d'un débardeur lavande, révélant des bras amaigris, une longue cicatrice en travers de l'épaule gauche.

Une tranchée, pensa Eli, comme dans la cave. Une saignée infligée à ce qui était sien, ce qu'il chérissait, ce qu'il devait protéger.

– Sur l'inspiration, inclinez le buste sur la gauche. Attention, ne forcez pas trop, Hester.

– Tu me fais faire du yoga pour vieillardes.

L'irritation dans la voix de sa grand-mère rendit la scène un peu moins incongrue aux yeux d'Eli.

– C'est une séance de reprise. Il faut être prudent quand on reprend. Concentrez-vous sur votre respiration. Inspirez, joignez les paumes au-dessus de la tête. Soufflez. Inspirez et inclinez le buste sur la droite. Paumes jointes au-dessus de la tête. Très bien.

Tout en parlant, Abra se redressa pour aller s'agenouiller derrière la vieille dame et lui masser les épaules.

– Tu es la meilleure masseuse que je connaisse.

– Vous êtes tendue. Relâchez les épaules. Voilà. Parfait.

– Je me suis réveillée raide comme une planche, ce matin. Je perds ma souplesse. Je ne sais pas si je peux encore toucher mes orteils.

– Ça reviendra. Que disent les médecins ?

– Que j'aurais pu y rester.

Eli ne voyait Abra que de profil. Elle ferma les yeux.

– Vous avez des os solides, un cœur solide.

– Et la tête dure.

– Vous vous êtes entretenue toute votre vie. Vous vous rétablissez, tout doucement. Patience. Cet été, vous verrez, vous pourrez refaire la demi-lune et la pince debout.

– Dommage que je n'aie pas connu ces postures quand mon Eli était en vie.

Eli mit quelques secondes à comprendre, et si cette allusion fit rire Abra, elle le choqua.

– À la mémoire de votre cher et tendre Eli, expirez, creusez le ventre et inclinez le buste en avant. Doucement. Doucement.

– J'espère qu'Eli junior apprécie ta souplesse.

– Oh, oui.

Là-dessus, Eli junior décida de battre discrètement en retraite.

Il allait préparer du café et s'en servir une tasse qu'il boirait sur la plage tout en promenant les chiens. Quand il reviendrait, sa grand-mère serait habillée comme sa grand-mère. Et le grand air aurait chassé cette allusion à ses ébats sexuels avec son grand-père.

L'arôme du café flottait déjà dans la cuisine. Il y trouva sa sœur en pyjama rose, un mug entre les mains, Sadie couchée sur le carrelage. La chienne se redressa lorsque Barbie vint lui renifler le museau.

– Où est le bébé ?

– Ici, répondit Tricia en tapotant son ventre encore plat. Sa grande sœur fait des câlins avec son papa. Je profite de ce moment de tranquillité pour déguster l'unique café noir de la journée auquel j'ai droit. Tu en veux une tasse ? Ensuite, tu m'aideras à cacher les œufs.

– Pas de problème. Il faut juste que je sorte d'abord les chiens.

– Ça marche, opina Tricia en se penchant pour caresser Barbie. Elle est adorable. Si elle avait un frère ou une sœur, je l'adopterais volontiers. Elle est si gentille et si patiente avec Sellie.

– Il paraît que les Chesapeake Bay retrievers adorent les enfants.

– Je n'ai pas eu le temps de te parler, hier, pas en tête à tête. Je voulais te dire que tu as bonne mine. Tu ressembles à Eli.

– Pourquoi ? Je ressemblais à qui, avant ?

– À un vieil oncle d'Eli, au visage émacié et à l'esprit un peu ralenti.

– Merci !

– Il ne fallait pas me poser la question. Tu es encore un peu maigre, mais je te retrouve. Abra a fait du bon boulot.

Devant le regard en coin de son frère, Tricia inclina la tête.

– Tu vas me dire qu'elle n'y est pour rien ?

– Non, je vais te dire que je me demande comment j'ai fait pour vivre avec ma famille toute ma vie sans me rendre compte à quel point vous étiez tous obsédés par le sexe. Je viens d'entendre Gran faire une allusion à Abra à propos de sa vie sexuelle avec papy.

– Sérieux ?

– Si je te le dis ! Résultat, je n'arrive pas à m'ôter cette image de la tête. Allez, viens, Barbie, on va se promener avec Sadie.

Avec un énorme bâillement, Sadie se recoucha, le museau sur les pattes.

– Je crois qu'elle préfère rester au chaud, commenta Tricia.

– Comme elle veut. Je serai de retour dans quelques minutes pour jouer au lapin de Pâques.

– OK. Au fait, je ne parlais pas de sexe.

– D'accord, répondit Eli depuis la buanderie.

Puisqu'il n'avait pas à s'adapter au rythme de la vieille Sadie, et qu'il avait la plage pour lui seul, en ce dimanche matin de Pâques, Eli cala son mug dans le sable, près de l'escalier, et partit en petites foulées. Lorsqu'il demanda à son corps ce qu'il en pensait, il n'obtint qu'une réponse indistincte.

Barbie, pour sa part, semblait enchantée de cette idée. Eli dut accélérer la cadence afin de la suivre. Un effort excessif qu'il paierait cher. Heureusement, il avait une masseuse à domicile.

Assailli par une réminiscence de son cauchemar, il la revit en sang, pâle et froide, au milieu des gravats, dans la cave. Cette image fit grimper d'un cran sa fréquence cardiaque.

Finalement, il parvint à ramener le chien au pas de marche, inspira une grande bouffée d'air moite afin de soulager sa gorge sèche.

Les effractions le travaillaient donc davantage qu'il ne voulait l'admettre.

– On ne va pas pouvoir se contenter d'aboyer, dit-il à Barbie en rebroussant chemin. Mais on verra ce qu'on fera après le week-end.

La distance qu'ils avaient parcourue l'épata.

– Eh bien...

Deux mois plus tôt, deux misérables petits kilomètres sur le vélo elliptique l'avaient laissé dans un état pitoyable. Aujourd'hui, il avait fait le double à un rythme soutenu, et il était à peine essoufflé.

Peut-être, en effet, redevenait-il lui-même.

– Allez, Barbie, c'est reparti !

Ils regagnèrent Bluff House à la course. Abra se tenait sur la terrasse, en sweat-shirt à capuche par-dessus sa tenue de yoga. Elle lui adressa un signe de la main.

Voilà l'image qu'il devait garder en tête, se promit-il. Abra et Bluff House à l'arrière-plan, la brise dansant dans ses cheveux.

Il ramassa le mug avant de gravir les marches deux à deux. Il parvint au sommet de l'escalier vanné, mais néanmoins content de lui.

– L'homme et son chien, les salua Abra.

– L'homme, son chien, et le thème de *Rocky*. « Adrian ! »

Il la souleva de terre, la fit tournoyer.

– Qu'est-ce qu'il y avait dans ce café ? demanda-t-elle en riant. Il en reste ?

– Aujourd'hui sera une excellente journée.

– Ah oui ?

– Parfaitement. Une journée qui débute par des lapins en chocolat et des friandises à gogo pour le petit déjeuner ne peut être qu'une excellente journée. Il faut qu'on cache les œufs.

– Déjà fait, Rocky. Tu as loupé le coche.

– Je les chercherai, c'est encore mieux. Donne-moi des indices. Figure-toi que Robert Edwin Landon, P-DG des Whiskey Landon, président ou vice-président d'innombrables œuvres de bienfaisance, et chef de l'honorable famille Landon, serait capable de faire des croche-pieds à sa petite-fille pour gagner la chasse aux œufs.

– Je ne te crois pas.

– OK, j'exagère un peu, mais il ne se gênerait pas pour faire des croche-pattes à son fils.

– Peut-être, mais tu n'auras aucun indice de ma part. Va vite chercher ton panier avant que Sellie ne les chipe tous.

Ce fut une excellente journée, même si Eli mangea tellement de sucreries que la simple idée de gaufres pour le petit déjeuner lui souleva le cœur. Il en mangea quand même, et ne pensa à rien d'autre qu'à croquer à pleines dents chaque instant de cette merveilleuse sérénité.

Sa nièce riant aux éclats devant son grand-père coiffé d'une paire d'oreilles de lapin. Le plaisir sur le visage de sa grand-mère quand il lui offrit un bouquet de fleurs printanières. La bataille de pistolets à eau avec son beau-frère, qui se termina par un tir mortel en plein cœur de sa sœur lorsque celle-ci apparut à la porte de la terrasse. La surprise d'Abra quand il lui donna une orchidée verte, qu'il avait choisie parce qu'elle lui faisait penser à elle.

Ils se régalèrent d'un énorme jambon, de pommes de terre rôties, de jeunes asperges, de pain aux herbes confectionné par Abra, d'œufs mimosa extraits de leurs coquilles colorées – et de bien d'autres délices. Dans la grande salle à manger, la lueur des bougies, le tintement du cristal, le chant de sirène de la mer créèrent une toile de fond parfaite pour cette excellente journée qu'il avait annoncée.

Il ne se souvenait pas du dernier repas de Pâques, avec le meurtre de Lindsay encore si frais, les longues heures d'interrogatoire, la peur que l'on frappe à la porte pour l'embarquer cette fois menottes aux poignets. Tout cela n'était plus à présent qu'un lointain souvenir – les visages tirés et pâles de sa famille, la désertion, tour à tour, de ceux qu'il croyait être ses amis, la perte de son emploi, les accusations qu'on lui jetait à la figure dès qu'il s'aventurait en société.

Il avait traversé cette épreuve. Quels que soient les ennuis qui s'acharnaient contre lui, il les surmonterait.

La tempête pouvait souffler, il avait retrouvé un port d'attache.

À Whiskey Beach, songea-t-il, le cœur gonflé d'espoir, en levant son verre et en adressant un clin d'œil à Abra.

Habité par la même énergie positive, le lundi matin, il aida à charger les voitures, embrassa une dernière fois sa grand-mère.

– Je téléphonerai au notaire, lui chuchota-t-elle à l'oreille. Prends soin de toi.

– Toi aussi, Gran.

– Et dis à Abra que je serai bientôt de retour au cours de yoga.

– Je transmettrai le message.

Rob donna à son fils une virile accolade, accompagnée d'une claque dans le dos.

– Allez, maman, en voiture. À bientôt, fiston !

– L'été sera bientôt là, dit Eli en aidant sa grand-mère. Arrangez-vous pour poser quelques jours de congé tous en même temps.

– Sans faute, promit son père en s'installant derrière le volant. C'était chouette d'être à nouveau tous réunis à Bluff House. À renouveler dans les plus brefs délais.

Eli regarda les voitures s'éloigner en agitant la main. À ses côtés, Barbie émit un gémissement plaintif.

– Tu as entendu mon père ? Ils reviendront bientôt, lui dit-il en se retournant vers la vieille demeure familiale. En attendant, nous avons de quoi nous occuper. Nous allons trouver ce que cherche ce sinistre individu. Nous allons passer Bluff House au peigne fin, OK ?

Barbie remua la queue.

– J'interprète cela comme un oui. Allez, au boulot !

Il commença par les combles, jadis le fief des domestiques, où étaient entreposés aujourd'hui des vieux meubles, des malles remplies de vêtements d'un autre temps, de babioles auxquelles les précédentes générations de Landon étaient trop attachées pour s'en débarrasser, trop encombrantes pour les laisser en vue.

Après la perquisition, les policiers ne s'étaient pas donné la peine de remettre les housses de protection en place. Elles gisaient en tas sur le plancher, pareilles à des amoncellements de neige.

– Si je cherchais un trésor, qu'espérerais-je trouver ici ?

Sûrement pas le trésor lui-même. Hormis dans *La Lettre volée*, il est rare que l'on cache quelque chose en évidence. Personne ne pouvait croire que les précédents occupants aient dissimulé une cassette de bijoux sous les coussins du vieux divan avachi, ou derrière le miroir au tain écaillé.

Eli fit le tour du grenier, regarda dans les caisses, dans les coffres, remit les draps sur les fauteuils. Des grains de poussière dansaient dans les rais de lumière, le silence de la maison accentuait le bruit du ressac.

Il ne parvenait pas à s'imaginer ce qu'était la vie avec le contingent de domestiques qui autrefois dormaient dans les mansardes et se réunissaient dans la grande salle collective pour les repas ou les potins. Ses ancêtres ne devaient pas connaître la solitude, le silence, encore moins l'intimité.

Une concession, sans doute. Pour entretenir une aussi vaste demeure et y accueillir des invités par centaines, il fallait s'accommoder d'une armée de serviteurs.

Ses grands-parents avaient préféré un train de vie plus modeste. L'époque de Gatsby était révolue, tout au moins à Bluff House.

Il était dommage, toutefois, d'avoir laissé un étager entier à l'abandon.

– Ça ferait un chouette atelier d'artiste, non ? demanda-t-il à Barbie. Dommage que je ne sois pas peintre. Quant à Gran, ce serait fatigant pour elle de monter jusqu'ici.

En enroulant les épaules, un exercice qu'Abra lui avait recommandé, Eli traversa l'ancien réfectoire des domestiques.

– N'empêche... la luminosité est idéale. Un coin cuisine ici. Il suffirait de changer l'évier, d'installer un micro-ondes. Et de refaire les sanitaires, ajouta-t-il en jetant un coup d'œil aux vieux WC avec chasse à chaînette. Sans doute pourrait-on même retaper une partie de ces meubles. Ce ne serait pas mal...

Le front plissé, il se posta devant les fenêtres donnant sur la plage. Généreuses ouvertures, superbe vue, un choix architectural qui n'avait sans doute pas été pensé à l'intention des serviteurs.

Il se retourna, balaya le grenier du regard.

Ne serait-il pas bien, ici, pour écrire ? Aménager un coin travail ne requerrait pas de gros travaux. Il n'avait pas besoin de grand-chose : un bureau, une ou deux étagères. Des toilettes fonctionnelles.

– Quel écrivain ne rêve pas d'un bureau sous les combles ? Ouais... Pourquoi pas...

Mais là n'était pas le propos, pour l'instant.

Il entama une seconde inspection des lieux, imagina les bonnes descendant à l'aube de leurs lits en fer, pieds nus sur le plancher glacé, un majordome boutonnant sa livrée amidonnée, la gouvernante cochant sa liste des corvées du jour. Un univers à part entière avait existé là, dont la famille ne savait probablement que peu de chose.

Eli examina la vieille armoire, adossée contre une tapisserie jaunie à motif floral. Apparemment, elle n'avait pas été déplacée depuis des lustres.

Curieux, il essaya de la pousser, le dos arc-bouté contre l'un de ses montants. En vain. Il ne parvint à la bouger que d'un malheureux centimètre. Il tenta de glisser le bras derrière, se coucha par terre et essaya d'atteindre le mur par en dessous.

Pas plus un homme adulte qu'un garçonnet espiègle ne risquait d'accéder au passage. Pas seul, en tout cas.

Sur une impulsion, il fit défiler les numéros qu'Abra avait enregistrés dans son portable. Et composa celui de Mike O'Malley.

– Allô, Mike ? Eli Landon à l'appareil. Comment vas-tu ?

Il s'appuya contre l'armoire, aussi solide et intimidante qu'un séquoia.

– Ça va, je te remercie. Dis-moi, tu aurais un moment, dans la journée ?... Non, laisse tomber, si tu es en congé, je ne veux pas vous déranger... OK, dans ce cas, j'aurais besoin d'un coup de main. D'un homme fort. OK, merci, c'est sympa.

Il raccrocha, regarda Barbie.

– Stupide, hein ? Mais qui résisterait à un passage secret ?

Il redescendit, fit un détour par son bureau pour une minute, imagina le déménager sous les combles. L'idée n'était pas complètement folle. Juste un peu... farfelue.

Il faudrait changer cette hideuse tapisserie à fleurs, installer le chauffage et l'air conditionné, refaire la plomberie. Éventuellement, à terme, envisager de réhabiliter la totalité du grenier.

Un gros chantier. Qui revêtait néanmoins un potentiel séduisant.

Barbie dressa soudain l'oreille. Et émit un triolet d'aboiements à la seconde même où retentit le carillon de la sonnette.

– Quelle ouïe ! la félicita Eli en s'élançant à sa suite dans l'escalier.

– Salut, tu as fait vite.

– Tu m'as sauvé de la corvée de tondeuse – temporairement. Bonjour, toi, dit Mike en se penchant pour caresser Barbie qui reniflait le bas de son pantalon. Maureen m'avait dit que tu avais pris un chien. Comment il s'appelle ?

– Elle, rectifia Eli. Elle s'appelle Barbie.

– Non... fit Mike avec une expression affligée.

– Hélas, j'ai dû la prendre avec le nom qu'elle avait déjà.

– Tu vas être obligé de lui trouver un Ken, répliqua Mike en s'avançant dans le vestibule. Il y a une paie, dis donc, que je n'étais pas venu ici. Ta famille était là pour le week-end, il paraît ? Comment va Mme Landon ?

– Mieux. Beaucoup mieux. J'ai bon espoir qu'elle puisse revenir à Bluff House d'ici l'été.

– On sera heureux de la retrouver. Non qu'on veuille te chasser de Whiskey Beach.

– Je m'installe ici définitivement.

– Sans blague, s'exclama Mike avec une claque amicale sur l'épaule d'Eli, en voilà une bonne nouvelle ! On aura enfin du sang frais à nos soirées poker mensuelles. On pourra même jouer à Bluff House, ce sera plus classe.

– Quelle est la mise de départ ?

– Cinquante dollars. On est des petits joueurs.

– Tiens-moi au courant, la prochaine fois que vous jouez. Le meuble à déplacer est au grenier, déclara Eli avec un geste en direction des escaliers.

– Cool. Je n'y suis jamais monté.

– On ne l'utilise plus depuis longtemps. Ce n'est plus qu'un débarras, précisa Eli en s'engageant dans l'escalier, Mike sur ses talons.

– Il va falloir descendre un truc ?

– Non. Juste pousser une double armoire.

– Bel espace, commenta Mike en haut des escaliers, mais vilaine tapisserie.

– À qui le dis-tu.

Mike s'approcha de l'armoire, effleura l'une de ses portes sculptées.

– Bel ouvrage. C'est du noyer, non ?

– Je crois.

– J'ai un cousin antiquaire. Il vendrait père et mère pour une pièce comme celle-ci. Où veux-tu qu'on la mette ?

– Il faut juste qu'on la pousse d'un mètre ou deux. (Devant le regard interrogateur de Mike, Eli haussa les épaules.) Il y a un panneau, derrière.

– Un panneau ?

– Un passage.

Le visage de Mike s'illumina.

– Un passage secret ? Ça alors ! Où mène-t-il ?

– Au sous-sol, à ce qu'on m'a dit. Je l'ignorais, mais il y avait des passages de service, autrefois, pour les domestiques. Ma grand-mère les a fait condamner, mais elle a juste bloqué l'accès à celui-ci.

– Ça alors... répéta Mike en se frottant les mains. Allons-y, déplaçons cette armoire.

Plus facile à dire qu'à faire, s'aperçurent-ils. Incapables de la soulever, ils poussèrent, tirèrent, laborieusement, centimètre par centimètre.

– La prochaine fois, on louera une grue, dit Mike en enroulant les épaules.

– Comment diable l'a-t-on montée ici ?

– À dix mecs, plus une nana pour leur dire où la mettre : « Ici, non, attends, plutôt là... Quoique, non, de l'autre côté, tout compte fait. » Si tu répètes ça à Maureen, je jurerai que tu n'es qu'un sale menteur.

– Tu m'as aidé à déplacer une armoire de dix tonnes. Tu as ma loyauté éternelle. Regarde, on voit le contour du panneau. La tapisserie le camoufle, mais quand on sait qu'il est là...

Eli palpa le chambranle, jusqu'à trouver le mécanisme d'ouverture. En entendant un faible déclic, il se tourna vers Mike.

– Tu es partant ?

– Bien sûr. Vas-y, ouvre !

Eli pressa le panneau, qui s'entrouvrit en pivotant, révélant une volée de marches s'enfonçant dans le noir. À tout hasard, il tâtonna contre la cloison intérieure et, à sa surprise, y trouva un interrupteur. Hélas, quand il appuya dessus, rien ne se produisit.

– Soit il n'y a plus d'alimentation, soit il n'y a plus d'ampoules. Je vais chercher des torches.

– Et peut-être aussi un bout de pain, qu'on laisse des miettes derrière nous. Et un grand bâton, au cas où il y aurait des rats… C'est bon, juste des torches, ajouta Mike devant le regard de pierre d'Eli.

– Attends-moi ici. J'en ai pour deux minutes.

Eli revint tout de même avec deux canettes de bière.

– Excellente idée, le félicita Mike en éclairant le plafond du passage. Pas d'ampoule, en effet.

Armé de sa torche, Eli s'engagea dans l'escalier.

– J'en mettrai une. C'est étroit, mais plus large que je ne pensais. Les domestiques avaient besoin d'un minimum d'espace, je suppose, pour transporter les plateaux et tout ça. Les marches ont l'air en bon état, mais fais quand même attention.

– À ne pas marcher sur un serpent venimeux ?

En riant, Eli poursuivit la descente.

– On va peut-être tomber sur le squelette d'un majordome détesté.

– Ou sur un fantôme. C'est sinistre, là-dedans.

Poussiéreux et humide, également. Les marches craquaient sous les pas mais, au moins, il n'y avait pas de rats aux yeux rouges tapis dans l'ombre.

Eli s'immobilisa lorsque le faisceau de sa lampe rencontra une porte.

– On doit être au premier étage, dit-il. Cette porte doit donner dans la chambre de ma grand-mère. On se serait amusés comme des petits fous, quand on était mômes, si ces passages avaient été ouverts. J'aurais fichu de ces trouilles à ma frangine !

– C'est sûrement pour cette raison que ta grand-mère les a fait murer.

– Tout à fait.

– Tu envisages de les rouvrir ?

– Ouais. Je ne sais pas à quoi ils me serviront, mais ouais.

– C'est cool d'avoir des passages secrets chez soi.

Ils continuèrent de descendre. D'après le plan que lui avait tracé Stoney, Eli devinait où donnaient les portes jalonnant l'escalier : dans les divers salons, la cuisine, les couloirs.

– Mince, maugréa-t-il en arrivant au sous-sol. On aurait dû déplacer l'étagère qui cache le panneau, de l'autre côté.

Celui-ci pivotait néanmoins vers l'intérieur du passage, derrière des rayonnages couverts de vieux pots de peinture et d'outils rouillés, laissant entrevoir la cave, plongée dans l'obscurité.

– Il faut absolument que tu rouvres ces passages, déclara Mike. Tu imagines les soirées de Halloween qu'on pourrait faire ici ?

Eli pensait toutefois à autre chose.

– Je pourrais le piéger, murmura-t-il.

– Hein ?

– Le type qui creuse. Il faut que j'y réfléchisse.

– Et si tu le coinces, tu feras quoi ?

– Il faut que j'y réfléchisse, répéta Eli en refermant la porte et en commençant à remonter l'escalier.

– Si tu as besoin de renfort, fais-moi signe, je me ferai une joie de t'aider à choper ce salopard. Maureen se fait un sang d'encre depuis qu'Abra a trouvé le flingue chez elle.

– Pardon ? Quel flingue ? De quoi parles-tu ?

– Du pistolet qu'Abra a découvert dans son... Merde... elle ne te l'avait pas dit.

– Non, mais tu vas tout me raconter, toi.

– Autour d'une deuxième bière, pas de problème.

PROMESSE

Une pensée grave mais si douce
M'étreint de loin en loin
De chez moi n'ai jamais été
Aussi proche qu'aujourd'hui.

PHOEBE CARY

21

À la fin d'une longue journée – deux cours, un grand nettoyage de printemps et deux massages –, Abra se gara devant son cottage.

Et demeura assise dans sa voiture.

Cela lui fendait le cœur d'avoir peur d'entrer chez elle arroser ses plantes, prendre une douche dans sa salle de bains.

Elle adorait La Mouette rieuse, elle en était tombée amoureuse au premier regard. Elle s'était créé un petit nid douillet où elle se sentait bien, dont elle était fière, qui à présent ne lui inspirait plus que de la crainte.

Un inconnu s'était introduit dans sa maison et l'avait entachée du sceau de la violence, de la mort. Il avait enfermé un monstre dans le placard, sous la forme d'un pistolet.

Deux possibilités, se dit-elle : laisser le monstre gagner – lui abandonner la maison – ou l'affronter et le terrasser.

Sous cet angle, elle n'avait pas le choix.

Elle descendit de voiture, en sortit sa table de massage, son sac, les posa près de la porte. À l'intérieur, elle cala la table contre le mur du vestibule et emporta son sac dans le salon.

En dépit de son planning chargé, elle avait fait plus de trente kilomètres, le long de la côte, pour aller acheter un bâton purificateur. Elle le sortit de son sac.

La cérémonie de la fumée éloignerait les énergies négatives et la maison serait alors « nettoyée ». Dès que possible, Abra aménagerait cette petite serre dont elle rêvait depuis longtemps, de façon à pouvoir cultiver toutes les plantes qu'elle voudrait. Elle pourrait ainsi confectionner elle-même ses bâtons purificateurs, et elle aurait des herbes fraîches pour cuisiner tout au long de l'année.

Peut-être créerait-elle également des pots-pourris et des sachets de senteur. Une nouvelle entreprise. Une idée à creuser.

Pour l'heure, toutefois, elle s'efforça de se vider l'esprit, de se focaliser sur des pensées pures et positives. Puis elle alluma le bouquet de sauge, au-dessus d'une coquille d'ormeau, par mesure de sécurité, et souffla sur la flamme afin d'encourager la fumée. Sa maison, pensa-t-elle. Des sols jusqu'aux plafonds, elle en était l'unique maîtresse.

Dans le sens des aiguilles d'une montre, elle parcourut chaque pièce, le long des murs, en pensant à tout ce qu'elle avait accompli là, pour elle-même, pour les autres.

La foi, pensa-t-elle, apaisée par le rituel, ainsi que par l'odeur de la sauge blanche et de la lavande, la foi, l'espoir et leurs symboles forgeaient la force.

Quand elle eut fait le tour de la maison, elle sortit dans le jardin et y promena le bâton purificateur afin de répandre cet espoir et cette foi.

En voyant Eli et Barbie gravir l'escalier de la plage, elle se sentit un peu bête, avec son bouquet d'herbes enfumées à la main. Elle le coinça entre deux galets de la petite fontaine zen, où il finirait de se consumer naturellement et sans risque.

– L'homme et son chien, dit-elle en s'avançant à leur rencontre, sourire aux lèvres. Quel charmant couple, et quelle agréable surprise. Je suis rentrée il y a à peine quelques minutes.

– Que faisais-tu ?

– Oh, fit-elle en suivant le regard d'Eli. Un petit rituel perso. Une sorte de nettoyage de printemps.

– Tu fais brûler de la sauge ? Une cérémonie chamanique pour chasser les mauvais esprits, si je ne m'abuse.

– Juste une technique pour dissiper les ondes négatives. Le départ de ta famille s'est bien passé, ce matin ?

– Ouais.

– Désolée de ne pas être restée pour leur dire au revoir. J'avais une grosse journée.

La présence d'Eli la dérangeait ou, tout au moins, la mettait mal à l'aise. Pour le moment, elle désirait le calme, la paix et – chose rare pour elle – la solitude.

– J'ai encore pas mal de trucs à faire, poursuivit-elle. Je passerai à Bluff House demain matin avant mon cours. Si tu as besoin de quelque chose, fais-moi une liste. Je ferai un saut au supermarché avant de revenir faire le ménage.

– Ce dont j'ai besoin, c'est que tu m'expliques pourquoi il a fallu que ce soit Mike O'Malley qui m'apprenne que quelqu'un avait caché un pistolet chez toi.

– Je ne voulais pas en parler devant ta famille. J'ai fait le nécessaire, j'ai prévenu la police.

– Mais pas moi.

– Eli, tu n'aurais rien pu faire, et tu avais du monde...

– Foutaise !

Abra sentit poindre la colère, sous le réconfort puisé dans le rituel de la sauge.

– Ça n'aurait servi à rien que je me pointe samedi à Bluff House en annonçant que je venais de trouver une arme dans ma boîte à encens.

– Ça aurait servi à quelque chose que tu me le dises à moi.

– Je ne suis pas d'accord. C'était mon problème, ma décision.

– Ton problème ? rétorqua-t-il, offensé. Ah oui ? Tu peux venir chez moi avec des marmites de soupe, des tables de massage et des clébards, tu peux venir en plein milieu de la nuit fermer une fenêtre et te faire agresser, mais quand quelqu'un planque un flingue chez toi pour essayer de te compromettre dans un crime, c'est ton problème ? Un crime très probablement lié à moi, mais ça ne me regarde pas ?

– Ce n'est pas ce que je voulais dire.

Même à ses propres oreilles, sa défense paraissait faible.

– Que voulais-tu dire, alors ?

– Je ne voulais pas te contrarier pendant que ta famille était là.

– C'est à cause de moi que tu te retrouves dans ce pétrin. Ce n'est pourtant pas faute de t'avoir mise en garde. Tu t'es fourrée dans cette histoire, voilà ce qui t'arrive, maintenant.

Furieuse, à présent, elle pivota sur ses talons et tenta d'en appeler à la fumée de sauge pour se calmer. Hélas, il lui aurait fallu un bâton d'herbes de la taille du phare de Whiskey Beach.

– « Fourrée dans cette histoire » ? cracha-t-elle.

– Tu as commencé à me faire du rentre-dedans dès l'instant où je suis arrivé à Bluff House. Et maintenant, tu ne veux pas me contrarier ? Tu préfères laisser aux autres le soin de le faire ? Il ne t'est pas venu à l'esprit que je pouvais t'aider, peut-être ? Tu n'as pas confiance en moi ?

– Seigneur, Eli, la confiance n'a rien à voir là-dedans. Ce n'était qu'une question de timing.

– Tu aurais très bien pu trouver un moment pour me parler seule à seul. Tu as trouvé le temps d'en parler à Maureen.

– Elle était...

– Et maintenant que tu aurais tout le loisir de venir me parler tranquillement, tu es là à agiter un bouquet d'herbes cramées.

– Ne te moque pas de mon rituel.

– Je me fiche royalement que tu brûles de la sauge ou que tu sacrifies des poulets. Ce qui me gêne, c'est que tu n'aies pas jugé utile de me dire que tu avais des ennuis.

– Je n'ai pas d'ennuis. La police sait que ce pistolet ne m'appartient pas. J'ai appelé Vinnie dès que je l'ai trouvé.

– Mais pas moi.

– Non, soupira-t-elle, en se demandant comment elle avait pu déclencher un tel cataclysme alors qu'elle pensait agir pour le mieux.

– Ma famille est partie depuis ce matin, et non seulement je ne t'ai pas vue de la journée, mais tu n'avais pas l'intention de venir me voir maintenant.

– Il fallait que j'agite mes herbes cramées et que je reprenne possession de ma maison. Il commence à faire froid. J'ai envie de rentrer.

– Rentre, et prépare un sac.

– Eli, j'ai besoin d'être seule et au calme.

– Tu pourras être seule et au calme à Bluff House. La maison est suffisamment grande, il me semble. Il est hors de question que tu restes seule ici tant que cette affaire ne sera pas réglée.

– C'est ma maison, dit-elle, au bord des larmes. Personne ne me chassera de ma maison.

– Alors nous dormirons ici tous les deux.

– Je ne veux pas que tu dormes ici.

– Dans ce cas, je camperai dans le jardin.

– Seigneur... murmura-t-elle en pénétrant dans le cottage.

Eli lui emboîta le pas, suivi d'une Barbie légèrement hésitante. Abra ne protesta pas. Dans la cuisine, elle se servit un verre d'une bouteille de shiraz entamée.

– Je suis assez grande pour m'occuper de moi-même.

– Absolument, tu t'occupes très bien de toi-même, et même des autres. Ton problème, c'est que tu n'es pas capable de laisser les autres se préoccuper de toi. C'est de la fierté mal placée.

Elle reposa brutalement son verre sur le comptoir.

– C'est de l'indépendance, protesta-t-elle.

– Au-delà d'un certain point, l'indépendance bascule dans l'orgueil ; et là, tu as basculé. Ce n'est pas comme si tu avais un robinet qui fuyait et que tu l'avais réparé toi-même, ou appelé le plombier, plutôt que de demander à ton mec. En l'occurrence, ton mec est responsable de la situation, et il est avocat.

– J'ai appelé un avocat, dit-elle, ce qu'elle regretta aussitôt.

Les mains enfoncées dans les poches, Eli se mit à arpenter la cuisine.

– OK. Très bien. Donc tu as prévenu les flics, un avocat, tes voisins. Tout le monde est au courant, sauf moi.

Désespérée, elle secoua la tête.

– Je ne voulais pas gâcher le week-end. Tout le monde se serait fait du souci pour rien.

– Tu préfères te faire du souci toute seule.

– Je... Oui, c'est vrai, je me fais du souci.

– Je veux que tu me racontes tout ce qui s'est passé, en détail, tout ce que tu as dit à la police, tout ce qu'ils t'ont dit. Tout ce dont tu te souviens.

– Parce que tu es avocat.

Le long regard qu'il lui coula accomplit ce qu'il n'avait pas réussi à lui faire comprendre par des mots. Elle se sentit ridicule. Et fautive.

– Parce que nous sommes ensemble, dit-il, d'un ton très calme. Parce que tu es dans cette situation à cause de moi, ou de Bluff House, ou des deux. Et parce que je suis avocat.

– D'accord, acquiesça-t-elle. Laisse-moi juste prendre quelques affaires. (Quand il arqua le sourcil, elle haussa les épaules.) Il fait trop froid pour que tu dormes dehors. Et il n'y a aucune raison pour que ce type revienne ici, *a priori*, alors qu'il pourrait tenter de s'introduire de nouveau à Bluff House. Je prépare un sac et je viens avec toi.

Compromis ? s'interrogea-t-il. N'était-ce pas de cela qu'avait parlé sa grand-mère ? De ces concessions mutuelles qui permettaient d'atteindre un équilibre ?

– OK, répondit-il.

Quand elle disparut dans sa chambre, il termina le verre de vin qu'elle avait abandonné sur le comptoir.

– Nous avons remporté une bataille, dit-il à Barbie, mais nous n'avons pas encore gagné la guerre.

Il lui accorda le silence qu'elle avait réclamé, durant le trajet en voiture, et il resta en bas quand elle monta déballer ses affaires. Si elle s'installait dans une autre chambre, il ne dirait rien, pour l'instant. Elle était là, avec lui, en sécurité, c'était l'essentiel.

Dans la cuisine, il regarda ce qu'il y avait dans le réfrigérateur et le congélateur. Avec les restes du festin de Pâques, même lui devait être capable de préparer un repas décent.

Lorsqu'elle redescendit, il avait dressé la table dans le salon du petit déjeuner.

— Tu peux tout me raconter pendant qu'on mange, dit-il.

— OK, acquiesça-t-elle en prenant place sur une chaise, étrangement réconfortée par le fait que Barbie choisisse de se coucher à ses pieds plutôt qu'à ceux d'Eli. Je suis désolée si tu as l'impression que je ne te fais pas confiance. Ce n'est pas ça.

— Un peu, si, mais nous y reviendrons plus tard. Dis-moi exactement ce qui s'est passé. Point par point.

Ce qui ne fit que la déprimer encore davantage.

— Je voulais méditer, commença-t-elle, et elle lui raconta la suite, de façon aussi précise qu'elle le put.

— À aucun moment tu n'as touché le pistolet ?

— Non. La boîte m'est tombée des mains, j'ai tout laissé par terre.

— La police n'a relevé aucune empreinte ?

— Non. Que les fibres.

— Et ils ne t'ont pas recontactée, depuis ?

— Vinnie m'a appelée, dans la journée, mais juste pour prendre de mes nouvelles. Il m'a dit qu'ils auraient les résultats de la balistique demain ou mercredi, mais plutôt mercredi.

— L'arme était déclarée ?

— Il ne m'a pas dit. Il n'a sûrement pas le droit de dévoiler les détails de l'enquête. En tout cas, ils savent qu'elle n'était pas à moi. Je n'ai jamais eu d'arme. Je n'en ai même jamais tenu. S'il s'agit de l'arme avec laquelle Kirby Duncan a été tué, ils savent que j'étais là, avec toi, au moment des faits.

Évidemment, songea Eli, Wolfe arguerait qu'il était un peu trop facile de se couvrir l'un l'autre.

— Qu'en dit ton avocat ?

— Que je l'appelle s'ils veulent me réinterroger. Il contactera directement l'inspecteur Wolfe. Je n'ai pas peur qu'ils me soupçonnent. Tout le monde sait que je n'ai pas tué Duncan.

— On pourrait penser que c'est moi qui ai mis le pistolet chez toi.

— Ce ne serait pas très malin de ta part.

— Je pourrais coucher avec toi à seule fin de te manipuler, d'avoir un bouc émissaire.

Pour la première fois depuis ce qui lui semblait des heures, elle esquissa un sourire.

— Dans ce cas, non seulement tu perdais ton objet sexuel, mais tu braquais de nouveau les projecteurs sur toi. C'est exactement ce que souhaite celui qui a mis le pistolet chez moi et passé un appel anonyme à Wolfe. Cette manœuvre sent le coup monté à plein nez. Corbett n'est pas dupe.

— Espérons... En tout cas, il est possible que tu aies été trois fois en contact avec l'assassin, maintenant : ici, au bar, et au cottage. Tu comprends que c'est inquiétant.

— Je ne peux rien faire d'autre qu'être prudente.

— Tu pourrais partir, aller quelque temps chez ta mère par exemple. Tu ne le feras pas, ajouta Eli avant qu'elle ne puisse protester. Et je ne t'en blâme pas. Mais c'est une option. Il y en a d'autres, bien sûr : me faire confiance, notamment.

— Je te fais confiance, affirma-t-elle, terriblement peinée qu'il ait pu penser le contraire.

— Pas vraiment, non, tu me l'as montré. Je ne sais pas si je dois t'en vouloir mais je comprends d'où ça vient. Les hommes t'ont déçue. À commencer par ton père. Il avait le droit de quitter ta mère, mais il restait ton père. Or il t'a abandonnée.

— Ça ne m'a pas traumatisée.

— Tant mieux, mais c'est inscrit en toi...

Quand il laissa ces paroles en suspens, elle admit la défaite.

— C'est vrai, concéda-t-elle. Il ne s'est jamais soucié de moi, je vis très bien sans lui, mais c'est là, en effet.

— Tu n'en fais pas un drame parce que ce serait paralysant, et que tu aimes aller de l'avant.

— Analyse intéressante, dit-elle avec un sourire.

— En plus, tu sais que c'est lui le perdant. Ensuite, tu as été déçue par cette brute qui t'a fait du mal. Tu tenais à lui, tu lui faisais confiance, tu t'es donnée à lui, et il t'a meurtrie au plus profond de toi-même, en te frappant, en te violant.

— Il m'a fait souffrir, certes, mais sans lui, je ne serais peut-être pas là aujourd'hui.

– Attitude positive, je te tire mon chapeau. Il n'empêche que tu lui avais accordé ta confiance et qu'il l'a trahie. Pourquoi les autres seraient-ils différents ?

– Je ne fonctionne pas de cette manière.

– Tu es ouverte, dynamique, épanouie. J'admire la façon dont tu mènes ta vie. Tu as un courage épatant. Tu es indépendante, tu ne comptes pas sur les autres, tout à ton honneur. Ton seul tort, c'est de vouloir te débrouiller seule à tout prix quand, parfois, tu aurais tout à gagner d'un peu de soutien.

– Je te l'aurais dit, pour le pistolet, si ta famille n'avait pas été là.

Enfin, cependant, elle accepta de voir, et de reconnaître la vérité.

– J'aurais sûrement attendu un peu, avoua-t-elle. Je me serais justifiée en me disant que tu avais assez de tracas et qu'il ne servait à rien de t'en rajouter. Mais je t'assure que ce n'est pas une question de confiance.

– De pitié ?

– D'égards envers toi. Et d'assurance, de confiance en moi, uniquement en moi. Derrick avait ébranlé ma confiance en moi. Pour la restaurer, je devais me prouver que j'étais capable de m'assumer, de prendre des décisions, de gérer les problèmes et, oui, de prendre sur moi une part des problèmes des autres. J'ai besoin de savoir que si personne n'est là pour moi, je peux compter sur moi-même.

– Et si quelqu'un est là, sur qui tu peux compter ?

Peut-être, en effet, avait-il raison ; peut-être était-il temps qu'elle revoie sa façon de penser.

– Je ne sais pas, Eli, je ne peux pas te répondre. Il y a tellement longtemps que je ne me suis pas donné ce choix... En tout cas, le soir où j'ai été agressée, tu étais là, c'est vrai, et tu m'as été d'un grand réconfort.

– Je crois que, toi et moi, nous devons déterminer ce que nous sommes prêts à donner, ce que nous sommes prêts à recevoir.

– Je t'ai blessé…

– Oui, et tu m'as mis en colère. Mais tu m'as aussi donné à réfléchir. Je n'étais pas là pour Lindsay quand elle aurait eu besoin de moi. Je ne veux pas reproduire les mêmes erreurs.

Eli se leva, ramassa les assiettes. Ni l'un ni l'autre n'avait fait honneur au repas.

– Tu n'as rien à te reprocher, Eli.

– Hélas, si. Nous n'étions peut-être pas faits l'un pour l'autre, mais nous étions tous les deux dans le même bateau, tous les deux insatisfaits, tous les deux déçus. Elle a été assassinée, et je n'étais pas là pour la protéger. Je ne sais toujours pas si elle est morte à cause d'un choix que j'ai fait, de choix que nous avons faits ensemble, ou par un malheureux coup du sort. Je n'étais pas là non plus pour protéger ma grand-mère, quand elle a fait cette chute qui aurait pu lui être fatale.

– Tu es le centre de l'univers, maintenant ? Tu veux qu'on parle de fierté mal placée ?

– Non, mais le fait est que je suis au centre de tous ces drames. Tout est lié, j'en suis certain.

Il se tourna vers Abra, s'approcha, mais demeura à quelques pas.

– Je te promets, Abra, que tu peux compter sur moi. Que cela te plaise ou non, que nous couchions ensemble ou non, je ferai tout pour qu'il ne t'arrive rien. Ensuite, quand ces histoires seront réglées, nous verrons où nous en sommes et, de là, où nous souhaitons aller.

– Je vais m'occuper de la vaisselle, dit-elle en se levant.

– Non, laisse, je vais le faire.

– Donnant, donnant, lui rappela-t-elle. Tu as préparé le repas, c'est normal que je range.

– OK, si tu veux. J'aimerais que tu me donnes une copie de ton emploi du temps.

Elle sentit, littéralement, des picotements d'alarme à l'arrière de sa nuque.

– Tu sais que je n'ai jamais les mêmes horaires.

– Je veux savoir où tu es quand tu n'es pas là. Par précaution, pas pour te surveiller. Ce n'est pas mon genre.

Elle posa l'assiette qu'elle avait entre les mains sur le comptoir, prit une profonde inspiration.

– Je sais, dit-elle. Je n'ai pas pensé cela une seule seconde. Et je viens de me rendre compte d'une chose dont je n'avais pas conscience : j'ai rapporté de Washington davantage de bagages que je ne pensais. Je croyais, j'espérais, être venue ici avec seulement un petit sac à main. Il va falloir que je me débarrasse de ces valises qui m'encombrent.

– Ça prendra du temps.

– Je croyais y être parvenue. Apparemment, pas tout à fait... (Elle reprit l'assiette, la casa dans le lave-vaisselle.) Je serai là la plus grande partie de la journée, demain. Je n'ai que mon cours de yoga, en début de matinée, au sous-sol de l'église, et un massage à 16 h 30. Chez Greta Parrish.

– OK. Merci.

Elle termina de charger le lave-vaisselle, passa une éponge sur les plans de travail.

– Tu ne m'as pas touchée, pas une seule fois, depuis que tu es arrivé en haut des marches de mon cottage. Pourquoi ? Tu es encore en colère contre moi ?

– Peut-être un peu, mais, surtout, je ne savais pas comment tu réagirais.

Elle soutint son regard. Il lui caressa le bras, puis l'attira contre lui. Elle abandonna l'éponge sur l'îlot, l'enlaça.

– Je suis désolée, murmura-t-elle, de ne t'avoir rien dit. Mais... Oh, Seigneur, Eli... Il était chez moi. Il a regardé dans mes affaires, il a touché mes affaires. Derrick a regardé dans mes affaires, il a touché mes affaires, il a cassé des trucs pendant qu'il m'attendait chez moi.

Eli pressa ses lèvres contre sa tempe.

– Il ne te fera pas de mal. J'y veillerai, je te le promets.

Quand elle partit, le lendemain matin, il s'efforça de ne pas s'inquiéter. Non seulement l'église n'était qu'à trois kilomètres, mais il ne voyait pas une seule raison que quiconque s'en prenne à elle.

Elle serait de retour en milieu de matinée. Il se mettrait alors au travail. Incapable, en attendant, de se concentrer sur son roman, il descendit au sous-sol et passa près d'une heure à débarrasser l'étagère bloquant l'accès au passage secret.

Le panneau s'ouvrant difficilement, il graissa les charnières. Puis, armé d'une torche et d'une boîte d'ampoules, il monta au grenier changer chacune des lampes de l'escalier.

Sous les combles, il graissa également les charnières, plaça une chaise devant le panneau, vérifia qu'il pouvait l'ouvrir et le fermer, puis il redescendit.

À la cave, il remit l'étagère en place, s'assura qu'il pouvait se glisser derrière, entrer dans le passage et en sortir. Puis il remit sur les rayons tout ce qui s'y trouvait. Camouflage, au cas où.

Le piège était prêt. Ou presque. Ne manquait que l'appât.

Comme il était couvert de poussière, il se doucha, se changea, puis vérifia les caméras de surveillance.

Il se servait son premier Mountain Dew de la journée lorsque Abra revint, chargée de sacs à provisions.

– Salut ! dit-elle en plongeant la main dans l'un de ses cabas. Regarde ce que je te rapporte ! (Elle se tourna vers Barbie avec un gros os à mâcher.) Ça, c'est pour les gentils toutous. Tu as été sage ?

Barbie s'assit sur son arrière-train.

– Très bien. Et toi, tu as été sage ? demanda-t-elle à Eli en sortant l'os de son emballage.

– Je dois m'asseoir par terre ?

– J'ai acheté de quoi préparer des lasagnes et du tiramisu.

– Tu sais faire le tiramisu ?

– On trouvera une recette. Je suis sûre que nous allons passer une bonne journée. D'abord, parce que nous avons décidé de trouver un équilibre. Ensuite – elle enlaça Eli et se blottit contre lui –, parce que je vois que tu n'es pas rancunier.

– Je peux l'être, dit-il, mais pas contre ceux à qui je tiens.

– La rancune n'est que de l'énergie négative gardée en dedans. Mieux vaut l'extérioriser. Et à propos d'énergie négative, je me suis arrêtée chez moi et je n'ai pas senti trop de mauvaises ondes. Bien moins qu'hier, en tout cas.

– Grâce à la fumée magique ?

– Ç'a marché pour moi, répliqua-t-elle en enfonçant l'index dans les abdos d'Eli.

– C'est l'essentiel, mais j'espère que tu ne feras pas brûler deux caisses de sauge sacrée pour purifier Bluff House.

– Ça ne pourrait pas faire de mal, nous en reparlerons plus tard.

Il n'était pas pressé, se garda-t-il de préciser.

– Tu étais en train de travailler ? Je change juste les draps et je te laisse tranquille jusqu'à ta pause.

– Je voudrais te montrer quelque chose.

– Quoi ?

– Là-haut, répondit-il en levant le pouce au plafond, puis il lui prit la main. Il y a un endroit où le ménage n'a pas été fait depuis longtemps.

– Ça m'étonnerait, rétorqua-t-elle, sur la défensive, en le suivant dans l'escalier.

– Tu vas voir. Au grenier.

– J'y passe l'aspirateur tous les mois. Si tu voulais y faire des trucs, tu aurais dû...

– Ce n'est pas ça, pas exactement, bien que j'envisage d'y installer mon bureau, dans la partie sud.

– Eli, c'est une idée fabuleuse !

– Elle me plaît. La luminosité est parfaite, la vue superbe, et c'est l'endroit le plus calme de la maison. Dommage que je ne sois ni peintre ni sculpteur. L'ancien réfectoire des domestiques ferait un atelier génial.

– C'est ce que je me suis dit plus d'une fois. L'une des chambrettes face à la mer ferait une jolie petite bibliothèque – pour tes ouvrages de référence, par exemple. Tu pourrais y aménager un coin salon, pour quand tu voudrais faire des pauses-recherche.

Il n'avait pas songé à cela mais...

– Pourquoi pas ?

– Je pourrais te donner des idées de déco, si tu te décides. Oh, ces plafonds, j'adore ! Il y a un énorme potentiel, ici, et j'ai toujours trouvé qu'il était dommage de ne pas exploiter les combles. Hester m'a dit qu'elle y peignait, autrefois, mais qu'elle était mieux dans son petit salon, ou à l'extérieur. Ce serait dur, maintenant, pour elle, de toute façon, d'y monter.

Eli poussa la chaise qu'il avait mise devant le panneau, et ouvrit le passage.

– Waouh ! s'écria Abra.

– La lumière fonctionne, précisa-t-il en appuyant sur l'interrupteur. Ça descend jusqu'au sous-sol.

– J'aurais joué à la princesse guerrière, quand j'étais petite, si j'avais habité ici.

Il l'imaginait parfaitement.

– Tu vois, quand je te disais qu'il y avait un endroit où le ménage n'avait pas été fait depuis longtemps...

– Je le ferai, si tu me garantis qu'il n'y a pas d'araignées, et si tu restes avec moi. C'est fantastique. Tu devrais rouvrir tous les passages.

– J'y songe.

– Quand je pense au nombre de fois où j'ai passé l'aspirateur ici sans savoir que ce passage existait. C'est... (Une lueur dans les yeux, elle se tourna vers Eli.) Le type qui creuse... Il ne sait pas que ce passage existe...

– Je ne crois pas. En tout cas, il ne l'a pas utilisé. J'ai dû appeler Mike pour pousser l'armoire et, même à deux, on en a bavé. À la cave, le passage aboutit derrière une étagère. J'ai mis plus d'une heure pour y accéder.

– On va lui tendre un guet-apens.

– J'y pensais...

– Je savais qu'aujourd'hui serait une bonne journée, déclara Abra, les mains sur les hanches. Nous allons passer à l'offensive. Nous allons le surprendre en flagrant délit.

– N'oublie pas qu'il s'agit peut-être d'un assassin. Nous n'allons pas lui sauter dessus en criant *bouh !*.

– On s'organisera, on réfléchira. J'ai souvent de bonnes idées quand je fais le ménage. Je m'y mets sur-le-champ. Réfléchissons chacun de notre côté.

– En attendant des nouvelles de la police...

– Ah oui, fit-elle, soudain un peu moins enthousiaste. Peut-être qu'ils auront trouvé à qui appartient ce pistolet, et tout sera réglé. Moins fun qu'une embuscade mais, objectivement, beaucoup plus simple.

– Quoi qu'il advienne, je ne te laisserai pas tomber.

– Eli, dit-elle en lui encadrant le visage des mains, faisons un nouveau pacte : promettons-nous de ne jamais nous décevoir.

– Tope là, marché conclu.

22

Il devait travailler. Il laissa les plans d'embuscade mijoter dans un coin de son cerveau, pour progresser dans l'intrigue de son roman, bien qu'il n'eût toujours pas de nouvelles de son agent.

Avec le week-end férié, sans doute n'avait-elle pas eu le temps de lire les chapitres qu'il lui avait envoyés. Du reste, il n'était pas son seul client. Et sûrement pas un client important.

L'inspiration était au rendez-vous, il aurait été dommage de ne pas surfer sur la vague. S'il fallait apporter des retouches à la première partie du texte, il serait toujours temps.

L'après-midi était bien avancé lorsque Barbie l'arracha de sa transe en posant une patte sur son genou, sa façon de lui signaler : *Excuse-moi de te déranger, ça presse !*

– OK, OK, une seconde.

Il enregistra son fichier, s'aperçut qu'il était un peu sonné, comme s'il venait de boire d'un trait deux verres d'un excellent vin. À l'instant où il se leva, Barbie se faufila par la porte entrouverte du bureau. Il l'entendit dévaler l'escalier à fond de train.

Ils avaient déjà leurs petites habitudes. Il savait qu'elle serait assise sur le seuil de la buanderie, frémissante d'impatience, attendant qu'il lui mette sa laisse. Il appela distraitement Abra, entra dans la cuisine, et trouva le chien exactement où il l'avait prédit.

Sur le comptoir, il trouva également un beau club-sandwich, couvert d'un film transparent, surmonté d'une note adhésive :

Mange un morceau en revenant de promener Barbie.
Bisous,

Abra

– Elle n'oublie jamais, murmura-t-il.

Il sortit le chien, savoura la balade presque autant que Barbie, même lorsqu'il commença à tomber un crachin glacial. Les cheveux humides, le chien trempé, il remontait de la plage lorsque son portable vibra dans sa poche.

– Monsieur Landon ? Sherrilyn Burke à l'appareil, de l'agence Burke-Massey.

La détective privée. Une boule se forma dans son ventre.

– Bonjour, content de vous entendre.

– J'aurais un rapport à vous transmettre. Je pourrais vous l'envoyer par mail mais je préférerais vous le remettre en mains propres. Je peux passer demain, si vous êtes disponible.

– Dois-je m'inquiéter ?

– Pas du tout. J'aimerais seulement vous rencontrer en tête à tête, monsieur Landon, discuter un peu avec vous. 11 heures, ça vous conviendrait ?

Directe, ferme, professionnelle, songea-t-il.

– C'est d'accord, demain à 11 heures. Pouvez-vous quand même me faire parvenir votre rapport d'ici là ? De façon que je puisse y jeter un coup d'œil.

– Pas de problème.

– Je vous remercie. Vous savez comment venir à Whiskey Beach ?

– J'y ai passé un charmant week-end, il y a quelques années. Je me souviens très bien de Bluff House. Je trouverai le chemin. À demain, 11 heures.

– Je serai là.

Il n'y avait pas lieu de s'inquiéter, se rassura-t-il en détachant la laisse de Barbie dans la buanderie. Néanmoins, tout ce qui avait trait au meurtre de Lindsay, aux investigations de la police, à l'évolution de sa propre situation le remplissait d'appréhension.

Mais il voulait ces réponses. Il en avait besoin.

Il emporta son iPad et son sandwich dans la bibliothèque. Abra devait être occupée quelque part en haut, supposait-il. Pris d'une envie de feu de cheminée par cet après-midi pluvieux, il craqua une allumette dans l'âtre, puis s'installa sur le canapé.

Tout en mangeant, il passa en revue le contenu de la boîte de réception de sa messagerie, puis téléchargea la pièce jointe à l'e-mail de la détective.

Elle avait personnellement réinterrogé amis, voisins, collègues – les siens et ceux de Lindsay. Justin et Eden Suskind, ainsi que certains de leurs voisins et collègues. Elle avait eu un entretien téléphonique avec Wolfe, et réussi à obtenir une entrevue avec l'un des adjoints du procureur.

Elle s'était rendue sur la scène du crime – la maison de Back Bay était en vente – et avait procédé à sa propre reconstitution du meurtre de Lindsay.

Consciencieuse, pensa Eli.

Il lut attentivement ses comptes-rendus, ponctués d'impressions personnelles.

Les Suskind s'étaient récemment séparés. Guère étonnant. Comment pouvait tenir un couple, quand aux infidélités s'ajoutait un meurtre, et que les médias jetaient votre vie privée en pâture au public ? Malgré tout, ils étaient quand même restés ensemble pendant encore près d'un an.

Deux enfants, se remémora Eli. Les pauvres…

Sherrilyn Burke avait également interrogé les réceptionnistes, garçons d'étage et femmes de chambre des hôtels où Lindsay avait séjourné au cours des dix ou onze derniers mois de sa vie. Comme Eli le savait déjà, elle était en général en compagnie de Justin Suskind.

Cela ne lui faisait plus rien, constata-t-il. Sa colère s'était tarie. Même le sentiment de trahison s'était érodé, comme un galet roulé par les eaux.

Il ne se sentait plus que… peiné. Avec le temps, sans doute, l'animosité, la rancune entre Lindsay et lui se seraient d'elles-mêmes apaisées. Ils auraient refait leur vie, poursuivi leur chemin chacun de son côté.

L'assassin de Lindsay, hélas, n'avait pas laissé le temps au temps.

Eli devait à sa défunte épouse, comme il se devait à lui-même, de lire les rapports de la détective, de la rencontrer, de faire tout ce qui était en son pouvoir pour trouver qui avait tué Lindsay, et pourquoi. Ensuite, il pourrait faire son deuil.

Il relut le rapport une deuxième fois, tout en dégustant un smoothie trouvé dans le réfrigérateur, avec un Post-it *Bois-moi*.

Puis, afin de se changer les idées, il choisit dans la bibliothèque un livre sur la Dot d'Esméralda.

L'auteur spéculait ici que le matelot rescapé et la fille de Bluff House, Violeta, étaient tombés amoureux. Le frère de celle-ci, Edwin, en découvrant l'intrigue, avait tué l'amant. Violeta, folle de rage, s'était enfuie à Boston, pour n'en jamais revenir. Et la Dot d'Esméralda s'était perdue au cours des âges.

L'histoire familiale, ou tout au moins ce qu'en savait Eli, confirmait effectivement que Violeta avait fugué, qu'elle avait été déshéritée et disgraciée.

L'ouvrage était rédigé dans un style plus insipide que ceux qu'il avait lus au cours des semaines précédentes, mais la thèse paraissait plus conforme à la réalité.

Eli se demandait s'il ne valait pas le coup d'engager un généalogiste, pour savoir ce qu'il était advenu de l'intrépide Violeta Landon, lorsque son portable vibra.

Son agent. Il prit une profonde inspiration avant de répondre.

Il était assis là avec son calepin, sa tablette et son téléphone, lorsque Abra entra dans la bibliothèque.

— J'ai terminé, en haut, dit-elle. Si tu veux remonter dans ton bureau, tu peux y aller. J'ai commencé à nettoyer le passage. J'en ai pour un bon bout de temps, encore. L'escalier est tellement sale que je n'arrête pas d'aller changer l'eau des seaux. Je crois que je vais me mettre toute nue, ça m'évitera de trop me salir.

— Hein ?

— Ah, je savais que le mot « nue » parviendrait jusqu'à ton cerveau. Tu travailles ? Tu te documentes ? demanda-t-elle en inclinant la tête afin de déchiffrer le titre du livre qu'il avait posé sur la table basse. *Whiskey Beach, le mystère et la folie en héritage.* Eh bien...

— Le titre est un peu racoleur mais l'auteur a l'air de bien connaître l'histoire régionale. Il parle des Landon pendant la Prohibition, de mon arrière-arrière-grand-mère, notamment, qui livrait des bouteilles, cachées sous ses jupes, aux bars clandestins du village.

— Astucieux. La police ne devait pas oser regarder dessous.

— J'ai déjà entendu cette anecdote, je pense qu'elle est vraie. D'après ce bouquin, le matelot rescapé du naufrage aurait réussi à cacher le trésor. Puis il aurait volé le cœur de la belle et farouche Violeta, ainsi que plusieurs pièces de son coffret à bijoux. Pris en chasse par Edwin Landon, le frère aîné de Violeta, il serait tombé du haut de la falaise, près du phare, emportant sans doute la Dot avec lui dans les profondeurs de l'océan. Enfin, bref.

— Dans ce cas, on en aurait sûrement retrouvé au moins une partie.

— Des habitants du village auraient effectivement ramassé des bijoux sur les rochers, mais évidemment, ils se sont bien gardés de le crier sur tous les toits. Enfin, bref, répéta Eli.

Abra le regarda avec un sourire interrogateur.

– Elle a aimé.

– Qui ? La farouche Violeta ?

– Non, mon agent, mon roman. Les chapitres que je lui ai envoyés. Elle les trouve très bien. À moins qu'elle ne mente pour ménager ma susceptibilité.

– Elle ferait ça ?

– Non. Si elle le dit, c'est que c'est vrai.

Abra s'assit en face d'Eli, sur le bord de la table basse.

– Tu pensais qu'elle risquait de ne pas aimer ?

– Je ne savais pas.

– Te voilà fixé, maintenant.

– Elle pense qu'elle peut vendre le bouquin sur les cinq premiers chapitres.

– Super !

– Mais qu'elle trouverait un meilleur éditeur avec la totalité du texte.

– Où en es-tu ?

– J'aurai terminé le premier jet d'ici deux ou trois semaines. (Peut-être moins, songea-t-il, s'il continuait d'avancer aussi vite.) Il faudra ensuite que je peaufine. Difficile de dire combien de temps ça me prendra.

– C'est une décision délicate et très personnelle, mais... Oh, Eli ! Je crois que tu devrais tenter de finir au plus vite.

Abra se releva d'un bond. Eli esquissa un sourire amusé.

– C'est aussi l'avis de mon agent.

– Et toi, qu'en penses-tu ?

– J'aime autant qu'elle ait un texte complet à soumettre aux éditeurs. Si elle se trompe, je décrocherai peut-être le nouveau record du monde de rejets mais, au moins, j'aurai écrit un roman en entier.

Elle lui décocha un coup de genou dans la jambe.

– Si elle a raison, tu auras vendu ton premier roman. Ne m'oblige pas à retourner acheter un bâton purificateur pour bannir les énergies négatives.

– Si on faisait l'amour, plutôt ? En général, ça me donne des pensées positives.

– Tu me feras lire ton manuscrit ?

Il ne répondit pas. Elle leva les yeux au ciel.

– Juste une scène, s'il te plaît, comme on avait dit...

– Peut-être... OK, juste une scène.

– Ouais ! Tu sais quoi ? On devrait fêter ça.

– N'ai-je pas suggéré à l'instant que nous fassions l'amour ?

En riant, elle lui donna une claque sur la cuisse.

– On pourrait aussi trinquer.

– Nous trinquerons quand le bouquin sera terminé.

– Dans ce cas, je retourne au donjon.

– Tu as besoin d'un coup de main ?

– C'est sympa, mais tu ne crois pas que tu ferais mieux de bosser à ton roman ?

– Tu as raison, surtout que je vais être pris au moins une heure ou deux, demain. La détective que j'ai engagée doit passer me voir.

– Du nouveau ? s'enquit Abra en se rasseyant.

– Pas grand-chose, apparemment, d'après le rapport qu'elle m'a envoyé. Si ce n'est que les Suskind se sont séparés.

– Pas évident de surmonter une infidélité, surtout quand tout le monde est au courant. Ils ont des enfants, non ?

– Deux.

– Encore plus difficile. (Abra hésita, secoua la tête.) Afin que je ne répète pas mon erreur, il faut que je te dise : Vinnie m'a appelée, tout à l'heure. Les balles extraites du corps de Duncan proviennent du pistolet que j'ai découvert chez moi.

Eli posa une main sur la sienne.

– Comme on pouvait s'y attendre.

– Ouais... Le fait que j'aie prévenu la police dès que je l'ai trouvé joue en ma faveur. Et le coup de téléphone passé à Wolfe d'un téléphone jetable paraît douteux. Mais Vinnie voulait que je sache que Wolfe fouille dans mon passé, dans l'espoir de découvrir une liaison entre nous avant le meurtre de Lindsay.

– Il verra bien que nous ne nous connaissons pas. Tu as rappelé ton avocat ?

– Oui.

– Ne t'en fais pas. Nous n'avons rien à voir avec le meurtre de Duncan. Toujours est-il qu'il est probablement lié à celui de Lindsay. J'ai du mal à croire qu'il n'y ait aucun lien entre tous ces événements qui se produisent autour de moi : deux meurtres, une chute qui aurait pu être fatale, une série d'effractions, une agression.

– Vivement que tout cela soit élucidé... soupira Abra en se relevant. Bon, allez, je retourne briquer l'escalier et réfléchir à la manière dont on pourrait devenir les héros de notre propre roman, les justiciers qui ont contribué à coincer le scélérat.

– Si on sortait dîner, ce soir ?

– Tu crois ?

– Barbie gardera la maison. J'ai envie de t'emmener au restaurant et de te voir en robe.

– OK, opina-t-elle en lui donnant un baiser. Si je mets une robe, tu mettras une cravate ?

– Ça marche. Choisis le restau. Tu connais mieux que moi les bonnes adresses du coin.

La situation évoluait, peu à peu, songea Eli en se retrouvant seul dans la bibliothèque. Mais tant de questions demeuraient encore sans réponses... Ce soir, cependant, il sortait avec une fascinante jeune femme qui maintenait son esprit en éveil, qui maintenait tous ses sens en éveil.

– Allez, je vais bosser quelques heures, dit-il à Barbie. Ensuite, tu m'aideras à choisir une cravate.

Il ne pouvait pas surveiller Bluff House en permanence. Néanmoins, il continuait de guetter son heure. Il était équipé, maintenant ; Landon pouvait changer le code autant qu'il lui chantait. Et si celui-ci ne finissait pas par s'absenter, tant pis, il était prêt à risquer une incursion pendant son sommeil.

Bien que de moins en moins certain qu'il creusait au bon endroit, il devait persévérer, afin d'en avoir le cœur net et, éventuellement, d'orienter ses fouilles dans une autre direction. Il y avait déjà consacré tellement de temps, tellement d'énergie, tellement d'argent qu'il ne pouvait plus se permettre d'abandonner.

Il fallait qu'il remonte au grenier. Quelque part dans l'une des malles, sous un coussin, derrière un cadre, il finirait bien par dénicher un indice. Une carte, un journal, un quelconque document d'époque.

Il avait cherché dans la bibliothèque, pendant que la vieille dormait. Malheureusement, il n'avait rien trouvé qui corresponde aux informations en sa possession.

Il n'avait que faire des légendes et des récits d'aventures. Il savait, lui, ce qui s'était passé lors de cette nuit de tempête sur Whiskey Beach. Un homme avait survécu aux éléments déchaînés. Un homme, et un trésor inestimable.

Un butin acquis au prix de la force, du courage et du sang, qui aujourd'hui lui revenait de plein droit. Le droit du sang. Le sang qu'il partageait avec Nathanial Broome, le célèbre capitaine Broome, à qui Violeta Landon avait donné son cœur, son corps, et un fils.

Il possédait des preuves de son ascendance, des preuves écrites de la main de Violeta, comme un message qu'elle lui aurait adressé d'outre-tombe. Des fragments de lettres, des pages d'un journal intime retrouvés à la mort de son grand-oncle.

Un homme stupide, négligeant son intérêt.

Il était l'héritier de ce trésor, le seul, l'unique. Nul autre que lui ne pouvait le revendiquer.

Sûrement pas Eli Landon.

Il le tuerait, s'il le fallait. Il avait tué, déjà, et se savait capable de récidiver. Il tuerait Landon, comme Landon avait tué Lindsay.

Ce ne serait que justice. Une justice sommaire et expéditive, telle que la méritaient les Landon. Une justice de pirate, telle que Nathanial Broome l'aurait infligée.

Son cœur fit un bond lorsqu'il les vit sortir de la maison. Landon en costume, la femme en robe rouge. Main dans la main, riant comme des adolescents. Insouciants.

Couchait-il avec elle quand il était avec Lindsay ? Ce salopard, ce prétentieux. Il ne méritait que la mort.

Patience… Récupérer l'héritage, d'abord. Ensuite, il vengerait Lindsay.

Il les regarda monter en voiture. La rouquine donna un baiser à Landon avant qu'il démarre.

Deux heures, estima-t-il. S'il avait pu les faire filer, comme avant, il aurait eu une idée plus précise du temps dont il disposait. Il pouvait toutefois risquer deux heures dans le manoir.

Le décodeur d'alarme lui avait coûté une petite fortune et, bientôt, l'argent deviendrait un sérieux problème. Un investissement, se réconforta-t-il en garant sa voiture derrière un cottage de location inoccupé.

La police patrouillait, mais il avait repéré leurs horaires de passage. N'aurait-il pas fait un bon pirate, téméraire, rusé, ne reculant devant rien ? N'était-ce pas là encore une preuve de son ascendance, de ses droits ?

Il courut sous la pluie jusqu'à la porte latérale, l'accès le plus facile, le plus discret. Il prendrait le temps de faire un moulage de la clé de la femme de ménage. Elle n'avait pas dû emporter son gros porte-clés. Il le trouverait. La prochaine fois, il n'aurait pas besoin de forcer la serrure.

Il était encore à quelques pas du porche lorsque des grondements menaçants retentirent à l'intérieur de la maison. Il s'immobilisa, se réfugia derrière un arbre.

Il avait vu Landon avec un chien, sur la plage. Une bête qui lui avait paru inoffensive, le genre de bon gros toutou qui n'aurait pas fait de mal à une mouche.

Il avait emporté quelques biscuits pour l'amadouer. Or la violence des aboiements n'augurait pas une créature qui se laisserait aisément amadouer. Mais des crocs féroces, une gueule impitoyable.

Au bord des larmes, il lâcha une bordée de jurons avant de regagner sa voiture. La prochaine fois, il apporterait de la viande. Empoisonnée. Il n'allait tout de même pas se laisser intimider par un sale clébard.

Pour l'heure, il devait se calmer, réfléchir. Le plus rageant était qu'il devait retourner travailler, au moins pendant quelques jours. Tant pis. Il mettrait ce temps à profit pour s'organiser. Peut-être trouverait-il un moyen de faire incriminer Landon ou sa poule. Quand ils seraient en garde à vue, il aurait tout le loisir de s'immiscer dans la maison.

Ou bien l'un des Landon de Boston pouvait avoir un accident... L'autre salopard serait alors obligé de quitter Bluff House. Une idée à étudier.

Dans l'immédiat, lui-même devait retourner à Boston, se regrouper. Jouer son rôle, s'assurer d'être vu là où on avait l'habitude de le voir, sous l'apparence d'un homme ordinaire, vaquant à des occupations ordinaires, menant une petite vie ordinaire.

– J'adore dîner au restaurant, déclara Abra.

– Moi aussi.

– C'est un peu comme si c'était notre premier rendez-vous. Sauf que je sais déjà comment la soirée va se terminer.

– Dommage, j'aime bien le suspense des premiers rendez-vous.

– Parle-moi de tes projets pour Bluff House, dit-elle en dégustant une gorgée de vin, la flamme de la bougie scintillant dans ses yeux, la mer se déroulant derrière la vitre à côté de laquelle ils étaient attablés.

– En premier lieu, il faut que je pense au retour de Gran. Un jour ou l'autre, elle ne pourra plus monter les escaliers. J'envisage de faire installer un ascenseur. Si ce n'est pas possible – je consulterai un architecte –, il faudra lui aménager une chambre au rez-de-chaussée. Je pensais au salon du petit déjeuner.

– Ce serait mieux de faire installer un ascenseur. Hester serait trop malheureuse si elle devait changer de chambre, et si elle ne pouvait plus circuler à sa guise dans la maison. Cela dit, j'espère qu'elle restera encore longtemps valide mais, tu as raison, il est plus sage d'anticiper.

– J'ai aussi l'intention d'acheter un nouveau générateur. Éventuellement, j'en profiterai pour faire faire quelques travaux au sous-sol. Et surtout, je vais installer mon bureau au grenier.

– Tu seras bien, pour écrire, là-haut.

– Et je veux refaire des fêtes à Bluff House.

– Des fêtes ?

– J'adorais recevoir, la famille, les amis... Danser, partager un bon repas...

Cette perspective donna presque le vertige à Abra.

– On organisera une grande soirée, pour la parution de ton livre.

– Il n'est pas encore publié.

– Je suis optimiste.

Eli s'interrompit lorsque le serveur apporta les entrées. Superstitieux, peut-être, mais il ne voulait pas vendre la peau de l'ours avant de l'avoir tué.

Compromis, pensa-t-il.

– Et si nous donnions une fête pour le retour de Gran à Bluff House ?

– Excellente idée ! s'écria Abra en exerçant une pression sur sa main avant de prendre sa fourchette. Hester sera aux anges. Je connais un bon groupe de swing.

– De swing ?

– Ce serait sympa, non, une ambiance rétro ? Les femmes en robe de bal, les hommes en costume d'été, parce que je sais qu'elle sera de retour avant la fin de l'été. Des lanternes chinoises sur les terrasses, une fontaine de champagne, des fleurs partout. Des plateaux d'argent chargés de mets raffinés sur des tables blanches.

– Tu es engagée.

– J'organise des soirées, de temps en temps, dit-elle en riant.

– Pourquoi ne suis-je pas étonné ?

Elle agita sa fourchette en l'air.

– Je connais des gens qui connaissent du monde.

– Je m'en doute. Et tes projets à toi ? Ton studio de yoga ?

– C'est dans les tiroirs.

– Si tu as besoin d'argent, je peux t'en prêter.

Elle eut un léger mouvement de recul.

– Je déteste avoir des dettes. Et je ne suis pas pressée. Je préfère prendre le temps de trouver le local idéal, spacieux, confortable, serein, clair. J'y verrais bien un mur de miroirs, peut-être une petite fontaine. Impératif, il me faudra une bonne sono, pas comme au sous-sol de l'église. Un système d'éclairage réglable. Une déco très colorée. À terme, si ça marche, j'embaucherai peut-être une prof, pour offrir un éventail de cours plus variés, mais je ne veux pas que ça devienne un trop gros business. Et j'aimerais avoir une petite salle de massage. Pour l'instant, en tout cas, je me contente de ce que j'ai, de ce que je fais.

— C'est-à-dire pas mal de choses.

— Tout ce qui me rend heureuse. Nous avons de la chance, non ?

— En ce moment, je me sens le plus chanceux des hommes.

— De faire tous les deux ce que nous aimons, je voulais dire. Et d'être là à partager notre premier dîner en tête à tête au restaurant, à discuter de nos projets, de l'avenir tel que nous l'imaginons pour être encore plus heureux. Ça aide à faire passer ce que nous n'aimons pas.

— Quelles sont les choses que tu n'aimes pas ?

— Là, maintenant ? dit-elle en souriant. Je n'en vois aucune.

Plus tard, lovée contre lui dans le noir, glissant rêveusement dans le sommeil, bercée par le bruit de la mer, elle songea qu'elle aimait tout, à ses côtés. Et lorsqu'elle pensa au lendemain, elle pensa à lui.

Si ce n'était pas de l'amour, ce n'en était pas loin... Elle espérait seulement être prête.

23

D'après son nom, Sherrilyn Burke, et son accent yankee, Eli s'était imaginé une grande blonde en tailleur chic. Il ouvrit la porte à une quadragénaire aux cheveux bruns et courts, en jean, sweat-shirt noir et veste en cuir vieilli, baskets montantes en toile noire, sacoche sur l'épaule.

– Mme Burke, se présenta-t-elle en remontant ses Wayfarer sur sa tête.

Ils échangèrent une poignée de main.

– Enchanté.

– Beau chien, commenta-t-elle en tendant la main à Barbie, qui lui donna poliment la patte. Il aboie fort, mais il n'a pas l'air méchant.

– Elle, corrigea Eli. Ne vous inquiétez pas, elle ne mord pas. Elle monte juste la garde. Entrez, je vous en prie. Je vous sers un café ?

– Volontiers. Noir, s'il vous plaît.

– Entrez au salon, asseyez-vous. Je prépare le café, je vous rejoins dans deux minutes.

– Vous répondez à la porte, vous préparez le café... Le personnel est en repos ? Vous permettez que je vienne à la cuisine avec vous ? Nous gagnerons du temps.

– Je n'ai pas de personnel, comme vous le savez probablement.

– C'est mon boulot, en effet, acquiesça-t-elle avec un sourire révélant une incisive légèrement de travers. Je peux jeter un coup d'œil ? demanda-t-elle en s'avançant sur le seuil du grand salon. J'ai vu l'intérieur de Bluff House en photo dans des magazines de déco, mais c'est encore plus beau que je ne l'imaginais. On n'a pas l'impression d'être dans un musée, comme souvent dans les demeures bourgeoises. Vous y maintenez une atmosphère chaleureuse.

– Ma grand-mère est attachée à cette maison.

– Et vous ?

– Moi aussi.

– C'est immense... Votre grand-mère vivait seule ici, ces dernières années ?

– Oui, et elle attend le feu vert de ses médecins pour revenir. Je resterai avec elle.

– La famille avant tout. Je sais ce que c'est. J'ai deux enfants, une mère qui me rend folle, et un père infernal depuis qu'il est à la retraite, après trente ans de bons et loyaux services dans la police.

– Votre père était dans la police ?

– Vous ne le saviez pas ?

– Si, avoua Eli avec un sourire. J'ai mené ma petite enquête, moi aussi.

– Cuisine ultramoderne, observa la jeune femme en la découvrant. Vous cuisinez ?

– Pas vraiment.

– Moi non plus. Vous avez pourtant un équipement de pro, ici.

Tandis qu'Eli préparait le café, elle s'installa sur un tabouret devant l'îlot.

– Ma grand-mère fait beaucoup de pâtisserie. Et son aide-ménagère est un véritable cordon-bleu.

– Abra Walsh. Elle... Elle fait le ménage pour vous, maintenant, je crois ?

– Tout à fait, et je vous dispense de questions indiscrètes quant à ma vie privée, madame Burke.

– Appelez-moi Sherrilyn. Et comprenez qu'il me faille vous connaître un minimum, si vous voulez que je fasse mon travail correctement. C'est pour cela que je tenais à vous rencontrer, et je vous remercie de me recevoir. Par ailleurs, je suis une fervente admiratrice de la mère de Mlle Walsh. Quant à la fille, je lui tire mon chapeau. Après les coups durs qu'elle a vécus, elle a su rebondir. Et vous, où en êtes-vous ?

– Je me relève, tout doucement.

– Vous écrivez...

– J'essaie.

– Votre nom fera un tabac. Vieille fortune, scandale, mystère.

– Je ne cherche pas à profiter de la réputation de ma famille, ni du meurtre de ma femme, riposta Eli avec aigreur.

– Les faits sont ce qu'ils sont, monsieur Landon.

– Appelez-moi Eli, si c'est pour être blessante.

– Je vous provoquais juste un peu. Vous avez coopéré avec la police davantage que je ne croyais, après le meurtre de votre épouse...

Il posa une tasse de café devant elle.

– Pour ce que ça m'a servi...

– L'aimiez-vous ?

C'était lui qui avait réclamé *une* détective, se rappela-t-il. Il devait assumer ce choix.

– Pas quand elle est morte. C'est dur, mais je ne sais pas si je l'ai jamais aimée. Elle comptait, en tout cas. Elle était ma femme, et elle comptait. Je veux savoir qui l'a tuée. Je veux savoir pourquoi. Depuis son décès, j'ai passé trop de temps à me défendre, pas assez à essayer de trouver les réponses.

– Vous étiez le principal suspect, vous n'étiez pas dans une position très confortable. Elle vous trompait. Vous étiez en instance de divorce. Beaucoup d'argent était en jeu, ainsi que la réputation de votre famille. Vous retournez chez vous, dans une maison que vous aviez payée, attendu que le patrimoine de votre épouse était bloqué, vous vous disputez, elle vous met en colère, vous lui assénez un coup de tisonnier. Fatal. Vous appelez la police et prétendez l'avoir découverte morte.

– C'est comme ça qu'ils ont vu les choses.

– La police.

– La police, les parents de Lindsay, les médias.

– Les parents ne comptent pas, et les médias ne sont que ce qu'ils sont. Quant à la police, elle n'a pas réussi à réunir suffisamment de charges contre vous.

– Pour autant, je n'ai pas été innocenté. Les parents de Lindsay ont perdu leur fille, ils ont donc leur mot à dire et ils pensent que je suis responsable. Et les médias ne sont peut-être que ce qu'ils sont, mais ils ont du poids. Ils ont influencé l'opinion publique, et ma famille en a souffert.

La détective le dévisageait en silence. Provocation, encore ?

– Vous cherchez à me faire sortir de mes gonds ? lui demanda-t-il.

– Peut-être. La colère délie les langues. L'affaire Lindsay Landon semblait cousue de fil blanc, en apparence. Un mari trompé, du fric en jeu, crime passionnel. Sur qui portent les soupçons ? Le mari, évidemment, et la personne ayant découvert le corps. Vous étiez les deux. Aucune trace d'effraction ni de lutte, il ne s'agissait pas d'un cambriolage qui aurait dégénéré. De surcroît, vous vous étiez disputé avec la victime, devant témoins, plus tôt dans la journée. Vous aviez tout du suspect.

– J'en suis conscient.

– Seulement, dès que l'on gratte un peu, il apparaît que vous n'avez pas pu tuer votre femme. Premièrement, la chronologie des faits ne colle pas. Plusieurs de vos collègues peuvent attester l'heure à laquelle vous êtes parti de votre cabinet.

– Vingt minutes se sont écoulées entre le moment où j'ai désactivé l'alarme et celui où j'ai appelé les secours. La police a estimé que tout a pu se passer très vite.

– La reconstitution a prouvé le contraire. Votre café est délicieux. Du reste, vous n'aviez pas de taches de sang sur vos vêtements. Forcément, vu la violence des coups, vous auriez été éclaboussé. Quand la police est arrivée, vous portiez le même costume que lorsque vous avez quitté le travail. En vingt minutes, vous auriez encore trouvé le temps de vous changer deux fois ?

– J'ai l'impression d'entendre mon avocat.

– Un homme sensé. En outre, vous n'aviez jamais eu de comportement violent auparavant, et à aucun moment vous ne vous êtes contredit dans votre témoignage.

– Parce que c'était la vérité.

– Enfin, la vie dissolue de la victime plaide en votre faveur. Les médias n'ont pas caché qu'elle vous trompait, qu'elle vous mentait et qu'elle cherchait à vous extorquer un maximum de dommages et intérêts.

– C'est facile de salir quelqu'un qui n'est plus là, et ce n'est pas ce que je voulais.

– Les soupçons se sont également portés sur Justin Suskind, son amant, avec qui elle avait échangé plusieurs coups de téléphone, après votre dispute.

Eli s'aperçut tout à coup qu'il n'avait pas envie de café. Il ouvrit le réfrigérateur et se servit un verre d'eau.

– J'aurais voulu que ce soit lui.

– Manifestement, il n'avait pas de raisons de la tuer, à moins qu'elle l'ait appelé pour rompre. Personne n'était au courant de leur liaison, ils étaient discrets, ils ne se voyaient qu'en dehors de la ville, mais l'enquête judiciaire n'a fait apparaître aucune tension entre eux.

– Non. Je crois qu'elle tenait à lui.

Bien que la plaie ne fût plus à vif, Eli ne put que constater qu'elle lui cuisait encore.

– Peut-être, ou peut-être était-elle grisée par l'interdit de l'aventure. Vous ne saurez probablement jamais. Suskind, en tout cas, n'avait pas de mobile, et il avait un alibi : sa femme. Sa femme trompée, mortifiée, qui a néanmoins déclaré qu'il était avec elle ce soir-là. Ils ont dîné ensemble, chez eux, tous les deux – les enfants étaient à une fête de l'école. Ils sont rentrés à 20 h 15 et ont confirmé que leurs parents étaient à la maison.

Sherrilyn ouvrit sa sacoche, en sortit une chemise en carton.

– Comme vous avez dû le voir dans mon rapport, poursuivit-elle, les Suskind se sont récemment séparés. Je me suis dit qu'elle changerait peut-être de couplet, maintenant que le mariage est brisé. Je l'ai rencontrée hier. Elle est amère, mais elle maintient ses déclarations.

– Nous ne sommes donc pas plus avancés.

– Lindsay avait peut-être d'autres amants, elle a pu avoir affaire à une épouse en colère. Je n'ai encore rien trouvé de ce côté-là, mais je continue à chercher. Vous permettez ? demanda Sherrilyn avec un geste en direction de la cafetière.

– Bien sûr.

– Je l'aurais fait moi-même, mais j'ai l'impression qu'il me faudrait le mode d'emploi de la machine.

– Je m'en occupe.

– Merci. Elle ne réglait pas systématiquement les hôtels par carte de crédit. Parfois, elle payait en liquide, si bien que je ne suis pas sûre d'avoir la liste complète des établissements où elle a séjourné avec son ou ses amants. Dans plusieurs de ceux où je me suis rendue jusqu'à présent, nous avons des témoins qui ont identifié son compagnon : Justin Suskind. Je poursuis néanmoins ma tournée, au cas où on l'aurait vue ailleurs avec un autre homme.

Eli lui servit un deuxième café, puis se rassit en face de Sherrilyn et, tout en l'écoutant, feuilleta les documents qu'elle lui avait remis.

– Elle connaissait son assassin, puisqu'elle l'a laissé entrer dans la maison. Nous cherchons donc parmi ses connaissances. Le département de police de Boston a mené une enquête rigoureuse, biaisée toutefois par le fait que l'inspecteur en charge des investigations se soit focalisé sur vous.

– Wolfe.

— Wolfe est un bulldog. Il vous a pris en grippe, et je crois savoir pourquoi. Il est flic, vous êtes avocat criminel. Il arrête les délinquants, vous vous remplissez les poches en leur épargnant la prison.

— Un peu manichéen...

— J'ai travaillé cinq ans dans la police avant de devenir détective, déclara Sherrilyn, sa tasse entre les mains, confortablement calée contre le dossier de son tabouret. Honnêtement, cela vous met en rogne quand un sale type est libéré pour vice de forme ou de procédure. Wolfe vous voit comme un nanti qui ne cherche qu'à s'enrichir davantage en sapant son travail. Il aurait pris un malin plaisir à montrer au monde que les avocats peuvent aussi être des criminels. Seulement, il n'a aucune preuve. L'affaire aurait fini par se tasser, or à peine vous voilà à Whiskey Beach qu'un autre meurtre est commis à deux pas de chez vous.

— Là, vous ne parlez plus comme mon avocat, mais comme un flic.

— J'ai plusieurs voix, répliqua-t-elle sans se démonter, en sortant un autre dossier, qu'elle déposa sur le comptoir. Kirby Duncan. Il travaillait en solo, sans gros moyens, discrètement, à des tarifs raisonnables. Ancien flic, lui aussi, réglo. Wolfe le connaissait, ils étaient en bons termes, et il enrage de ne pouvoir vous impliquer dans ce meurtre. D'une pierre deux coups, il aurait ainsi pu rouvrir l'enquête sur celui de votre épouse.

— J'avais bien compris son cheminement.

— Manque de bol pour lui, vous êtes mis totalement hors de cause. Duncan n'était pas idiot, il n'aurait pas pris le risque de rencontrer le gars sur qui il enquêtait tout seul dans un endroit désert, en pleine nuit. À moins qu'il n'ait eu l'idée saugrenue d'aller faire une balade nocturne au phare, sous la pluie, il avait rendez-vous avec quelqu'un, très probablement quelqu'un qu'il connaissait. Et ce quelqu'un l'a tué. Vous avez un alibi, et rien n'indique que vous ayez eu quelque contact que ce soit avec lui. Vous n'avez pas pu revenir de Boston, où l'on sait que vous étiez lorsque Abra Walsh a été agressée, attirer Duncan au phare et le tuer, puis retourner à Boston pour faire le ménage dans son appartement et son bureau. Personne ne peut avaler une théorie aussi fumeuse.

— Wolfe.

Sherrilyn secoua la tête.

— Non, tout seul, ce n'était pas possible. Il faudrait prouver que vous avez agi avec la complicité de Walsh, ou de quelqu'un d'autre.

— On a retrouvé l'arme du crime chez Abra.

— Quoi ? s'écria-t-elle. Et je n'étais pas au courant ?

– Désolé, je ne l'ai moi-même appris que lundi.

Contrariée, elle sortit un stylo et un calepin de sa sacoche.

– Vous voulez bien m'expliquer ce qui s'est passé ?

Il lui raconta ce qu'il savait, en la regardant prendre des notes, avec les abréviations de la police.

– Vaseux, comme coup monté, conclut-elle. On a fait ça de façon irréfléchie, désorganisée, bêtement.

– Il a tout de même tué un privé qui avait de la bouteille et, jusqu'à présent, il n'a pas été inquiété.

– Même les ânes peuvent avoir des coups de bol. J'aimerais voir le cottage de Mlle Walsh, avant de repartir à Boston.

– Je lui demanderai si elle est d'accord.

– Ainsi que ce trou dans votre cave, et je tenterai d'obtenir quelques infos de la police locale. Quant à vous, Eli, vous m'avez laissé entendre dans votre e-mail que tout serait lié...

– Ce serait une drôle de série de coïncidences, sinon.

– Sans compter celle-ci, qui ne me semble pas inintéressante. (Sherrilyn sortit une autre chemise en carton.) Il y a environ cinq mois, Justin Suskind a acheté Le Château de sable, à la pointe nord de Whiskey Beach.

– Il... Il a acheté une maison ici ?

– Au nom de Legacy Corp., une société fictive. Le nom de sa femme ne figure pas sur l'acte de vente. À mon avis, elle n'est pas au courant de l'acquisition de ce bien.

– Pourquoi diable a-t-il acheté une maison ici ?

– Un investissement immobilier, dans une charmante petite station balnéaire, répondit Sherrilyn, caustique. Mais mon petit doigt me dit qu'il avait d'autres raisons : vous prendre en faute, par exemple, et venger sa défunte maîtresse. Seulement, il y a cinq mois, vous n'étiez pas là, et vous n'aviez pas même l'intention de venir.

– Bluff House était là. Ma grand-mère...

– À première vue, je ne vois pas de rapport entre cet achat et le meurtre de votre épouse. Mais j'aime les mystères – autrement, je ne ferais pas ce métier. Et je suis curieuse. Il achète une maison à Whiskey Beach, tout près de la demeure familiale des Landon où, selon mes informations, vous ne veniez plus guère depuis votre mariage.

– Lindsay ne s'entendait pas avec ma grand-mère.

– Elle a dû raconter tout cela à son amant, j'imagine, sur l'oreiller. Quelques mois après son décès, il achète une propriété ici. Et vous vous retrouvez avec un trou dans la cave, une grand-mère à l'hôpital, un privé à vos trousses, lequel se fait zigouiller. Et maintenant, l'arme du crime chez votre petite amie. Quel est le dénominateur commun, Eli ? Pas vous. Vous n'étiez pas là quand Suskind a acheté Le Château de sable. Alors ?

– La Dot d'Esméralda – une chimère. Quand bien même ce trésor existerait, ou aurait existé, une chose est sûre, il n'est pas enterré dans la cave. Pourtant, il a failli tuer ma grand-mère.

– Peut-être, mais nous n'avons aucune preuve, jusque-là. Ne tirez pas de conclusions hâtives. Vous êtes quelqu'un de posé et de réfléchi ; sinon, je ne vous aurais pas révélé cette info.

Eli se leva brusquement et se mit à arpenter la cuisine.

– Cette chute aurait pu lui être fatale. Dieu sait combien de temps elle est restée sans connaissance sur le carrelage. S'il est capable de laisser une vieille dame dans le coma sans lui porter assistance, il est capable d'avoir tué Lindsay. Sa femme a pu mentir pour le couvrir, par loyauté ou par peur. Il est capable de tuer. C'est lui, je parie, qui a engagé Duncan. Qui d'autre, sinon ? Qui pourrait s'intéresser à ce que je fiche ici ? Je pensais que c'étaient les parents de Lindsay, mais je comprends mieux, maintenant.

– Les Piedmont avaient engagé deux privés de l'une des meilleures agences de Boston, déclara Sherrilyn. Ils ont mis un terme à l'enquête il y a trois mois.

– Ah bon ?

– Mes confrères avaient fait le tour du sujet. Il n'est pas exclu que les Piedmont ne fassent pas appel à une autre agence, mais je peux vous dire que ce ne sont pas eux qui ont engagé Kirby Duncan.

– Si Suskind avait un privé qui me surveillait, il était informé de mes allées et venues. Il savait qu'il avait le temps de creuser, le jour où j'étais à Boston, parce que Duncan lui avait signalé que j'y étais. Il a été dérangé par Abra. Si elle ne s'était pas défendue, il aurait pu... (Eli cessa de faire les cent pas et se tourna vers Sherrilyn.) Vous dites que Duncan était un type réglo ?

– C'était la réputation qu'il avait.

– Vinnie – le shérif adjoint Hanson – l'a interrogé à propos de la première effraction, et de l'agression. On peut imaginer qu'il n'a pas apprécié que son client se serve de lui, qu'il l'a menacé de le dénoncer, et que Suskind l'a éliminé pour éviter les ennuis.

– Ne manquent que les preuves, répliqua Sherrilyn en martelant ses dossiers de son stylo. La seule chose dont nous soyons sûrs, pour l'instant, c'est que Suskind a acheté une maison à Whiskey Beach.

Sa femme m'a paru sincère. Je n'ai pas eu l'impression qu'elle avait peur de son mari, ni qu'elle cherchait à tout prix à le protéger. Elle est amère, humiliée. Je ne vois pas pourquoi elle mentirait pour lui.

– Il est toujours le père de ses enfants.

– C'est vrai. J'essaierai de creuser davantage. En attendant, j'aimerais jeter un coup d'œil au sous-sol, s'il vous plaît.

– Pour ma part, j'aimerais que vous communiquiez à la police ce que vous avez découvert à propos de Suskind.

– Ça me gêne un peu, répliqua Sherrilyn avec une grimace. Ils voudront l'interroger. Ça pourrait l'effrayer, et nous perdrions notre meilleure piste. Accordez-moi un peu de temps, une semaine, disons, que je voie si je peux débusquer quelque chose.

– OK, une semaine, acquiesça Eli.

– On descend à la cave ?

Au sous-sol, elle prit quelques photos à l'aide d'un petit appareil numérique.

– Il faut en vouloir, pour creuser un trou pareil... commenta-t-elle. Je me suis un peu documentée sur cette histoire de trésor de pirates, mais j'aimerais que l'un de mes collaborateurs approfondisse les recherches, si vous n'y voyez pas d'objections.

– Pas de problème. J'ai moi-même lu pas mal de bouquins sur la légende. Si le magot était caché à Bluff House, nous l'aurions trouvé depuis belle lurette. Il perd son temps.

– Probablement. Mais c'est une grande maison, avec pas mal de recoins secrets, j'imagine.

– Le manoir, tel que vous le voyez aujourd'hui, a été construit des années après la *Calypso*, quand ma famille s'est enrichie avec le whiskey.

– Vous n'avez jamais voulu travailler dans l'entreprise familiale ? demanda Sherrilyn tandis qu'ils remontaient.

– Je laisse ça à ma sœur. Pour ma part, j'assure la continuité à Bluff House. Il y a toujours eu un Landon ici, depuis que la propriété n'était qu'un modeste cottage de pierre.

– Les traditions...

– J'y suis attaché.

– C'est pour cela que vous êtes retourné dans la villa de Back Bay, pour récupérer la bague de votre arrière-grand-mère.

– Elle n'entrait pas dans la communauté des biens, le contrat de mariage le stipulait clairement. Mais je ne faisais pas confiance à Lindsay.

– À juste titre, commenta Sherrilyn.

– Cette bague appartient aux Landon. Ma grand-mère me l'avait donnée pour que je l'offre à ma femme, en gage symbolique d'appartenance à la famille. Lindsay n'a pas honoré ce cadeau. J'étais furieux. Je voulais reprendre ce qui était à moi : la bague, le service en argent – qui était dans la famille depuis deux siècles. Le tableau... c'était idiot, concéda Eli en refermant la porte de l'escalier. Je ne voulais pas qu'elle garde un cadeau que je lui avais offert par amour. D'autant plus idiot qu'aujourd'hui je ne peux plus voir cette toile.

– Tout à votre honneur, vous n'avez pris que cette bague dans le coffre. Tous les bijoux que vous aviez offerts à votre épouse, vous n'y avez pas touché. Vous auriez pu les prendre ou, dans votre rage, les jeter par terre, par la fenêtre. Vous n'avez eu aucun geste violent. Vous n'êtes pas un homme violent, Eli.

Il pensa à Suskind. À Lindsay, à sa grand-mère, à Abra.

– Je pourrais l'être.

Elle lui posa une main amicale sur le bras.

– Ne changez pas. J'ai réservé une nuit au Surfside B&B. J'essaierai de sonder la propriétaire à propos de Duncan. On ne sait jamais, elle a pu l'apercevoir avec quelqu'un. Parfois, autour d'une tasse de thé et d'un muffin, les gens se rappellent des choses qu'ils ont oublié de dire à la police. J'irai aussi faire un tour du côté de la propriété de Suskind, et bavarder un peu avec les voisins, les commerçants. Il doit bien faire des courses, quand il est là, acheter ne serait-ce qu'un pack de bières. Et j'aimerais voir le cottage de Mlle Walsh.

– J'appelle Abra tout de suite.

En sortant son téléphone, il jeta un coup d'œil au planning épinglé sur le pêle-mêle.

– C'est son emploi du temps ? demanda Sherrilyn.

– Pour la journée.

– Elle ne chôme pas...

Tandis qu'Eli parlait avec Abra, elle étudia le planning. Une femme qui faisait autant de choses, songea-t-elle, devait en savoir un minimum sur la vie de beaucoup de ses concitoyens. Voilà qui pouvait être utile.

– Elle a dit que vous pouviez passer prendre ses clés chez sa voisine, annonça Eli quand il eut raccroché. Maureen O'Malley, la maison à droite du cottage.

– Super. Je vous laisse ces dossiers. J'en ai des copies, déclara Sherrilyn en refermant sa sacoche. Je vous tiendrai au courant.

– Merci. Vous m'avez donné du grain à moudre. Attendez... murmura-t-il tandis qu'elle enfilait sa veste en cuir. Pack de bières... Bar...

– J'irais volontiers déguster une pression.

– Quand la seconde effraction a eu lieu, nous étions au pub où Abra travaille les vendredis soir. Il y avait un type qu'elle a trouvé bizarre, un inconnu, antipathique. Il lui a commandé un verre et il est parti avant qu'elle le lui serve, juste après mon arrivée.

– Peut-elle le décrire ?

– Hélas, non, il faisait sombre. Elle a travaillé avec un dessinateur de la police, mais le portrait n'est pas très probant.

– Si vous lui montriez une photo de Suskind ? Il y en a une dans le dossier. Si c'était lui, ça prouverait juste qu'il était au bar ce soir-là, c'est-à-dire pas grand-chose, mais ce serait toujours quelque chose, non ?

Il ne se satisferait pas de si peu, songea Eli, une fois seul, la rage au ventre à la pensée que celui avec qui sa femme le trompait était susceptible de l'avoir tuée. Susceptible d'avoir causé la chute de sa grand-mère, et de l'avoir laissée pour morte. Susceptible d'avoir agressé Abra.

Il avait violé Bluff House. Ce n'était pas un hasard, Eli en était certain, s'il avait acheté une maison ici, si près de sa propre demeure.

Il emporta les dossiers dans la bibliothèque et s'installa au vieux bureau, armé de son calepin.

Lorsque Abra revint, peu après 17 heures, ce fut la chienne qui l'accueillit à la porte, le regard suppliant.

– Eli ?

– Oui ? répondit-il en clignant des paupières.

Elle s'approcha du bureau, jeta un coup d'œil aux papiers étalés dessus, ramassa les deux canettes vides de Mountain Dew.

– Je m'en occuperai, protesta-t-il.

– C'est bon. Tu as mangé ?

– Euh...

– Tu as sorti Barbie ?

– Oh... (Eli se tourna vers la chienne qui leva vers lui de grands yeux tristes.) J'ai oublié.

– Deux choses. Primo, je ne te laisserai pas recommencer à te négliger, sauter des repas, te nourrir de café et de soda jaune fluo. Secundo, tu n'as pas le droit de négliger un chien qui compte sur toi.

– Tu as raison. J'étais occupé. Je la sors dans une minute.

En réponse, Abra tourna les talons, Barbie sur ses semelles.

– Merde... maugréa Eli en regardant la dizaine de pages qu'il avait noircies de notes, et en se passant les mains dans les cheveux.

Il n'avait pas demandé de chien, non ? Mais il en avait pris un, il devait l'assumer. Il se leva, se rendit à la cuisine, la trouva vide, l'énorme fourre-tout d'Abra sur le comptoir. Par la fenêtre, il la vit descendre à la plage avec Barbie.

– Pas besoin de s'énerver, marmonna-t-il en enfilant sa veste et en attrapant la balle favorite de la chienne.

Abra et Barbie s'éloignaient d'un pas rapide. Il les rejoignit.

– J'étais occupé, répéta-t-il.

– Manifestement.

– La détective m'a donné pas mal de nouvelles infos. Importantes.

– La santé et le bien-être de ton chien sont importants, aussi.

– J'ai oublié qu'elle était là. Elle est tellement discrète.

Eli détacha la laisse de Barbie et lança la balle dans l'eau. La chienne s'élança à sa poursuite, sur des ailes de joie.

– Tu vois, elle m'a déjà pardonné.

– C'est un chien. Elle pardonnerait n'importe quoi.

Abra s'écarta d'un bond lorsque Barbie, trempée, revint déposer la balle à leurs pieds. Eli la ramassa et la jeta de nouveau dans les vagues.

– Tu aurais pensé à lui donner à manger ? Sa gamelle d'eau était vide.

– Ça ne se reproduira plus, promit-il, penaud.

– Tu n'as pas non plus travaillé à ton roman, je présume. Au lieu d'écrire, tu as perdu la journée à te prendre la tête avec des histoires de meurtres et de trésor.

Et il ne s'en excuserait sûrement pas.

– Il me faut des réponses, Abra. Je croyais que tu l'avais compris.

– Bien sûr, acquiesça-t-elle en s'efforçant de rester calme. Bien sûr que je comprends, mais ce serait tellement dommage que la quête de ces réponses anéantisse tout le travail que tu as fait sur toi.

– Ce n'est pas le cas. Un après-midi, bon sang, ce n'est rien ! Des portes sont en train de s'ouvrir sur des pistes qui demandent à être explorées. Je ne pourrais jamais me reconstruire totalement tant qu'il restera des zones d'ombre.

– Je comprends, sincèrement, et peut-être que je dramatise. Mais pour le chien, tu n'as aucune excuse.

– Tu veux que je me sente vraiment minable ?

– Pour le chien, oui.

– Mission accomplie.

En soupirant, elle enleva ses chaussures et remonta son jean afin de marcher au bord de l'eau.

– Je tiens à toi, dit-elle. Beaucoup. C'est un problème pour moi, Eli, de tenir aussi fort à toi.

– Pourquoi ?

– C'était plus simple quand je menais ma petite vie toute seule. Tu sais de quoi je parle, dit-elle en écartant les cheveux que le vent faisait voler devant son visage. C'est plus facile de vivre sa vie que de franchir à nouveau ce pas, que de reprendre ce risque. Et c'est effrayant de ne pas pouvoir s'empêcher de franchir ce pas.

Le tour que prenait la conversation déconcerta Eli, et le mit quelque peu mal à l'aise.

– Je ne croyais pas que quelqu'un compterait pour moi de nouveau autant que toi, dit-il. Et c'est vrai que ça fait peur.

– Je ne suis pas sûre que nous aurions eu ce sentiment si nous nous étions rencontrés quelques années plus tôt, quand nous étions ceux que nous étions avant. Tu reviens de loin, Eli.

– J'ai été aidé.

– Parce que tu étais prêt à accepter de l'aide, consciemment ou non. J'en ai encore le cœur qui saigne quand je me rappelle comme tu étais triste, fatigué, sombre, lorsque tu es arrivé à Whiskey Beach. Ça me ferait tellement de peine de te revoir dans cet état.

– Ça ne se produira pas.

– Je souhaite de tout mon cœur que tu trouves les réponses que tu cherches. Mais je ne veux pas que tu sombres à nouveau dans la déprime, ou que cette quête te transforme en quelqu'un que je ne connais pas. C'est égoïste, mais je veux que tu restes tel que tu es.

Il prit le temps de mettre de l'ordre dans les milliers de pensées se bousculant dans son esprit.

– Tel que je suis, vois-tu, j'oublie parfois des choses, et je n'ai pas encore vraiment l'habitude d'avoir quelqu'un pour me le signaler. Au fond, je ne suis pas si différent de celui que j'étais avant, mis à part que les événements que j'ai vécus occupent une grande partie de mon esprit. Je ne veux pas être un problème pour toi, mais je ne changerai pas. Je suis bien comme je suis. De cela, j'en suis sûr et certain.

Elle inclina la tête, repoussa une mèche qui lui barrait la vue.

– Débarrasse-toi d'une cravate.

– Pardon ?

– Débarrasse-toi d'une cravate, celle que tu voudras. Et fais-moi lire une scène de ton roman, celle que tu voudras. Symbolisme. Tu jettes un truc de ton passé, et tu m'offres quelque chose du présent.

– Ça réglera le problème ?

– Qui sait... Bon, si on rentrait voir ce que je peux préparer pour le dîner ? suggéra-t-elle en lui décochant un petit coup dans le ventre. Tu es encore trop maigre.

– Tu n'es pas bien grosse toi non plus.

Pour le lui prouver, il la souleva de terre. En riant, elle entoura sa taille de ses jambes.

– Alors nous allons faire un méga gros dîner.

Elle l'embrassa, il la fit tournoyer. Quand elle rouvrit les yeux, elle vit ce qu'il s'apprêtait à faire.

– Non ! Eli !

Ils tombèrent et roulèrent dans les vagues. Elle parvint à se redresser, une vague la renversa. Dans un éclat de rire, il lui prit la main et l'aida à se relever. Barbie bondissait autour d'eux en poussant des jappements excités.

– J'avais envie de voir ce que ça ferait.

– Ça fait qu'on est trempés et gelés ! rétorqua-t-elle en ramenant ses cheveux mouillés en arrière.

Qu'est-ce que cela disait d'elle, s'interrogea-t-elle, que cet acte impulsif et puéril ait dissipé d'un coup toute sa contrariété ?

– Imbécile !

– Sirène, dit-il en l'attirant contre lui. Tu ressembles à une sirène.

– Une sirène frigorifiée, avec du sable à des endroits très gênants.

– Tu sais ce que nous allons faire ? Prendre une longue douche bien chaude, et je t'aiderai à te débarrasser de ce sable. Brrr... C'est vrai qu'il fait froid. Allez, viens, Barbie, on rentre !

Mordue, voilà ce que cela disait d'elle. Elle était tout simplement mordue.

Main dans la main, ils regagnèrent la maison en courant. Au passage, elle ramassa ses chaussures abandonnées sur le sable.

24

Dès l'instant où elle franchit le seuil de la buanderie, Abra se débarrassa de ses chaussures trempées, de son sweat-shirt ruisselant.

– Froid, froid, froid, psalmodia-t-elle en claquant des dents, tout en s'extirpant à grand-peine de son pantalon qui lui collait à la peau.

Distrait par la nudité d'Abra, Eli se débattait encore avec son jean qu'elle filait déjà à travers la cuisine.

– Attends-moi !

Il abandonna tous ses vêtements mouillés en tas et enleva son boxer pour se précipiter à ses trousses.

– Froid, froid, froid, l'entendait-il continuer de psalmodier.

Il la rejoignit sous la douche juste avant que le jet ne jaillisse.

– Chaud, chaud, chaud, ronronna-t-elle.

Elle poussa un petit cri lorsqu'il l'enlaça par-derrière.

– Non ! Tu es encore gelé.

– Plus pour longtemps.

Il la fit pivoter, la plaqua contre lui. Une douce chaleur l'envahit lorsqu'il couvrit sa bouche de la sienne.

Il voulait toucher, partout, cette peau humide, ces lignes harmonieuses, ces courbes sensuelles. Il voulait entendre son délicieux rire de gorge, ses soupirs suspendus. Un frisson d'excitation la parcourut. Ses mains glissaient sur lui, un léger raclement d'ongles, une pression des doigts érotique. Elle tournoya avec lui sous la cascade fumante, ses lèvres brûlantes contre les siennes.

Il voulait la combler de bonheur, effacer le trouble entrevu dans ses yeux sur la plage, la protéger des tourments à venir, de la tourmente, il en était sûr, qui les guettait à l'horizon.

Ici, au moins, ici et maintenant, le monde n'était que chaleur, désir et plaisir. Ici et maintenant, il pouvait lui donner le meilleur de lui-même.

De nouveau, il la fit pivoter afin de couvrir son ventre de caresses. Le bras en arrière, elle l'attrapa par le cou, le maintint contre elle et, le visage offert au torrent, elle entrouvrit les cuisses.

Sa chair palpitait d'impatience. Sous ses doigts, son corps se cambra peu à peu jusqu'à vibrer d'une exquise douleur.

Elle se retourna vers lui, s'empara de nouveau de sa bouche. Il la cala contre le carrelage humide et guida son sexe en elle.

À travers le nuage de vapeur, elle plongea son regard dans le sien. Là étaient les réponses, songea-t-elle. Elle ne pouvait plus qu'accepter ce qu'elle savait déjà, accorder à son cœur ce qu'il lui réclamait depuis le premier instant.

Toi, pensa-t-elle en s'abandonnant. *C'était toi que j'attendais.*

Le visage contre son épaule, elle succomba avec lui à l'orgasme, emplie d'amour.

Perdue en elle, il retint un instant ce moment. Puis il lui inclina le menton, posa ses lèvres contre les siennes.

– Ce sable, alors, il est parti ?

Son rire apporta à l'instant la dernière touche de perfection.

Tandis qu'elle inspectait les placards de la cuisine, il remplit deux verres de vin.

– On n'a qu'à se faire des sandwichs, suggéra-t-il.

– Je ne crois pas, non.

– Tu essaies encore de me culpabiliser parce que j'ai sauté le repas de midi ?

– Non, je crois que j'ai déjà suffisamment enfoncé le clou, répondit-elle en alignant sur le comptoir ail, tomates et parmesan. J'ai faim, c'est tout. Merci, dit-elle en prenant le verre qu'il lui tendait et en le faisant tinter contre le sien. Au fait, tu ne m'as pas dit dans quoi tu étais aussi absorbé, tout à l'heure ?

– Je t'ai dit que j'avais vu la détective, aujourd'hui.

Intriguée, Abra se détourna du réfrigérateur.

– Ah oui, c'est vrai. Elle a du nouveau, alors ?

Eli opina de la tête, puis leva un doigt, frappé par une idée.

– Attends... Je voudrais essayer un truc. J'en ai pour cinq minutes.

Il alla dans la bibliothèque prendre la photo de Justin Suskind et monta dans son bureau la photocopier. Les yeux fermés, il se remémora le portrait-robot de la police.

Au crayon, il rallongea les cheveux, ombra les yeux. Il ne se prenait pas pour Rembrandt – ni même pour Hester H. Landon, mais il fallait tenter le coup.

Avec l'original et la copie de la photo, il redescendit, fit un détour par la bibliothèque afin de rassembler les dossiers que lui avait laissés Sherrilyn.

Dans la cuisine, deux casseroles mijotaient sur le feu. Une coupelle d'olives, des artichauts marinés et des poivrons cerises attendaient sur l'îlot. Abra hachait l'ail.

– Comment fais-tu ? demanda-t-il, admiratif, en prenant une olive.

– La magie de la cuisine. Qu'est-ce que c'est que tout ça ?

– Les rapports de la détective, les notes que j'ai prises. Elle a tout repris de zéro.

Lorsqu'il eut terminé son compte rendu, et qu'il s'arrêta avant de révéler la présence de Suskind à Whiskey Beach, Abra avait préparé un plat de campanelles à la sauce tomate, ail et basilic. Il la regarda râper du parmesan par-dessus.

– Tu as fait ça en une demi-heure, chapeau. Ouais, ouais, la magie de la cuisine, railla-t-il avant qu'elle ne puisse répondre.

Il ouvrit un placard, en sortit deux assiettes et les garnit.

– Donc, elle pense que tout est lié, elle aussi ? demanda Abra en s'installant sur un tabouret. Hum, c'est bon, dit-elle en goûtant les pâtes.

– Bon ? Délicieux, tu veux dire. Tu devrais mettre la recette par écrit.

– Rien ne vaut l'improvisation. Elle va parler à Vinnie, alors ? Et à Corbett ?

– Elle en a l'intention. Elle a quelques nouveaux éléments à leur communiquer.

– Quoi ?

Eli posa la photo retouchée devant elle.

– Tiens... Regarde ça, d'abord. Cet homme te dit quelque chose ?

– Je... On dirait un peu le type du bar, l'autre soir. Beaucoup, même. (Elle souleva la photo, l'examina attentivement.) Il lui ressemble davantage que le portrait-robot. D'où ça vient ?

En réponse, Eli lui montra l'original.

– Qui est-ce ? C'est lui, oui. Avec les cheveux plus courts, un look plus soigné. Comment l'a-t-elle retrouvé ?

– Il s'agit de Justin Suskind.

– Suskind, l'amant de Lindsay ? Mais bien sûr ! s'écria Abra, l'expression contrariée, en se tapotant les tempes des doigts. Ça alors... Je l'ai vu en photo dans les journaux, l'an dernier. Mais je ne l'avais pas remis. Que faisait-il au pub ?

– Il y a quelques mois, il a acheté Le Château de sable, un cottage à la pointe nord.

– Il a acheté une maison à Whiskey Beach ? Je connais cette maison. Je fais le ménage, en saison, dans celle d'en face. Eli, il n'avait qu'une seule raison d'acheter une maison ici.

– La proximité de Bluff House.

– Mais c'est dingue, c'est complètement dingue quand on y pense ! Il avait une liaison avec ta femme et maintenant, il... Tu crois qu'il couchait avec elle dans l'espoir de lui soutirer des infos sur le trésor ? Si ça se trouve, c'est elle qui lui a appris l'existence du trésor...

– Lindsay ne s'est jamais beaucoup intéressée à l'histoire des Landon.

– Elle connaissait tout de même celle de la *Calypso* et de la Dot, j'imagine ?

– Bien sûr, je la lui ai racontée la première fois que je l'ai amenée ici. Je lui ai montré la baie où accostaient les pirates. Je lui ai parlé de la contrebande d'alcool pendant la Prohibition. Le mec qui frime devant sa petite amie, tu vois le genre.

– Elle a été impressionnée ?

– C'est une belle légende. Je me rappelle qu'elle m'a demandé de la raconter, deux ou trois fois, à des dîners, mais c'était surtout pour amuser la galerie. Elle se moquait de Whiskey Beach comme de sa première chemise.

– Suskind, en tout cas, manifestement, l'a prise au sérieux. Eli, c'est énorme. C'est peut-être lui le responsable des effractions, de la chute de Hester, du meurtre de Duncan. De celui de Lindsay.

– Il a un alibi pour Lindsay.

– Sa femme. Elle a pu mentir.

– Ils sont séparés, maintenant, mais elle maintient qu'il était avec elle au moment des faits. Sherrilyn l'a rencontrée.

Abra se servit une deuxième assiette de pâtes.

– Elle peut continuer à mentir. Il est coupable d'autres crimes.

– Innocent tant que... lui rappela Eli.

– Ne te fais pas l'avocat du diable. Donne-moi plutôt une bonne raison pour laquelle il aurait pu acheter cette maison.

– Je peux t'en donner plusieurs. Il aime Whiskey Beach, il avait de l'argent à placer, il cherchait un endroit tranquille où se remettre de la rupture avec sa femme. Il était venu un jour ici avec Lindsay, il en garde un souvenir romantique.

– Ouais...

Eli haussa une épaule.

– Pourquoi pas ? Si je le représentais, je ferais un scandale. Franchement, on n'interpelle pas les gens juste parce qu'ils ont acheté une maison au bord de la mer.

– Si j'étais procureur, je me pencherais sur cette série de coïncidences. Une maison à deux pas de la demeure familiale du mari de sa maîtresse, où plusieurs effractions ont été commises depuis qu'il l'a achetée... Curieux, tout de même, non ? (Abra émit un petit reniflement sarcastique, puis se composa une expression sévère.) Votre Honneur, je suis convaincue que le prévenu a acheté ladite propriété et y a élu domicile dans le seul but de s'introduire illégalement à Bluff House afin de se livrer à la recherche d'un trésor de pirate.

Eli se pencha vers elle et lui donna un baiser.

– Objection. Pure spéculation.

– Je crois que je n'aurais pas trop aimé maître Landon.

– Le fait est qu'en l'état actuel des choses, j'aurais gagné l'affaire les doigts dans le nez.

– Alors imagine que tu défends la partie adverse. Comment maître Landon ferait-il le procès de Suskind ?

– Pour commencer, il faudrait prouver qu'il est au courant de l'existence de la Dot d'Esméralda, et qu'il s'y intéresse. Ensuite, s'il s'avérait que les fibres découvertes chez toi proviennent de l'un de ses vêtements, ce serait l'élément déterminant. Il y aurait alors de fortes chances que le pistolet lui appartienne. Que les outils abandonnés à la cave lui appartiennent. L'idéal serait que ma grand-mère l'identifie. Resterait encore à prouver que sa femme a menti. Ou, mieux, à prouver qu'il était dans la maison quand Lindsay a été tuée – ce qui me paraît tout à fait improbable ; s'il y avait quelque chose à trouver, la police l'aurait trouvé dès le début. Il faudrait qu'un ou des témoins attestent qu'il y avait des tensions entre Lindsay et lui. Ce serait déjà un bon début.

La tête inclinée sur le côté, Abra dégusta une gorgée de vin.

– Je parie qu'on découvrirait chez lui toutes sortes de bouquins et de documents sur Bluff House et la Dot d'Esméralda.

– Pas sans mandat de perquisition, et tu n'obtiens pas un mandat sans motif valable.

– Ne m'interromps pas pour des détails de procédure, répliqua-t-elle avec un geste agacé. Admettons que l'analyse des fibres révèle qu'elles proviennent de ses vêtements, et que l'ADN du sang que j'avais sur mon pyjama...

– Pour avoir accès à ses vêtements, il faudrait également un mandat.

– Quant au pistolet...

– Il n'a jamais été déclaré. Sans doute a-t-il été acheté sous le manteau. Pas très difficile, à Boston.

– Comment fait-on, dans ce cas, pour remonter au propriétaire ?

– On montre des photos aux revendeurs et, quand on a trouvé le bon, on le convainc de témoigner. Cela va sans dire qu'il faut autant de chance que pour décrocher la supercagnotte du Loto.

– Cent pour cent des gagnants ont tenté leur chance. Ta détective pourrait peut-être faire avancer les choses. Quant à Hester, ne l'importunons pas avec des photos. De toute façon, il faisait nuit noire. Elle n'a sûrement vu qu'une ombre, une silhouette.

– Entièrement d'accord avec toi sur ce point.

– Pour les outils, ce ne sera pas facile. Il a dû les acheter il y a des mois. Qui se souvient d'un gars qui a acheté une pelle et une pioche ? Par contre... Je crois que tu devrais aller à Boston parler à sa femme.

– Eden Suskind ? Pourquoi me ferait-elle des confidences ?

– On voit que tu ne connais pas grand-chose aux femmes. Notamment aux femmes en colère, trahies, dépitées. Son mari la trompait avec ta femme. Vous avez un point commun.

– Elle se méfiera de moi, si elle pense que j'ai tué Lindsay.

– Il n'y a qu'une seule façon de savoir ce qu'elle pense : allons la voir. Par la même occasion, nous pourrions faire un tour à l'agence de Kirby Duncan.

– Nous ?

– Je viendrai avec toi. Elle sera plus en confiance, avec une femme compatissante.

Abra posa une main sur son cœur et se composa une expression apitoyée.

– Tu es convaincante.

– J'ai sincèrement de la peine pour elle. Elle verra que je la comprends, et elle s'ouvrira plus facilement à nous. Par ailleurs, je suis persuadée que ça vaudrait le coup de montrer la photo de Suskind aux gens qui habitent ou qui travaillent à côté du bureau de Duncan.

– Ça, c'est le boulot de la détective.

– Certes, mais tu n'es pas curieux ? Je ne pourrais pas aller à Boston cette semaine, j'ai trop d'engagements. Mais la semaine prochaine, je devrais pouvoir me libérer une journée. Ça nous laisserait le temps de nous organiser. Et d'ici là, ta détective aura peut-être de nouvelles infos. On pourrait aussi aller jeter un œil du côté du Château de sable.

– S'il nous repère, il risque de prendre peur et de lever le camp. Et je t'interdis de t'approcher seule de cette maison. Non négociable, ajouta-t-il avant qu'elle ne proteste. Tu m'as bien entendu ? On n'est pas sûrs qu'il n'a pas une autre arme, Duncan avait un revolver, déclaré, qu'on n'a retrouvé nulle part. En revanche, il me semble certain que, s'il en a une, il n'hésitera pas à s'en servir.

– Tu spécules, mais tu as raison. Cela dit, il ne risque pas de nous repérer. Viens voir.

Elle l'entraîna sur la terrasse, devant le télescope.

– D'après Mike, les anciens propriétaires avaient acheté cette propriété il y a cinq ans, un placement, juste avant que la bulle de l'immobilier éclate. Manque de chance pour eux, avec la crise, les gens ont réduit leur budget vacances, ils avaient du mal à la louer. (Abra orienta l'objectif vers le nord.) La maison est restée en vente près d'un an, ils ont dû baisser le prix... Mais je suis bête ! Tu devrais parler à Mike. C'est lui qui a vendu Le Château de sable.

– Tu plaisantes ?

– Non, je n'y pensais plus. Il pourrait peut-être t'apprendre des choses.

– J'en discuterai avec lui.

– En attendant, regarde. Le Château de sable.

Elle tapota le télescope. Eli colla son œil à l'oculaire et observa le cottage en bois, sa grande terrasse face à l'océan. Tous les volets étaient fermés. Il n'y avait pas de voiture dans l'allée.

– On dirait qu'il n'y a personne.

– Ce serait donc le moment d'en profiter pour aller voir.

– Non, dit-il fermement, toujours penché devant le télescope.

– Tu en aurais envie, pourtant. Avoue.

Il ne pouvait pas dire le contraire. Cependant, il ne voulait pas qu'elle vienne avec lui.

– De toute façon, il n'y a rien à voir, qu'une maison aux volets fermés.

– On pourrait crocheter une serrure.

Il se redressa vivement.

– Tu es sérieuse ?

Elle haussa les épaules, eut la décence de prendre un air penaud.

– Ouais... On trouverait peut-être...

– Ce serait complètement inadmissible.

– Revoilà l'avocat.

– Il est absolument hors de question qu'on s'introduise chez lui. Je ne suis pas fou. Je ne vais pas commettre une effraction chez un type qui est sans doute un assassin.

– Tu le ferais si je n'étais pas là.

– Non.

Tout au moins l'espérait-il.

– Mais tu aimerais bien... soupira Abra en scrutant son visage.

– Ce que j'aimerais, s'il était là, c'est défoncer sa porte et lui flanquer la dérouillée de sa vie.

Son ton était si véhément qu'Abra écarquilla les yeux.

– Oh... Tu as déjà flanqué une dérouillée à quelqu'un ?

Les mains enfoncées dans les poches, Eli arpentait la terrasse.

– Non, ce serait une première et ça me ferait un bien fou. Spéculations ? Rien à fiche. J'ignore s'il a tué Lindsay, mais j'en mettrais ma main au feu. En revanche, je *sais* qu'il est responsable de la chute de Gran. Je *sais* qu'il t'a agressée. Je *sais* qu'il a logé une balle dans le corps de Duncan. Et il est capable de pire pour parvenir à ses fins. Malheureusement, je ne peux rien y faire.

– Si.

Il s'immobilisa, tenta de chasser la frustration.

– Pas grand-chose, marmonna-t-il.

– C'est mieux que rien. Que peux-tu faire ?

– Parler à Mike. Éventuellement à Eden Suskind. Nous pourrions informer la police que tu as identifié Justin Suskind, ce qui leur donnerait une bonne raison de l'interroger – mais nous devons attendre quelques jours, laisser encore un peu de temps à Sherrilyn. La police n'obtiendra sûrement pas grand-chose de lui, mais il se tiendra sur ses gardes. Je peux également poursuivre mes recherches sur la Dot, essayer de comprendre ce qu'il espère trouver ici. Et je peux élaborer un plan pour l'attirer à Bluff House et le prendre la main dans le sac.

– Nous, rectifia Abra.

– On peut surveiller sa baraque, poursuivit Eli, à présent plus calme, comme il surveille probablement la nôtre. On pourrait par exemple faire semblant de partir, avec des sacs de voyage.

– Pas bête...

– On irait garer la voiture quelque part hors de vue, on reviendrait à pied, discrètement, et on se cacherait dans le passage secret avec une caméra vidéo.

– Excellent. Et que fait-on de Barbie ?

– Mince, je l'avais oubliée. Elle risque de le faire fuir, si elle aboie. On l'emmène avec nous, on la laisse à Mike. Il la garderait quelques heures ?

– Bien sûr.

– À fignoler... Mais je préférerais que Sherrilyn et la police parviennent à rassembler suffisamment d'éléments pour le coincer.

– J'aime bien l'idée de me cacher dans un passage secret avec mon amant, susurra Abra en se lovant contre Eli. De tendre une embuscade à un tueur de sang-froid. On se croirait dans un thriller romantique.

– Si nous mettons ce plan à exécution, ce ne sera pas un jeu.

– À propos de thriller... Cette scène de ton roman que tu devais me faire lire ?

– Une promesse est une promesse. Laisse-moi juste le temps d'en choisir une.

– OK. Et la cravate ?

– Tu tiens vraiment à ce que je jette une cravate ?

– Vraiment. Tu n'as qu'à monter en choisir une. Je vais mettre nos vêtements mouillés à la machine – je les avais complètement oubliés. Ensuite, je jetterai un coup d'œil aux dossiers de la détective, pendant que tu t'occuperas de débarrasser. Et après, on sortira Barbie.

– Quelle organisation !

Elle lui déposa une bise sur une joue, puis sur l'autre.

– Tu n'avais pas encore remarqué que j'étais quelqu'un de très organisé ? Allez, va choisir une cravate.

À contrecœur, il monta dans sa chambre, sortit son porte-cravates de l'armoire.

Il aimait ses cravates. Non qu'il leur accordât une valeur affective. Il aimait simplement en acheter, avoir le choix quand il en mettait une.

Ce qui n'expliquait pas pourquoi il avait emporté toute sa collection à Whiskey Beach. Depuis six mois, il pouvait compter sur les doigts d'une main le nombre de fois où il avait mis une cravate.

OK, peut-être avaient-elles tout de même une petite valeur sentimentale. Certaines lui rappelaient des procès gagnés – ou perdus. Il y avait celles qu'il ne portait que lorsqu'il se sentait de bonne humeur, celles qu'il mettait quand il se levait du pied gauche. Il se revoyait les desserrer, quand il restait tard le soir au cabinet. Chacune avait sa petite histoire. Ils les avaient nouées et dénouées un nombre incalculable de fois.

Dans une autre vie.

Il en sélectionna une, à rayures bleues et grises, hésita, opta pour une marron à motif cachemire, se ravisa.

– Et mince...

Les yeux fermés, il tendit la main au hasard.

Le sort tomba sur une Hermès.

– Bon... Eh bien, voilà, murmura-t-il avec un petit pincement au cœur, en se rendant dans son bureau.

Abra ne lui ferait que des compliments, de toute façon, pensa-t-il, tout en essayant de décider quelle scène lui présenter. Elle mentirait plutôt que de lui faire de la peine.

Il ne voulait pas qu'elle lui mente. Il voulait lui montrer un passage vraiment bon.

Non. En fait, il savait quelle scène lui faire lire. Ses commentaires lui seraient peut-être utiles.

Il fit défiler le manuscrit, sélectionna les pages en question, et les imprima avant de se dégonfler.

– Ne fais pas ton timide, s'encouragea-t-il en redescendant.

Elle était assise au comptoir, caressant de ses orteils nus la chienne couchée au pied de son tabouret, le nez chaussé de lunettes à monture orange vif.

– Tu portes des lunettes ?

Elle les enleva, comme s'il venait de découvrir un vilain secret.

– Pour lire, seulement.

– Remets-les.

– Non, je n'aime pas me voir avec.

Il les lui reposa sur le nez.

– Elles te vont bien.

– Je pensais qu'une monture flashy finirait par me plaire, mais je n'arrive pas à m'y faire, je les déteste. Je ne les porte que lorsque je n'y vois vraiment rien, pour lire ou pour manipuler des pièces minuscules, quand je fais des bijoux.

– Elles te donnent pourtant un charme fou, assura Eli.

Abra roula les yeux, derrière les verres, puis les ôta en voyant la cravate.

– Super, dit-elle en la lui prenant des mains. Hermès ? Waouh ! Les dames du dépôt-vente seront contentes.

– Les dames du dépôt-vente ?

– Ce serait dommage de la mettre à la poubelle. Elle peut avoir une seconde vie.

Il la regarda la ranger dans son sac.

– Je pourrais la racheter ?

En riant, elle secoua la tête.

– Elle ne te manquera pas. C'est pour moi ? demanda-t-elle avec un geste en direction des feuillets imprimés.

– Oui. Une scène, elle ne fait que quelques pages. J'ai préféré tout faire d'un coup. Comme quand on arrache un pansement.

– Ce ne sera pas douloureux.

– Ça l'est déjà. Je ne veux pas que tu me mentes.

– Pourquoi te mentirais-je ?

Elle tendit la main vers les feuillets. Il les garda par-devers lui.

– Pour ne pas me vexer. Mais ne t'inquiète pas, je ne me vexerai pas. Enfin... Disons que même si je me vexe, je veux que tu me donnes un avis sincère. Si ce passage ne fonctionne pas, je le réécrirai.

– OK, acquiesça-t-elle en lui arrachant les feuillets des doigts. Pense à autre chose. Tu n'as qu'à ranger la cuisine, par exemple, pendant que je lis.

Là-dessus, elle se réinstalla sur son tabouret, chaussa ses lunettes, chassa Eli d'un geste et, un verre de vin à la main, entama la lecture.

Elle lut la scène deux fois, sans se plaindre du tintamarre qu'Eli faisait en chargeant le lave-vaisselle, puis elle enleva ses lunettes.

– Tu as raison, j'aurais été capable de te mentir. Les pieux mensonges ne me posent pas trop de problèmes, en général.

– Les pieux mensonges...

– En l'occurrence, je vais être très franche. Tu m'as donné une scène d'amour.

– Je n'en avais encore jamais écrit. Je crains que ce soit mon point faible.

– Pas du tout. C'est sexy, romantique et, surtout, on comprend bien les sentiments des personnages, déclara Abra. Il est meurtri, elle veut lui apporter du réconfort, et elle désire de tout son être lui ouvrir son cœur. J'ignore le contexte, mais j'ai senti que ce moment était crucial. Ce n'est pas faible du tout.

– Il ne s'attendait pas à la trouver. Je ne m'attendais pas à la trouver. Elle change tout, pour lui et pour le roman.

– Changera-t-il tout pour elle ?

– Je l'espère.

– Il n'est pas toi.

– Je ne voulais pas qu'il soit moi, mais il l'est quand même un peu. Je ne voulais pas qu'elle soit toi, mais... je suis sûr qu'elle porte des lunettes orange pour lire.

– Ma modeste contribution à ton œuvre littéraire, dit Abra en riant. J'ai hâte de lire le roman en entier.

– Il faudra attendre encore un peu. Je n'aurais jamais pu écrire cette scène il y a trois mois. Je n'y aurais pas cru, je ne l'aurais pas sentie. Tu m'as offert davantage que des lunettes orange.

Elle l'attrapa par la taille, posa la joue contre son torse. *Guère étonnant*, songea-t-elle, *qu'une fois le premier pas franchi, la chute ait été aussi rapide.*

Elle ne regrettait rien.

– Allons promener Barbie, suggéra-t-elle.

À ces mots, la chienne se redressa et se mit à frétiller de tout son corps.

– J'ai quelques idées à te soumettre pour ton bureau sous les combles, ajouta Abra.

– Ah oui ?

– Juste des idées, dit-elle en attrapant la laisse et l'une des vestes d'Eli, la sienne étant au sèche-linge. Par exemple, il y a un magnifique tableau en vente dans l'une des boutiques du village, signé Hester.

– Tu ne trouves pas qu'il y a déjà suffisamment de tableaux dans cette maison ?

Elle roula les manches de la veste, puis remonta la fermeture Éclair.

– Pas dans ton nouveau bureau. Il faudra le décorer avec des œuvres stimulantes, et personnelles, qui te donneront de l'inspiration.

– Tu sais ce qui me donnerait le plus d'inspiration ? Une photo de toi, en pied, avec tes lunettes.

– Vraiment ?

– Grandeur nature, ajouta-t-il en accrochant la laisse au collier de Barbie.

– C'est du domaine du possible.

– C'est vrai ?

Abra était déjà dehors, dans un éclat de rire.

– Attends-moi ! cria-t-il en s'élançant derrière elle.

25

Eli échangeait des mails avec la détective, consacrait une heure chaque jour à ses recherches sur la Dot d'Esméralda, le reste de son temps à son roman. Comme celui-ci avançait à grands pas, il avait réussi à convaincre Abra de repousser le voyage à Boston. Il tenait l'intrigue, il ne pouvait plus la lâcher, d'autant que la perspective de redéfinir concrètement sa vie semblait sur le point de se matérialiser.

Il souhaitait aussi se préparer. S'il avait sérieusement l'intention de rencontrer Eden Suskind, d'évoquer avec elle un épisode très sensible de leurs vies privées, il devait réfléchir à la manière de l'aborder.

La démarche, dans son esprit, s'apparentait à l'interrogatoire d'un témoin à la barre.

Par ailleurs, il désirait tester les minicaméras qu'il avait commandées sur Internet.

En tout cas, il n'avait guère envie de quitter Whiskey Beach, ne fût-ce que pour une journée. Régulièrement, il sortait sur la terrasse regarder dans le télescope.

Selon les brefs rapports quotidiens de Sherrilyn, Justin Suskind était toujours à Boston. Il louait un appartement près de son bureau. Il n'était retourné qu'une fois au domicile conjugal, chercher ses deux enfants pour les emmener dîner.

Il pouvait toutefois revenir à Whiskey Beach du jour au lendemain. Eli ne voulait pas le louper.

Quand il se promenait avec Barbie sur la plage, il se dirigeait de préférence vers le nord et, à deux reprises, en faisant son jogging avec la chienne, il était monté jusqu'au Château de sable, pour regagner Bluff House par la route.

Les volets demeuraient fermés.

Il gardait néanmoins l'espoir de croiser Suskind. Il lui toucherait alors personnellement quelques mots...

Pour l'heure, une bonne journée de travail derrière lui, il descendit à la cuisine et laissa Barbie sortir sur la terrasse, où elle avait pris l'habitude de se prélasser au soleil avant leur balade de l'après-midi.

Abra avait un cours à 17 heures, nota-t-il en consultant son planning de la journée. Peut-être préparerait-il le dîner.

Ou bien il commanderait des pizzas. Il faisait doux, ils mangeraient dehors, aux chandelles. Abra adorait les bougies. Il allumerait les guirlandes d'ampoules multicolores qu'il avait dénichées au grenier, réparées et accrochées sur la terrasse.

Il piquerait aussi quelques fleurs çà et là dans la maison, et il décorerait la table d'un bouquet. Elle apprécierait.

Avant qu'elle rentre, il avait le temps de sortir Barbie, de bouquiner une petite heure dans la bibliothèque, et de dresser une jolie table à l'extérieur.

Avant qu'elle rentre... En théorie, elle habitait toujours La Mouette rieuse. En pratique, par mesure de précaution, elle restait à Bluff House, avec lui.

Comment le vivait-il ? Cet arrangement lui convenait à merveille.

Si on lui avait demandé, quelques mois plus tôt, s'il envisageait de refaire sa vie, la question lui aurait tout bonnement paru insensée. Il n'était alors qu'un champ de ruines. Comment aurait-il pu bâtir une relation ?

Il ouvrit le réfrigérateur, à la recherche d'un soda. Un Post-it était collé sur une bouteille d'eau minérale.

Fais-toi du bien. Bois-moi d'abord.

– OK, OK, murmura-t-il, un sourire aux lèvres.

La cohabitation avec Abra lui convenait à merveille, avait-il dit ? Vrai. Mais, mieux encore, pour la première fois depuis très longtemps, il touchait au bonheur.

Non, au départ, il ne s'était pas beaucoup investi dans leur relation. Abra, en revanche, avait tout donné. Elle avait comblé ses vides. À son tour, il désirait désormais lui offrir le meilleur de lui-même. Même s'il ne savait pas toujours comment s'y prendre. Peu importait, il se fiait à son instinct. Par exemple, c'était pour elle qu'il avait accroché ces guirlandes lumineuses d'un autre temps sur la terrasse, parce qu'il avait pensé à elle en les extirpant d'un vieux carton.

– Tu en as fait du chemin, mon vieux... murmura-t-il.

Un coup de sonnette l'arracha à ses réflexions.

– Eh, salut, Mike !

Pour dire combien il avait fait des progrès... Il était content de recevoir la visite impromptue d'un ami.

– Salut, vieux. Désolé de ne pas être passé plus tôt. J'ai un boulot monstre, en ce moment.

– La cravate... marmonna Eli en fronçant les sourcils.

– La grande classe, hein ? C'est une Hermès. Je l'ai trouvée au dépôt-vente. Elle m'a tout de même coûté quarante-cinq dollars, mais elle en jette, non ?

Eli s'était tenu exactement le même raisonnement, quand il l'avait achetée – exactement trois fois plus chère.

– Ouais...

– J'ai jeté un coup d'œil à mes dossiers sur Le Château de sable, histoire de me rafraîchir la mémoire. Je peux te donner des infos générales, mes impressions. Par contre, je suis obligé de garantir la confidentialité de certains renseignements personnels.

– Je comprends. Tu veux boire quelque chose ?

– Une boisson fraîche, volontiers.

Eli précéda Mike dans la cuisine.

– Suskind a acheté cette maison pour l'habiter ou pour la louer ?

– C'était plutôt un investissement, à mon avis. Il l'a achetée au nom de sa boîte, il voulait peut-être l'utiliser à des fins profession-nelles. Je n'ai pas tellement eu l'occasion de bavarder avec lui. On a surtout traité par téléphone ou par mail.

Eli ouvrit le réfrigérateur.

– Mmm-hmm... Je peux t'offrir une bière, un jus de fruits, un Gatorade, de l'eau minérale, du Mountain Dew ou du Pepsi light.

– Du Mountain Dew ? Je n'en ai pas bu depuis des siècles.

– Le nectar des dieux. Tu en veux un ?

– Pourquoi pas ?

– Allons nous installer dehors, nous tiendrons compagnie à Barbie.

Mike passa quelques minutes à caresser la chienne avant de s'asseoir dans un fauteuil, les jambes étendues devant lui.

– Chouettes massifs, dis donc, commenta-t-il en laissant son regard courir sur le jardin.

– Tout le mérite revient à Abra. C'est elle qui les a plantés. Je me contente de les arroser.

Il aimait s'occuper des fleurs, les voir s'épanouir, changer de forme et de couleur. Parfois, il avait envie de se mettre au jardinage, mais il avait conscience qu'il ne serait guère efficace. Il resterait assis, à écouter les carillons tintinnabuler dans le vent, à contempler la mer, la chienne couchée à ses pieds.

– Tu mates les nanas à poil avec ce truc-là ?

Eli se tourna vers le télescope.

– Il y en a parfois de bien roulées, sur la plage.

– Je devrais m'en acheter un.

– En fait, c'est Le Château de sable que j'observe.

– Je suis passé devant, cet après-midi. On dirait qu'il n'y a personne.

– Non, il est parti depuis quelques jours.

– Dommage de laisser cette jolie maison vide. Elle se louerait facilement, à la semaine, ou pour les week-ends.

Intéressant, songea Eli.

– Tu pourrais peut-être l'appeler pour le lui suggérer ?

– Je peux, acquiesça Mike en dégustant une gorgée de soda. Tu penses vraiment que c'est ce type qui s'est introduit ici, et qui a tué le privé ?

– J'ai beau tourner et retourner la situation dans tous les sens, je reviens toujours à lui.

– Il aurait donc aussi causé l'accident de Hester.

– Je n'ai pas de preuves, mais s'il est responsable de tout le reste, il l'est sans doute également de la chute de ma grand-mère.

– Saloperie... marmonna Mike en ouvrant sa mallette. J'ai son numéro de portable dans le dossier. Voyons voir ce qu'il a à dire.

Mike feuilleta une liasse de documents, puis composa un numéro.

– Monsieur Suskind ? Bonjour, Mike O'Malley à l'appareil, de l'agence immobilière O'Malley-Dodd, à Whiskey Beach. Comment allez-vous ?

Eli se carra dans son fauteuil et écouta le baratin de son ami. À l'autre bout de la ligne se trouvait l'homme qu'il soupçonnait d'avoir semé la mort, la souffrance, la peur. L'homme qui avait pris des vies, et brisé la sienne.

Hélas, il ne pouvait rien faire pour le mettre hors d'état de nuire, pas encore. Mais Suskind ne perdait rien pour attendre.

– OK, vous avez mon numéro au cas où vous changeriez d'avis. Et n'hésitez pas à m'appeler si jamais je peux vous rendre un quelconque service. Nous avons un printemps magnifique, et l'été s'annonce splendide. Vous devriez venir profiter du bon air marin... Eh oui, je sais ce que c'est... OK, pas de problème, bonsoir, monsieur Suskind.

Mike coupa la communication.

– Aussi antipathique que dans mon souvenir, dit-il. Il n'a pas l'intention de louer, dans l'immédiat. Soi-disant qu'il aura besoin de la maison d'ici peu pour son boulot ou sa famille.

– Comment a-t-il su qu'elle était en vente ?

– Sur notre site Internet. Il en avait repéré trois, initialement. L'une des deux autres ne donnait pas directement sur le front de mer, même si elle n'était vraiment pas loin de la plage, dans une jolie petite rue. Quant à la deuxième, finalement, les propriétaires l'ont retirée de la vente, et ont décidé de la laisser en location encore une saison. Ils ont bien fait, nous l'avons déjà louée pour tout l'été.

Mike dégusta une longue gorgée de Mountain Dew.

– C'est que ça remonte à plusieurs mois, déjà, cette vente, poursuivit-il. Le type a demandé expressément à traiter avec moi ou Tony – Tony Dodd, mon associé. Je l'ai noté dans le dossier. C'est moi qui l'ai reçu pour lui faire visiter les propriétés. Le client est roi, que veux-tu... Et une vente est une vente.

– Il n'a pas de temps à perdre avec les sous-fifres, il est trop important. Ça ne m'étonne pas de lui.

– Il s'est pointé en costume chicos, coupe de cheveux à deux cents dollars, l'air supérieur du gars qui sort d'une grande école. Ne le prends pas mal, tu as sûrement fait tes études dans une fac prestigieuse, toi aussi...

– En effet, mais ne t'inquiète pas. Je vois tout à fait le genre du personnage.

– Je lui ai proposé un café, comme on le fait systématiquement quand on reçoit un client à l'agence. Il n'en a pas voulu, il était pressé. On est partis directement voir les deux propriétés avec ma voiture. Il m'a posé des questions sur Bluff House, quand on est passés devant. Je lui ai fait mon topo habituel sur le manoir, je lui ai raconté les légendes de pirates, de trésor, etc. Les clients sont toujours épatés. Ces petites anecdotes ajoutent du cachet à Whiskey Beach. Seigneur, Eli... J'espère que je n'ai pas fait une gaffe.

– Il était déjà au courant. Il était là parce qu'il était au courant.

– Ce type ne m'a pas plu, mais il ne m'a pas non plus donné l'impression d'être un dangereux psychopathe. Juste un frimeur plein de pognon. Je lui ai d'abord montré l'autre maison – je garde toujours le meilleur pour la fin, Le Château de sable avait plus d'allure. Il m'a posé les mêmes questions que n'importe qui, il a fait le tour des pièces, et il est sorti sur la terrasse, qui donne sur la mer.

– Et sur Bluff House.

– Il n'était pas emballé par la proximité des autres maisons. Il a voulu savoir lesquelles étaient habitées à l'année, lesquelles n'étaient occupées qu'en saison. Mais ce n'est pas une question inhabituelle. Je l'ai ensuite emmené au Château de sable. Là aussi, il a passé pas mal de temps dehors. Et puis il m'a dit que c'était exactement ce qu'il cherchait. Il n'a même pas tenté de négocier et ça, ce n'est pas habituel. Dommage pour lui, les vendeurs étaient prêts à descendre le prix. Monsieur n'était pas du genre à se rabaisser à ces pratiques vulgaires. J'ai voulu l'inviter à déjeuner et lui présenter les anciens propriétaires. Pas intéressé.

Avec un air amer, Mike tapota le cadran de sa montre.

– Un homme pressé, continua-t-il. J'ai dû rédiger le compromis en cinq secondes, à l'agence. Il m'a signé un chèque, il m'a laissé ses coordonnées, et il est parti. Je ne vais pas me plaindre d'une vente facile, mais il m'a énervé.

– Et le reste, ça s'est passé aussi vite ?

– Tout a été réglé en trente jours. Tout juste s'il m'a décroché quelques mots quand il est revenu prendre les clés à l'agence. On offre toujours un chouette panier de bienvenue aux nouveaux propriétaires – une bouteille de vin, des fromages de la région, une plante en pot, des bons de réduction dans les boutiques et les restaus du coin. Il n'a pas daigné l'emporter.

– Il avait ce qu'il voulait.

– Je ne l'ai pas revu, depuis. Voilà, tu sais tout. Si tu trouves un moyen de coincer cette ordure, fais-moi signe. Je te filerai volontiers un coup de main.

– C'est sympa, je te remercie.

– Ça te dirait, un barbecue à la maison, ce soir ? Avec Abra, évidemment.

– Avec plaisir.

– On se voit ce soir, alors. Merci pour le Mountain Dew.

Mike parti, Eli posa une main sur la tête de Barbie et la grattouilla doucement entre les deux oreilles, tout en pensant au personnage que son ami venait de lui décrire.

– Qu'est-ce qu'elle lui trouvait ? se demanda-t-il à voix haute. L'amour est aveugle, effectivement... soupira-t-il. Allez, viens, Barbie, on va se promener.

Il s'accorda encore quelques jours avant de prendre une décision. Quelques jours qui s'écoulèrent dans la routine : joggings matinaux sur la plage avec le chien, ou salutations au soleil avec Abra. Longues heures d'écriture, les fenêtres grandes ouvertes, le bureau inondé du radieux soleil de mai.

En bouquinant sur la terrasse, la chienne couchée à ses pieds, il apprit davantage qu'il ne l'aurait espéré sur l'histoire de la maison et du village bâtis sur le commerce du whiskey.

Il savait que la distillerie s'était développée à la fin du XVIIIe siècle, juste après l'indépendance des États-Unis. Il ignorait, en revanche, ou il avait oublié, que les Landon avaient presque aussitôt commencé à agrandir et à moderniser régulièrement leur modeste logis. D'après ses sources, ils avaient eu la première salle de bains de Whiskey Beach – commodité qui leur avait coûté une petite fortune.

Vingt ans plus tard, les Whiskey Landon, et Bluff House, avaient connu un nouvel essor. Les Landon avaient fait construire une école, et l'un des ancêtres d'Eli avait causé un scandale en s'enfuyant avec l'institutrice.

À l'aube de la guerre de Sécession, le manoir surplombait fièrement la falaise et employait déjà une petite armée de domestiques.

Les Landon avaient encore été les premiers à bénéficier de toilettes intérieures, de la lumière au gaz, puis de l'électricité.

Ils avaient traversé la Prohibition en se livrant à la contrebande d'alcool, approvisionnant les *speakeasies* et les clients particuliers.

Le Robert Landon qui avait donné son nom au père d'Eli avait acheté et revendu un hôtel – puis un deuxième en Angleterre – et épousé la fille d'un comte.

Nulle part, cependant, dans l'histoire officielle de la famille, il n'était fait mention du trésor, pas même sur le ton de la plaisanterie.

– Enfin ! s'écria Abra en sortant de la maison, une petite pochette de cuir se balançant au creux de son coude.

Pour leur voyage à Boston, elle s'était habillée classique – pour elle : pantalon noir, sandales à talons compensés, chemisier à fleurs rouges et volants aux poignets. De longs pendants en pierres semi-précieuses dansaient à ses oreilles.

Une flower girl *moderne et sexy*, songea Eli en lui prenant la main. Avant de monter dans la voiture, il jeta un coup d'œil derrière lui. Barbie les regardait tristement de derrière une fenêtre.

– Ça me fait de la peine de la laisser.

– Elle peut très bien se passer de nous quelques heures, ne t'inquiète pas.

Alors pourquoi avait-elle l'air si malheureuse ?

– Elle n'a pas l'habitude de rester seule.

– Maureen a promis de venir la chercher, cet après-midi, avec ses enfants. Ils joueront avec elle sur la plage.

– Bon...

– Tu as l'angoisse de la séparation.

– Peut-être...

– C'est trop mignon, le taquina Abra en lui déposant une bise sur la joue. Dis-toi que nous nous absentons pour la bonne cause. En plus, je n'étais pas allée en ville depuis plus de trois mois. Et jamais avec toi.

Elle se glissa sur le siège passager. Eli s'installa derrière le volant, avec un dernier regard pour la chienne encadrée dans la fenêtre.

– Ce ne sera pas une partie de plaisir, répliqua-t-il. N'oublie pas que nous allons essayer de tirer les vers du nez à la femme de celui dont nous pensons qu'il a commis un, voire deux crimes, sans parler des effractions. Et qui a couché avec ma femme, ça, c'est un fait.

– Ça se passera bien, ne t'en fais pas. Tu prépares cette entrevue avec Eden Suskind depuis des jours. Tu as mis au point différentes approches selon qu'elle sera au travail ou chez elle. Tu n'es pas son ennemi. Elle n'a aucune raison de voir en toi un ennemi.

Eli remonta la route de la côte, traversa le village.

– Les gens ne te regardent plus du même œil, même ceux qui te connaissent bien, depuis que tu as été accusé de meurtre. Ils sont gênés, ils t'évitent.

– C'est du passé.

– Non, pas tant que l'assassin de Lindsay n'aura pas été arrêté et jugé.

– C'est pour tenter de faire avancer les choses que nous allons à Boston. Si Corbett avait pu interroger Suskind tout de suite, ç'aurait été mieux. Seulement, il est obligé d'attendre qu'il revienne à Whiskey Beach.

– Il ne veut pas marcher sur les plates-bandes de Wolfe, ni lui passer la main, ce dont je lui suis infiniment reconnaissant.

– On a les adresses du bureau et de l'appartement de Suskind, maintenant. On pourrait passer voir.

– Dans quel intérêt ?

– Simple curiosité.

Abra ne voyait que trop bien la tension contractant la nuque d'Eli. Mieux valait changer de sujet.

– Tu as bouquiné tard, hier soir, dit-elle. Tu as découvert des choses intéressantes ?

– Deux documents, oui, qui remontent assez loin dans l'histoire de la maison, de la famille, de l'industrie du whiskey. L'évolution du village est intimement liée à celle des Landon. Leurs relations sont presque symbiotiques.

– Quel joli mot.

– Je l'aime bien. Les Whiskey Landon ont commencé à prospérer à la guerre d'Indépendance. Avec les blocus, les colons ne pouvaient plus se procurer de sucre, de mélasse, donc, ils ne pouvaient pas faire de rhum. Du coup, l'armée coloniale s'est mise au whiskey.

– George Washington a donc bu du whiskey Landon ?

– Très certainement. Après la guerre, les Landon ont agrandi la distillerie, et Bluff House. Ils ont dû se faire vraiment beaucoup d'argent, parce que Roger Landon, le père de la farouche Violeta et du sanguinaire Edwin, avait la réputation d'être un fieffé radin.

– Un bon Yankee près de ses sous.

– N'empêche qu'il a investi de coquettes sommes, et dans l'entre-prise, et dans la maison. À sa mort, son fils a pris sa suite. Le bon vieux Rog n'a lâché l'affaire qu'à quatre-vingts ans, Edwin n'était plus tout jeune. À son tour, il s'est lancé dans de grands travaux d'expansion. Son épouse, une Française...

– *Ouh, là, là, madame*, minauda Abra en français.

– C'est elle qui a commencé à donner de grandes soirées fas-tueuses au manoir. Et l'un de leurs fils, Eli...

– Il me plaît déjà.

– ... a fait construire la première école du village. Le cadet de ses frères s'est amouraché de l'institutrice, et ils ont pris la fuite ensemble.

– Belle romance.

– Pas tant que ça. Ils ont trouvé la mort en chemin vers l'Ouest, où ils partaient chercher fortune.

– Oh, mince.

– Eli, de son côté, fidèle à la tradition, a continué à assurer le rayon-nement de l'entreprise, et de la maison, malgré les défis présentés par la Prohibition. Il y a eu des scandales, des tragédies, bien sûr, mais les Landon n'ont jamais réduit leur train de vie. Et dans les années 1930, quand le gouvernement s'est rendu compte que la répression de l'alcool non seulement ne servait à rien mais coûtait affreusement cher, ma famille a ouvert une seconde distillerie.

– L'empire du whiskey.

– Qui a donné des marchands d'art – et des esthètes qui appréciaient les artistes plus que les œuvres –, deux espions, des héros de guerre – dont plusieurs sont tombés pour la patrie –, une danseuse qui a connu la gloire à Paris, une autre qui est partie on ne sait où avec un cirque.

– Elle aussi, elle me plaît.

– Une duchesse par alliance, un tricheur professionnel, un officier de cavalerie mort aux côtés du général Custer dans la bataille de Little Big Horn, une bonne sœur, deux sénateurs, des médecins, des avocats, etc.

– Quelle lignée ! La plupart des gens ne peuvent pas remonter aussi loin dans leur arbre généalogique.

– C'est vrai. Mais tu sais ce qui manque, dans cette histoire ?

– Une suffragette, une stripteaseuse, une rock-star ?

– Nous avons eu des féministes de la première heure, répliqua Eli en riant. Des stripteaseuses et des rock-stars, je ne crois pas. Non, ce qui manque, c'est la Dot d'Esméralda. Elle est mentionnée dans les récits du naufrage de la *Calypso*, mais on ne sait pas si elle a été épargnée, ni qui, le cas échéant, se la serait appropriée. Le capitaine Broome, un matelot ? D'après les deux derniers ouvrages que j'ai lus, en tout cas, qui m'ont paru assez documentés, il semblerait que le trésor ait disparu à tout jamais.

– Il semblerait, mais ce n'est encore que spéculation. Pour ma part, je préfère croire qu'elle n'a pas été engloutie par les flots. Comme j'ai envie de croire que le frère cadet et la maîtresse d'école vécurent heureux, dans l'Ouest, et eurent beaucoup d'enfants.

– Ils se sont noyés. Leur chariot a basculé dans une rivière.

– Ils ont construit une petite ferme et ils ont eu huit enfants. Je maintiens.

De toute façon, songea Eli, ils étaient morts depuis très longtemps.

– OK, acquiesça-t-il. Pour en revenir à la Dot, je me demande de quelles infos Suskind dispose dont je ne dispose pas. Il faut qu'il soit sûr de lui, tout de même, pour prendre de tels risques, pour aller jusqu'à tuer. Ou bien est-ce moi qui suis totalement à côté de la plaque ?

— Comment cela ?

— Le trou dans la cave n'a peut-être rien à voir avec le trésor. J'ai peut-être tiré des conclusions hâtives.

Abra se tourna vers lui.

— Quelle autre explication, sinon ?

— Je ne sais pas. Toute cette histoire est tellement délirante. Nous avons affaire à un dingue. Nous ne pouvons pas raisonner comme lui.

— Il est dingue, c'est un fait. Il faut avoir l'esprit dérangé pour tuer. Mais il n'est pas complètement fou. N'oublie pas que Lindsay avait une liaison avec lui.

— Et alors ? Elle n'aurait pas couché avec un fou ? Pas avec un grand malade mental, certes. Mais certains détraqués arrivent très bien à dissimuler leur véritable personnalité.

— Tu crois ? Moi pas. Je crois que notre nature profonde finit toujours par transparaître. Pas seulement dans nos actes, mais sur nos visages, dans nos yeux. Il s'est lancé dans cette quête il y a au moins un an et demi, presque deux. Il a d'abord commencé par séduire Lindsay, puis il l'a probablement emmenée à Whiskey Beach, où elle détestait aller. La preuve qu'il possède un minimum de bon sens. Il jongle aussi avec une femme, des enfants, un boulot. Il est tordu, oui, je ne dis pas le contraire, mais pas complètement cinglé. Un vrai cinglé n'est pas capable de donner le change. Or lui, il parvient à sauver les apparences.

— Les tordus sont déjà bien assez dangereux.

Quand ils parvinrent dans les embouteillages de Boston, Eli se tourna vers Abra :

— Tu es sûre qu'on y va ?

— On ne va pas faire demi-tour, maintenant qu'on est là. Passons d'abord devant chez elle. Si sa voiture n'est pas là, on ira voir à son boulot. Elle travaille à mi-temps. Nous avons une chance sur deux. Pfou ! Que d'énergie en ville... J'adore ce rythme frénétique pour un jour ou deux, mais au-delà, je ne pourrais plus supporter.

— Je pensais que je ne pourrais jamais m'en passer. Pourtant, je préfère de loin la tranquillité de Whiskey Beach, moi aussi, maintenant.

— Whiskey Beach est une retraite idéale pour un écrivain.

— Idéale pour moi, en tout cas, murmura Eli, en posant une main sur celle d'Abra. Toi aussi, tu es la femme idéale, pour moi.

Elle pressa la main contre sa joue.

— Ces paroles me touchent énormément.

Il suivit les indications du GPS bien que, il en était persuadé, il eût aisément trouvé l'adresse. Il connaissait le quartier, il avait des amis – d'anciens amis – qui y habitaient.

Une BMW était garée devant l'élégante demeure victorienne à la façade jaune pâle. Une femme coiffée d'un chapeau de paille à large bord arrosait les pots de fleurs alignés de part et d'autre d'un escalier menant à une terrasse.

– Elle est là...

La femme posa son arrosoir lorsqu'ils descendirent de la voiture et s'avancèrent dans le jardin.

– Bonjour. Puis-je vous aider ?

– Madame Suskind ?

– Oui.

– Eli Landon, vous me reconnaissez ?

– Il me semblait bien, mais je n'étais pas sûre, dit-elle en le dévisageant, puis en se tournant vers Abra.

– Et voici Abra Walsh. J'espère que nous ne vous dérangeons pas, madame Suskind. J'aimerais vous parler, si vous avez quelques minutes.

Elle poussa un long soupir, et un voile assombrit son regard.

– Appelez-moi, Eden, Eli, je vous en prie. Venez, montez.

– Merci.

– Une détective privée est venue me voir la semaine dernière, dit-elle en ôtant son chapeau et en arrangeant ses cheveux blonds. Et maintenant vous. Ne voulez-vous pas tourner la page ?

– Oh, si. Mais je ne peux pas. Je n'ai pas tué Lindsay.

– Je m'en fiche. C'est horrible de dire une chose pareille, mais c'est la vérité. Asseyez-vous. Je vous sers un thé glacé ?

– Vous voulez que je vous aide ? proposa Abra.

– Non, ce n'est pas la peine, vous êtes gentille.

– Vous permettez que j'emprunte vos toilettes ? Nous arrivons à l'instant de Whiskey Beach.

– Oh, vous avez une maison là-bas, n'est-ce pas ? demanda Eden à Eli, puis avec un geste à l'intention d'Abra : suivez-moi, je vais vous montrer.

Quand elles eurent disparu à l'intérieur de la maison, Eli en profita pour regarder autour de lui. *Une belle femme,* pensa-t-il, *une belle maison, dans un beau quartier, avec des jardins bien entretenus, d'épaisses pelouses verdoyantes. Une quinzaine d'années de mariage,* se souvint-il, *deux beaux enfants.*

Mais Suskind avait tout plaqué. Pour Lindsay ? Pour un hypothétique trésor ?

Quelques minutes plus tard, Eden et Abra reparurent, la première portant un plateau chargé d'un pichet et de trois grands verres carrés.

– Je vous remercie de votre accueil, Eden. Je sais que vous vivez des moments difficiles.

– Vous êtes bien placé pour me comprendre... C'est terrible de s'apercevoir qu'on a été trahi, dupé, par la personne en laquelle on avait toute confiance, la personne avec laquelle on avait bâti sa vie, un foyer, une famille...

Eden prit place devant une table ronde en teck, et fit signe à ses hôtes de se joindre à elle.

– Quant à Lindsay, poursuivit-elle, je la considérais comme une amie. Je la voyais presque tous les jours, je travaillais avec elle, nous allions souvent boire un verre ensemble, nous nous racontions nos petites histoires de couples. Et pendant ce temps, elle couchait avec mon mari. J'ai eu l'impression de recevoir un coup de couteau dans le cœur. Vous aussi, sans doute.

– Nous étions déjà séparés. Pour moi, c'était plutôt un coup de pied dans le ventre.

– Ils se voyaient depuis près d'un an. Pendant des mois, ils m'ont menti sans vergogne. Quelle idiote j'ai été...

Elle avait prononcé ces derniers mots en s'adressant plus particulièrement à Abra. En effet, la présence d'une femme facilitait les choses.

– Vous ne pouviez pas deviner, répondit Abra. Vous faisiez confiance à votre mari et à votre amie.

– Certes, mais je me suis quand même remise en question. Qu'avait-elle de mieux que moi ? En quoi avais-je failli à mon devoir ?

Abra posa une main sur celle d'Eden.

– Vous n'y étiez pour rien, mais je vous comprends.

– Nous avons deux enfants adorables. Ils ont été traumatisés. Les gens parlent, nous n'avons pas pu les protéger. C'est cela, le pire, je crois. (Eden but une gorgée de thé, luttant contre les larmes.) Nous avons essayé, pourtant, avec Justin, de sauver notre famille. Nous avons consulté un conseiller, nous sommes partis tous les deux en voyage. (Elle secoua la tête.) Mais nous n'avons pas réussi à recoller les morceaux. J'étais prête à lui pardonner, mais je ne pouvais plus lui faire confiance. D'ailleurs, il a recommencé à me tromper.

– Je suis désolée, murmura Abra en exerçant une pression sur sa main.

Eden s'essuya discrètement le coin des yeux.

– De nouveau, il restait tard le soir au bureau, il était sans cesse en déplacement. Seulement j'étais vaccinée, cette fois. Je l'ai espionné, et j'ai eu la confirmation qu'il n'était pas là où il me disait être. J'ignore qui est sa nouvelle maîtresse, s'il en a une ou s'il en a plusieurs. Je m'en fiche, je ne veux pas le savoir. Tout est terminé, désormais. J'ai ma vie, mes enfants, et j'ai enfin retrouvé un peu de fierté. Et je n'ai pas honte de dire que, quand nous divorcerons, je le saignerai aux quatre veines. (Elle poussa un soupir, émit un demi-rire.) Je suis encore en colère, comme vous voyez. Malgré tout le mal qu'il m'a fait, je l'avais repris. Je n'ai ramassé qu'un revers de bâton dans la figure. Je serai donc impitoyable.

Eli attendit qu'elle relève la tête.

– Je n'ai pas eu l'opportunité de faire ce choix, dit-il. Je n'ai pas eu le temps d'être en colère. Lindsay a été tuée quelques jours après que j'ai appris qu'elle me trompait.

Eden hocha la tête d'un air compatissant.

– Je ne peux pas imaginer le cauchemar que vous avez vécu. Quand j'étais au plus bas, quand les médias parlaient sans arrêt du meurtre de Lindsay, des investigations, j'essayais de me mettre à votre place, de penser à ce que j'aurais fait si Justin avait été assassiné.

Elle se couvrit la main de la bouche, s'interrompit un instant, but une gorgée de thé.

– Vous savez, j'aimerais pouvoir vous dire que j'ai menti pour le couvrir. Il le mériterait. Que Dieu me pardonne, je devrais avoir honte de moi, il est le père de mes enfants. Il n'empêche que je serais heureuse de pouvoir vous dire ce que vous avez envie d'entendre. Mais la vérité, c'est que Justin est rentré à la maison à 17 h 30, ce jour-là, ou à peine quelques minutes plus tard. Tout semblait tellement normal. Il m'a prévenu qu'il attendait un e-mail, qu'il risquait d'être obligé de partir en déplacement le soir même. Mais il avait soi-disant le temps ; s'il partait, il partirait tard. (Eden secoua la tête.) Évidemment, j'ai compris par la suite qu'il attendait un message de Lindsay, qu'ils avaient prévu de partir ensemble un ou deux jours. Mais sur le coup, je ne me suis doutée de rien. Les enfants étaient à l'école, ils répétaient pour le spectacle de fin d'année et, ensuite, ils faisaient une petite soirée pizzas. C'était chouette, pour une fois, de se retrouver tous les deux. Il pleuvait, nous étions bien, à la maison.

J'ai préparé le repas, des fajitas au poulet. Justin a fait des margaritas. Nous étions en train de dîner quand le téléphone a sonné. C'était Carlie, de la galerie. Elle venait d'entendre à la télé que Lindsay était morte, qu'elle avait été assassinée.

Un chat tigré sauta sur les genoux d'Eden, qui termina, tout en le caressant :

– J'aurais dû comprendre, à ce moment-là. Il est devenu blême, il ne savait plus ce qu'il faisait. Cela dit, j'étais sous le choc, moi aussi. Et j'étais tellement peinée pour Lindsay. Pas une seule seconde il ne m'est venu à l'esprit qu'ils pouvaient avoir une liaison... C'est la police qui me l'a appris. Au début, je ne voulais pas y croire. Et puis... j'ai dû me rendre à l'évidence. Je suis désolée, Eli, je suis sincèrement désolée de ne pas pouvoir vous aider.

– Je vous remercie d'avoir accepté de me parler. J'ai conscience que ce n'est pas facile de revenir sur ces moments.

– J'essaie d'oublier. Avec le temps, j'espère que j'y parviendrai. Et que vous aussi.

Dans la voiture, Abra lui frictionna la main.

– Je suis désolée, moi aussi.

– Nous voilà fixés, maintenant.

Quelque chose, cependant, le chiffonnait.

26

Le bureau de Kirby Duncan se trouvait dans un bâtiment de brique décrépit, oublié de tout programme de réhabilitation urbaine. Une cartomancienne et une boutique de jouets pour adultes se partageaient la surface commerciale du rez-de-chaussée.

– Pratique, commenta Abra. Tu peux d'abord passer voir Mme Carlotta pour savoir si ça vaut le coup que tu ailles dépenser quelques dollars à La Garçonnière de Ted.

– Quand on a besoin de consulter une voyante, en général, c'est qu'on n'est pas très chanceux en amour.

– N'oublie pas que je lis le tarot, rétorqua-t-elle. C'est une forme très ancienne et très intéressante de recherche de la connaissance de soi.

– Ce ne sont que des cartes.

Eli poussa la porte de l'allée, qui ouvrait sur un étroit corridor au bout duquel un escalier montait à l'étage.

– Il faudra que je te les tire, un de ces jours. C'est incroyable d'avoir l'esprit aussi fermé, pour un écrivain.

– Quand j'étais avocat, j'ai défendu un prétendu médium qui avait extorqué des sommes phénoménales à ses clients.

– Il y a des charlatans dans toutes les professions. Tu as gagné ?

– Oui. J'ai réussi à démontrer que ses clients, bien que d'esprit très ouvert, étaient d'une naïveté affligeante.

En riant, elle lui décocha un coup de coude.

Au premier étage, quatre portes en verre dépoli s'alignaient le long d'un couloir faiblement éclairé : PETER TREMAINE, AVOCAT ; DIRECT-CRÉDIT ; ALLÔ-BURO ET KIRBY DUNCAN, DÉTECTIVE PRIVÉ.

Des rubans jaunes barraient la porte de Duncan.

– Mince, soupira Abra, j'espérais qu'on pourrait entrer.

– L'enquête est en cours. Une effraction a été commise ici.

– On pourrait demander à Mme Carlotta si elle a eu une prémonition.

Eli fusilla Abra du regard et frappa à la porte de l'avocat.

Dans un espace d'accueil pas plus grand qu'un placard à balais, une femme d'une petite cinquantaine d'années pianotait laborieusement sur un ordinateur.

Elle leva la tête et ôta ses lunettes à monture dorée, accrochées autour de son cou par un cordon tressé.

– Monsieur dame, puis-je vous aider ?

– Peut-être pourriez-vous nous renseigner à propos de Kirby Duncan ?

Sans se départir de son sourire doucereux, elle les observa un instant d'un œil cynique.

– Vous n'êtes pas de la police.

– Non, nous souhaitions consulter M. Duncan à propos de... d'un problème personnel. Nous ne sommes pas de Boston, nous sommes juste de passage. Nous espérions qu'il pourrait peut-être nous recevoir entre deux rendez-vous. On a vu les rubans de la police sur sa porte. Il a été cambriolé ?

La réceptionniste pivota sur sa chaise afin de leur faire face.

– Oui. La police n'a pas encore levé les scellés.

– Mince, alors... Pas de chance.

– Je suis bien contente de ne pas habiter en ville, minauda Abra avec un très léger accent du Sud.

Eli lui tapota le bras.

– M. Duncan reçoit-il à une autre adresse ? J'aurais dû lui téléphoner, mais impossible de remettre la main sur sa carte. Heureusement que je me souvenais où était son bureau. Vous auriez peut-être son numéro de portable ?

– M. Duncan a été assassiné.

– Oh, mon Dieu, quelle horreur ! s'écria Abra en agrippant le bras d'Eli. Allons-nous-en, chéri. Je veux rentrer à la maison.

– Il n'a pas été tué ici, précisa la réceptionniste, les lèvres pincées. Il enquêtait dans un petit village du nom de Whiskey Beach, sur la côte.

– Mince, alors... répéta Eli. C'est terrible. Il m'avait aidé à résoudre un...

– Problème personnel, compléta la réceptionniste.

– Oui, il y a quelques années. C'était un homme très aimable. Le pauvre... Je suis désolé, sincèrement. Vous deviez le connaître, j'imagine.

– Bien sûr. Il travaillait parfois pour maître Tremaine, et pour la société de crédit, à côté.

– Je suis sincèrement désolé, répéta Eli. Merci pour votre aide, en tout cas, ajouta-t-il en faisant mine de prendre congé. Mais... Vous dites qu'il a été tué à Whiskey Beach, et le cambriolage a eu lieu ici... Je ne comprends pas.

– Une enquête policière a été ouverte. Apparemment, celui qui l'a tué est venu chercher quelque chose ici. Tout ce que je sais, c'est qu'il avait dit à mon patron qu'il partait quelques jours enquêter sur le terrain. Un matin, il y avait les rubans jaunes sur sa porte, et la police est venue me demander si j'avais vu quelque chose ou quelqu'un de suspect. Que vouliez-vous que je leur dise ? Je vois toutes sortes de drôles de gens qui viennent chercher de l'aide pour résoudre leurs problèmes personnels.

– J'imagine.

– Si j'ai bien compris, l'effraction a eu lieu dans la nuit où il a été tué. Il n'y a personne ici, la nuit. Vous voulez que je vous donne les coordonnées d'un autre détective ?

– Viens, on s'en va, implora Abra en tirant Eli par le bras. Rentrons, on se débrouillera autrement.

– Oui, ma chérie, on y va. Merci beaucoup, madame. Je suis navré, excusez-nous de vous avoir dérangée.

Dans le couloir, Eli envisagea un instant de frapper à une autre porte, mais n'en voyant pas l'intérêt, il s'engagea dans l'escalier.

– Tu m'as épaté, lui dit Abra.

– En quoi ?

– Tu mens très bien.

– Disons que j'ai prêché le faux pour savoir le vrai.

– Une technique d'avocat ?

– Non, les avocats mentent sans vergogne.

En riant, elle lui donna un coup d'épaule.

– Je ne sais pas ce que je m'attendais à trouver, en venant là. Son bureau a été visité soit très tard dans la nuit, soit très tôt le matin. Personne n'a pu voir quoi que ce soit.

– J'ai appris quelque chose, moi.

– Quoi ? demanda Abra en montant dans la voiture.

– Si c'est Suskind qui a engagé Duncan, comment se fait-il, lui qui a les moyens, lui qui attache autant d'importance à son image, qu'il ait fait appel à un détective aussi bas de gamme ?

– Quelqu'un le lui a peut-être recommandé.

– Je ne crois pas. Il avait deux raisons d'éviter les agences chic et renommées. Premièrement, il ne tenait pas à tomber sur quelqu'un qui le connaissait. Deuxièmement, il ne voulait pas que cette enquête lui coûte trop cher.

– Il a de l'argent, il vient d'acheter une maison en bord de mer.

– Un investissement censé lui rapporter le jackpot. Du reste, il n'a pas acheté Le Château de sable à son nom.

– Parce qu'il est en instance de divorce. Ce type est un requin. Sur la roue du karma, il se réincarnera en misérable mollusque.

– Voilà une philosophie à laquelle je veux bien adhérer. Dans cette vie, en tout cas, il va devoir verser une grosse pension alimentaire pour ses enfants, et sa femme obtiendra des dommages et intérêts conséquents. Je suis presque sûr qu'il a payé Duncan en liquide, pour qu'on ne retrouve aucune trace de cette transaction, quand les avocats se pencheront sur ses finances.

– Il a quand même été obligé de faire un casse, parce qu'un détective tient des dossiers sur ses clients, même s'ils le paient de la main à la main.

– N'importe quel professionnel digne de ce nom tient des dossiers et une comptabilité où figurent en principe même les règlements en espèces. Il n'avait pas intérêt à ce qu'on découvre qu'il était client d'un détective privé assassiné alors qu'il enquêtait sur moi.

– C'est sûr... Il n'est sans doute jamais venu ici...

– Non, Duncan et lui devaient se donner rendez-vous dans un bar.

Eli ralentit à l'approche d'un vieil immeuble de béton.

– C'est là qu'il habitait ?

– Au deuxième étage.

– Pas très chouette comme quartier.

– Ce qui signifie que Duncan n'était pas un trouillard. Il n'avait pas peur qu'on lui raye sa voiture, ou que les voisins lui cherchent des noises. Le genre de gars qui ne se pose pas de questions si un client demande à le rencontrer seul à seul.

– Tu veux qu'on essaie de parler aux voisins ?

– Non, les flics ont déjà dû les interroger. Suskind n'a dû venir là que pour fouiller l'appartement. Non seulement il n'avait pas de raison de venir voir Duncan ici, mais en plus, il aurait flippé. Je le vois bien se pointer à Boston Sud avec ses beaux costards et ses mocassins vernis.

– Et toi, le baron du whiskey, tu n'as pas peur ?

– C'est mon père, le baron du whiskey, et ma sœur, la baronne. Ce n'est pas la première fois que je viens à Boston Sud. Je travaillais gratuitement, des fois, pour les populations défavorisées.

– Bon, eh bien, je crois que nous avons fait le tour des endroits que nous voulions voir, déclara Abra. Duncan a joué de malchance, tout de même. Il ne faisait que son boulot. Je n'ai pas aimé la façon dont il m'a abordée, mais il ne méritait pas de mourir assassiné.

– Non. Si ça peut te consoler, dis-toi qu'il se réincarnera dans un monde meilleur.

– Tu te moques de moi, mais c'est exactement ce que je me dis.

– Tu as bien raison. Allons voir Gran, OK, avant de rentrer à Whiskey Beach ?

– Tu me montrerais la maison où tu habitais avec Lindsay ?

– Pourquoi ?

– Pour que je me fasse une idée de qui tu étais.

Pourquoi pas ? songea-t-il. Pourquoi ne pas boucler la boucle ?

– OK, opina-t-il.

Cela lui faisait bizarre de rouler dans ces rues, de suivre cet itinéraire si souvent emprunté. Il n'était pas retourné à la villa de Back Bay depuis que, sous autorisation officielle, il était allé chercher les affaires qu'il souhaitait garder. Après quoi, il avait engagé une société pour liquider le reste, et mis la maison en vente.

Il passa devant des lieux qui faisaient autrefois partie de son quotidien : le bar où il allait souvent prendre un verre avec ses amis, le spa favori de Lindsay, le restaurant chinois qui servait un incroyable poulet kung pao, les jolis jardins du quartier.

Sans dire un mot, il s'arrêta devant la maison.

Les nouveaux propriétaires avaient planté un saule pleureur, près du garage, qui commençait juste à se couvrir de fleurs roses. Un tricycle rouge était calé contre le tronc.

Rien d'autre n'avait changé. La villa était toujours la même, sur plusieurs niveaux, avec ses terrasses étagées, ses immenses baies vitrées. Pourquoi, alors, lui paraissait-elle étrangère ?

– Elle ne te ressemble pas, déclara Abra.

– Non ?

– Non, elle est trop ordinaire. Elle est belle, comme un manteau haute couture, mais ce manteau ne te va pas, ou il ne te va plus.

Peut-être qu'il t'allait bien quand tu portais des costumes italiens et des cravates Hermès, et que tu t'arrêtais dans ce joli petit café devant lequel nous sommes passés pour acheter des cappuccinos hors de prix tout en répondant à tes textos. Mais tu n'es plus cet homme-là.

– Je crois que je n'ai jamais été très à l'aise dans ce manteau. J'ai été soulagé quand la maison s'est enfin vendue, il y a quelques mois. Comme si je m'étais débarrassé d'une couche de peau devenue trop étriquée. C'est pour ça que tu voulais venir là ? Pour que j'admette, pour que je voie que je n'étais pas à ma place ici ?

– C'est bien que tu en aies conscience, mais j'étais surtout curieuse. J'avais un peu le même genre de manteau, avant. Je suis contente de l'avoir laissé à quelqu'un à qui il va beaucoup mieux. Allons voir Hester.

Un autre parcours familier, d'une maison à une autre. Eli sentit ses épaules se relâcher au fur et à mesure qu'il s'éloignait de Back Bay. Par automatisme, il s'arrêta chez le fleuriste près de chez ses parents.

– Je voudrais lui acheter quelque chose.

– Le bon petit-fils. Si j'y avais pensé, on lui aurait apporté un petit cadeau de Whiskey Beach. Elle aurait apprécié.

– La prochaine fois.

– La prochaine fois, répéta Abra avec un sourire.

Dans la boutique, elle s'éloigna d'Eli, le laissa faire son choix, en espérant qu'il ne prendrait pas un bouquet de roses, trop convenu.

Il fit composer une gerbe d'iris bleus et de lis asiatiques roses.

– Parfait, le félicita-t-elle. Ces fleurs véhiculent un message de printemps. Hester va adorer.

– J'espère qu'elle sera de retour avant la fin de l'été.

– Moi aussi, dit-elle en posant la tête contre l'épaule d'Eli tandis que la fleuriste emballait le bouquet.

– Ça fait plaisir de vous voir, monsieur Landon. Vous transmettrez mes amitiés à votre famille.

– Merci, répondit-il en signant le reçu de carte bancaire. Je n'y manquerai pas.

– Pourquoi as-tu l'air aussi étonné ? demanda Abra quand ils furent sortis du magasin.

– J'ai tellement l'habitude que les gens que je connaissais dans une autre vie fassent semblant de ne pas me reconnaître...

Elle se hissa sur la pointe des pieds pour l'embrasser sur la joue.

– Tout le monde n'est pas complètement débile.

Un instant, présent et passé se chevauchèrent : Wolfe se tenait près de la voiture d'Eli.

– Joli bouquet.

– Tout à fait légal, répondit Abra joyeusement. Ils en ont plein d'autres tout aussi charmants, à l'intérieur, si vous vous sentez d'humeur à offrir des fleurs.

– De retour à Boston ? demanda Wolfe sans quitter Eli des yeux.

– Comme vous voyez, rétorqua-t-il en ouvrant la portière passager pour Abra.

– Pouvez-vous m'expliquer ce que vous êtes allés faire au bureau de Duncan ?

Afin de se libérer les mains, Eli tendit le bouquet à Abra.

– Rien d'interdit par la loi.

– L'assassin revient toujours sur le lieu du crime...

– Allez-vous continuer longtemps à me harceler, inspecteur ?

– Tant que l'affaire ne sera pas classée. Ou plutôt les affaires, devrais-je dire.

– C'est inadmissible ! s'écria Abra, furieuse, en rendant le bouquet à Eli pour fouiller dans son sac. Tenez, regardez, voilà l'homme qui s'est introduit illégalement à Bluff House.

– Abra...

– Laisse-moi parler, s'il te plaît. C'est inadmissible. Voilà l'homme au comportement suspect que j'ai vu au pub de Whiskey Beach ; celui, très certainement, qui m'a agressée à Bluff House ; celui, très certainement, qui a tué Kirby Duncan – que vous connaissiez personnellement – et mis le pistolet chez moi avant de vous passer un appel anonyme. Cet homme n'est autre que Justin Suskind. Si vous cessiez d'être ridicule, vous vous demanderiez pourquoi il a acheté une maison à Whiskey Beach, pourquoi il a engagé Duncan, pourquoi il l'a éliminé, pourquoi il a peut-être tué Lindsay. Agissez, maintenant, faites votre boulot de flic.

Là-dessus, elle reprit les fleurs, s'installa dans la voiture et claqua la portière.

– Votre amie a du tempérament.

– Vous avez dépassé les bornes, inspecteur. Je vais rendre visite à ma grand-mère et je rentre ensuite à Whiskey Beach, vivre ma vie. Faites ce que vous avez à faire.

À son tour, Eli monta dans la voiture, boucla sa ceinture de sécurité et démarra.

– Je suis désolée, murmura Abra, la tête renversée contre le dossier, les yeux fermés, s'efforçant de se recentrer. Je suis désolée, j'ai probablement aggravé la situation.

– Non, tu l'as surpris. Le portrait de Suskind l'a surpris. Je ne sais pas comment il va retomber sur ses pattes, mais tu l'as déstabilisé.

– Piètre consolation. Ce bonhomme m'horripile et rien de ce qu'il fera ou ne fera pas ne me ramènera à de meilleurs sentiments. Maintenant... (Elle expira longuement, profondément, à deux reprises.) Il faut que je me calme. Je ne veux pas que Hester me voie contrariée.

– Contrariée ou en colère ?

– Tu joues sur les mots.

– Je t'ai vue contrariée : tu ne réagissais pas du tout de la même manière.

Elle médita cette remarque tandis qu'Eli tournait au dernier angle avant la maison de Beacon Hill.

Celle-ci lui ressemblait davantage, songea-t-elle. On sentait qu'elle avait une âme, qu'elle était chargée d'histoire. Abra aimait son architecture, l'atmosphère qu'elle dégageait, le jardin qui n'avait sans doute guère changé depuis des générations, resplendissant de couleurs par cette belle journée de printemps.

Sur le perron, elle rendit le bouquet à Eli.

– Le bon petit-fils.

Ils trouvèrent Hester dans son petit salon, avec un carnet à croquis, un verre de thé glacé et une petite assiette de biscuits. Elle posa son crayon et leur ouvrit les bras.

– Quelle belle surprise !

– Tu as l'air fatiguée, constata Eli au premier coup d'œil.

– Je viens juste de terminer ma séance de kiné. À dix minutes près, vous auriez fait la connaissance du marquis de Sade.

– Si c'est trop dur pour toi, on peut toujours...

– Tsss, tsss, tsss, riposta la vieille dame avec un geste agacé du poignet. Jim est formidable, et plein d'humour. Il connaît son métier et il connaît mes limites. C'est normal que je sois fatiguée après les séances. Mais je revis, maintenant que vous êtes là. Ces fleurs sont magnifiques.

– J'ai cru que j'allais devoir aider Eli à choisir, mais il a très bon goût. Vous voulez que je les apporte à Carmel, qu'elle les mette dans un vase ?

– Vous avez déjeuné ? Nous allons tous descendre.

— Repose-toi d'abord un peu, suggéra Eli en prenant place lui-même dans un fauteuil. Nous descendrons quand tu auras récupéré des sévices de Sade.

Il adressa un signe de tête à Abra, puis se tourna vers sa grand-mère lorsqu'elle quitta la pièce avec le bouquet.

— Sois prudente, quand même, Gran, ménage-toi.

— On n'a rien sans efforts, mon garçon. Je suis contente que tu sois là, et que tu aies amené Abra.

— J'ai moins de mal, maintenant, à venir à Boston.

— Nous sommes en voie de guérison, tous les deux.

— Je n'ai pas fait beaucoup d'efforts, au début.

— Moi non plus. Il fallait d'abord qu'on nous donne de l'élan.

Il lui sourit.

— Je t'aime, Gran.

— J'espère bien ! Ta mère devrait être là d'ici une heure ou deux. Ton père ne rentrera pas avant 18 heures. Tu attends ta mère, au moins ?

— Oui, mais je ne veux pas rentrer trop tard. J'ai une maison et une chienne qui m'attendent.

— Ça te réussit d'avoir des responsabilités. Nous revenons de loin, toi et moi.

— Nous avons bien cru que nous allions te perdre. Et j'ai bien cru que j'allais me perdre.

— Nous sommes là, pourtant. Comment avance ton roman ?

— Plutôt pas mal. Il y a des jours avec et des jours sans, naturellement, et parfois je me trouve archinul, mais globalement, je suis assez content de moi. Je regrette de ne pas m'être mis plus tôt à l'écriture.

— Tu avais du talent pour le droit. Dommage que tu n'aies pas pu en faire un hobby, ou une activité annexe. Enfin, l'essentiel, c'est que tu puisses te consacrer entièrement à ta vocation, maintenant.

— J'espère avoir trouvé ma voie, comme Tricia a trouvé la sienne dans l'entreprise familiale. Tu sais que je me suis plongé dans l'histoire des Whiskey Landon ? J'ai appris des tas de choses que j'ignorais.

Une lueur approbatrice s'alluma dans les yeux de Hester.

— Tu lis les bouquins de la bibliothèque de Bluff House ?

— Un par un, je me régale. Il paraît que la grand-mère d'Eli senior faisait de la contrebande ?

— Ça, c'était une femme qui n'avait pas froid aux yeux. Je regrette de ne pas l'avoir connue davantage. Elle m'intimidait.

– Toi ?

– Elle avait un caractère bien trempé, crois-moi, une Irlandaise pure souche. Ton grand-père l'adorait.

– J'ai vu des photos d'elle, c'était une belle femme. J'ai regardé les vieux albums. Mais l'origine des Whiskey Landon remonte à bien plus loin que son époque à elle, à l'Indépendance.

– Une époque d'innovation, où les gens n'avaient pas peur de foncer, de prendre des risques, et où l'on buvait beaucoup. C'est malheureux à dire, mais c'est grâce à la guerre que tes ancêtres se sont enrichis. Les combattants avaient besoin d'alcool fort, les blessés avaient besoin d'alcool fort. Les Whiskey Landon sont nés d'un combat contre la tyrannie et d'une quête de la liberté.

– Tu parles comme une vraie Yankee.

Abra revint avec le bouquet savamment arrangé dans un vase.

– Elles sont vraiment superbes, s'émerveilla Hester.

– Vous voulez que je les mette là, ou dans votre chambre ?

– Pose-les sur ce guéridon, tu seras gentille. Dieu merci, je passe davantage de temps dans mon fauteuil que dans mon lit, maintenant. Assieds-toi, Abra. Nous parlions de l'histoire de la famille Landon. Cesse donc de tourner autour du pot, Eli, tu veux bien ? Que désires-tu savoir, au juste ?

Il esquissa un sourire.

– Les ennuis que nous avons actuellement sont, je crois, liés au passé de la maison.

– Je n'arrive pas à me rappeler son visage, grommela Hester en serrant le poing. (Sa bague en émeraude jeta des éclairs.) J'ai tout essayé, pourtant, même la méditation – mais tu sais que ce n'est pas mon fort, Abra, n'est-ce pas ? Je ne me souviens que d'une ombre, d'une silhouette. Être réveillée par des bruits. Je suis certaine, maintenant, que j'ai réellement entendu des bruits. Je me rappelle aussi très bien m'être levée, être allée jusqu'à l'escalier. C'est là que j'ai vu cette ombre. Après, je suis désolée, je n'ai plus aucun souvenir. Le trou noir.

– Tu n'as pas à être désolée, Gran. Il faisait nuit. Si tu ne te rappelles pas son visage, c'est peut-être que tu ne l'as pas vu. Peux-tu me décrire les bruits que tu as entendus ?

– Sur le coup, j'ai cru que j'avais rêvé. Des écureuils dans la cheminée, j'ai pensé. À une époque, il y a longtemps, ces pauvres petites bêtes n'arrêtaient pas de tomber dans la cheminée. Nous avons fait mettre des grilles, depuis, bien sûr. Ce n'était pas ça, j'avais l'impression que c'était le plancher du grenier qui craquait. Mais j'étais encore dans un demi-sommeil. *Qui donc farfouille là-haut à cette heure-ci ?* me suis-je demandé. Et puis je me suis complètement réveillée. Je me suis dit que ce n'était que mon imagination, et j'ai décidé de descendre me préparer une infusion.

– Avez-vous senti des odeurs ? demanda Abra.

– Bonne question, murmura Hester, les yeux fermés, concentrée. Je n'y aurais pas pensé... Maintenant que tu me le dis, oui... La poussière, la transpiration.

– À ton avis, que pouvait-il bien chercher au grenier ? enchaîna Eli. La vieille dame secoua la tête.

– Je me le demande bien... Tout ce qu'il y a là-haut n'a de valeur que sentimentale : de vieux vêtements, des bibelots, des journaux, des registres de ménage, des photos...

– Je suis monté voir, il y a de très belles choses.

– Un jour, si Dieu le veut, je ferai venir un expert pour les cataloguer. Il y a longtemps que ce projet me trotte dans la tête : avec toutes les reliques que nous possédons, nous pourrions ouvrir un musée de Whiskey Beach.

– Quelle merveilleuse idée ! s'écria Abra. Vous ne m'en avez jamais parlé.

– Encore trop abstraite.

– Des registres de ménage... pensa Eli à voix haute.

– Oui, et des livres de comptes, des listes d'invités, des modèles d'invitations. Il y a bien longtemps que je ne suis pas allée mettre le nez dans tout ça. Honnêtement, je ne sais même pas exactement tout ce que contiennent ces malles et ces vieux cartons. Les temps changent, les mœurs évoluent. Ton grand-père et moi n'avions plus besoin d'autant de personnel que nos parents, le grenier est peu à peu devenu un débarras. Il ne restait plus que Bertie et Edna quand Eli est décédé. Tu te souviens d'elles, Eli junior ?

– Bien sûr.

– Quand elles ont pris leur retraite, je n'ai pas voulu reprendre d'employées à demeure. Je pouvais m'occuper de la maison moi-même, je n'avais plus que cela à faire, les enfants partis, mon Eli parti...

– Y a-t-il des choses, au grenier, qui ont appartenu aux Landon de l'époque de la *Calypso* ?

– Très certainement. Tu sais bien qu'on ne jette rien, dans la famille. Je suis sûre que nous avons des souvenirs de chaque génération. Les plus beaux objets sont exposés dans la maison. Le bric-à-brac est entassé au grenier.

La vieille dame fronça les sourcils, dans un effort de concentration.

– Si cet individu espérait mettre la main sur des cartes, c'est ridicule. Il va sans dire que si la Dot était indiquée sur un plan, nous l'aurions nous-mêmes trouvée depuis belle lurette. Si tant est que ce fameux trésor ait jamais existé, il est bien évident qu'il ne subsiste plus aucun document mentionnant l'endroit où il est caché. Selon la légende, après la mort de son amant, tué par son frère, Violeta aurait brûlé toutes leurs lettres d'amour.

– Des gens t'ont-ils appelée pour te poser des questions sur les objets anciens que nous possédons ? Des antiquaires, des historiens, des journalistes, par exemple...

– Grands dieux, Eli, sans arrêt ! À tel point que j'ai failli embaucher une secrétaire particulière, à une époque, juste pour répondre à ce genre de requête.

– Aucune ne t'a paru bizarre, dernièrement ?

– Non, pas que je me souvienne.

– Tiens-moi au courant, si jamais quelque chose te revient. On descend déjeuner ?

Hester était de nouveau un peu pâle. Il lui en avait déjà beaucoup demandé, songea Eli.

– Allons-y, opina-t-elle.

Il l'aida à se lever, mais lorsqu'il voulut la porter, elle le repoussa.

– Je me débrouille très bien avec ma canne, assura-t-elle.

– Certes, mais j'aime bien jouer les Rhett Butler.

– Il ne portait pas sa grand-mère, protesta Hester lorsque son petit-fils la souleva dans ses bras.

– Il aurait pu.

La canne à la main, Abra les précéda dans l'escalier, comprenant parfaitement pourquoi elle était tombée amoureuse.

27

Une bonne journée, songea Abra lorsqu'ils quittèrent Hester. Réflexion dont elle fit part à Eli, en lui prenant la main pour regagner la voiture.

Sur le trottoir opposé, Wolfe était adossé contre la sienne.

– Qu'est-ce qu'il cherche ? marmonna-t-elle. Il espère que tu vas lui faire des aveux, tout à coup ?

– Il me montre qu'il est là, répondit Eli en s'installant posément derrière le volant et en mettant le contact. Une petite guerre psychologique remarquablement efficace. L'hiver dernier, j'en étais arrivé au point où je ne sortais quasiment plus de chez mes parents. Si j'allais chez le coiffeur, par exemple, je pouvais être sûr qu'il allait se pointer et prendre le fauteuil à côté de moi.

– C'est du harcèlement.

– Ni plus ni moins. J'aurais pu porter plainte, mais j'étais trop abattu, et ça n'aurait sûrement pas changé grand-chose.

– En quelque sorte, tu t'es toi-même assigné à domicile.

Il n'y avait jamais pensé sous cet angle, mais elle n'avait pas tort. De la même manière, il s'était aussi imposé l'exil à Whiskey Beach. Cette phase-là était cependant révolue.

– Je n'avais nulle part où aller, dit-il. Mes amis m'évitaient, ou s'étaient carrément volatilisés. Mes patrons m'avaient mis à la porte.

– Quid de la présomption d'innocence ?

– Leur réputation était en jeu.

– Par principe, ils auraient dû te soutenir.

– Ils avaient des partenaires, des clients, des employés à prendre en considération. Initialement, ils m'ont donné un congé sans solde, mais personne n'était dupe. Un mal pour un bien, ça m'a donné le temps, et des raisons, d'écrire.

— N'inverse pas les rôles, répliqua Abra. Ils ne t'ont pas rendu service. C'est toi qui as su rebondir.

— L'écriture a été ma bouée de sauvetage. Sans elle, j'aurais sombré. Chaque jour, j'étais certain qu'on allait venir m'arrêter.

Une sorte de pénitence auto-infligée, songea Abra, dont il était sorti épuisé, à cran, beaucoup trop prompt, sans doute, à saisir la première main tendue vers lui.

— Et maintenant ?

— Maintenant, je respire. Je n'ai plus besoin de bouée pour me maintenir la tête hors de l'eau. Je ne surnage plus en attendant de couler. Je cherche les réponses et, quand je les aurai trouvées, je les balancerai à la sale gueule de Wolfe.

— Je t'aime.

Il se tourna vers elle, qui arborait un grand sourire, qui s'effaça devant son regard horrifié.

— Abra...

— Fais attention, regarde la route.

Il écrasa la pédale de frein juste avant d'emboutir un pick-up.

— Désolée, dit-elle, ce n'était pas le meilleur moment pour te faire une déclaration d'amour, mais tu sais que je ne peux pas m'empêcher d'exprimer mes sentiments, surtout quand ce sont des sentiments positifs. L'amour est le plus merveilleux des sentiments. Je suis heureuse de l'éprouver, d'autant plus que je n'étais pas sûre d'en être encore capable. Nous traînons de tels boulets, toi et moi... Peut-être font-ils de nous ce que nous sommes, mais c'est à cause d'eux que nous hésitons à accorder notre confiance, que nous redoutons de nous investir.

Épatant, pensa-t-elle, comme elle se sentait plus forte, plus libre, rien qu'en ayant prononcé ces mots à voix haute.

— Je ne te demande pas de prendre le même risque que moi, poursuivit-elle. Mais j'espère que tu te rends compte de la chance que tu as d'être aimé par une femme intelligente, consciente de qui elle est, intéressante.

Eli se faufila dans la circulation afin de s'engager sur l'entrée de la 95 Nord.

— Bien sûr, acquiesça-t-il, puis il se tut, paniqué.

— Alors c'est super. Si on mettait de la musique ? suggéra-t-elle en allumant l'autoradio et en cherchant une station.

Point final ? s'interrogea-t-il. *Je t'aime, mettons de la musique ?* Comment diable un homme était-il censé suivre une femme pareille ? Elle était encore plus imprévisible que les automobilistes dans les embouteillages de Boston.

Il essaya de penser à autre chose, mais les kilomètres défilaient et son esprit revenait sans cesse à cette conversation avortée. Le sujet n'était pas clos. Tôt ou tard, il devrait se prononcer clairement. Vraiment, non, elle n'avait pas choisi le meilleur moment pour le mettre au pied du mur. Comment pouvait-il mettre de l'ordre dans ses sentiments quand il avait déjà tant de tracas ?

— Il faut qu'on ait un plan, déclara Abra, réveillant instantanément la panique. Mon Dieu, ta tête ! (Elle ne put s'empêcher de pouffer.) Ne t'affole pas, je ne vais pas établir des échéances quant à notre relation. Je pensais à Justin Suskind. Il faut qu'on essaie de comprendre pourquoi il a pris le risque de monter au grenier. Il faut qu'on inventorie tout ce qui se trouve là-haut.

— J'ai commencé, à raison d'une heure ou deux chaque jour. C'est un boulot monstrueux.

— Par conséquent, nous devons procéder avec méthode. Le postulat de base est qu'il cherche la Dot. Partant de là, nous pouvons supposer qu'il détient des informations, vraies ou fausses, sur lesquelles il s'est appuyé pour creuser dans la cave. Or il n'a rien trouvé. Donc il a dû s'aventurer au grenier dans l'espoir de mettre la main sur des renseignements plus précis.

— La première fois que j'y suis monté, les choses avaient l'air en ordre. Je ne sais pas comment elles étaient rangées avant, mais si quelqu'un a fouillé dans les malles, les coffres, les tiroirs des meubles, il l'a fait avec soin. Cela dit, depuis, la police est venue semer la pagaille.

— Effectivement, il a toujours été discret. Si on n'avait pas découvert le trou dans la cave, par le plus grand des hasards, on n'aurait jamais su qu'il avait accès à la maison.

— On a découvert le trou parce qu'il avait coupé le courant.

— Ah, oui, c'est vrai. Mais c'est par hasard que tu t'es aventuré au fond du sous-sol.

— Certes.

— Je crois que ça vaut le coup de savoir exactement ce qu'il y a au grenier. De toute façon, on ne peut rien faire d'autre. Pour lui tendre une embuscade, faudrait-il encore qu'il revienne. En attendant, ne restons pas inactifs. Avec un peu de chance, on trouvera peut-être des trucs qui nous permettront d'avancer dans nos réflexions.

– OK, on examinera tout ce que contient le grenier.

– D'une pierre deux coups, ça te permettra de réfléchir à l'aménagement de ton futur bureau. Je t'apporterai un nuancier.

– Pour quoi faire ?

– Les couleurs donnent de l'inspiration.

– Non, dit-il au bout d'un moment. Je ne peux pas suivre.

– Suivre quoi ?

Enfin, ils étaient arrivés à Whiskey Beach. Eli était soulagé que ce trajet prenne fin. Ces discussions l'épuisaient.

– Toi, répondit-il. Tu pars dans tous les sens.

– Je pense à plusieurs choses à la fois, par association d'idées. C'est normal, non ?

– Je me rends, capitula-t-il en se garant devant Bluff House.

Abra descendit de la voiture, ouvrit les bras et tournoya sur elle-même.

– Hmm... Que c'est bon de retrouver l'air de la mer ! Je crois que je vais aller faire un jogging sur la plage.

Il ne pouvait détacher les yeux d'elle, elle exerçait sur lui un pouvoir magnétique.

– Tu comptes beaucoup pour moi, Abra.

– Je sais.

– Plus que personne n'a jamais compté.

Elle laissa les bras retomber le long de son corps.

– J'espère.

– Mais...

– Chut, le coupa-t-elle en attrapant son sac dans la voiture. Tu n'es pas obligé de te justifier. Je t'ai fait un cadeau, je n'attends rien en retour. Accepte-le. Tant pis si je te l'ai donné trop tôt ou si je l'ai mal emballé, c'est un cadeau quand même.

Barbie émit soudain une série de furieux aboiements.

– Ah, l'alarme qui se déclenche. Je me change et je l'emmène courir avec moi.

Eli sortit ses clés.

– Je peux venir avec vous ?

– Avec plaisir !

Elle n'aborda plus le sujet, et se lança à corps perdu dans sa nouvelle mission. Ils déballèrent les malles, Abra listant consciencieusement leur contenu sur un ordinateur portable.

Ils n'étaient pas experts, avait-elle souligné, mais cet inventaire pourrait aider Hester à concrétiser son projet de musée. Ils

entreprirent donc de cataloguer chaque chose, Eli mettant systématiquement de côté registres de ménage, livres de comptes et journaux
de bord.

Elle avait des obligations professionnelles, et il devait lui aussi
travailler, mais il se débrouillait pour dégager dans son emploi du
temps des plages réservées à ce qu'il appelait « la plongée dans le
passé ». À sa pile de registres, il ajouta un carnet où étaient méticuleusement consignés des achats de volailles, viande de bœuf, œufs,
beurre et légumes divers et variés à un paysan nommé Henry Tribbet.

Sans doute un ancêtre de son compère de boisson Stoney. Il
s'amusait à imaginer le vieil homme en salopette et chapeau de
paille lorsque Barbie poussa un jappement et fila dans l'escalier.

Il se leva de son espace de travail temporaire – table de jeu et
chaise pliante – et s'avança en haut des marches.

– C'est moi ! cria Abra. Ne descends pas si tu es occupé.

– Je suis au grenier.

– D'ac, je range les courses et j'arrive.

Un vrai plaisir, songea-t-il. D'entendre sa voix rompre le silence
de la maison, de savoir qu'elle allait monter le rejoindre, travailler
avec lui, lui raconter sa journée, lui parler des gens qu'elle avait vus.

Quand il essayait d'imaginer ses jours sans elle, il se rappelait les
heures interminables et sombres de son assignation à résidence auto-
imposée, où tout était morne, sans couleur, pesant.

Plus jamais ça, se promit-il. Il avait refait surface à la lumière, il
ne replongerait plus jamais dans les ténèbres. Abra lui offrait la plus
belle des lumières.

Quelques minutes plus tard, elle apparut en haut de l'escalier,
vêtue d'un bermuda en jean et d'un T-shirt rouge clamant *I ♥ yoga*.

– Coucou ! Mon dernier massage a été annulé, c'est pour ça... Oh,
mon Dieu !

Alors qu'Eli attendait son baiser, à sa table pliante, elle s'immobilisa au beau milieu du grenier.

– Quoi ?

Il se leva d'un bond, prêt à la défendre contre une araignée veni-
meuse ou un fantôme maléfique.

– Cette robe !

Une robe à franges corail des années 1920, négligemment jetée
sur le couvercle du coffre qu'il était en train d'inventorier. Elle la
plaça sous son menton et courut jusqu'au miroir dont elle avait la
veille ôté le drap qui le recouvrait afin de s'imaginer en robe de bal,

de cocktail, en déshabillé de soie, coiffée d'une toque à voilette ou d'un chapeau à plumes.

Elle pivota sur la droite, sur la gauche, les franges suivant chacun de ses mouvements.

– Un long sautoir de perles, un chapeau-cloche et un immense fume-cigarette. Imagine ce que cette robe a vécu ! Le charleston dans de folles soirées, le gin frelaté et le whiskey de contrebande dans les bars clandestins, les balades en Ford T. Elle appartenait à une femme audacieuse, insouciante, et sûre d'elle.

– Elle te va bien.

– Merci, elle est fabuleuse, répondit Abra en virevoltant. Tu sais, avec tous les vêtements que nous avons déjà catalogués, c'est un musée de la Mode que nous pourrions ouvrir.

– Sans moi... maugréa Eli.

Les hommes seraient toujours des hommes, pensa-t-elle, et elle n'avait aucun désir qu'il en soit autrement.

– En tout cas, Hester pourra consacrer une section de son musée à la mode à travers les âges.

Soigneusement, elle replia la robe et l'enveloppa dans du papier de soie.

– J'ai regardé dans le télescope avant de monter. Il n'est toujours pas là.

– Il reviendra.

Enfin, elle embrassa Eli.

– Sûrement, mais je déteste attendre. Comment se fait-il que tu ne sois pas en train d'écrire ? Tu ne t'arrêtes pas si tôt, d'habitude.

– J'ai terminé le premier jet. Je fais un break. Je laisse reposer.

Elle enroula ses bras autour du cou, se trémoussa.

– Tu as terminé ! C'est génial ! Il faut fêter ça !

– Un premier jet n'est pas un roman.

– Bien sûr que si, c'est un roman en attente de fignolage. Qu'est-ce que ça te fait d'avoir fini ?

– Je n'ose pas penser à toutes les retouches que je devrai encore apporter, mais je suis plutôt content. Les derniers chapitres m'ont pris moins de temps que prévu. Une fois que j'ai su comment l'intrigue se dénouerait, la fin s'est écrite presque toute seule.

Tout excitée pour lui, elle se percha sur ses genoux.

– Il faut absolument fêter ça. Je préparerai un bon dîner et nous ouvrirons une bouteille de champagne. Il y en a, dans le cellier. Je suis si fière de toi.

– Tu ne l'as pas encore lu. Juste une scène.

– Peu importe. Tu l'as terminé. Combien de pages ?

– Pour l'instant, cinq cent quarante-trois.

– Tu as écrit cinq cent quarante-trois pages alors que tu étais dans une période horrible, de deuil, de transition, de stress intense. Si tu n'es pas fier de toi, c'est que tu es soit ridiculement modeste, soit complètement crétin. Alors, modeste ou crétin ?

Elle débordait de vie, d'entrain, d'allégresse. Il adorait son humour et, chaque jour, elle lui communiquait sa bonne humeur.

– Ni l'un ni l'autre, je suis fier de moi.

Les bras noués autour de son cou, elle fit claquer un baiser sonore sur ses lèvres.

– Ah, j'aime mieux ça ! L'an prochain à la même date, ton livre sera publié ou sous presse. Ton nom sera lavé, et tu auras les réponses à toutes les questions qui te hantent et qui hantent Bluff House.

– J'adore ton optimisme.

– Ce n'est pas seulement de l'optimisme. J'ai interrogé le tarot.

– Il t'a dit qu'avec mon faramineux à-valoir, nous partirions en voyage au Belize ?

– Ah, non, mais je suis partante. Optimisme plus tarot égale force vitale hyperpuissante, monsieur terre à terre, surtout si tu y ajoutes de l'effort et de la sueur. Pourquoi le Belize ?

– Comme ça. C'est la première destination qui m'est venue à l'esprit.

– Et sûrement la meilleure. Tu as découvert des trucs intéressants, aujourd'hui ?

– Rien en rapport avec la Dot.

– Ne désespérons pas, nous n'avons pas encore terminé, loin de là. Bon, allez, j'attaque une autre malle !

Ils travaillèrent côte à côte, puis Abra passa à une commode en merisier.

Incroyable, ce que les gens conservaient, pensa-t-elle. De vieux chemins de table mités, des napperons jaunis, des dessins d'enfants sur du papier si vieux qu'elle osait à peine les toucher de crainte qu'ils s'émiettent entre ses doigts. Elle tomba sur une collection de disques de la même époque, lui sembla-t-il, que la superbe robe corail. Amusée, elle retira la housse d'un Gramophone, le remonta, mit l'un des vieux 78 tours.

Une musique éraillée, ponctuée de craquements, emplit la pièce. Eli leva la tête. En lui souriant, elle exécuta quelques pas de shimmy. Il lui rendit son sourire.

– Tu devrais mettre la robe.

– Tout à l'heure, peut-être, répondit-elle avec un clin d'œil.

En dansant, elle retourna à la commode, ouvrit un autre tiroir.

Des coupons et des chutes de tissu, de la soie, de la laine, du satin, des rubans brochés d'or et d'argent. De merveilleuses robes avaient dû naître de ces étoffes.

Le dernier tiroir lui résista, mais elle parvint à l'ouvrir à moitié, en sortit d'autres pièces de tissu, une pochette d'aiguilles, un coussin à épingles en forme de tomate, une boîte de fils de différentes couleurs.

– Oh, des patrons ! Des années 1930 et 1940. Robe-chemisier... Robe de soirée... Oh, viens voir ce bain-de-soleil ! Je crois que je vais me lancer dans la création de vêtements vintage.

– Tu veux faire des robes ? Il y en a plein les magasins !

Elle lui jeta à peine un regard.

– Je pourrais faire le bain-de-soleil dans cette soie jaune à petites fleurs violettes. Je pourrais même peut-être utiliser cette vieille machine à coudre qu'on a trouvée hier. Ce serait du pur vintage.

Elle empila soigneusement les patrons, se retourna vers le tiroir vide.

– Il est bloqué, marmonna-t-elle. Il y a peut-être un truc coincé...

Elle se pencha, passa la main sous le tiroir supérieur, derrière, sur les côtés.

– Non... Le bois a dû se voiler, ou se dilater...

Puis elle sentit sous ses doigts comme une tige métallique.

– Il y a un truc, là, dans le coin... Tu peux venir voir, s'il te plaît ?

– Deux secondes...

– C'est bizarre...

Impatiente, elle tira, poussa, et le tiroir se débloqua, manqua de peu lui tomber sur les pieds.

– Oh !

– Tu t'es fait mal ? lui demanda Eli.

– Non, non. Ça alors... On dirait un compartiment secret... C'est bien ça, il y a un tiroir dans le tiroir, au fond.

– Ouais, j'en ai trouvé un dans un secrétaire, aussi, et un dans un buffet.

– Regarde ce qu'il y avait dedans...

Elle brandit une boîte en bois sculpté, avec un L stylisé gravé sur le couvercle. Intrigué, Eli leva les yeux de son inventaire. Elle apporta la boîte près de lui.

– Elle est fermée.

– La clé est peut-être là...

Elle jeta un coup d'œil au bocal en verre où ils rassemblaient toutes les clés qu'ils trouvaient. Puis retira une épingle de ses cheveux.

– Essayons d'abord comme ça.

– Sérieux ? répliqua Eli en riant. Tu veux crocheter la serrure avec une épingle à cheveux ?

– Ça se fait, non ?

Elle tordit l'épingle, la glissa dans le trou de la serrure, tourna, tâtonna, tourna. Comme elle semblait vouloir à tout prix ouvrir cette boîte, Eli commença à regarder dans le bocal. Puis entendit le déclic.

– Tu avais déjà fait ça ?

– Pas depuis mes treize ans, quand j'avais perdu la clé de mon journal intime. À croire que j'ai gardé le coup de main.

Elle souleva le couvercle, découvrit une liasse de lettres.

Ils en avaient déjà trouvé, des courriers de soldats, ou de filles mariées éloignées de leurs mères. Abra rêvait de découvrir des lettres d'amour. Précautionneusement, elle en déplia une.

– Écrite à la plume, on dirait. Le papier a l'air vieux. Ah, voilà une date : 5 juin 1821. Elle est adressée à Edwin Landon.

– Le frère de Violeta ! Il devait avoir une soixantaine d'années, en 1821. Il est mort en... 1830, ou au début des années 1830. C'est une lettre de qui ?

– Un certain James J. Fitzgerald, de Cambridge.

Eli nota le nom.

– Tu peux la lire ?

– « Monsieur, je regrette la tournure qu'a prise notre entrevue, l'hiver dernier. Croyez qu'il n'était point dans mon intention de m'immiscer dans votre vie privée. Cependant, bien que vous m'ayez sans... ménagement signifié votre position à mon égard, je me permets aujourd'hui de revenir vers vous sur... sur la prière de ma mère, votre sœur Violeta Landon Fitzgerald. »

Abra s'interrompit, leva vers Eli des yeux remplis d'espoir.

– Eli !

– Continue, dit-il en se levant pour regarder la lettre par-dessus son épaule. Je n'ai jamais entendu dire qu'elle s'était mariée et avait eu des enfants. Vas-y, continue.

– « Comme je vous en ai informé en janvier, votre sœur souffre d'une grave maladie et, du fait des dettes contractées au décès de mon père, nous nous trouvons toujours dans une situation précaire. Mon emploi de clerc chez maître Andrew Gardon me permet de subvenir aux besoins de mon épouse et de ma famille, ainsi que de m'acquitter peu à peu de nos créances et, par la grâce de Dieu, bien que difficilement, de pourvoir aux soins de ma mère.

« Je n'aurais pas moi-même osé vous solliciter ; c'est au nom et sur l'insistance de votre sœur que je m'adresse à vous ici. Son état de santé continuant de se détériorer, les médecins nous pressent de la conduire hors de la ville, sur la côte, où l'air marin favoriserait peut-être la guérison. Dans les conditions actuelles, je crains qu'elle ne passe pas le prochain hiver.

« Le vœu le plus cher de votre sœur serait de retourner à Whiskey Beach, dans la demeure où elle est née et conserve tant de souvenirs.

« Je comprends, monsieur, que vous refusiez tout lien avec moi-même, et vous donne ma parole que jamais je ne vous réclamerai de considération à mon égard. Ce n'est point à l'oncle que j'en appelle, mais au frère dont la sœur unique désire du plus profond de son cœur retrouver le foyer familial. »

De crainte d'abîmer le fragile papier, Abra reposa soigneusement la lettre dans la boîte.

– Oh, Eli !

– Elle aurait donc épousé un homme du nom de Fitzgerald, qui lui aurait donné au moins un fils... Il n'y a absolument aucune trace dans les archives familiales de ce mariage ni de cette naissance. On ne sait même pas quand elle est morte.

– Son père a détruit tout ce qui la concernait, n'est-ce pas ?

– En effet, il l'aurait non seulement reniée, quand elle est partie, mais il aurait effacé toute trace de son existence.

– Quel type horrible !

– Sur les portraits, il est plutôt bel homme. Qui était ce Fitzgerald... Le survivant de la *Calypso* ?

– Il n'y a jamais eu de tentative de réconciliation jusqu'à celle-ci ? Jusqu'à sa mort ?

– Je ne sais pas. La légende a tellement de versions. Selon certaines, elle se serait enfuie avec son amant. Selon d'autres, elle serait partie seule, après le meurtre de son amant par son frère. J'ai lu également quelque part que sa famille l'aurait éloignée de Whiskey Beach parce qu'elle était enceinte, puis déshéritée parce qu'elle refusait de se faire avorter. Toujours est-il qu'ils l'ont reniée, et que dans les documents postérieurs à la fin des années 1770, son nom n'apparaît plus nulle part. Maintenant que nous avons ces lettres, nous pourrions faire des recherches à partir du nom de James J. Fitzgerald.

– Eli, la lettre suivante est datée de septembre de la même année. Le fils renouvelle ses supplications. L'état de santé de Violeta empire, les dettes s'accumulent. Il dit que sa mère est trop faible pour prendre elle-même la plume. Il écrit sous sa dictée. Oh, ça me fend le cœur ! « Il nous faut pardonner, mon frère. Je ne veux pas retourner à Dieu avec cette inimitié entre nous. Je t'en supplie, avec le tendre amour que nous partagions autrefois, laisse-moi revenir mourir parmi les miens. Permets à mon fils de connaître mon frère, ce frère chéri qui autrefois me chérissait, jusqu'à ce jour funeste. J'ai prié Dieu de me pardonner mes péchés, et de te pardonner les tiens. Ne peux-tu me pardonner, mon cher Edwin, comme je t'ai pardonné ? Pardonne-moi, je t'en conjure, et laisse-moi revenir à la maison. »

Abra essuya les larmes qui roulaient sur ses joues.

– Il n'a rien voulu entendre. Voici la troisième lettre, la dernière, datée du 6 janvier 1822 : « Violeta Landon Fitzgerald a quitté ce monde aujourd'hui à 6 heures, après plusieurs mois de violentes souffrances. Vous êtes la cause, monsieur, de cette terrible agonie. Puisse le Seigneur tout-puissant vous accorder Sa clémence ; de moi, vous n'aurez point d'absolution.

« Sur son lit de mort, ma mère m'a raconté les événements survenus au mois d'août de l'année 1774. Elle m'a confessé ses péchés, les péchés d'une très jeune fille, ainsi que les vôtres, monsieur. Elle s'est éteinte dans le plus grand des tourments, affligée par la cruauté de siens, car vos richesses ont à vos yeux davantage de valeur que sa vie. Vous ne la reverrez plus, ni en ce monde ni aux cieux. Pour vos actes, vous êtes damné, comme le seront tous les Landon issus de vous. »

Abra reposa cette dernière lettre avec les autres.

– Je suis d'accord avec lui.

– Aux dires de tous, Edwin Landon et son père étaient des hommes très durs, intransigeants.

– Ces lettres le confirment.

– On ne sait pas ce qu'Edwin a répondu, si seulement il a répondu. En revanche, ces lettres nous apprennent qu'ils ont tous les deux « péché », Violeta et lui, en août 1774. Cinq mois après le naufrage de la *Calypso*. Il faut absolument qu'on fasse des recherches sur James Fitzgerald. Il faut au moins qu'on trouve sa date de naissance.

– Tu crois qu'elle a été déshéritée parce qu'elle était enceinte ?

– Je crois que c'est le genre de péché que Roger et Edwin Landon auraient condamnés. Tu imagines la honte, à cette époque, dans leur milieu ?

Eli examina la lettre, la signature.

– James... murmura-t-il. Il y a des chances qu'on lui ait donné le prénom de son père...

– L'amant de Violeta se serait donc lui aussi appelé James Fitzgerald ?

– Non, je pense que son amant n'était autre que Nathanial James Broome.

– Le deuxième prénom de Broome était James ?

– Oui. Qui que soit ce Fitzgerald, je suis presque sûr qu'elle était enceinte quand elle l'a épousé.

– Peut-être que Broome a changé de nom pour faire sa vie avec elle ?

– Je vois mal un pirate mener une petite vie tranquille de père de famille. Et il n'aurait jamais abandonné la Dot aux Landon. À mon avis, Edwin l'a tué, il s'est approprié le trésor, et il a chassé sa sœur de la maison.

– Violeta aurait été reniée juste pour des biens matériels ?

– Elle s'était amourachée d'un brigand. Un assassin, un voleur, un homme qui aurait certainement été pendu si on l'avait attrapé. Les Landon étaient riches, ils jouissaient d'un prestige social, d'un pouvoir économique et d'influences politiques. Leur fille était sans doute promise au fils d'une autre famille fortunée. Ils risquaient de tout perdre si l'on avait su qu'ils étaient en mesure de fournir des renseignements susceptibles de permettre l'arrestation d'un criminel recherché. Il fallait régler au plus vite cette fâcheuse situation.

– Une fâcheuse situation ? Violeta n'était qu'une fâcheuse situation ?

– Je n'approuve pas ce qu'ils ont fait, j'essaie seulement de comprendre.

– Maître Landon. Non, décidément, cet homme-là ne m'aurait pas plu.

– Maître Landon analyse simplement une affaire. À l'époque, les filles étaient la propriété de leurs pères. C'était injuste, mais c'est une réalité historique. Or voilà que Violeta devient un passif, au lieu d'être un actif.

– Je ne peux pas entendre des choses pareilles, riposta Abra en se dirigeant vers l'escalier.

– Ne t'énerve pas, je te parle du XVIIIe siècle.

– Tu as l'air d'être d'accord avec tes ancêtres.

– Pas du tout. Je tente de raisonner logiquement.

– Sans aucune émotion.

– OK, mettons tes émotions au service de la logique. D'après toi, alors, que s'est-il passé ?

– D'après moi, Roger Landon et son fils Edwin étaient des monstres. Ils n'avaient pas le droit de traiter Violeta aussi cruellement. C'était un être humain, tout de même.

– Bien sûr, soupira Eli en se passant une main sur le visage. Je suis entièrement d'accord avec toi sur ce point, Roger et Edwin Landon étaient égoïstes, opportunistes, cupides, étroits d'esprit, ne faisaient pas de sentiments.

– C'est déjà mieux. Cupides, dis-tu... Tu crois qu'Edwin a tué Broome pour s'accaparer la Dot ? Que serait-elle devenue, dans ce cas ?

– Le mystère reste entier. La seule chose que ces lettres nous apprennent, c'est que Violeta a eu un fils. Je vais essayer de retrouver sa trace.

– Comment ?

– Il existe de nombreux sites de recherche généalogique et de bases de données, mais vu que je ne sais pas me servir de ces outils, ça me prendrait un temps fou. Je crois que je vais plutôt contacter un spécialiste. J'en connais un. Un ancien ami.

Quelqu'un qui lui avait sans doute tourné le dos, songea Abra. Elle avait eu tort de monter sur ses grands chevaux. Eli était bien placé pour comprendre ce qu'avait vécu Violeta. Lui aussi avait été rejeté, condamné, ignoré.

– Tu es sûr que tu veux reprendre contact avec lui ?

– Je n'y tiens pas particulièrement, mais ça peut valoir le coup. Pour Violeta, je suis prêt à pardonner.

Elle encadra son visage de ses mains.

– Finalement, tu auras quand même droit à un dîner de fête, ce soir. D'ailleurs, il est grand temps que je commence à le préparer. Nous devrions mettre ces lettres en sûreté.

– Je m'en occupe.

– À ton avis, pourquoi Edwin les a-t-il gardées ?

– Va savoir... Il devait être comme tous les Landon, conservateur. Il n'a pas pu se résoudre à les jeter, il les a cachées dans ce tiroir secret.

– Loin des yeux, loin du cœur, comme Violeta. Quel triste personnage il devait être !

Triste ? s'interrogea Eli une fois Abra descendue à la cuisine. Il en doutait. Edwin Landon devait être un sinistre individu, terriblement infatué de sa personne. Tout arbre généalogique devait avoir des branches pourries.

Sur son ordinateur portable, il chercha le numéro de son ancien ami, puis sortit son téléphone. Pardonner lui serait dur. Pour les besoins de la cause, toutefois, il voulait bien consentir un effort.

28

Les cheveux relevés, les manches remontées, Abra épluchait des pommes de terre lorsque Eli la rejoignit dans la cuisine.

– Alors, cet appel, comment ça s'est passé ?

– Pas super.

– Je suis désolée, Eli.

– Il était encore plus gêné que moi, je crois, répondit-il en haussant les épaules. En fait, je connaissais mieux sa femme. Elle est assistante juridique dans mon ancienne boîte. Il enseigne l'histoire à Harvard, et il fait de la généalogie pour arrondir ses fins de mois. Nous jouions au basket ensemble une ou deux fois par mois ; de temps en temps, nous allions boire des bières avec l'équipe.

Suffisant, aux yeux d'Abra, pour mériter un minimum de loyauté et de compassion.

– En tout cas, après les premiers bégaiements et un « Content de t'entendre, Eli » forcé et exagérément enthousiaste, il a accepté. Il s'est senti obligé, je crois, tellement il a honte de lui.

– Bien. Ça le rachète un peu.

– Mais je ne sais pas pourquoi, j'ai envie de cogner dans les murs.

Abra regarda la patate qu'elle venait de trancher à grands coups de couteau rageurs. Elle comprenait exactement ce qu'Eli ressentait.

– Si tu allais plutôt soulever de la fonte ? Ça t'ouvrira l'appétit. Tu veux connaître le menu ? Côtes de porc farcies, haricots verts aux amandes et pommes de terre sautées.

– Parfait. Il faut que je donne à manger à Barbie.

– C'est fait. Elle digère sur la terrasse.

– Tu veux que je t'aide à faire quelque chose ?

– J'ai l'air d'avoir besoin d'aide ?

Il esquissa un sourire.

– Non.

– Alors va faire de la muscu. J'aime les tablettes de chocolat.

– Eh bien, j'ai du boulot...

Il évacua par la sueur la frustration et la déprime en découlant. Et lorsqu'il ressortit de la douche, il se sentit apaisé.

Il avait ce qu'il lui fallait : un expert pour résoudre un problème. Si l'expert culpabilisait de s'être comporté comme un minable, ce n'était pas son affaire.

Sur une impulsion, il emmena Barbie en promenade au village. Et s'étonna qu'on l'apostrophe, qu'on lui parle, qu'on lui demande de ses nouvelles sans un brin de méfiance ni de gêne.

Il acheta un bouquet de tulipes pourpres. Sur le chemin du retour, il salua de la main Stoney Tribbet qui se rendait au Village Pub.

– Je te paie une bière, mon grand ?

– Pas aujourd'hui, le dîner m'attend. Mais gardez-moi un tabouret, vendredi soir.

– Entendu. À vendredi !

Voilà, songea-t-il, ce qui faisait de Whiskey Beach *son* village. Un tabouret au pub, un signe de la main, le dîner sur le feu et la perspective d'un sourire radieux en échange d'un bouquet de tulipes.

Abra le plaça au centre de la table, sur la terrasse. À la lueur des étoiles et des bougies, ils dégustèrent du champagne et un repas de fête simple et savoureux. Que demander de plus ? En cet instant, Eli trouvait le monde absolument parfait.

Il était sorti du tunnel, il s'était débarrassé d'une peau trop étriquée, il avait refait surface – peu importait la métaphore. Il était là où il désirait être, avec la femme qu'il désirait, des guirlandes lumineuses et des carillons éoliens, le bruit de la mer, des jardinières fleuries, et une chienne assoupie au sommet de l'escalier de la plage. Il se sentait réel, entier, comblé.

Plus tard, pourtant, dans la maison silencieuse, Abra blottie contre lui, il ne parvint pas à trouver le sommeil. Il écouta sa respiration régulière, les petits bruits que faisait Barbie en dormant, rêvant sans doute qu'elle poursuivait une balle rouge dans les vagues.

Il écouta Bluff House s'endormir, et imagina sa grand-mère réveillée au milieu de la nuit par des craquements inhabituels.

De crainte de déranger Abra en se tournant et en se retournant, il se leva, dans l'intention de descendre bouquiner dans la bibliothèque. Tout compte fait, il monta cependant au grenier, et s'installa à la table de jeu avec la pile de registres, son bloc et son ordinateur.

Pendant deux heures, il compulsa les comptes de la maison, de l'entreprise, releva des dates, des sommes, vérifia des montants d'un livre à l'autre.

Quand une migraine commença à poindre, il se frotta les yeux et poursuivit sa tâche. La comptabilité et la gestion n'étaient pas sa partie ; son père ou sa sœur auraient sans doute été davantage qualifiés pour décortiquer ces documents. Toutefois, il pensait avoir mis le doigt sur quelque chose.

À 3 heures du matin, il referma tous les registres. Il avait l'impression d'avoir du sable sur la cornée et qu'un étau lui broyait le crâne. Mais il pensait avoir compris.

Il descendit à la cuisine, avala deux comprimés d'aspirine et sortit sur la terrasse avec une bouteille d'eau.

Presque pleine, la lune brillait au-dessus de la mer. Le faisceau du phare balayait le ciel étoilé.

– Eli ? Tu n'arrives pas à dormir ?

En peignoir blanc, Abra le rejoignit devant la balustrade.

– Non.

Le vent faisait frémir les pans de son peignoir, dansait dans ses cheveux, et la lueur de la lune se reflétait au fond de ses yeux.

Jamais elle ne lui avait paru aussi belle.

– Tu veux que je te prépare une infusion ?

Par habitude, elle lui massa les épaules, tenta de localiser les points de tension. Quand ses yeux rencontrèrent les siens, son regard inquiet se mua en une expression de curiosité.

– Qu'y a-t-il ?

– J'ai découvert quelque chose. Quelque chose d'énorme et de totalement inattendu.

– Assieds-toi, suggéra-t-elle. Que je puisse mieux te masser. Pendant ce temps, tu m'expliqueras.

Il lui prit les mains, les garda entre les siennes.

– Je t'aime, moi aussi, Abra.

– Oh, Eli, murmura-t-elle en lui serrant les doigts. Je le savais.

Ce n'était pas la réaction qu'il attendait. Et cette réponse l'irrita même quelque peu.

– Ah oui ?

– Je le savais, oui, mais c'est merveilleux de te l'entendre dire. Je me disais que ce n'était pas grave si tu ne pouvais pas le formuler, mais je ne me doutais pas de la joie dont me rempliraient ces mots. Si j'avais su, je t'aurais traqué comme une louve affamée pour te les extorquer.

– Comment pouvais-tu savoir, vu que je n'avais rien dit ?

– Quand tu me touches, quand tu me regardes, quand tu me prends dans tes bras, je sens ton amour. (Elle leva vers lui des yeux inondés de larmes.) Je ne pourrais pas t'aimer autant si je ne me sentais pas aimée en retour. Je ne me sentirais pas aussi bien avec toi si je doutais de tes sentiments.

Il lui caressa les cheveux, cette cascade de boucles rousses, et se demanda comment il avait pu traverser une seule journée sans elle.

– Alors tu attendais juste que je me jette à l'eau ?

– Je t'attendais, Eli. Je t'attendais, je crois, depuis mon arrivée à Whiskey Beach. Il ne me manquait que toi.

– Tu es magique, dit-il contre ses lèvres. Tellement magique que tu me faisais peur, au début.

Les larmes jaillirent de ses yeux de sirène, irisées par les rayons de lune.

– Je comprends. Moi aussi, j'avais peur. Mais maintenant ? Je me sens prodigieusement courageuse. Et toi ?

Ému, il embrassa tendrement ses larmes.

– Je me sens heureux, et je veux te rendre aussi heureuse que je le suis.

– Je ne pourrais pas être plus heureuse. Quelle nuit merveilleuse. Bien que ce soit presque le matin... Aujourd'hui sera encore une journée merveilleuse. Offrons-nous encore plein de journées merveilleuses.

– Je te le promets.

Les Landon, se souvint-elle, ne faisaient pas de promesse à la légère. Submergée, elle se blottit contre lui.

– Nous nous sommes trouvés, Eli, exactement là et au moment où nous devions nous trouver.

– C'était notre karma ?

En riant, elle s'écarta de lui.

– Parfaitement. C'est pour ça que tu n'arrivais pas à dormir ? Parce que tu voulais me dire que tu avais enfin accepté ta voie karmique ?

– Non, c'est quand tu es apparue sur la terrasse que j'ai eu une révélation.

– Remontons nous coucher, dit-elle avec un sourire plein de promesses. Je suis sûre que je peux t'aider à t'endormir.

– C'est aussi pour ça que je t'aime, répliqua-t-il en lui prenant la main. Tu as toujours des idées fabuleuses. Au fait – j'allais presque oublier –, comme je ne pouvais pas dormir, je suis monté au grenier jeter un coup d'œil aux registres et aux livres de comptes.

– Tu aurais dû t'endormir en cinq minutes, dans ces colonnes de chiffres.

– J'ai trouvé, Abra. J'ai retrouvé la Dot d'Esméralda.

– C'est vrai ? Comment ? Où ?

– Elle est là.

– Où, là ? trépigna Abra en lui prenant l'autre main. Il faut la mettre en sécurité. L'apporter à Hester et à ta famille. Et... il y a sûrement un moyen de retrouver les descendants d'Esméralda, de leur faire part de cette découverte. Le musée de Hester... Tu imagines ce que cela représente pour Whiskey Beach ? Un trésor mis au jour après plus de deux siècles. Ça pourrait être le sujet de ton prochain roman. Et pense à tous les gens qui vont pouvoir admirer ces joyaux, maintenant ! Ta famille pourrait les prêter au Smithsonian, au Met, au Louvre.

– C'est ce que tu ferais, toi ? Des dons, des prêts, des expos ?

– Oui. Ces bijoux appartiennent à l'histoire, non ?

Fasciné, il scruta son visage dans la lueur argentée de la lune.

– Plus ou moins. Tu ne voudrais pas les garder ? Même pas un ?

– Disons que je ne refuserais pas un rubis ou un saphir, concéda-t-elle en riant. Bon, où sont-ils ? Et comment pouvons-nous les mettre en sûreté ?

– Le trésor, Abra, c'est Bluff House.

– Hein ? Je ne comprends pas.

– Mes ancêtres n'étaient pas aussi altruistes ni philanthropes que toi. Non seulement ils ont gardé la Dot, mais ils l'ont dépensée. Ma famille ne s'est pas enrichie uniquement grâce au whiskey. Au contraire, c'est le butin des pirates qui a permis le développement de la distillerie, l'agrandissement et la modernisation de la maison.

– Tu veux dire qu'ils ont vendu la Dot pour construire un manoir ?

– Petit à petit, je pense, si j'interprète correctement leur comptabilité. Sur deux générations, au moins, à partir de Roger et d'Edwin.

Elle repoussa ses cheveux ainsi, imagina-t-il, que ses utopies de musées, de partage.

– Bluff House est donc la Dot d'Esméralda ?

– Essentiellement. Ils n'auraient pas eu les moyens, sinon, de s'offrir un tel luxe. Mes ancêtres étaient joueurs, paraît-il, ils aimaient jouer et ils avaient de la chance au jeu. C'étaient aussi des hommes d'affaires audacieux. Ils ont eu du flair, et la guerre, la construction du pays leur ont profité. Mais à la base, ils n'avaient rien. Il leur fallait un capital de départ.

– Tu es sûr que c'était la Dot ?

– J'aimerais que Tricia jette un coup d'œil aux bouquins de comptes, mais ça me paraît logique. Je suis quasiment certain que ma famille a bâti sa fortune sur la Dot.

Abra hocha la tête, pensive.

– Ils ont rejeté leur fille, leur sœur, et ils se sont approprié un magot qui n'était pas à eux.

– Ils ont offert le gîte à Broome – qui du reste avait lui aussi volé ce magot. Il a déshonoré leur fille, leur sœur. Alors ils l'ont tué, et ils ont gardé son trésor.

– Expéditif, et pas très honnête, murmura-t-elle en posant la tête contre son épaule. Mais poétique, aussi. Qu'en penses-tu, toi ?

– On ne peut pas refaire l'histoire, il faut vivre avec. Je ne suis pas très fier de Roger et d'Edwin Landon. Ils ont été cruels, injustes. Mais qu'y puis-je ? Lindsay a connu une fin cruelle et injuste, elle aussi. Je ne peux qu'essayer de percer la vérité. C'est peut-être cela, la justice.

– Voilà pourquoi je t'aime, déclara Abra. Il est trop tôt pour téléphoner à Tricia, et je crois que nous n'arriverons pas à nous rendormir. Je vais préparer des œufs.

– Voilà pourquoi je t'aime.

En riant, il l'attira contre lui, et se figea en apercevant par-dessus sa tête de la lumière filtrant des volets du Château de sable.

– Attends...

Il alla regarder dans le télescope.

– Il est revenu, dit-il en se redressant.

Une main agrippée au bras d'Eli, Abra regarda à son tour.

– J'attendais ce moment avec impatience, mais maintenant qu'il est là... (Elle s'interrompit un instant.) Je suis contente qu'il soit là. Nous allons enfin pouvoir agir. Allons casser des œufs, dit-elle avec un sourire féroce.

Un matin comme tous les matins, songea Eli en préparant du café, même s'il était à peine 5 heures. À la différence près qu'ils formaient désormais un couple amoureux, officiellement. Cette pensée lui mit du baume au cœur. Il suffisait de faire abstraction du meurtrier terré à quelques centaines de mètres.

– On devrait appeler Corbett, suggéra Abra en battant les œufs. Il pourrait interroger Suskind.

– Ouais...

– Remarque, il n'a toujours pas de raison de l'interpeller, si ce n'est que je l'ai vu au bar et que je l'ai trouvé louche.

– Il avait une liaison avec ma femme, il a acheté une maison à Whiskey Beach.

– Ce qui ne prouve rien, n'est-ce pas, maître Landon ?

En l'observant, il lui servit une tasse de café, la posa sur le comptoir.

– Ce serait un premier pas.

– Mais ça lui donnerait une longueur d'avance. Il saurait que tu sais.

– Ça l'affolerait et il quitterait peut-être Whiskey Beach. La menace ici serait éliminée et nous pourrions prendre le temps de vérifier nos hypothèses sur la Dot, Edwin Landon, James Fitzgerald, etc.

– Non, laissons tomber Corbett, déclara Abra en faisant fondre du beurre dans une poêle. Misons plutôt sur le fait que Suskind va de nouveau tenter de s'introduire à Bluff House et prenons-le nous-mêmes au piège. On aura ainsi la preuve qu'il est l'auteur des effractions, et Corbett n'aura plus qu'à lui faire avouer qu'il a causé la chute de ta grand-mère et qu'il a tué Duncan.

– Aucun élément ne justifie qu'on l'accuse d'avoir tué Duncan.

Elle versa les œufs battus dans la poêle.

– Rien ne justifiait qu'on t'accuse d'avoir tué Lindsay... Franchement, si on arrive à prouver qu'il est l'auteur des effractions, on aura fait un énorme pas en avant.

Elle garnit deux assiettes avec des œufs, des fruits, des tranches de pain complet grillées.

– Si nous allions manger dans le petit salon ? suggéra-t-elle. On assisterait au lever du soleil.

– Est-ce macho si je te dis que j'adore te regarder préparer le petit déjeuner, surtout dans ce peignoir ?

– Ce serait macho si tu exigeais que je prépare le petit déjeuner. Que tu aimes me regarder montre seulement que tu as du goût.

– C'est bien ce qu'il me semblait.

Ils emportèrent assiettes, tasses et pot de café dans le petit salon, s'installèrent face à la grande fenêtre arrondie.

– Ce qui serait sexiste, en revanche, dit Abra en goûtant les œufs, c'est que tu m'écartes du plan pour piéger Suskind.

– Qui a parlé de t'écarter ?

– Une femme amoureuse lit dans l'esprit de son homme.

Seigneur, il espérait que non, bien qu'elle lui eût déjà prouvé cette aptitude à de nombreuses reprises.

– Cela dit, si nous décidons de tenter l'embuscade, nous n'avons pas besoin d'être là tous les deux.

– C'est vrai. Où seras-tu pendant que je le filmerai depuis le passage ? demanda-t-elle, placide, en croquant une myrtille. Il faudra que je puisse te contacter dès qu'il entrera dans la maison.

– Je n'apprécie pas qu'on me contrarie avant même que la journée ait commencé.

– Je n'apprécie pas qu'on me prenne pour une pauvre petite créature sans défense. J'ai déjà démontré, il me semble, que j'étais assez grande pour me débrouiller seule.

– Je ne savais pas que je t'aimais quand j'ai commencé à parler de guet-apens, dit-il en posant une main sur la sienne. Les sentiments que j'éprouve pour toi modifient quelque peu la donne. Je veux savoir ce qui est arrivé à Lindsay, à Gran. Je veux savoir le fin mot de tout ce qui se passe ici depuis mon retour à Whiskey Beach, de tout ce qui s'est passé ici il y a deux cents ans. Mais si cette quête doit te mettre en danger, je suis prêt à y renoncer.

Elle entrelaça ses doigts avec les siens.

– Je sais que tu es sincère, et je suis touchée, mais j'ai besoin de connaître la vérité, moi aussi. Pour toi, pour nous. Alors faisons-nous mutuellement confiance et cherchons-la ensemble.

– Si tu restais chez Maureen, je pourrais te prévenir dès qu'il serait là. Tu appellerais la police et ils le prendraient en flagrant délit.

– Je peux très bien appeler la police d'ici, pendant que tu le filmes.

– Tu as juste envie de jouer l'aventurière dans le passage secret.

– J'avoue. Mais il t'a fait du mal, Eli. Il a fait du mal à mon amie, et il aurait pu m'en faire. Je ne resterai pas chez Maureen. Ensemble, ou rien.

– Voilà qui ressemble fort à un ultimatum.

Elle haussa les épaules, désinvolte.

– C'en est un. Mais ne nous disputons pas par un si beau matin, alors que nous sommes amoureux. Je te couvrirai, Eli, et je sais que tu me couvriras.

Que diable était-il censé répondre à cela ?

– Et si ça tourne mal ?

– Les pensées négatives sont contre-productives. Il n'y a pas de raisons pour que ça se passe mal. Grâce à nous, d'ici ce soir, il sera peut-être en garde à vue. (Elle se pencha en avant.) Et Wolfe n'aura plus qu'à faire amende honorable.

– Tu gardais ce dernier atout dans ta manche ?

– Il est temps de faire tourner la roue du karma, Eli !

– OK, mais nous devons affiner notre plan, parer à toute éventualité.

– Allons-y, parlons stratégie, dit-elle en remplissant les tasses de café.

Tandis qu'ils discutaient, le soleil s'éleva au-dessus de l'horizon, embrasant la mer de ses rayons dorés.

Une journée comme une autre, songea Eli lorsque Abra partit à son cours du matin. Ou tout au moins devait-on en avoir l'impression si l'on surveillait les allées et venues à Bluff House.

Il sortit Barbie, courut avec elle sur la plage en direction du Château de sable. Puis, pour lui faire plaisir autant que pour donner le change, il passa un moment à lui lancer la balle dans les vagues.

De retour à la maison, elle s'allongea sur la terrasse, tandis qu'il appelait sa sœur.

– Asile Boydon, bonjour. Comment vas-tu, Eli ?

– Plutôt bien, répondit-il en éloignant l'appareil de son oreille, le tympan vrillé par un cri suraigu. Que se passe-t-il chez vous ?

– Selina n'est pas contente d'avoir été punie. Mais plus elle hurlera, plus longtemps elle restera enfermée dans sa chambre.

– Qu'est-ce qu'elle a fait ?

– Elle a décidé qu'elle ne voulait pas de fraises pour le petit déjeuner.

– Ça ne me paraît pas très...

– Elle me les a jetées à la figure. Résultat, il faut que je me change et je vais être en retard au boulot.

– OK, tu es pressée, je te rappellerai à un autre moment.

– Je serai en retard dans tous les cas, et il faut que je me calme ou je sens que je vais finir par coller une fessée monstrueuse à ma fille. Tu avais quelque chose de spécial à me dire ?

– J'ai trouvé de vieux registres de comptes, de la fin du XVIIIe et du début du XIXe siècle. Je les ai épluchés et j'ai découvert des choses intéressantes.

– Du genre ?

– J'aimerais que tu y jettes un coup d'œil, histoire de voir si tu en arrives aux mêmes conclusions que moi.

– Tu ne peux pas me donner un indice ?

Il en brûlait d'envie, mais...

– Je ne veux pas t'influencer. Je me suis peut-être monté la tête.

– Tu piques ma curiosité.

– Si tu veux, je peux te scanner quelques pages et te les envoyer par mail. Et d'ici la fin de la semaine, je pourrai peut-être t'apporter les registres.

– Ou alors, on peut venir passer le week-end à Whiskey Beach, avec Max et Sellie.

– Encore mieux. Je ne servirai pas de fraises à ta fille.

– Elle les adore mais, que veux-tu, c'est une fille, il faut qu'elle fasse ses petits caprices. Envoie-moi quelques pages, j'y jetterai un coup d'œil.

– Merci et.... bon courage !

Il monta ensuite chercher son ordinateur, puis redescendit s'installer sur la terrasse, face au Château de sable, une canette de Mountain Dew sur la table.

En premier lieu, il consulta ses mails. Sherrilyn Burke lui avait envoyé un nouveau rapport sur Suskind.

Celui-ci ne semblait guère travailler depuis qu'il était retourné à Boston. Il ne passait à son bureau qu'en coup de vent, avait eu quelques rendez-vous à l'extérieur. Notamment, il était allé voir un avocat spécialisé dans le droit successoral. D'où il était ressorti d'un pas furieux.

– Il n'a pas voulu te dire ce que tu voulais entendre, compatit Eli. Je te comprends, ça met en rogne.

Suskind était allé un soir chercher ses enfants à l'école, il les avait emmenés au parc, au fast-food. Sa brève entrevue avec sa femme ne s'était apparemment guère mieux passée que son rendez-vous chez l'avocat. Il était reparti en claquant la porte.

À 22 h 15, la veille, il avait quitté son appartement avec une valise, une mallette et un carton. Il s'était arrêté dans un supermarché à la périphérie nord de Boston, où il avait acheté une livre de bœuf haché.

Une heure plus tard, il était sorti de l'autoroute pour s'arrêter dans un autre supermarché, où il avait acheté une boîte de raticide.

Viande hachée. Poison.

Interrompant sa lecture, Eli se leva d'un bond.

– Barbie !

En ne la voyant pas sur la terrasse, il eut un instant de panique. Elle remonta toutefois de l'escalier de la plage en remuant gaiement la queue. Il s'agenouilla à ses côtés et la serra contre lui. L'amour, songea-t-il, vous tombait parfois dessus sans crier gare, mais le sentiment n'en était pas pour le moins sincère et profond.

– Enfoiré, maugréa-t-il sous les coups de langue affectueux de la chienne. Il ne te fera pas de mal, tu peux compter sur moi. Je suis là, reste bien avec moi, OK ?

Elle l'accompagna jusqu'à la table.

– Tu restes là, tu ne bouges pas, d'accord ?

En réponse, elle posa la tête sur ses genoux, avec un soupir de contentement.

Il lut le reste du rapport, puis rédigea un message à l'attention de Sherrilyn, la prévenant d'emblée :

Il veut empoisonner ma chienne. Si vous êtes à Whiskey Beach, ne venez pas ici ; il chercherait à savoir qui vous êtes. J'en ai assez de me sentir à sa merci.

Et il lui exposa ce qu'il avait découvert, ainsi que ce qu'il s'apprêtait à faire.

Puis, les nerfs à fleur de peau, il rentra travailler à l'intérieur, avec la chienne.

– Désolé, ma grande, mais tu ne sors plus toute seule tant que ce salaud n'est pas derrière les barreaux.

Quand son téléphone sonna, il ne fut pas surpris de voir le nom de Sherrilyn à l'écran.

– Bonjour, Sherrilyn.

– Bonjour, Eli. Pouvons-nous parler de votre plan ?

Il entendit le « stupide » qu'elle ne prononça pas, haussa les épaules.

– Si vous voulez.

Tout en l'écoutant, il fit le tour de la maison, cette maison pour laquelle il était prêt à se battre. Il était déterminé, à présent, il allait engager le combat. Il ne regrettait qu'une chose : ne pouvoir infliger de coups physiques.

Il monta au grenier, se posta devant la vitre arrondie, sous laquelle il installerait bientôt son bureau, lorsque le combat serait gagné, lorsqu'il ne craindrait plus pour la sécurité de ceux qui lui étaient chers, lorsqu'il aurait reconquis sa dignité.

– Vous avez soulevé des points intéressants, dit-il enfin.

– Mais vous refusez de les entendre.

– Je vous ai écoutée, vous n'avez pas tort. Seulement, je ne peux plus me contenter de subir. Je ne veux pas m'en remettre à la police, ni même à vous. Je veux agir, je le dois. Pour moi-même, pour ma famille. Pour ma grand-mère, pour Bluff House, et pour Lindsay.

Barbie se colla contre sa jambe, il lui caressa la tête.

– Vous n'avez pas cru sa femme.

– Non.

– À côté de quoi suis-je passée ?

– Vous m'avez dit que vous aviez des enfants, que vous étiez mariée.

– Oui.

– Combien de fois ?

– Une seule, répondit-elle en riant. J'ai eu de la chance, le premier était le bon.

– C'est peut-être pour ça. Vous ne savez pas ce que c'est qu'un couple qui se déchire. Je suis peut-être influencé par ma propre expérience, mais je ne crois pas me tromper. Le seul moyen d'être sûr, c'est de le coincer. C'est ce que je vais faire, ici, chez moi. La balle est dans mon camp.

Soupir à l'autre bout de la ligne.

– Je peux vous aider.

– Je crois, oui.

La conversation terminée, il se sentit plus léger.

– Tu sais quoi ? dit-il à Barbie. Je vais bosser, maintenant, histoire de me rappeler ce que ma vie est censée être. Tu peux rester avec moi.

29

Liste en main, Abra arpentait les allées du supermarché d'un pas rapide. Après deux cours, un massage sportif à un client qui se préparait pour un trail, et un ménage de dernière minute dans un cottage de location, elle n'avait qu'une hâte, retrouver Eli.

Honnêtement, pensa-t-elle, c'est ce qu'elle aurait voulu faire pour le restant de sa vie : retrouver Eli.

Ce soir marquerait peut-être un tournant pour lui. Pour eux. Le point où ils pourraient laisser le passé au passé pour commencer à songer au lendemain.

Quoi que leur réserve l'avenir, elle n'y entrevoyait que du bonheur, parce que Eli avait ramené l'amour dans sa vie. Le genre d'amour qui acceptait, comprenait et, mieux encore, l'aimait telle qu'elle était.

Qu'y avait-il de plus magique, de plus merveilleux ?

Elle se visualisa jetant à la mer, très loin, ce dernier petit bagage qui l'encombrait encore.

Mais ce n'était pas le moment de rêver. L'heure était à l'action, à la réparation des préjudices. Et s'ils en retiraient un zeste d'aventure, tant mieux !

Elle attrapa un flacon de son détergent favori – biodégradable, non testé sur les animaux – et le déposa dans son panier. Lorsqu'elle se retrouva nez à nez avec Justin Suskind.

Elle étouffa un petit cri, et se répandit aussitôt en excuses.

– Pardon. Je ne regardais pas où j'allais, bredouilla-t-elle en affichant un grand sourire, et en priant pour qu'il ne voie pas ses lèvres trembler.

Il s'était fait couper et décolorer les cheveux. Et à moins qu'il n'ait passé les deux dernières semaines à lézarder au soleil, il s'était appliqué de l'autobronzant. Elle était du reste presque sûre qu'il s'était fait épiler les sourcils.

Alors qu'il la toisait froidement, elle fit un pas de côté et, discrètement, envoya un coup de coude dans le rayon. Plusieurs articles roulèrent sur le sol. Elle s'accroupit afin de les ramasser, lui barrant le passage.

– Mince ! Ce n'est pas vrai ! Ce que je peux être gourde, aujourd'hui ! Et par-dessus le marché, je suis déjà en retard. Mon copain m'emmène à Boston, ce soir. Nous allons passer une nuit en amoureux au Charles, et je n'ai même pas encore décidé comment m'habiller.

Elle se redressa, les bras chargés de produits de nettoyage.

– Excusez-moi, je vous empêche de passer.

Elle s'écarta, replaça les articles sur le rayon, et résista à la tentation de le suivre des yeux tandis qu'il s'éloignait.

Impec, pensa-t-elle, *il pense qu'on ne sera pas là jusqu'à demain.*

Elle termina ses courses, s'arrêta un instant pour bavarder avec l'une de ses élèves, comme si de rien n'était.

En chargeant ses cabas dans son coffre, sur le parking, elle lança un coup d'œil autour d'elle. Il était assis dans une berline noire. Elle prit le temps, avant de démarrer, d'allumer la radio, de retoucher sa coiffure et de se mettre du rouge à lèvres. Puis regagna Bluff House un poil au-dessus de la limitation de vitesse.

En bifurquant dans le chemin privé, elle jeta un regard dans le rétroviseur. Suskind continua tout droit sur la route.

– Eli ! cria-t-elle en montant l'escalier à toute vitesse.

Affolé, il se leva de son bureau et manqua de peu lui rentrer dedans sur le seuil de la porte.

– Que se passe-t-il ? Ça va ?

– Oui, oui, très bien. Je viens de mériter la palme du parfait réflexe. J'ai croisé Suskind au supermarché.

Instinctivement, il la saisit par les deux bras, s'assura qu'elle n'était pas blessée.

– Il t'a touchée ?

– Non, non. Il savait qui j'étais, mais j'ai fait la nouille. J'ai fait tomber des trucs pour lui barrer le passage et je me suis lamentée d'être aussi maladroite alors que j'étais hyperpressée, parce que mon chéri m'attendait pour m'emmener passer la soirée au Charles, à Boston. Futé, hein ?

– Tu lui as parlé ? Tu es folle !

– Il n'a pas prononcé un mot, mais il m'attendait, à la sortie du supermarché, et il m'a suivie jusqu'ici. Eli, il pense qu'on ne sera pas là, cette nuit. Il y a des chances pour qu'il en profite.

– À ton avis, il t'a suivie toute la journée ?

– Je... Non, je ne crois pas. Il avait un panier, avec des trucs dedans. Il faisait ses courses. Je ne pense pas qu'il aurait osé s'approcher aussi près s'il me surveillait. C'était le destin, Eli. Le destin est de notre côté.

Il aurait appelé cela le hasard, à la rigueur la chance, mais il ne voulait pas discuter.

– J'ai reçu un rapport de Sherrilyn. Il s'est arrêté dans deux supermarchés, hier soir, à plusieurs kilomètres de distance, sur la route de Boston à Whiskey Beach.

– C'est peut-être un fétichiste des supermarchés.

– Non, il est prudent. Il a d'abord acheté une livre de viande hachée, et ensuite une boîte de raticide.

– Du raticide ? À ma connaissance, personne n'a jamais vu de rats à... Oh, mon Dieu ! s'écria-t-elle, choquée, furieuse. Il veut empoisonner Barbie ! Heureusement que je ne le savais pas quand je l'ai rencontré. Il aurait de nouveau tâté de mon coup de genou dans les parties.

– Calme-toi, tigresse. À quelle heure avons-nous réservé ?

– Quoi donc ?

– Le restau, à Boston ?

– Euh...

Eli consulta sa montre.

– OK, nous partirons vers 18 heures. Tu as demandé à Maureen si elle pouvait garder Barbie ?

– Oui, pas de problème. Donc on leur amène le chien, on revient à pied par le sud... Attends... Il faut que je mette des talons, si on est censés aller au restau. Donc, il faut aussi que j'emporte des baskets dans un sac. Quoi ? Ne me regarde pas comme ça. C'est important, les chaussures.

– Sherrilyn a proposé de nous donner un coup de main. Il faut que je t'explique comment on va procéder.

– OK, descendons, que je range les courses. Ensuite, je déciderai comment m'habiller pour cette virée romantique-tiret-embuscade.

Il lui exposa chaque étape du nouveau plan, ils refirent le point ensemble. Il vérifia les accès au passage, testa les caméras, qui ne constituaient plus qu'une mesure de précaution, à présent.

Au cas où les choses tourneraient mal, il avait une autre parade.

— Tu hésites encore, dit Abra en enfilant une robe par-dessus un caraco noir et un short de yoga.

— J'avais une foi absolue dans le système, autrefois. Je faisais partie du système. Et là, je m'apprête à le court-circuiter.

— Le système t'a montré ses faiblesses, et nous allons juste lui prêter main-forte. Tu as le droit de défendre ta maison, et de vouloir laver ton nom.

Afin de compléter sa tenue, et parce qu'elles renforçaient sa confiance, elle accrocha des boucles à ses oreilles.

— Tu as même le droit d'être content de toi.

— Tu crois ?

— Oui.

— Tant mieux, parce que je le suis. Tu es superbe. Quand nous serons enfin tranquilles, je t'emmènerai vraiment dîner et passer la nuit dans le plus bel hôtel de Boston.

— Ça me ferait très plaisir, mais j'ai une meilleure idée. Quand tout sera fini, tu donneras la première de ces grandes fêtes dont tu me parlais l'autre jour.

— Tu m'aideras à l'organiser ?

— Bien sûr. Par chance, non seulement je suis libre, mais tout à fait disposée et en mesure de t'aider.

— Il faudra qu'on discute de pas mal de choses, dit-il en lui prenant la main. Après.

— Nous aurons un long et bel été pour parler de tout ce que tu voudras, répliqua-t-elle en consultant sa montre. Il est 18 heures pile.

— Dans ce cas, allons-y.

Il descendit les sacs de voyage, tandis qu'Abra rassemblait les affaires du chien. En bas, il contacta Sherrilyn.

— Nous sommes sur le départ.

— Vous êtes sûr de vouloir le faire, Eli ?

— Oui, je vous rappelle dès que nous sommes de retour à Bluff House.

— OK. Je me prépare. Bonne chance.

Il régla son téléphone en vibreur, le glissa dans sa poche.

— C'est parti !

Des deux index, Abra releva les coins de sa bouche.

— La banane. N'oublie pas, tu vas passer la soirée dans un palace avec une fille canon qui te comblera sûrement de gâteries.

— Vu que nous allons passer une partie de la soirée dans un escalier au fond d'une cave, et probablement le reste avec les flics, j'aurai quand même droit à une petite gâterie ?

– Promis.

Ils sortirent de la maison.

– J'espère qu'il nous regarde, chuchota Abra, et qu'il s'imagine qu'il a un énorme coup de bol.

Eli verrouilla la porte, puis attira Abra contre lui.

– Offrons-lui un peu de spectacle.

Avec enthousiasme, elle l'enlaça et leva le visage vers lui.

– Travail d'équipe, murmura-t-elle contre ses lèvres. C'est comme ça que les choses fonctionnent à Whiskey Beach.

Il lui ouvrit la portière de la voiture.

– On ne traîne pas chez Maureen, lui rappela-t-il.

– Ne t'inquiète pas. Je peux être ultrarapide quand je veux.

Maureen leur ouvrit la porte du cottage avant même qu'ils aient frappé.

– Il faut que je vous dise : on a réfléchi avec Mike et...

– Trop tard.

Sitôt dans la maison, Abra enleva sa robe, tandis qu'Eli dénouait sa cravate et ôtait sa veste de costume.

– En fait, on se disait qu'on pourrait le guetter d'ici et appeler la police...

– Il risquerait de filer avant qu'ils arrivent, objecta Eli en se dirigeant vers la salle de bains avec un jean et un T-shirt noirs.

– Il tient absolument à jouer un rôle actif, expliqua Abra quand il eut refermé la porte derrière lui, en se débarrassant de ses escarpins. Et moi, je dois le soutenir. Ne t'inquiète pas, tout a été méticuleusement étudié.

– Je sais, mais si ce type a vraiment déjà tué...

Abra s'assit par terre afin de lacer ses baskets.

– Il a très probablement tué deux personnes. Ce soir, nous enclenchons le processus qui le mettra hors d'état de nuire.

– Vous n'êtes pas chargés de la lutte contre la criminalité, intervint Mike.

– Ce soir, si. Où sont les enfants ? demanda-t-elle lorsque Eli reparut.

– En haut, ils jouent. Ils ne sont au courant de rien. On ne voulait pas qu'ils nous entendent.

– Ils s'amuseront comme des petits fous avec Barbie, déclara Abra en embrassant Maureen, puis Mike. Je vous appelle dès que possible. On y va ? lança-t-elle à Eli.

– Je te suis. Je ferai attention à elle, chuchota-t-il à Mike et à Maureen. Si j'estime qu'il y a un quelconque risque, je laisse tout tomber.

– Fais attention, toi aussi, lui souffla Maureen avant qu'il ne s'engouffre par la porte de derrière.

Quand ils eurent disparu derrière le cottage d'Abra, elle prit la main de Mike.

– Appelle les garçons, lui dit-il. On va sortir promener la chienne.

– Tu as la tête à aller te promener ?

– Sur la plage. Si jamais il se passe quelque chose à Bluff House, on sera aux premières loges.

– Tu sais que tu n'es pas bête, mon chéri ?

Eli déverrouilla la porte latérale de Bluff House et réactiva l'alarme avant de se tourner vers Abra.

– Tu es sûre que tu veux venir avec moi ?

– Mais oui, répondit-elle en se dirigeant vers l'escalier de la cave. Il est à peine 18 h 10. On a fait hyper vite.

La porte refermée derrière lui, Eli alluma sa torche et ouvrit la marche. Il pouvait y en avoir pour quelques minutes, songea-t-il, ou pour des heures.

– Il va sûrement attendre la tombée de la nuit, dit-il.

– Nous avons tout notre temps, répliqua Abra en se glissant derrière l'étagère.

Dans le passage secret, ils allumèrent le plafonnier. Abra s'assit sur les marches et vérifia, depuis le moniteur portable qu'ils avaient laissé là, la caméra de surveillance installée au grenier. Eli testa une fois de plus la caméra de la cave. Puis il appela Sherrilyn.

– On est dans le passage.

– Suskind est toujours chez lui. Je vous préviens dès qu'il sort. S'il sort.

– Il sortira.

– Pensée positive, approuva Abra lorsque Eli coupa la communication.

– Il n'est pas revenu à Whiskey Beach pour faire du surf ou de la bronzette. Il est déterminé, il va poursuivre son but, c'est obligé. Dès qu'il quitte Le Château de sable, on éteint la lumière.

– Et on ne fait plus un bruit, j'ai pigé, ce n'est pas la peine de me répéter les choses dix mille fois. Bon, on fait quoi ? On a au moins deux heures avant que le soleil se couche.

– On aurait dû emporter un jeu de cartes. Si tu me parlais de ton futur studio de yoga ?

– Avec plaisir. Je peux passer des heures à rêver.

Moins d'une heure plus tard, elle s'interrompit, inclina la tête.

– Ce n'est pas le téléphone qui sonne ?

– Si. Ça peut être n'importe qui.

– Dont lui, qui s'assure qu'il n'y a personne. Dommage qu'on n'entende pas, d'ici, si quelqu'un laisse un message.

Presque aussitôt, le portable d'Eli vibra.

– Il est parti avec un gros sac de sport, annonça Sherrilyn. Il monte dans sa voiture. Restez en ligne...

À voix basse, Eli transmit l'info à Abra, en scrutant son regard. Il n'y vit qu'une lueur d'excitation, pas une ombre de peur.

– Il se gare derrière un cottage de location, à environ deux cents mètres de Bluff House.

– Nous sommes prêts. À partir du moment où il entre dans la maison, attendez quinze minutes, comme convenu, pour appeler la police.

– Entendu. À plus, Eli.

Il éteignit son téléphone, le rangea dans la poche de son jean.

– Tu ne sors d'ici en aucun cas, d'accord ? recommanda-t-il à Abra.

– Et si...

– En aucun cas, c'est bien compris ? insista-t-il en se penchant au-dessus d'elle pour l'embrasser.

– OK, j'assure les arrières.

– Je compte sur toi.

Là-dessus, il sortit du passage, laissa le panneau se refermer, et se tapit derrière l'étagère.

Il aurait pu se contenter de mettre la caméra en marche et de retourner dans le passage avec Abra, mais il voulait voir, entendre, être en mesure d'intervenir rapidement.

Il n'entendit pas la porte de la buanderie, se demanda s'il percevait ou s'il imaginait des pas. En revanche, il entendit nettement la porte de la cave grincer, et des pas lourds dans l'escalier.

Il enclencha la caméra.

Le faisceau d'une torche apparut au fond du souterrain, se rapprochant lentement, balayant les parois de la cave, le sol, le plafond. Le cœur d'Eli fit un bond lorsque la lumière passa juste au-dessus de l'étagère.

Puis elle s'éteignit. Une lampe de travail s'alluma. Enfin, il distingua clairement Suskind. Vêtu de noir, les cheveux décolorés et bien coupés. Un nouveau look, pour se fondre parmi les touristes.

Eli ajusta la mise au point de la caméra. Suskind s'empara d'une pioche. Les premiers coups retentirent aux oreilles d'Eli comme une immense satisfaction.

Tu es cuit, pensa-t-il. *Je te tiens.*

Il dut se faire violence pour ne pas se montrer et hurler ces paroles à la face de Suskind. Patience.

Comme il les guettait, il entendit les sirènes – à peine audible à travers les épaisses parois du souterrain. Suskind continua de creuser, le visage ruisselant de sueur, malgré la fraîcheur de la cave.

Quand les sirènes se turent, Eli compta mentalement les secondes. Des pas résonnèrent bientôt dans la maison. Suskind se figea, puis, tenant la pioche comme une arme, le regard en alerte, il s'avança lentement vers la lampe et l'éteignit.

Eli lui donna dix secondes, dans le noir, le localisa à sa respiration saccadée. Puis il sortit de derrière l'étagère et alluma sa torche. Aveuglé, Suskind se protégea les yeux du bras.

– Lâche cette pioche, et rallume la lampe.

Suskind plissa les yeux, agrippa le manche à deux mains.

– Un geste et tu es mort. Je suis armé.

– Tu bluffes.

– Ne me provoque pas. Je n'hésiterai pas à tirer.

Des pas retentirent dans l'escalier. Les doigts de Suskind se resserrèrent sur le manche de pioche.

– Je suis dans mon plein droit ! Cette maison m'appartient autant qu'à toi. Tout ce qu'elle contient est à moi autant qu'à toi. Mais la Dot est à moi.

– Ah oui ? Par là ! cria Eli. Allumez la lumière ! Suskind me menace d'une pioche.

– J'aurais dû te tuer, maugréa ce dernier entre ses dents. J'aurais dû te faire payer le meurtre de Lindsay.

– Tu es cinglé. Et le mot est faible.

Eli recula lorsque de la lumière jaillit dans le sous-sol, et tourna furtivement la tête en voyant Abra émerger du passage. Corbett, Vinnie et plusieurs agents en uniforme se déployèrent autour de Suskind, arme dégainée.

– Lâchez cet outil, ordonna Corbett. Immédiatement, et plus un geste !

– Je suis dans mon plein droit ! protesta Suskind en jetant la pioche à ses pieds. C'est lui le voleur ! C'est lui l'assassin !

– Juste une chose, proféra Eli en s'interposant entre les policiers et Suskind.

– Reculez, monsieur Landon, lui intima Corbett.

– Une seconde, s'il vous plaît.

Eli attendit que Suskind le regarde dans les yeux, et lui écrasa son poing dans la figure, avec toute la rage, tout le désespoir, toute l'amertume accumulés depuis un an.

Quand Suskind s'écroula contre le mur, il leva les mains en signe d'obéissance.

– Tu me devais du sang, cracha-t-il en regardant ses articulations tachées de rouge.

– Tu me le paieras. Tu paieras cher pour tout ce que tu as fait.

Lorsque Suskind tenta un mouvement en direction d'Abra, Eli ne réfléchit pas. Il lui asséna un coup qui l'envoya à terre, et fit tomber de ses mains le pistolet qu'il avait dégainé.

– J'en ai fini de payer.

– Les mains en l'air ! ordonna Corbett en poussant le revolver du pied. Écartez-vous, monsieur Landon. Agent Hanson, s'il vous plaît.

– Oui, monsieur.

Vinnie remit Suskind sur pied et le plaqua face au mur afin de le fouiller au corps. Il dégrafa le holster caché dans sa ceinture, le tendit à l'un de ses hommes.

– Vous êtes en état d'arrestation, pour effraction, violation de domicile et destruction de biens privés, déclara-t-il en lui passant les menottes. Je retiens également deux chefs de voies de fait, port d'arme dissimulée et intention de faire feu.

– Lisez-lui ses droits, et conduisez-le au poste.

Vinnie leva discrètement un pouce à l'intention d'Eli avant d'empoigner Suskind par le bras et de le mener vers la sortie, escorté par l'un de ses collègues. Corbett rengaina son arme.

– Vous avez agi bêtement, monsieur Landon. Il aurait pu tirer.

– Il ne l'a pas fait, répliqua Eli en baissant les yeux sur sa main maculée de sang. Je lui devais bien ça.

– Ouais... Vous aviez prémédité votre coup...

– Pardon ?

– J'ai reçu un appel de votre détective privée, qui a vu Suskind s'introduire à Bluff House. Elle craignait qu'il soit armé.

– Comportement responsable.

– Vous vous trouviez là par hasard, tous les deux ?

– Nous... Nous explorions les passages secrets, intervint Abra en glissant un bras sous celui d'Eli. Nous avons entendu du bruit dans la cave. Je ne voulais pas qu'Eli prenne de risques, mais je n'ai pas pu l'empêcher d'aller voir. J'étais sur le point de vous appeler quand vous êtes arrivés.

– Nous sommes tombés à pic. Où est la chienne ?

– Chez des amis, répondit Eli.

– Comme par hasard... Vous auriez pu me faire confiance.

– Je vous fais entièrement confiance, inspecteur. C'est pourquoi je voudrais vous raconter une histoire, avant que vous interrogiez Suskind. Une histoire qui explique en partie les événements récents. Je sais qui a tué Lindsay, ou je ne suis pas loin de savoir.

– Je vous écoute.

– En contrepartie, j'aimerais assister à l'interrogatoire.

– Si vous détenez des informations ou des pièces à conviction concernant un homicide, vous êtes dans l'obligation de nous en faire part.

– J'ai une histoire, et j'ai une théorie. Les deux vous plairont, je crois. Et elles devraient intéresser l'inspecteur Wolfe, également. Permettez-moi d'assister à l'interrogatoire, inspecteur. C'est un bon compromis, pour vous et pour moi.

– Accompagnez-moi au commissariat. Nous en discuterons dans la voiture.

– OK.

– Et dites à votre détective de nous rejoindre.

– Pas de problème.

– Le hasard... grommela encore Corbett avant de s'engager dans l'escalier.

– Tu n'es pas restée dans le passage, dit Eli à Abra.

– Tu te doutais bien que je ne pourrais pas m'empêcher de sortir, ou alors c'est que tu me connais mal.

– Tout s'est passé presque exactement comme je l'avais prévu, répliqua-t-il en lui tirant les cheveux.

– Montre-moi cette main, dit-elle en la lui prenant, et en la lui embrassant délicatement. Ça fait mal ?

– Oui, acquiesça-t-il, avec une grimace lorsqu'il plia les doigts. Mais c'est une douleur qui fait du bien.

– Je suis fondamentalement non violente, excepté en cas de légitime défense ou d'assistance à personne en danger. Mais tu avais raison, tu lui devais bien ça. Et je le confesse, j'ai adoré te voir coller ton poing dans la figure de cette ordure.

De nouveau, elle lui embrassa les doigts.

– Pour une non-violente...

– Je me couvre la tête de cendres. J'ai une petite remarque à te faire, moi aussi, maintenant que nous sommes seuls. Tu étais armé. Ce n'était pas prévu.

– Je me suis ravisé à la dernière minute.

– Où est ce pistolet ? J'ai éteint la caméra dès que la police est arrivée.

– Un colt 45, dit-il en le prenant sur l'étagère où il l'avait dissimulé. De la collection d'armes anciennes. Je te connais, figure-toi, je savais que tu ne resterais pas sur la touche.

– Cow-boy... murmura-t-elle. Tu t'en serais servi ?

– Si j'avais pensé qu'il risquait de me mettre hors jeu pour s'en prendre à toi, je n'aurais pas hésité. Mais je te l'ai dit, tout s'est passé peu ou prou comme je l'avais prévu.

– Tu te crois intelligent ?

– Hormis pendant un laps de temps relativement bref où j'ai eu comme une absence, j'ai toujours été très intelligent, rétorqua-t-il en passant un bras autour de ses épaules et en l'embrassant sur le sommet du crâne.

Je t'ai, non ? pensa-t-il. *Ce qui fait de moi un homme supra-intelligent.*

– Il faut que j'appelle Sherrilyn, ajouta-t-il. Et que je remette ce flingue à sa place.

– Pendant ce temps, je vais chercher la caméra, et téléphoner à Maureen pour lui dire que tout s'est bien passé. Nous avons fait du beau travail d'équipe.

Corbett prit place face à Suskind, l'examina attentivement et longuement. Le prévenu n'avait pas réclamé d'avocat, pas encore, ce que Corbett trouvait idiot. Avec les gens idiots, la tâche était toutefois souvent plus simple, il n'allait pas s'en plaindre. Vinnie montait la garde devant la porte, à l'intérieur de la salle d'interrogatoire. Il aimait l'attitude du shérif adjoint, sa présence constituerait probablement un atout.

Suskind était tendu. Il n'arrêtait pas de plier et de déplier les doigts. Un tic nerveux faisait frémir les muscles de sa mâchoire enflée et bleuie. Néanmoins, malgré une lèvre fendue, il affichait un sourire sûr de lui.

– Bien... Vous avez creusé un trou conséquent au sous-sol de Bluff House. Avez-vous reçu de l'aide ?

Suskind se contenta de soutenir le regard de Corbett. Celui-ci se renversa contre le dossier de sa chaise.

– Non, j'imagine. C'était une mission personnelle, que vous ne souhaitiez pas partager. Vous avez proclamé à plusieurs reprises être dans votre bon droit. Pouvez-vous m'expliquer de quel droit vous vous êtes introduit dans la maison de Landon pour y creuser un trou ?

– Cette maison est autant la mienne que la sienne.

– Comment cela ?

– Je suis un descendant direct de Violeta Landon.

– Pardonnez-moi, je connais mal l'arbre généalogique des Landon. Agent Hanson, savez-vous qui est Violeta Landon ?

– Bien sûr. C'est elle qui a sauvé le matelot rescapé du naufrage de la *Calypso*. Selon certaines versions de la légende, elle aurait eu une idylle avec lui.

Suskind frappa la table du poing.

– Ce n'était pas un matelot, c'était le capitaine du vaisseau ! Le célèbre capitaine Nathanial Broome. Il a non seulement survécu, mais il a emporté avec lui la Dot d'Esméralda.

– Les théories divergent, objecta Vinnie.

– Je connais la vérité, moi ! Edwin Landon a tué Nathanial Broome pour le dépouiller de ses richesses. Il a chassé sa propre sœur de la maison, et convaincu son père de la déshériter. Elle portait l'enfant de Broome, son fils.

– Tout cela remonte à loin, souligna Corbett.

– Elle était enceinte de Broome ! répéta Suskind. Elle est morte dans la misère. Son fils a supplié Landon de l'aider, de la laisser revoir sa famille, ce monstre n'a rien voulu savoir. Voilà qui sont les Landon, et pourquoi je suis en droit de réclamer mon héritage.

– D'où tenez-vous ces informations ? demanda Vinnie. Des tas d'histoires circulent sur le trésor.

– Ce ne sont que des histoires. Je vous parle de *faits*. Il m'a fallu près de deux ans pour les rassembler, pièce par pièce. Je possède des lettres, écrites de la main de James Fitzgerald, le fils de Violeta Landon et de Nathanial Broome. Sa mère lui avait tout raconté. Il avait renoncé à ses droits. Moi pas !

– Vous auriez mieux fait d'engager un avocat, fit remarquer Corbett, au lieu de défoncer le sous-sol de Bluff House à la pioche.

– Vous croyez que je n'ai pas essayé ? rugit Suskind, le visage empourpré. Les avocats ne sont que des bons à rien. Tout ce qu'ils ont su me dire, c'est que la filiation était trop ancienne, que Violeta, dans tous les cas, n'aurait pas hérité légalement. Que je n'avais aucun droit légitime. Et le droit du sang, alors ? Et le droit moral ? La Dot était le butin de mon aïeul. Les Landon la lui ont volée. Elle me revient.

– Armé de ce droit du sang, de ce droit moral, donc, vous vous êtes introduit illégalement à Bluff House, en plusieurs occasions. Pourquoi la cave ?

– Violeta avait écrit dans son journal qu'elle l'avait cachée là, à la demande de Broome.

– En deux cents ans, personne ne l'aurait trouvée ?

– Elle l'avait cachée. Elle est là, et elle me revient de droit.

– Ce fameux droit que vous ne cessez de revendiquer vous donne-t-il également celui de commettre des effractions, de dégrader des biens privés, de pousser une vieille dame dans les escaliers ?

– Je ne l'ai pas poussée. Je ne l'ai pas touchée. C'était un accident.

– Malchance, railla Corbett, le sourcil arqué. Comment cet accident s'est-il produit ?

– Je suis monté au grenier. Les Landon y conservent des tas de vieux documents. Je voulais y jeter un œil. La vieille s'est réveillée, elle m'a vu, elle a paniqué et elle est tombée. Toute seule. Je ne lui ai rien fait.

– L'avez-vous vue tomber ?

– Évidemment que je l'ai vue, puisque je vous le dis. Mais ce n'était pas ma faute.

– OK, soyons clairs. La nuit du 20 janvier dernier, vous vous êtes introduit à Bluff House. Mme Landon était dans la maison, elle vous a vu, elle a eu peur, et elle a fait une chute dans l'escalier. Est-ce exact ?

– Je viens de vous le dire. Je ne l'ai pas touchée.

– En revanche, vous vous en êtes pris à Mlle Abra Walsh, qui vous a dérangé lors de l'une de vos intrusions suivantes.

– Je ne lui ai fait aucun mal. Je voulais juste... la neutraliser, le temps de prendre la fuite. C'est elle qui m'a attaqué. Comme Landon, tout à l'heure. Vous l'avez vu de vos propres yeux.

– Je vous ai vu porter la main sur une arme dissimulée.

Corbett jeta un regard à Vinnie.

– Je suis témoin, également, confirma celui-ci. L'arme a été saisie comme pièce à conviction.

– Vous avez eu de la chance de ne prendre que deux directs dans la figure. Mais revenons-en à la nuit où vous avez agressé Mlle Walsh...

– C'est elle qui m'a attaqué, bon sang !

– Kirby Duncan vous a-t-il attaqué, lui aussi, pour que vous l'abattiez de deux balles et jetiez son corps du haut de la falaise ?

Un muscle tressaillit dans la mâchoire de Suskind. Il détourna le regard.

— Je ne sais pas de qui vous parlez. J'ignore qui est Kirby Duncan.

— Qui il *était*. Je vais vous rafraîchir la mémoire. Il s'agit du détective privé que vous avez engagé pour surveiller Eli Landon. (Corbett leva une main avant que Suskind ne l'interrompe.) Laissez-moi terminer, nous gagnerons du temps. Vous pensiez avoir couvert vos traces. Vous êtes allé faire le ménage chez lui, dans son bureau et son appartement, vous avez fait disparaître les dossiers vous concernant. Mais dans la précipitation, vous avez oublié des petites choses. Les fichiers de sauvegarde, par exemple. Et ces dossiers que vous avez subtilisés, qu'en avez-vous fait ? J'espère que vous ne les avez pas gardés chez vous. Une équipe est en train de perquisitionner votre maison, ici. Une autre s'occupe de votre appartement à Boston.

Corbett laissa ces remarques faire leur chemin.

— Par ailleurs, reprit-il, il se trouve que l'arme que vous portiez aujourd'hui est déclarée au nom de Kirby Duncan. Comment se fait-il que vous soyez en possession d'un revolver appartenant à Duncan ?

— Je... Je l'ai trouvé.

— Comme ça, par hasard ? rétorqua Corbett avec un sourire en coin. Où donc ? Quand ? Comment ? Vous ne répondez pas ? Prenez le temps de réfléchir, je continue... L'assassin de Duncan n'a pas laissé d'empreintes sur l'arme du crime – qui a mystérieusement atterri au domicile de Mlle Abra Walsh. Il les a effacées, ou il portait des gants. En revanche, il n'avait pas pensé à en mettre pour charger le pistolet. Ce ne sont pas les empreintes de Mlle Walsh que l'on a relevées sur les balles extraites du corps de Duncan. Devinez à qui appartiennent ces empreintes...

— C'était de la légitime défense.

— Ah, oui...

— Il m'a attaqué, je me suis défendu.

— Comme Abra Walsh vous a attaqué ?

— Je n'avais pas le choix. C'était lui ou moi.

— Vous reconnaissez avoir tué Kirby Duncan et poussé son corps du haut de la falaise ?

— Oui, en légitime défense – et je lui ai pris son revolver. Il m'a provoqué, il était armé, nous nous sommes battus. C'était un accident.

Corbett se gratta le côté de la nuque.

– Kirby Duncan n'a pas été tué à bout portant lors d'un corps à corps. L'autopsie est formelle.

– C'est pourtant ce qui s'est passé, maintint Suskind, les bras croisés sur la poitrine. C'était de la légitime défense. J'ai le droit de me défendre.

– Vous vous arrogez décidément beaucoup de droits : celui d'entrer par effraction dans une propriété privée, d'y creuser un trou, d'abandonner sans lui prêter assistance une vieille dame victime d'une chute causée par votre intrusion à son domicile durant son sommeil, et celui de tuer un homme. La loi, hélas, ne vous reconnaît aucun de ces droits. Vous aurez tout le loisir de l'étudier, Suskind. Un homicide au premier degré vous vaudra la perpétuité.

– C'était de la légitime défense.

– Est-ce aussi ce que vous allez plaider pour le meurtre de Lindsay Landon ? Elle vous a attaqué, elle vous a menacé, et vous n'aviez pas d'autre moyen pour vous défendre que de lui fracasser le crâne à coups de tisonnier ?

– Je n'ai pas tué Lindsay ! C'est Landon qui l'a tuée et vous n'avez pas été fichus de l'arrêter. Elle est morte, et il est libre, parce qu'il a du pognon, parce que sa famille a du pognon. Et il se la coule douce dans une baraque qui me revient !

Corbett se tourna vers le miroir sans tain et hocha imperceptiblement le menton, en espérant ne pas commettre une erreur. Un engagement était toutefois un engagement.

– Comment savez-vous qu'elle a été tuée par Landon ?

– Elle avait peur de lui.

– Vous avait-elle dit expressément qu'elle avait peur de son mari ?

– Elle était terrorisée, ce jour-là, après la dispute qu'ils avaient eue en public. Elle m'a dit qu'elle ne savait pas de quoi il était capable. Il l'avait menacée, il lui avait promis qu'elle regretterait, qu'il la ferait payer. Devant témoins ! Je lui ai assuré que je veillerais sur elle, que je la protégerais. Elle m'aimait. Je l'aimais. Landon savait que tout était fini entre eux, mais quand il a appris qu'elle avait une liaison avec moi, il n'a pas pu le supporter. Il l'a tuée, et il a acheté la police.

– Wolfe aurait donc été acheté ?

– Absolument.

Corbett se retourna de nouveau lorsque Eli pénétra dans la pièce.

– Monsieur Suskind, la présence de M. Landon nous permettra, je crois, de gagner du temps. Acceptez-vous qu'il assiste à la suite de l'interrogatoire ? Vous êtes libre de refuser.

– Qu'il reste, j'ai quelques mots à lui dire. Assassin !

– Tu m'ôtes le mot de la bouche, répliqua Eli en prenant place à la table.

30

– Tu ne voulais plus d'elle.

– Non, concéda Eli. Et encore moins quand j'ai découvert qu'elle me mentait, qu'elle me trompait, qu'elle m'utilisait. Savait-elle pourquoi tu couchais avec elle ? Savait-elle que tu la manipulais pour lui soutirer des informations sur moi, sur Bluff House, la famille, la Dot ?

– Je l'aimais.

– Peut-être, mais ce n'est pas pour ses beaux yeux que tu as commencé à t'intéresser à elle.

– Je la connaissais. Je la comprenais. Tu ne savais même pas qui elle était.

– Tu as raison, c'est vrai, je ne la connaissais pas, je ne voulais plus d'elle, je ne l'aimais plus. Mais je ne l'ai pas tuée.

– Elle venait de t'annoncer que nous allions refaire notre vie ensemble, nous marier. Ça t'a rendu dingue.

– Je ne vois pas trop comment tu aurais pu l'épouser alors que tu avais déjà une femme.

– J'avais demandé le divorce à Eden, elle avait accepté. Toi, par contre, tu n'as pas pu accepter que Lindsay te quitte pour un autre.

– Je croyais que ta femme ignorait, jusqu'au meurtre de Lindsay, que tu avais une liaison avec elle.

Les poings de Suskind se serrèrent.

– Elle ne savait pas, non.

– Tu as simplement dit à ta femme, la mère de vos deux enfants, que tu voulais divorcer, et elle ne t'a pas posé de questions ?

– Ce qu'Eden et moi nous sommes dit ne te regarde pas.

– Curieux, tout de même. Depuis que nous étions en instance de divorce, Lindsay et moi, nous étions à couteaux tirés. Nous nous jetions sans cesse des accusations et des reproches à la figure. Eden doit être quelqu'un de plus civilisé que nous, elle ne souhaitait que ton bonheur. Où aviez-vous l'intention d'aller le soir où Lindsay est morte ? Elle avait préparé des bagages, nous nous étions disputés, elle était contrariée. Elle n'allait sûrement pas partir sans toi.

– Nous avions effectivement l'intention de passer le week-end ensemble.

– Mais quand tu es allé la chercher...

– Il était trop tard ! Tu l'avais tuée. La police était déjà là.

Suskind se leva brusquement de sa chaise. Vinnie s'avança et lui posa une main sur l'épaule.

– Veuillez vous rasseoir, je vous prie.

– Ne me touchez pas ! Vous êtes autant coupable que lui. Tous autant que vous êtes. Je n'ai même pas pu la voir ce soir-là. C'est un voisin qui m'a dit qu'elle était morte.

Eli jeta un regard à Corbett, lui passant tacitement la balle.

– Voilà qui contredit vos précédentes déclarations, monsieur Suskind.

– Vous me prenez pour un imbécile ? On m'aurait soupçonné si j'avais dit que je me trouvais aux abords de la maison. C'est lui qui l'a tuée ! rugit Suskind, le doigt tendu vers Eli. Vous le savez, et c'est moi que vous cuisinez, alors que je n'ai rien à me reprocher. Faites votre boulot, bon sang ! Arrêtez-le !

– Mon boulot consiste à tenter de comprendre, à rassembler des faits, et c'est ce que je suis en train de faire. Quelle heure était-il lorsque vous vous êtes rendu chez les Landon, ce jour-là ?

– Environ 19 h 15.

– Et ensuite, qu'avez-vous fait ?

– Je suis rentré directement chez moi, sous le choc. Eden préparait le dîner, elle m'a dit qu'elle venait d'entendre à la télé que Lindsay avait été assassinée. J'ai craqué, je me suis effondré. Eden m'a aidé à me calmer, à reprendre mes esprits. Elle avait peur que j'aie des ennuis, que les enfants en pâtissent. Alors elle a décidé qu'elle dirait à la police que j'étais là, avec elle, depuis 17 h 30.

– Elle a menti.

– Pour me protéger, pour préserver notre famille. Elle savait que je n'avais pas tué Lindsay.

– En effet, acquiesça Eli. Comme elle savait que j'étais innocent. Elle t'a fourni un alibi, que la police a cru. Et tu lui en as fourni un, toi aussi, à ton insu, en prétendant que tu étais chez toi, à siroter des margaritas avec ta bonne petite épouse, alors qu'en réalité elle était allée s'expliquer avec Lindsay.

– Ça ne tient pas debout, c'est ridicule.

– Lindsay lui a probablement tenu le même discours qu'à moi : qu'elle était désolée, mais que c'était comme ça. Elle t'aimait, et vous aviez le droit d'être heureux ensemble. De rage, Eden s'est emparée du tisonnier et l'a frappée.

– Elle aurait été incapable de faire une chose pareille.

– Elle considérait Lindsay comme une amie, et cette amie l'avait humiliée, cette amie menaçait de détruire sa famille.

– Elle ne vous a pas accordé le divorce sans réagir, intervint Corbett. Elle vous a réclamé des explications, et vous avez été obligé de lui avouer que vous aviez une liaison, et avec qui.

– Ça ne change rien.

– Quand lui avez-vous dit que Lindsay était votre maîtresse ?

– La veille du meurtre. Ça ne change rien. Elle m'a juré qu'elle me couvrirait, à condition que je reste avec elle. Elle a fait ça pour moi.

– Elle a fait ça pour elle, rétorqua Eli en se levant. L'un et l'autre, vous n'avez pensé qu'à vous, qu'à sauver votre peau. Tu aurais pu avoir Lindsay, Justin. Je ne voulais que la bague de mon arrière-grand-mère. Eden, en revanche, voulait davantage, et elle s'est servie de toi. Je peux arriver à la comprendre.

Là-dessus, Eli quitta la salle d'interrogatoire. Abra se leva du banc où elle était assise, dans le couloir, et lui ouvrit les bras.

– C'était dur ? murmura-t-elle, le front contre le sien.

– Plus que je n'aurais cru.

– Raconte-moi.

– Rentrons, et je te raconterai tout, promis. Allons-nous-en d'ici, je n'en peux plus.

– Eli ! lança Vinnie en sortant de la salle d'interrogatoire. Attends une seconde. Ça va ?

– Ça va, je te remercie. Je suis content que ce cauchemar soit enfin terminé.

– Corbett voulait que je te dise : dès qu'il en aura fini avec Suskind, il contactera Wolfe directement, et il ira avec lui interpeller Eden Suskind.

– OK. Qu'ils fassent ce qu'ils ont à faire. Je ne me sens plus concerné. Merci pour ton aide, Vinnie.

– Je n'ai fait que mon boulot, mais si tu veux m'offrir une bière, un de ces quatre, ce sera avec plaisir.

Abra s'avança vers Vinnie, prit son visage entre ses mains, et déposa un baiser sur ses lèvres.

– Eli te paiera une bière, ou plusieurs. Ça, c'était de ma part.

– Et je peux te dire que ça vaut toutes les bières du monde.

– Rentrons à la maison, répéta Eli. C'est fini.

Pas tout à fait, cependant.

Le lendemain matin, Abra à ses côtés, Eli était assis face à Eden Suskind, dans sa salle à manger.

Bien que pâle, elle s'exprimait d'une voix parfaitement calme, le regard inflexible.

– Je vous remercie de vous être déplacés jusqu'à Boston. J'ai conscience du dérangement.

– Vous vouliez me dire quelque chose...

– Je voulais que vous soyez là tous les deux. J'ai tout de suite vu qu'il y avait quelque chose de fort entre vous, et je crois en ce lien, en cette complicité, en ce qu'elle permet de construire. Voilà pourquoi je tenais à votre présence à tous deux. Depuis hier soir, j'ai eu plusieurs entretiens avec la police, en présence de mon avocat, bien sûr.

– Sage précaution.

– Justin n'a pas jugé utile d'en prendre un, mais il a toujours été impulsif, irréfléchi. Je lui apportais un certain équilibre, je suis plutôt de nature pondérée. Pendant longtemps, nous nous sommes complétés. Vous comprenez ce que je veux dire quand je parle d'équilibre ? ajouta-t-elle à l'intention d'Abra.

– Tout à fait.

– J'en étais sûre. Maintenant que Justin est passé aux aveux, que je sais ce qu'il a fait, je peux, et je souhaite, tourner une page. J'ai fini par comprendre que je ne pouvais pas le protéger, que je ne pouvais plus l'équilibrer, qu'il était vain d'attendre quoi que ce soit de lui. La police pense qu'il a tué un homme de sang-froid.

– Oui.

– Et causé de graves blessures à votre grand-mère.

– Oui.

– Il était obsédé par une idée fixe. Ce n'est pas une excuse, c'est un fait. Il y a trois ans environ, au décès de son grand-oncle, il a trouvé des lettres, un journal intime, d'où il ressortait que vous partagiez un lointain lien de parenté.

– Par le biais de Violeta Landon et de Nathanial Broome ?

– Je ne sais pas exactement, il était très secret à ce sujet. C'est à partir de là que tout a commencé à changer. Il a fait des tas de recherches sur son ascendance, qui lui ont coûté des sommes exorbitantes. Je ne veux pas vous ennuyer avec les problèmes que Justin a eus par le passé, mais il a toujours été très envieux, et très critique envers les autres. Il était convaincu que vous et votre famille l'aviez spolié. Quand il s'est aperçu que je travaillais avec votre femme, que je la connaissais bien, il s'est mis en tête que c'était un signe. Peut-être en était-ce un, d'ailleurs, qui sait ?

– Il a cherché à la séduire.

– Il la désirait, surtout, je crois, parce qu'elle était à vous. Il était terriblement jaloux de vous. Il disait que vous aviez usurpé son patrimoine. J'ignorais qu'il avait acheté une propriété à Whiskey Beach, qu'il avait engagé un détective privé, qu'il s'était introduit plusieurs fois chez vous, ou chez votre grand-mère. La seule chose que je savais, c'est que mon mari m'échappait, qu'il me mentait. Ce sont des choses que l'on sent, n'est-ce pas ? dit-elle à Abra.

– Sans doute.

– Au bout d'un moment, j'ai cessé de me disputer avec lui, de lui demander ce qu'il faisait de son argent, de son temps. Ce n'était pas la première fois qu'il avait des lubies. Je pensais que celle-ci finirait par lui passer, comme les autres.

Eden s'interrompit, ramena une mèche derrière son oreille.

– Mais non. Un jour, il m'a annoncé qu'il allait demander le divorce. Comme ça, comme si ce n'était qu'une formalité. Il ne m'aimait plus, il ne pouvait plus faire semblant. Évidemment, je suis tombée des nues. La discussion s'est enflammée, nous nous sommes dit des choses atroces, et il a fini par m'avouer qu'il avait une liaison avec Lindsay. Elle était soi-disant son âme sœur – c'est l'expression qu'il a employée –, ils voulaient refaire leur vie ensemble.

– Vous avez dû être terriblement meurtrie, commenta Abra.

– C'était horrible. Le moment le plus affreux de ma vie. Tout s'écroulait. Il m'a dit que nous annoncerions la nouvelle aux enfants pendant le week-end, de façon que nous puissions prendre le temps de bien leur expliquer, de les consoler. Jusqu'à la fin de la semaine, il dormirait dans la chambre d'amis, et nous nous efforcerions de maintenir une façade digne. J'avais l'impression d'entendre Lindsay, ses mots, ses intonations. Vous comprenez, Eli ?

– Oui.

Les épaules très droites, Eden hocha la tête.

– Ce que je vais vous dire à présent, je ne le dirai ni à la police, ni à mon avocat, mais j'estime que vous méritez de l'entendre.

– Je sais que vous l'avez tuée.

– Voulez-vous savoir pourquoi, comment, ce qui s'est passé exactement ?

– Oui, répondit Abra avant qu'Eli puisse prendre la parole, en posant une main sur la sienne.

– Vous êtes en colère, Eli, vous auriez préféré ne pas entendre. Mais votre compagne sait qu'il faut que vous sachiez, pour pouvoir tourner la page. Bel équilibre.

– Vous êtes allée la trouver, commença Abra.

– Ce n'est pas ce que vous auriez fait ? Ce jour-là, Justin m'a téléphoné pour me dire qu'il ne serait pas là du week-end, que nous parlerions aux enfants plus tard. Lindsay était contrariée parce qu'elle s'était disputée avec vous, Eli. Elle avait besoin de partir deux ou trois jours. Il ne voulait pas la laisser seule. Et moi, et ses enfants, dans tout ça ? Il se fichait de ce dont nous avions besoin, nous. Ils étaient tous les deux très égoïstes, et ils se potentialisaient.

Eli prit la main d'Abra, en songeant à la chance qu'il avait.

– Je suis allée la voir, poursuivit Eden. J'espérais lui faire entendre raison, l'apitoyer, peut-être. Elle était furieuse, à cause de la discussion que vous aviez eue tous les deux. Elle m'a reçue dans la bibliothèque. Rien de ce que j'ai pu lui dire ne semblait la toucher. J'ai invoqué notre amitié, mes enfants. Je l'ai suppliée de ne pas les priver de père. Elle m'a rétorqué que je devais assumer. Que c'était comme ça et qu'elle n'y pouvait rien. Elle m'a dit des choses horribles, cruelles, vicieuses. Et puis elle m'a tourné le dos. Comme si je n'étais plus là.

Après une pause, Eden croisa les mains sur la table.

– Je n'ai qu'un souvenir flou de ce qui s'est passé ensuite. J'avais l'impression de voir quelqu'un d'autre, quelqu'un qui s'était emparé du tisonnier, et qui la frappait. J'ai perdu la tête.

– Vous ne vous en tireriez pas trop mal, avec un avocat aussi bon que vous, déclara Eli posément.

– J'ai un excellent avocat, mais peu importe, je ne suis pas allée chez elle dans l'intention de lui faire du mal. Quand j'ai retrouvé mes esprits, trop tard, j'ai pensé à ma famille, à mes enfants, aux conséquences de mon geste. Je ne pouvais pas revenir en arrière et effacer ce moment d'égarement passager. Je ne pouvais plus qu'essayer de préserver ma famille. Je suis rentrée chez moi. J'ai découpé mes vêtements en morceaux et je suis allée les jeter dans la rivière. Puis je suis revenue à la maison et j'ai commencé à préparer le dîner. Justin était dans tous ses états quand il est arrivé. C'est là que j'ai compris que nous pouvions nous protéger l'un l'autre, comme il se doit entre mari et femme. Nous essaierions de tirer un trait sur ce cauchemar et de reconstruire notre couple. Je pensais qu'il avait besoin de moi. Lindsay l'aurait détruit. Elle l'a détruit. Elle m'a laissé un homme que je ne pouvais pas reconstruire, que je ne pouvais pas sauver. Alors j'ai lâché prise, pour ne plus me soucier que de moi-même.

– À aucun moment vous n'avez pensé à Eli...

– Bien sûr que si, mais le mal était fait, et je n'en suis pas responsable. C'est Lindsay qui est responsable de tout. Elle a ruiné la vie d'Eli, la mienne, celle de Justin. Même dans la mort, elle continue de nous ravager. À cause d'elle, mes enfants seront traumatisés à jamais.

La voix d'Eden se brisa mais elle parvint à retrouver sa contenance.

– Même si mon avocat parvient à trouver un compromis avec le procureur, et j'ai toute confiance en lui, mes enfants seront marqués pour le restant de leur vie. Vous avez retrouvé l'équilibre, vous, l'avenir vous tend les bras. Je n'ai que deux enfants démolis, à cause de ce que leur père a fait par égoïsme, et de ce que leur mère a fait par désespoir. Vous êtes libre. Même si je ne suis pas punie aussi sévèrement que je le mériterais, je ne serai plus jamais libre.

Eli se pencha par-dessus la table.

– Quoi qu'ait fait Lindsay, quoi qu'elle ait eu l'intention de faire, elle ne méritait pas la mort.

– Vous êtes plus indulgent que moi. Mais pour remonter à l'origine de cette sombre histoire, nous n'en serions pas là aujourd'hui si vos ancêtres n'avaient pas été aussi cupides, s'ils n'avaient pas commis un meurtre, s'ils n'avaient pas renié leur fille. Je ne suis qu'un pion sur l'échiquier.

– Raccrochez-vous à cela, vous en aurez besoin dans les jours à venir, répliqua Eli en se levant.

Abra l'imita.

– Pour vos enfants, Eden, j'espère que votre avocat est aussi bon que vous le pensez.

– Merci. Je vous souhaite tout le bonheur du monde.

Là-dessus, main dans la main, Eli et Abra prirent congé.

– Elle est malade, murmura Abra quand ils furent dehors. Ça ne se voit pas de prime abord, mais elle est complètement cinglée. Ce sont peut-être les circonstances qui l'ont rendue folle, mais elle ne le comprendra jamais.

– J'aurais pu la défendre. J'aurais pu lui négocier une peine de cinq ans et elle n'en aurait purgé que deux.

– Heureusement que tu n'es plus avocat.

Eli serra la main d'Abra en voyant Wolfe dans le jardin.

– Monsieur Landon.

– Inspecteur.

– Je me suis trompé, mais vous aviez tout du coupable, marmonna Wolfe en se dirigeant vers le perron.

– C'est tout ? lui lança Eli. C'est tout ce que vous avez à me dire ?

– C'est tout, oui, répondit Wolfe par-dessus son épaule.

– Il est gêné, murmura Abra, en esquissant un sourire devant l'expression incrédule d'Eli. C'est un fumier, mais il est dans ses petits souliers. Oublie-le, et souviens-toi que le karma tourne.

– Je ne sais pas grand-chose du karma, mais tu peux compter sur moi : je vais dès à présent commencer à le rayer de ma mémoire.

– Très bien. Allons acheter des fleurs pour Hester et annoncer cette excellente nouvelle à ta famille. Ensuite, nous rentrerons, et demain sera un autre jour.

Eden Suskind fut arrêtée pour le meurtre de Lindsay, Justin Suskind pour celui de Duncan. Eli n'avait pas besoin d'écouter la télé, il revivait. Une nouvelle vie s'ouvrait à lui, et il ne regrettait pas l'ancienne une seule seconde.

Il pouvait faire des projets, à présent.

Certains avec Abra : ils donneraient une grande fête pour le 4 Juillet, et il lui montra les premières ébauches de plans pour l'installation d'un ascenseur à Bluff House qui permettrait à Hester de revenir chez elle et d'y vivre confortablement.

D'autres qu'il gardait encore pour lui.

Il écrivait, faisait de grandes balades sur la plage avec sa chienne, savourait les premières longues soirées d'été avec la femme qu'il aimait.

Il choisit un soir où le coucher de soleil s'annonçait flamboyant, avant une nuit de pleine lune.

Pendant qu'Abra faisait son planning de la semaine, il débarrassa la table, chargea le lave-vaisselle.

– Je crois qu'à la rentrée prochaine je donnerai des cours de zumba. Je vais m'inscrire à un stage, cet été. Je pense que je devrais pouvoir obtenir le certificat.

– Sans aucun doute.

– Je continue le yoga, évidemment, mais je suis sûre que mes élèves seront contentes de découvrir une nouvelle discipline qui cartonne, dit-elle en épinglant son emploi du temps au pêle-mêle.

– En parlant de nouveauté, je voudrais te montrer quelque chose, au grenier.

– Tu veux rejouer Le Pirate et la Belle dans le passage secret ?

– Ce ne serait pas de refus, mais il faut d'abord que je te parle d'un truc.

– Dommage qu'on n'ait pas le temps de débarrasser les combles avant le 4 Juillet. On aurait pu y faire une fête fabuleuse.

– Un jour, peut-être.

– J'adore les « un jour, peut-être ».

– C'est drôle, moi aussi, maintenant. Il m'aura fallu du temps !

Il la guida vers l'une des anciennes mansardes de bonne, où une bouteille de champagne attendait dans un seau de glace.

– On fête quelque chose ?

– J'espère.

– C'est quoi, ces plans ? demanda-t-elle en s'approchant des grandes feuilles qu'il avait étalées sur une table. Ton futur bureau ? Super ! Tu vas faire construire un escalier extérieur ? Tu ne m'en avais pas parlé, mais c'est une excellente idée. On débouche la bouteille ?

– Attends, regarde, tu vois cette surface, là, que l'architecte a laissée en blanc ?

– Tu pourrais en faire plein de choses.

– Moi, non. Mais toi, oui.

– Moi ?

– Ton studio, par exemple.

– Mon... Oh, Eli, c'est adorable d'avoir pensé à moi, mais...

– Tes élèves monteront par l'escalier extérieur, les personnes âgées par l'ascenseur. Ici, dit-il, le doigt sur le plan, tu pourras faire une salle de massage. Mon bureau se trouve dans l'aile nord, je ne serai pas dérangé. J'ai demandé à Gran ce qu'elle en pensait, elle nous donne le feu vert. Alors ?

Émue, elle regarda autour d'elle.

– Eli, tu m'offres l'un de mes rêves, mais...

– Tu peux me rendre la pareille en m'offrant l'un des miens.

Il plongea la main dans sa poche, en ressortit une bague.

– Ce n'est pas celle que j'avais donnée à Lindsay, j'ai demandé à Gran de m'en donner une autre. Elle est très ancienne, et Gran l'aime particulièrement. Elle est heureuse de la transmettre à quelqu'un qu'elle aime particulièrement aussi. J'aurais pu t'en acheter une, mais je préférais qu'elle ait une valeur symbolique. Je sais que tu attaches beaucoup d'importance aux symboles.

Privée de voix, Abra ne pouvait détacher les yeux de la superbe émeraude taillée en cabochon.

– Je ne voulais pas t'offrir un diamant. Trop conventionnel. L'émeraude m'a fait penser à toi. À tes yeux.

– Eli... bredouilla-t-elle, une main sur le cœur, comme pour s'assurer qu'il battait encore. Je... Je n'avais pas encore pensé à ça.

– Eh bien, penses-y.

– Je croyais que je viendrais juste m'installer là officiellement avec toi.

– Je m'en contenterai, si tu n'es pas encore prête à franchir le pas. Mais je voudrais t'épouser, Abra, démarrer une vraie vie avec toi, fonder une famille, un foyer.

Il aurait juré que la bague lui brûlait les doigts, telle une flamme, telle la flamme de la vie.

– Je te regarde, poursuivit-il, et je vois tous les « peut-être, un jour », du monde, tous les possibles, toutes les promesses de l'avenir. Je n'ai pas envie d'attendre, mais si tu as encore besoin de temps, je t'attendrai aussi longtemps qu'il le faudra. Je veux toutefois que tu saches que tu m'as non seulement aidé à reprendre pied, tu m'as aussi ouvert les yeux. Grâce à toi, je sais désormais exactement à quelle vie j'ai toujours aspiré. Et cette vie que je désire, c'est toi.

Son cœur ne cessa pas de battre, il se gonfla d'une joie immense. Derrière la fenêtre, le soleil embrasait le ciel et la mer de mille feux. Comment refuser le plus beau des cadeaux, le cadeau de l'amour ?

– Je t'aime, Eli. Je fais confiance à mon cœur, j'ai appris à lui faire confiance. Je crois que l'amour est la chose la plus puissante et la plus importante de l'univers. Tu as le mien. Je veux le tien. Nous pouvons nous créer la vie à laquelle nous aspirons. J'y crois de tout mon être.

– Mais tu préfères attendre.

– Non ! dit-elle en se jetant à son cou. Tu es l'amour de ma vie !

Sa bouche contre la sienne, elle s'abandonna à ce premier baiser d'une nouvelle promesse. Il la serra contre lui, la fit tournoyer en riant.

– Attendre m'aurait tué.

– Il faut savoir saisir le bonheur quand il se présente à toi, répliqua Abra en tendant la main devant lui. Officialisons le nôtre.

Il lui passa la bague au doigt, elle l'éleva vers la lumière.

– Elle est magnifique, chaleureuse.

– Comme toi.

– J'adore le fait qu'elle soit ancienne, et qu'elle me vienne de ta famille. Je suis ta famille, désormais, c'est merveilleux. Quand l'as-tu demandée à Hester ?

– Le jour où nous lui avons apporté des fleurs, en sortant de chez Eden Suskind. Je ne pouvais pas, je ne voulais pas te demander ta main avant que tout soit terminé. La vie nous appartient, maintenant.

Elle lui donna un long baiser, plein d'amour et de tendresse.

À son doigt, l'émeraude étincela dans les derniers rayons du soleil, comme elle avait étincelé pendant des générations aux doigts des femmes de la famille Landon. Puis son éclat se fit plus doux, comme dans un coffre de fer échoué sur les côtes de Whiskey Beach.

Composition : Compo-Méca Publishing
64990 Mouguerre

Imprimé au Canada
Dépôt légal : mai 2014
ISBN : 978-2-7499-2210-2
LAF 1769

Achevé d'imprimer au Canada
sur les presses de Imprimerie Lebonfon Inc.